TGAU HANES

AR GYFER MANYLEB A CBAC

ASTUDIAETHAU MANWL AC AMLINELLOL
O AGWEDDAU AR HANES CYMRU/LLOEGR A'R BYD

PAUL BARNES, R. PAUL EVANS, PERIS JONES-EVANS

Cyhoeddwyd dan nawdd
Cynllun Cyhoeddiadau Cyd-bwyllgor Addysg Cymru

gomer

TGAU Hanes ar gyfer Manyleb A CBAC
Cyfieithiad Cymraeg o *GCSE History for WJEC Specification A* gan Paul Barnes, R. Paul Evans, Peris Jones-Evans, a gyhoeddwyd yn wreiddiol yn Saesneg gan Heinemann Educational Publishers, rhan o Harcourt Education Ltd.

Comisiynwyd gyda chymorth ariannol Awdurdod Cymwysterau, Cwricwlwm ac Asesu Cymru
Cyhoeddwyd dan nawdd Cynllun Cyhoeddiadau Cyd-bwyllgor Addysg Cymru

Addasiad Cymraeg : Elin Meek

Argraffwyd a chyhoeddwyd yng Nghymru gan Wasg Gomer, Llandysul, Ceredigion SA44 4JL
www.gomer.co.uk

Argraffiad Cymraeg cyntaf 2004

ISBN 1 84323 451 3

Cydnabyddiaethau – ffotograffau
Hoffai'r awduron a'r cyhoeddwyr ddiolch i'r canlynol am eu caniatâd i atgynhyrchu ffotograffau:

Amgueddfa Prifysgol Hampton, Hampton, Virginia: 170CH; Amgueddfeydd ac Orielau Cenedlaethol Cymru: 16CH, 40B, 62; AKG: 140A, 143CH, 150C, 156, 160CH, 164A, 210A, 211B, 213C; Archive Photos: 240C; Archive Gerstenberg: 159B; Bildarchiv Preussischer Kulturbesitz: 162F; Camera Press: 180, 182B; Canolfan Mayibye: 117D; Casgliad Solomon Andrews yn Archifdy Caernarfon, Gwasanaeth Archifau Gwynedd: 40D; Centre for the Study of Cartoons and Caricature (Prifysgol Caint): 226B, 227CH, 263DD; Christies Images: 213CH; Corbis: 122FF, 175B, 207FF, 234A; Corbis/AFP: 229D; Corbis/Bettmann: 103CH, 106E, 116, 118B, 127D, 219G, 239B, 247H, 252E, 253FF; Corbis-Bettmann/UPI: 113C; Corbis/David Turnley: 189C; Corbis/Henry Diltz: 245FF; Corbis/Hulton-Deutsch Collection: 6B, 57A, 98; Corbis/Underwood & Underwood: 123; Daily Mail: 169B, 259C; David King: 60C, 66C, 70DD, 78F, 81A, 86C, 87CH, 90DD, 90A, 92A; Hulton: 8C, 26, 38C, 44B, 49B, 50C, 51DD, 53F, 58B, 67CH, 71E, 76D, 77E, 97CH, 119CH, 125C, 137C, 144D, 145DD, 161DD, 174, 270; Illustrated London News: 74C, 162E; Imperial War Museum: 21C; Llyfrgell Genedlaethol Cymru: 11DD, 12, 29B; Llyfrgell Gyhoeddus Birmingham (Alabama): 251D; Llyfrgell Luniau Cadw: 13A; Mary Evans Pictures Library: 112B, 153DD, 153E; Novosti: 64A; Peter Newark: 30CH, 100A, 105D, 107A, 120D, 121DD, 126CH, 149A, 243E, 249B; Philip Sauvain: 230; Pictorial Press: 244F; Popperfoto: 46CH, 89D, 231 (y ddau); Popperfoto/ Reuters: 187A; Punch: 23D, 48, 201D, 209NG; Reuters/ Bettmann: 179E, 191CH; Robert Hunt: 157A; Rugby Relics: 32DD; Sam Nzima: 178DD; Solo Syndication: 55A; Topham Picturepoint: 32A, 68D, 73A, 80G, 95C, 105DD, 147, 172DD, 189B, 242DD, 269 (y ddau); Ullstein Bilderdienst: 217F; Wiener Library: 155FF

Llun y clawr: © The Art Archive (gweler hefyd tudalen 53)

Ymchwil lluniau gan Liz Moore

Cydnabyddiaethau – ffynonellau ysgrifenedig
Hoffai'r awduron a'r cyhoeddwyr gydnabod y cyhoeddiadau canlynol y maent wedi defnyddio rhannau ohonynt fel ffynonellau ysgrifenedig yn y llyfr. Mae geiriad neu strwythur brawddegau wedi ei symleiddio mewn rhai mannau:

C. Bielenberg, *The Past is Myself* (Chatto & Windus, 1968): 164FF; W. Carr, *The History of Germany, 1815–1945* (Edward Arnold, 1979): 139CH; J. Charmley, *Churchill: The End of Glory* (Hodder & Stoughton, 1993): 56CH; J. Davies, *Hanes Cymru* (Penguin Books, 1990): 15C, 19CH; H. Fairlie, *The Kennedy Promise* (Methuen, 1973): 241D; T. Fiehn et al, *The USA Between The Wars, 1919–41* (John Murray, 1998): 121E; R. Graves, *Goodbye to All That* (Llundain, 1929): 30C; W. Guttman & P. Meehan, *The Great Inflation: Germany, 1919–23* (Farnborough, 1975): 138A; J. Hakim, *History of USA: War, Peace and All That Jazz* (Efrog Newydd, 1999): 107F, 122F; T. Herbert & G. Elwyn Jones (gol), *Wales Between The Wars* (Gwasg Prifysgol Cymru, 1988): 41CH; A. Horner, *Incorrigible Rebel* (Llundain, 1960): 19C; P. Ingram, *Russia and the USSR, 1905–56* (CUP, 1997): 76DD; R.W. Johnson, *How Long Will South Africa Survive?* (Macmillan, 1982): 172E;
J. Jones, *Unfinished Journey* (Hamish Hamilton, 1937): 27A;
Y. Kukushkin, *History of the USSR* (Moscow Progress, 1981): 82CH, 91CH; K. Morgan, *Rebirth of a Nation: Wales 1880–1980* (Clarendon, 1981): 31D; A. Owings, *Frauen: German Women Recall the Third Reich* (Penguin, 1993): 142C; W. Paynter, *My Generation* (Allen & Unwin, 1972): 33C; R. Radway, *Germany 1918–45* (Hodder & Stoughton, 1998): 165CH; E. S. Reddy, *The Anti-Apartheid Movement* (Anti-Apartheid Movement Archives Committee, 1999): 186C; M. Spring Rice, *Working Class Wives* (Harmondsworth, 1939): 37B; S. Roberts, *The House That Hitler Built* (Llundain, 1939): 149B; H. Salisbury, *Russia in Revolution, 1900–30* (Deutsch, Llundain, 1978): 91B; L. Schapiro, *1917: The Russian Revolutions and the Origins of Present-Day Communism* (Hounslow, 1984): 80FF; W. Shirer, *Berlin Diary* (Llundain, 1941): 152D; R. Turvey, *Wales and Britain 1906–51* (Hodder & Stoughton, 1997): 33CH; J. Vick, *Modern America* (University Tutorial Press, 1985): 130CH; H. Ward, *The USA from Wilson to Nixon* (1998): 108CH; M. Wolff-Monckeberg, *On the other side to my children: from Germany, 1940–45* (Owen, Llundain, 1979): 165B; N. Worden, *The Making of Modern South Africa* (Blackwell, 1994): 193CH; N. Wynn, *The Afro-American and the Second World War* (Elek, 1976): 250C

CYNNWYS

ASTUDIAETHAU MANWL

ASTUDIAETHAU AMLINELLOL

1 OES EDWARD A'R RHYFEL BYD CYNTAF, 1902–19

Er bod nifer o nodweddion Oes Fictoria heb newid, roedd y brenin newydd, Edward VII, a dechrau'r ganrif newydd yn ddechrau newydd i lawer o bobl. Roedd y bonheddwyr yn dal i fyw'n fras gyda'u byddinoedd o weision a morynion. Ond cyhoeddwyd mwy a mwy o adroddiadau am y cyferbyniad rhwng bywydau'r cyfoethog a'r tlawd. Dyma'r cefndir i ddiwygiadau cymdeithasol a gwleidyddol y llywodraeth Ryddfrydol.

Roedd diwydiant yn dal i dyfu, felly roedd Cymru'n cynhyrchu cyfran fawr o haearn, dur, tunplat, metelau anfferrus a llechi to Prydain. Ond y diwydiant glo a dyfodd fwyaf. Gan fod glo Cymru mor boblogaidd, daeth Caerdydd yn un o borthladdoedd a chanolfannau masnachol pwysig y byd. Cynhyrchwyd mwy o lo nag erioed ym 1913, blwyddyn y drychineb waethaf mewn pwll glo yn Senghennydd a therfysgoedd diwydiannol difrifol yn Nhonypandy a Llanelli.

Ym 1914 roedd pobl yn croesawu dechrau'r rhyfel, ond wrth iddyn nhw geisio dod i delerau â'r holl golli gwaed, tyfodd grym y llywodraeth yn fawr. Roedd effaith y llywodraeth ar fywyd economaidd, gwleidyddiaeth plaid ac agweddau cymdeithasol yn fwy nag a fu mewn unrhyw ryfel cyn hynny. Hefyd daeth hawl menywod i gael eu trin yn gyfartal yn gryfach oherwydd y rhyfel.

Yng Nghymru, roedd hanner y boblogaeth yn dal i siarad Cymraeg ym 1902 ond roedd tueddiadau cymdeithasol ac addysgol yn fwy o fygythiad i'r iaith o hyd, yn ogystal â'r mewnlifiad o bobl wrth i'r diwydiant glo ehangu. Aeth rôl crefydd ym mywyd Cymru'n llai, a digwyddodd hynny'n gynt o achos y rhyfel. Datblygwyd ffyrdd newydd o fynegi Cymreictod mewn ysgolion, ac ar y maes chwarae.

LLINELL AMSER DIGWYDDIADAU

1903	Sefydlu Undeb Cymdeithasol a Gwleidyddol y Menywod (WSPU)
1906	Y Rhyddfrydwyr yn ennill buddugoliaeth ysgubol yn yr etholiad cyffredinol Dechrau rhoi prydau bwyd mewn ysgolion
1907	Dechrau rhoi archwiliadau meddygol mewn ysgolion
1908	Cyflwyno pensiynau henoed
1909	Cyllideb y Bobl
1910	Terfysgoedd Tonypandy
1911	Deddf Yswiriant Gwladol, Rhan I
1913	Deddf Yswiriant Gwladol, Rhan II
1914	4 Awst: Prydain yn cyhoeddi rhyfel yn erbyn yr Almaen. Deddf Amddiffyn y Deyrnas (DORA)
1916	Ionawr: Deddf Gwasanaeth Milwrol yn cyflwyno consgripsiwn milwrol i ddynion o 18-41 oed David Lloyd George yn dod yn Brif Weinidog
1917	Ymgyrch llongau tanfor Almaenig yn bygwth cyflenwad bwyd Prydain: cyflwyno dogni
1918	Deddf Cynrychiolaeth y Bobl 11 Tachwedd: Diwrnod y Cadoediad – diwedd y rhyfel

I ba raddau roedd galw ac angen am ddiwygio cymdeithasol a gwleidyddol yn y cyfnod 1902–14?

HAMPERI CINIO

(GAN GYNNWYS COST LLOGI HAMPER, GYDA LLIAIN, PLATIAU, GWYDRAU, CYLLYLL A FFYRC, AC ATI)

I BEDWAR PERSON

PASTAI CIG LLO A HAM, CIG OEN WEDI'I ROSTIO A SAWS MINTYS, CYW IÂR WEDI'I ROSTIO, HAM WEDI'I DORRI, SALAD A DRESIN, RHOLIAU BARA, MENYN, CAWS, TEISEN, CRWST, PUPUR A HALEN AC ATI	£1.87
4 POTEL O SIAMPÊN ACHILLE MORAT	£1.00
1 BOTEL O SIERI NEU CHWISGI	15
2 BOTEL O WIN COCH	20
6 PHOTEL O DDŴR MWYNOL	10
	£3.32

FFYNHONNELL A Allan o *Army & Navy Stores Catalogue*, 1902.

NATUR A MAINT TLODI YM 1902

Un o ganlyniadau annisgwyl Rhyfel y Boer, a ddaeth i ben ym 1902, oedd diddordeb o'r newydd yn lles aelodau mwyaf tlawd y gymdeithas. Rhoddodd Corfflu Meddygol y Fyddin sioc i'r wlad a'r llywodraeth wrth ddatgelu nad oedd tua 40 y cant o'r rhai a archwiliwyd i wneud gwasanaeth milwrol yn ddigon iach yn gorfforol i ymladd. Roedd y 40 y cant yn dod o ran dlotaf y gymuned. Ar yr un pryd roedd nifer o astudiaethau preifat yn cael eu gwneud i safonau byw'r tlodion. Roedd Charles Booth wedi dechrau astudio tlodion Llundain yn y 1880au a chyhoeddodd ran olaf *Life and Labour of the People of London* ym 1903. Ym 1901, roedd Seebohm Rowntree wedi cyhoeddi *Poverty: A Study of Town Life*, wedi ei seilio ar astudiaeth o ddinas Efrog. Cyhoeddwyd astudiaeth arall eto ym 1905, *Riches and Poverty* gan ddyn busnes, Chiozza Money, a oedd hefyd yn Aelod Seneddol Rhyddfrydol.

Rhoddodd yr astudiaethau hyn fanylion miloedd o deuluoedd a oedd yn byw ar incwm o ryw £1 yr wythnos. Costiai rhent tŷ neu fflat slym chwarter y swm hwnnw, a hynny'n golygu bod dau riant a nifer o blant ac yn aml mam-gu neu dad-cu, hefyd yn gorfod byw ar lai na 15 swllt (75c) yr wythnos.

FFYNHONNELL B Pâr tlawd a'u pump o blant, tua 1900.

Roedd diet gwael ac amodau byw ofnadwy'n golygu bod y tlodion yn aml yn sâl ac yn dioddef yn waeth am na allen nhw fforddio triniaeth feddygol. Roedd rhaid i rai cartrefi geisio byw ar lai o arian hyd yn oed, er enghraifft, lle roedd y person a enillai gyflog cyson yn rhy sâl neu'n rhy hen i weithio, neu'n ddi-waith. Gofid y teuluoedd hyn o hyd oedd y gallen nhw gael eu hanfon i'r wyrcws. O ganlyniad i astudiaethau Booth a Rowntree, dechreuodd pobl ystyried bod angen lefel incwm o £1 yr wythnos i deulu o bump, a'i bod hi'n amhosibl byw'n iawn ar lai na hynny. Amcangyfrifodd Rowntree fod dros 30 y cant o'r boblogaeth yn byw mewn tlodi.

C Cwestiynau

1. Pa mor ddefnyddiol yw Ffynhonnell A fel tystiolaeth am safon byw yn ystod oes Edward?
2. Pam roedd pwnc tlodi wedi dod yn fwy o destun trafod erbyn 1905?

AGWEDDAU'R CEIDWADWYR TUAG AT DDIWYGIO CYMDEITHASOL A GWLEIDYDDOL

Ar wahân i Ddeddf Addysg 1902 a'r newidiadau i drwyddedu tafarndai ym 1905, roedd hi'n ymddangos bod mwy o ddiddordeb gan lywodraeth Geidwadol Balfour (Gorffennaf 1902 i Ragfyr 1905) mewn materion tramor a threfedigaethol na cheisio datrys problemau gartref. Gan mai perchnogion tir a dynion busnes cyfoethog oedd aelodau'r Blaid Geidwadol fel arfer, ni fyddai disgwyl iddyn nhw ystyried sut i wella bywydau'r tlodion, os byddai hynny'n golygu trethi uwch a rhoi mwy o rym i'r undebau llafur.

Hefyd roedd y Blaid Geidwadol wedi ei rhannu'n fewnol. Yn ystod y bedwaredd ganrif ar bymtheg, roedd y ddwy brif blaid wleidyddol (y Ceidwadwyr a'r Rhyddfrydwyr) ym Mhrydain wedi cadw polisi masnach rydd, gan ganiatáu mewnforio ac allforio nwyddau heb dollau (trethi). Ond ym 1903, ymddiswyddodd Joseph Chamberlain fel Ysgrifennydd y Trefedigaethau er mwyn gallu ymgyrchu dros bolisi diwygio'r tollau. Byddai tollau ar rai nwyddau tramor, ond nid ar nwyddau i'w masnachu rhwng Prydain a gwledydd yr Ymerodraeth Brydeinig. Drwy osod tollau byddai swyddi pobl Prydain gartref a thramor yn cael eu gwarchod rhag cystadleuaeth dramor. Er bod rhai arweinwyr busnes yn cefnogi'r polisi hwn, roedd Balfour ac arweinwyr y Blaid Geidwadol yn dal i gefnogi masnach rydd.
Y gwahaniaethau hyn o fewn y Blaid Geidwadol a achosodd i Balfour ymddiswyddo ym mis Rhagfyr 1905. Cymerodd Henry Campbell-Bannerman yr awennau fel arweinydd llywodraeth Ryddfrydol leiafrifol tan y byddai'n bosib cynnal etholiad cyffredinol yn y Flwyddyn Newydd.

Enillodd y Blaid Ryddfrydol fuddugoliaeth ysgubol ym 1906, gan ennill mwyafrif o 84 sedd dros bob un o'r pleidiau eraill gyda'i gilydd. Roedd y newid gwleidyddol yng Nghymru'n fwy nag yn unlle arall, gyda'r Blaid Geidwadol, a oedd yn cael ei chefnogi gan deuluoedd y tirfeddianwyr, yn methu ennill un sedd.

Rhyddfrydwyr	**377**
Ceidwadwyr	**157**
Cenedlaetholwyr Iwerddon	**83**
Llafur	**53**

Canlyniad etholiad cyffredinol 1906.

NATUR AC EFFAITH DIWYGIADAU CYMDEITHASOL Y RHYDDFRYDWYR

Iechyd Plant

Aeth y llywodraeth Ryddfrydol newydd ati'n syth i gyflwyno rhaglen ddiwygio. Ym 1906 pasiwyd Deddf (Darparu Prydau Bwyd) Addysg 1906 er mwyn i awdurdodau lleol roi prydau bwyd ysgol i blant tlawd. Erbyn 1914, pan oedd hyn yn orfodol, roedd y gwasanaeth yn rhoi pryd canol dydd i 150,000 o blant, sef eu hunig bryd da o fwyd gan amlaf. Mewn cyfnod pan nad oedd llawer o deuluoedd yn gallu talu am ofal meddygol, roedd Gwasanaeth Archwilio Meddygol yr Ysgolion, a sefydlwyd ym 1907, yn welliant mawr, yn enwedig pan ddaeth clinigau i roi triniaeth am ddim i blant oedran ysgol ym 1912.

FFYNHONNELL C Y person cyntaf i gael pensiwn henoed, 1909.

Pensiynau henoed

Ym 1908 daeth Herbert Asquith yn Brif Weinidog a David Lloyd George yn Ganghellor y Trysorlys. Dechreuodd Lloyd George baratoi Mesur Pensiynau yr Henoed. Byddai pobl dros 70 mlwydd oed, heb fod yn ennill mwy na £21 y flwyddyn, yn cael taliad o 5 swllt (25c) yr wythnos. Daeth y mesur yn ddeddf ar 1 Awst 1908 a thalwyd y pensiynau cyntaf ar 6 Ionawr 1919. Ar ddiwedd y flwyddyn lawn gyntaf, roedd cyfanswm nifer y pensiynwyr bron yn 700,000 a'r gost yn £8.5 miliwn. Roedd hynny, yn ôl gwrthwynebwyr pensiynau gwladol, yn cyfateb i gost pedair o'r llongau rhyfel *dreadnought* newydd a oedd yn cael eu hadeiladu i'r Llynges Frenhinol ar y pryd! Prin y gallai'r henoed goelio eu lwc, ac yn ôl y sôn roedd nifer yn eu dagrau wrth gasglu eu 'Lloyd George' o'r swyddfa bost leol.

FFYNHONNELL 

> Rydyn ni'n aml wedi meddwl y byddai'n well i ni farw, a ninnau'n ddim ond baich ar y plant a oedd yn ein cadw ni. Ond nawr rydyn ni eisiau byw am byth, achos fe allwn ni roi ein deg swllt yr wythnos iddyn nhw i dalu am ein lle ni.
>
> Gŵr dros 90 oed yn siarad am gyflwyno pensiwn henoed iddo ef a'i wraig.

Yswiriant gwladol

Roedd nifer o deuluoedd yn parhau yn dlawd o achos salwch a diweithdra. Rhoddodd Deddf Yswiriant Gwladol, a ddaeth i rym gyntaf ym 1911, yswiriant iechyd i weithwyr gwryw a enillai lai na £160 y flwyddyn. Byddai'r gweithwyr hyn yn cael sylw meddygol 'am ddim' a thaliad salwch neu daliad anabledd. Yn ddiweddarach, cafodd rhai gweithwyr dâl diweithdra hefyd. Er mwyn gallu eu derbyn, roedd rhaid i bob gweithiwr gyfrannu 4 hen geiniog (tua 1.5c) yr wythnos drwy brynu stamp Yswiriant Gwladol; a'r cyflogwyr a'r llywodraeth yn ychwanegu 5 hen geiniog arall (2.5c).

CYLLIDEB 1909 A'R ARGYFWNG CYFANSODDIADOL

Roedd rhaid i Lloyd George ddod o hyd i arian i dalu nid yn unig am bensiynau a diwygiadau cymdeithasol eraill ond hefyd am y llongau rhyfel newydd a oedd yn cael eu hadeiladu i'r Llynges Frenhinol. Roedd am wneud hyn drwy godi trethi, gan gynnwys uwch-dreth newydd ar incwm dros £3000.

Cyflwynodd Lloyd George ei gyllideb i Dŷ'r Cyffredin ar 29 Ebrill 1909. Cafodd lawer o bobl sioc o glywed y cynlluniau i godi trethi uwch ar y cyfoethog. Roedd y Ceidwadwyr yn gwybod y byddai'r gyllideb yn cael ei phasio yn Nhŷ'r Cyffredin oherwydd mwyafrif mawr y Rhyddfrydwyr. Ond byddai'n wahanol yn Nhŷ'r Arglwyddi, lle roedd mwyafrif mawr gan y Ceidwadwyr. Teithiodd Lloyd George o gwmpas y wlad i annerch pobl gan ymosod ar y tirfeddianwyr cyfoethog ac yn enwedig ar aelodau Tŷ'r Arglwyddi.

FFYNHONNELL D

> Mae'r cyfalafwr yn mentro ei arian; mae'r peiriannydd yn cyfrannu â'i ymennydd; mae'r glöwr yn mentro ei fywyd . . . Eto pan fydd y Prif Weinidog a minnau'n curo ar ddrysau'r tirfeddianwyr mawr yma, ac yn dweud wrthyn nhw: 'Clywch, mae rhai o'r trueiniaid hyn sydd wedi bod yn mentro eu bywydau yn hen ac yn methu gweithio mwyach. Rowch chi rywbeth i ni i'w cadw nhw o'r wyrcws?' maen nhw'n edrych yn gas arnon ni. 'Dim ond hanner ceiniog,' medden ni. 'Y lladron!' medden nhw a gosod eu cŵn arnon ni.
>
> Rhan o 'Anerchiad Limehouse' Lloyd George, a roddodd mewn ardal dlawd yn Llundain ar 30 Gorffennaf 1909.

C Cwestiynau

1 I ba raddau roedd pobl dlawd yn well eu byd ar ôl diwygiadau llywodraeth y Rhyddfrydwyr, 1908-13?

2 Pam roedd cyllideb 1909 mor ddadleuol ar y pryd?

Etholiad cyffredinol Ionawr 1910 a Deddf y Senedd 1911

Pasiodd Tŷ'r Cyffredin Gyllideb y Bobl, fel roedd pobl yn ei galw hi, ar 4 Tachwedd, ond gwrthododd yr Arglwyddi y Gyllideb ar 30 Tachwedd 1909.
Y canlyniad oedd argyfwng cyfansoddiadol, gyda'r cyfoethog, ar ffurf Tŷ'r Arglwyddi, yn rhwystro ewyllys y bobl, ar ffurf Tŷ'r Cyffredin a oedd wedi ei ethol. Roedd rhaid i'r bobl ddweud eu dweud eto mewn etholiad cyffredinol, a gynhaliwyd ym mis Ionawr 1910. Cafodd ei ddisgrifio gan rai fel etholiad 'yr arglwyddi yn erbyn y bobl'. Er i bleidlais y Ceidwadwyr gynyddu, roedd mwyafrif gan y Rhyddfrydwyr o hyd a phasiwyd y gyllideb yn y diwedd ym mis Ebrill 1910.

Nawr lluniwyd Mesur y Senedd i leihau grym Tŷ'r Arglwyddi. Byddai'n rhwystro'r Arglwyddi rhag gwrthod mesur ariannol, a chaniatáu iddynt ohirio mesurau eraill a anfonwyd o Dŷ'r Cyffredin yn unig. Oherwydd yr ail etholiad cyffredinol a bygythiad y brenin y byddai'n creu arglwyddi newydd, pleidleisiodd mwyafrif yn Nhŷ'r Arglwyddi o blaid Deddf y Senedd, a daeth yn ddeddf ym mis Awst 1911. Gan fod grym yr Arglwyddi'n llai, daeth Tŷ'r Cyffredin yn fwy democrataidd. Hefyd byddai ASau'n cael eu talu, felly nawr gallai dynion cyffredin, heb incwm preifat o dir neu fusnes, fforddio sefyll fel ASau.

TWF Y BLAID LAFUR

Gydol y bedwaredd ganrif ar bymtheg, roedd grym a dylanwad yr undebau llafur wedi tyfu. Byddai swyddogion yr undebau llafur yn trafod graddfeydd cyflog ac amodau gwaith â chyflogwyr ar ran eu gweithwyr yn gyson ac roedd hawl cyfreithlon i gymryd rhan mewn gweithredu diwydiannol heddychlon. Ar ôl Deddf Diwygio 1884, dechreuodd rhai swyddogion undebau llafur sefyll etholiad i'r Senedd o dan faner y Blaid Ryddfrydol. Yn Nhŷ'r Cyffredin fe'u galwyd ymhen dim yn aelodau Lib-Lab.

Ym 1893 mewn cyfarfod a gynhaliwyd yn Bradford, a gadeiriwyd gan James Keir Hardie AS, sefydlwyd plaid wleidyddol newydd i weithwyr gwryw, y Blaid Lafur Annibynnol (ILP). Ym 1900 sefydlodd cynhadledd undebau llafur Bwyllgor Cynrychioli Llafur (LRC) i wneud yn siŵr bod gwell cynrychiolaeth i weithwyr yn y Senedd. Cafodd y LRC gefnogaeth ariannol gan yr undebau llafur drwy godi 'ardoll wleidyddol' (treth). Ar ôl etholiad cyffredinol 1906 mabwysiadwyd yr enw 'Plaid Lafur' yn swyddogol gan y 29 ymgeisydd llwyddiannus. Erbyn 1918 roedd 59 o ASau Llafur.

Canlyniadau

Roedd rhaid i'r blaid newydd ymgyrchu'n frwd i fynnu hawliau. Ar ôl streic ar Reilffordd Cwm Taf yn Ne Cymru ym 1900, bu'n rhaid i undeb y dynion rheilffyrdd dalu iawndal o £32,000 i'r cwmni. Cododd problem arall ym 1908 pan ddywedodd dyfarniad Osborne (penderfyniad cyfreithiol) fod ardoll wleidyddol yr undebau llafur i'r Blaid Lafur yn anghyfreithlon. Yn y pen draw wedi Deddf Anghydfodau Undebol 1906 a Deddf Undebau Llafur 1913 roedd hawl eto gan undebwyr llafur i streicio heb gael eu siwio ac i wneud cyfraniadau ariannol i'r Blaid Lafur.

Er bod hawliau gweithwyr yn cael eu gwella'n raddol, roedd llawer yn ystod y cyfnod hwn yn teimlo fod pethau'n digwydd yn rhy araf. I lawer o weithwyr, roedd cyflogau'n dal yn isel a dim sicrwydd swydd. Roedd 'syndicaliaid' o blith aelodau'r undebau llafur yn credu y dylai gweithwyr gymryd eu diwydiannau eu hunain drosodd drwy streicio aml a phrotestio treisgar os oedd angen. Cafwyd peth llwyddiant – fel streic 1912 gan y glowyr, y docwyr a'r gweithwyr cludiant – pan fu'n rhaid i'r llywodraeth gytuno i roi lleiafswm cyflog.

PLEIDLAIS I FENYWOD

Ar ddechrau'r ugeinfed ganrif, er bod miloedd o fenywod iau gan fwyaf yn gweithio fel morynion ac mewn rhai diwydiannau, roedd disgwyl i'r rhan fwyaf o fenywod roi eu hamser i'w cartrefi a'u teuluoedd. O ran materion gwleidyddol roedd pobl yn credu y gallai eu tadau neu eu gŵr gynrychioli'r menywod.

Swffragwyr

Yn raddol dechreuodd rhai menywod mwy addysgedig a dosbarth canol yn bennaf sefydlu cymdeithasau i fynnu'r hawl i fenywod bleidleisio mewn etholiadau yr un fath â dynion. Yr enw arnyn nhw oedd swffragwyr, o'r gair Saesneg *suffrage*, sef pleidlais. Erbyn y 1890au roedd menywod yn Seland Newydd a rhai taleithiau yn yr UDA eisoes wedi ennill yr hawl i bleidleisio. Gan nad oedd y llywodraeth ym Mhrydain byth fel petai'n rhoi llawer o sylw i ofynion menywod, ffurfiodd Millicent Fawcett Undeb Cenedlaethol Cymdeithasau Pleidlais

FFYNHONNELL DD Gwrthdystiad gan Undeb Cenedlaethol Cymdeithasau Pleidlais i Ferched yng Nghymru, 1907.

i Ferched (NUWSS) ym 1897. Cyhoeddodd y NUWSS newydd bamffledi a threfnu pwyllgorau a phrotestiadau heddychlon i gefnogi'r alwad am 'bleidlais i ferched'.

Swffragetiaid

Gan eu bod yn teimlo nad oedd y NUWSS yn gwneud llawer o gynnydd, sefydlwyd Undeb Cymdeithasol a Gwleidyddol y Merched (WSPU) ym 1903. Arweinwyr yr Undeb oedd Mrs Emmeline Pankhurst a'i merched. Er bod y WSPU wedi dechrau'n heddychlon, erbyn 1909 dechreuodd ei aelodau ddefnyddio dulliau mwy treisgar i ddenu cyhoeddusrwydd. Roedd ymgyrch 'gweithredoedd nid geiriau' wedi dechrau.

Hyd at 1914, torrodd y Swffragetiaid ar draws cyfarfodydd, eu cadwyno eu hunain i reiliau, arllwys asid ar gyrsiau golff, torri ffenestri siopau a rhoi adeiladau cyhoeddus ar dân. Pan fydden nhw'n cael eu carcharu, byddai'r Swffragetiaid yn dal i brotestio drwy streic newyn. Wedyn ceisiai awdurdodau'r carchar eu gorfodi i fwyta. Pasiodd y llywodraeth 'Ddeddf y Gath a'r Llygoden' ym 1913 a oedd yn caniatáu rhyddhau'r Swffragetiaid tan eu bod yn ddigon iach i fynd yn ôl i'r carchar!

Daeth uchafbwynt ymgyrch y Swffragetiaid ym 1913 yn ystod ras geffylau'r Derby yn Epsom. Ceisiodd Emily Davison dorri ar draws y ras a chafodd ei tharo a'i lladd gan geffyl y brenin, Anmer. Trodd ei hangladd yn wrthdystiad enfawr. Er nad oedd hi'n glir a oedd Emily Davison yn bwriadu bod yn ferthyr, llwyddodd yn sicr i gael llawer iawn o gyhoeddusrwydd i'r achos.

C Cwestiynau

1. Sut datblygodd yr undebau llafur ar ôl 1884?
2. Beth oedd amcanion y Blaid Lafur newydd?
3. Sut roedd dulliau'r Swffragetiaid yn wahanol i rai'r Swffragwyr?
4. I ba raddau y llwyddodd yr ymgyrch 'pleidlais i ferched' gyrraedd ei nod cyn 1914?
5. Disgrifiwch ddiwygiadau cymdeithasol a gwleidyddol pwysig oes Edward.
6. Pa grwpiau elwodd ar ddiwygiadau cymdeithasol a gwleidyddol oes Edward?
7. Pa grwpiau na lwyddodd i elwa ar y diwygiadau hyn?

1 YMARFER ARHOLIAD

Mae'r cwestiynau hyn yn profi Adran B y papur arholiad.

GWLEIDYDDIAETH YN YSTOD Y CYFNOD 1902–14

Astudiwch yr wybodaeth isod ac yna atebwch y cwestiynau sy'n dilyn.

GWYBODAETH

Megan Lloyd George gyda phoster yn sôn am gyllideb ei thad.

CA Cwestiynau Arholiad

1 a Disgrifiwch *un* o'r prif resymau pam roedd pobl yn dlawd ar ddechrau'r ugeinfed ganrif. [2]
  b Eglurwch pam roedd sefydlu pensiynau henoed yn bwysig. [4]
  c Pa mor bwysig oedd 'Cyllideb y Bobl' ym 1909? [5]

2 a Disgrifiwch sut y tyfodd y Blaid Lafur yn ystod y cyfnod hwn. [3]
  b Eglurwch gyfraniad teulu Pankhurst i fudiad y Swffragetiaid. [4]

3 Pa mor llwyddiannus oedd y llywodraeth wrth ddelio â'r galw a'r angen am ddiwigio cymdeithasol a gwleidyddol yn ystod y cyfnod 1902–14? Eglurwch eich ateb yn llawn. [7]

A oedd y cyfnod 1902–14 yn oes aur i ddiwydiant trwm Cymru?

FFYNHONNELL A Gwaith glo Navigation yng Nghrymlyn; roedd yr adeilad uwchlaw'r ddaear yn cynnwys peiriannau mwyaf modern y cyfnod.

MAINT DIWYDIANT TRWM CYMRU YM 1900

Ym 1900 roedd diwydiannau yng Nghymru yn gyfrifol am ganran sylweddol o fasnach Prydain.

Glo, haearn a dur

Glo oedd prif ffynhonnell gwres ac egni o hyd ar gyfer diwydiant a chludiant. Roedd 'glo rhydd' o faes glo De Cymru a oedd yn llosgi'n lân, wedi ei gydnabod ers tro fel y math gorau o danwydd at y diben hwn. Roedd y cwmnïau llongau eisiau gosod 'howldiau glo' ym mhob prif borthladd ledled y byd ac roedd rhaid llenwi'r rhain yn gyson â glo rhydd o Gymru.

Erbyn 1900, roedd y diwydiant glo, gyda'i 140,000 o lowyr, yn cyflogi mwy na'r diwydiant haearn a dur. Ym 1900 roedd De Cymru'n cynhyrchu tua 10 y cant o haearn Prydain. Roedd peth yn cael ei droi'n ddur, ond erbyn y cyfnod hwn roedd cyflenwadau mwyn haearn Cymru wedi dod i ben. Roedd diwydiant dur Cymru bellach yn dibynnu ar fwynau wedi'u mewnforio ac roedd yr unig weithfeydd proffidiol ar yr arfordir, fel gwaith East Moors yng Nghaerdydd.

Diwydiannau eraill

Roedd y diwydiant tunplat yn ardal Abertawe'n cynhyrchu llenni haearn, wedi eu galfanu (gorchuddio) â thun. Roedd y gorchudd tun yn rhwystro'r dur rhag rhydu a'r tunplat yn cael ei ddefnyddio i gynhyrchu caniau bwyd. Ym 1900 roedd diwydiant tunplat Cymru'n dal i ddioddef o effeithiau Toll McKinley a osododd UDA ar fewnforion tunplat ym 1891. Arhosodd y fasnach tunplat yn lleol ac yn Gymreig ei chymeriad, gan ddibynnu ar lafur crefftus menywod Gorllewin Cymru a oedd yn Gymry Cymraeg.

Cyfraniad unigryw Gogledd Cymru i'r oes ddiwydiannol oedd chwareli llechi mawr Eryri. Ym 1900 roedd tua 18,000 o chwarelwyr yn gweithio yn y chwareli. Roedd y llechi'n cael eu defnyddio fel defnydd toi yn nhrefi Lloegr a oedd yn tyfu, ac fe'u hallforiwyd i Ewrop hefyd.

STREIC Y PENRHYN

Sefydlwyd Undeb Chwarelwyr Gogledd Cymru ym 1874, ond nid oedd perchnog-ion y chwareli'n hoffi trafod cyflogau ac amodau gwaith â swyddogion yr undeb.

Barn Arglwydd Penrhyn, perchennog Chwarel y Penrhyn ym Methesda, oedd mai ef yn unig oedd yn gyfrifol am y cyflogau a'r amodau, ac nad oedd dewis gan y dynion ond derbyn hynny.

Ym mis Hydref 1900, ceisiodd yr Arglwydd Penrhyn a'i reolwr gyflwyno arferion gwaith newydd i'r chwarel, ond gwrthododd gwrdd â swyddogion yr undeb i drafod telerau. O ganlyniad diswyddwyd 26 chwarelwr, a phan adawodd eu cydweithwyr eu gwaith mewn cydymdeimlad, caeodd y rheolwr y chwarel.

Canlyniad y streic

Ym mis Mai 1901 cyhoeddwyd y byddai'r chwarel yn ailagor i unrhyw chwarelwr a fyddai'n gwrthod yr undeb ac yn derbyn telerau'r perchennog. Cafodd y rhai a oedd yn fodlon sofren felen. Rhoddodd gwŷr yr undeb, a oedd yn dal ar streic, enw arni, sef Punt y Gynffon.

Erbyn gaeaf 1902, roedd y streicwyr a'u teuluoedd yn dioddef caledi ac aeth pobl i deimlo'n chwerw iawn. Byddai'r rhai oedd yn torri'r streic yn cael eu cam-drin a phobl yn ymosod arnynt ar eu ffordd i'r gwaith ac oddi yno. Anfonwyd mwy o heddlu a milwyr i Fethesda i gadw trefn a chafwyd achosion llys. Gadawodd rhai streicwyr yr ardal i chwilio am waith mewn mannau eraill; ymunodd eraill â chorau a mynd ar daith o gwmpas y wlad i godi arian.

g D.A. THOMAS A'R CAMBRIAN COAL COMBINE

Gwnaeth David Alfred Thomas, a anwyd ym 1856, ffortiwn o'r fasnach lo a oedd yn tyfu yn Aberdâr a chwm Cynon. Er bod gan David 16 brawd a chwaer, roedd digon o arian gan y teulu i'w anfon i ysgol a choleg. Ar ôl graddio yng Nghaergrawnt ym 1883, dychwelodd i Gymru i ddysgu am fwyngloddio a'r fasnach lo. Bu'n gweithio o dan ddaear a chyn hir daeth yn arbenigwr ym mhob agwedd ar gloddio a marchnata glo.

Etholwyd Thomas i'r Senedd ym 1888. Bu'n AS dros Ferthyr ac yn ddiweddarach dros Gaerdydd tan 1916 pan aeth i Dŷ'r Arglwyddi fel Arglwydd y Rhondda. Am gyfnod bu'n cydweithio'n agos â Lloyd George yn y mudiad Cymru Fydd, yn ymgyrchu dros ymreolaeth i Gymru. Roedd Thomas, a ystyriai ei hunan yn arweinydd gwleidyddol y De diwydiannol, braidd yn amheus o Lloyd George.

Yn ddiweddarach, rhoddodd Thomas fwy o sylw i'w fusnesau. Prynodd nifer o gwmnïau bychain ac erbyn 1908 roedd wedi creu'r Cambrian Coal Combine enfawr. Ei agwedd gadarn ef yn erbyn undebau llafur a thrafodaethau cyflogau a fu'n rhannol gyfrifol am yr anghydfod a arweiniodd at derfysg Tonypandy ym 1910.

Yn ystod y Rhyfel Byd Cyntaf gwellodd ei berthynas â Lloyd George a chafodd ei anfon i UDA i gynrychioli diwydiant Prydain, ac yn ddiweddarach bu'n llwyddiant mawr fel Rheolwr Bwyd yn ystod argyfwng 1917. Oherwydd ei safle yn y llywodraeth bu'n rhaid iddo ymddeol o fusnes, a oedd yn cynnwys bod yn gyfarwyddwr mwy na 30 busnes diwydiannol yng Nghymru a thramor. Yn y pen draw gwnaeth niwed mawr i'w iechyd drwy orweithio a bu farw yn ei blasty, Tŷ Llanwern, ger Casnewydd, ym mis Gorffennaf 1918.

Erbyn hydref 1903, roedd nifer fawr o chwarelwyr wedi dychwelyd i'r gwaith ar delerau'r Arglwydd Penrhyn a daeth y streic i ben yn swyddogol ar 11 Tachwedd 1903. Roedd wedi bod yn drychineb. Canlyniad y streic tair blynedd oedd llai o alw am lechi gartref a thramor, a datblygwyd cynnyrch eraill fel teils to o glai neu sment yn eu lle. Roedd oes aur y diwydiant llechi wedi dod i ben.

C Cwestiynau

1 Disgrifiwch brif ddiwydiannau Cymru ym 1900.
2 Beth oedd y rhesymau dros streic y Penrhyn?
3 Beth mae ffynonellau B a C yn ei ddweud wrthym am y ffordd roedd y diwydiant glo'n datblygu yn oes Edward?

CAERDYDD: PORTHLADD A MASNACH

Er ei bod yn dibynnu ar un fasnach yn unig (glo), Caerdydd oedd porthladd mwyaf y byd erbyn 1900 o ran y tunelledd roedd yn ei drafod. Sefydlwyd Cyfnewidfa Lo Caerdydd ym 1886 er mwyn i fasnachwyr brynu a gwerthu glo mewn sypiau. Gan fod cyfran fawr o lo De Cymru'n cael ei allforio, y prisiau a dalwyd yng Nghaerdydd oedd yn pennu pris glo ledled y byd. Roedd y farchnad o dan ddylanwad cwmnïau o Gaerdydd fel Cory Brothers, a oedd yn berchen gorsafoedd neu howldiau glo ym mhob porthladd pwysig. Defnyddiwyd peth o elw'r fasnach lo i adeiladu Neuadd y Ddinas newydd ac adeiladau cyhoeddus crand eraill ym Mharc Cathays. O ganlyniad, rhoddwyd statws dinas i Gaerdydd ym 1905. Erbyn cyfrifiad 1911, roedd ei phoblogaeth wedi tyfu i 182,000.

Y CAMBRIAN COMBINE YM 1910

CWMNI	PYLLAU GLO	GLOWYR A GYFLOGWYD
Naval Colliery Co. Ltd	Trelái	939
	Nant Gwyn	821
	Anthony a'r Pandy	340
Cambrian Collieries Ltd	Cambrian Navigation Rhif 1	701
	Cambrian Navigation Rhif 2	1498
	Cambrian Navigation Rhif 3	1855
Glamorgan Coal Co. Ltd	Llwynypia Rhif 1	1712
	Llwynypia Rhif 2	1539
	Llwynypia Rhif 6	656
	Sherwood	537
	Cyfanswm	**10,598**

FFYNHONNELL **B** Data o *The South Wales Coal Annual*, 1909–10.

FFYNHONNELL **C**

Erbyn 1913, cyflogai cwmni Powell Duffryn 13,600 o ddynion, tra roedd D.A. Thomas, crëwr y Cambrian Combine, yn berchen ar ymerodraeth ddiwydiannol oedd yn werth dwy filiwn o bunnau. Roedd y cwmnïau glo'n hael tuag at eu cyfrandalwyr; rhoddodd yr Ocean (cwmni David Davies, Llandinam) fonws o 50 y cant ym 1911, a rhwng 1910 a 1912 talodd Powell Duffryn fuddran flynyddol o 20 y cant.

Darn allan o *Hanes Cymru* gan John Davies, 1990.

FFYNHONNELL CH Dociau Caerdydd ym 1894.

TERFYSG YN NHONYPANDY A LLANELLI

Bu llawer o aflonyddwch yn ystod degawd cyntaf yr ugeinfed ganrif, nid yn unig ym maes glo De Cymru, ond ym Mhrydain ac Iwerddon i gyd. Roedd y mentrau busnes mawr – fel Cambrian Combine D.A. Thomas a chwmnïau hŷn Powell Duffryn a Lewis Merthyr – yn amhoblogaidd iawn ymhlith y glowyr a'u teuluoedd. Roedd mwy o gystadleuaeth yn gostwng pris glo a lleihaodd Deddf Wyth Awr 1908 yr oriau gwaith. Oherwydd hyn, nid oedd perchnogion y pyllau glo'n barod i godi cyflogau, er bod costau byw'n codi. Roedd rhai aelodau o Ffederasiwn Glowyr De Cymru (SWMF) o'r farn mai streiciau mawr a ffurfiau eraill ar weithredu diwydiannol yn unig a fyddai'n perswadio perchnogion y pyllau glo i dalu gwell cyflogau a gwella amodau gwaith.

Aeth pethau'n argyfwng yng nghwm Rhondda yn hydref 1910. Diswyddwyd wyth deg o lowyr mewn anghydfod ym Mhwll Trelái, eiddo i'r Cambrian Combine, a chafodd y lleill eu cloi allan. Gadawodd glowyr mewn pyllau eraill eu gwaith i'w cefnogi ac erbyn mis Tachwedd roedd 30,000 o lowyr ar streic.

g Y GLOWYR A'U HUNDEB LLAFUR, SWMF

Sefydlwyd Ffederasiwn Glowyr De Cymru (SWMF/y *Ffed*) ym 1898 pan ddaeth nifer o undebau llafur lleol at ei gilydd. Roedd y diwydiant glo'n tyfu ac roedd miloedd o weithwyr yn symud i'r cymoedd glofaol lle tyfodd y boblogaeth yn gyflym. Roedd yr undebau lleol, dan arweiniad William Abraham (1842-1922) neu Mabon, fel y'i galwyd, a oedd yn Gymro Cymraeg, yn barod i gydweithio â pherchnogion y pyllau glo. Ers y 1870au, roedd graddfa symudol wedi cael ei defnyddio i gyfrifo graddfeydd talu ac roedd cyflogau'n gysylltiedig â phris glo. Credai rhai o arweinwyr ifanc y glowyr fod y graddfeydd symudol yn annheg â'r gweithwyr a mynnent eu bod yn cael eu dileu. Roedd yr arweinwyr hyn, yn aml o gefndir di-Gymraeg, eisiau i'r undeb newydd fod yn fwy milwriaethus gan weithredu yn erbyn perchnogion y pyllau. Cafodd y raddfa symudol ei dileu ym 1903, ac er i Mabon a fu hefyd yn AS Rhyddfrydol, barhau'n Llywydd y *Ffed* / SWMF, aeth yr arweinyddiaeth go iawn i ddwylo pobl a oedd yn fwy tebygol o gefnogi'r Blaid Lafur newydd.

Cynyddodd y tensiwn pan geisiodd y Cambrian Combine ddod â 'llafur blacleg' o ardaloedd eraill i dorri'r streic, ond heb lwyddiant. Daeth cyfarfod protest y tu allan i Bwll Glo Morgannwg ar 7 Tachwedd i ben gyda gwrthdaro difrifol rhwng y glowyr a'r heddlu. Drannoeth, bu pobl yn ymosod ar ryw 60 siop yn Nhonypandy gan ddwyn ohonynt. Anfonodd yr Ysgrifennydd Cartref, Winston Churchill, filwyr i Bontypridd, yn ogystal â phlismyn ychwanegol o heddlu Llundain. Bu milwyr ar gefn ceffylau a heddlu yn dal i batrolio'r ardal drwy'r gaeaf wrth i'r streic barhau. Yn y pen draw bu'n rhaid i'r glowyr ddychwelyd i'r gwaith ar 1 Medi 1911 oherwydd newyn a dioddefaint.

Yn y cyfamser bu gweithwyr rheilffordd, tra ar streic yn Llanelli, yn bygwth stopio trenau. Ymateb y llywodraeth, a oedd yn benderfynol o amddiffyn gallu pobl a nwyddau i symud, oedd anfon 600 o filwyr. Ar 19 Awst 1911, yn ystod gwrthdaro cas, dechreuodd y milwyr saethu ar dyrfa a oedd yn gwylio'r gwrthdaro, gan ladd dau berson. Yn y terfysg a ddigwyddodd wedyn, dinistriwyd bron i 100 o dryciau rheilffordd a lladdwyd pedwar person arall.

Sefydlwyd Pwyllgor Diwygio Answyddogol i gynllunio newidiadau i'r SWMF a chyhoeddwyd y llyfryn enwog, *The Miners' Next Step*, ym 1912.

FFYNHONNELL 

Bydd undeb Prydeinig canolog o lowyr yn trefnu gweithredu gwleidyddol, yn lleol a chenedlaethol, ar sail gwrthwynebu pob cwmni cyfalafol yn llwyr . . . Mae camau ar y gweill i ddod â phob gweithiwr at ei gilydd mewn un undeb cenedlaethol a rhyngwladol i weithio er mwyn meddiannu'r diwydiannau gan y gweithwyr eu hunain. Bydd Bwrdd Cynhyrchu Canolog yn cydlynu'r cynhyrchu a'r dosbarthu i gyd yn ôl yr angen, gan adael y dynion eu hunain i benderfynu o dan ba amodau a sut y dylid gwneud y gwaith.

Rhan o *The Miners' Next Step*, llyfryn a gyhoeddwyd gan y Pwyllgor Diwygio Answyddogol ym 1912.

Lleiafrif bychan oedd y syndicalwyr, ond roedd eu syniadau'n codi ofn ar y llywodraeth Rydd-frydol a'r Ceidwadwyr. Efallai mai dyma pam roedd y llywodraeth mor barod i ddefnyddio grym yn erbyn gweithwyr yn protestio mewn mannau fel Tonypandy a Llanelli.

SOSIALAETH A SYNDICALIAETH

Roedd rhai papurau newydd yn amau bod aflonyddwch diwydiannol 1910-11 wedi ei drefnu. Credai rhai o aelodau iau'r SWMF, fel Noah Ablett o'r Porth yng nghwm Rhondda, fod arweinyddiaeth yr undeb yn rhy gymedrol. Roedd Ablett yn sosialydd ac yn credu y dylai gweithwyr a phobl dlawd weithredu i wella eu bywydau. Roedd yn dadlau y dylai'r undeb gynnal streiciau cyson i'w galluogi yn y pen draw i feddiannu'r diwydiant glo. Yr enw ar y syniadau hyn oedd 'syndicaliaeth', o *syndicat*, y gair Ffrangeg am undeb llafur.

PENLLANW'R DIWYDIANT GLO YNG NGHYMRU, 1913

Roedd 1913 yn flwyddyn allweddol i'r diwydiant glo yng Nghymru wrth i fwy o lo nag erioed gael ei gynhyrchu: 46 miliwn tunnell, a 37 miliwn tunnell o'r rheini yn cael eu hallforio. Ym 1913 hefyd y digwyddodd y trychineb gwaethaf yn hanes maes glo De Cymru. Ym Mhwll Glo'r Universal yn Seng-hennydd, rhan o gombein Lewis Merthyr, lladdwyd 439 o lowyr mewn ffrwydriad ar 14 Hydref. Roedd pawb yn gwybod yn iawn am broblem 'llosgnwy': lladdwyd 81 glöwr mewn ffrwydriad nwy ym 1901.

Aeth yr ymchwiliad i'r trychineb ymlaen hyd 1914 a chyhuddodd y glowyr a oedd ar ôl y rheolwyr o anwybyddu rheoliadau diogelwch er mwyn cynhyrchu mwy o lo.

Y sefyllfa ym 1914

Wrth i'r Rhyfel Byd cyntaf agosáu, roedd y straen yn ardaloedd diwydiannol Cymru i'w weld o hyd. Roedd chwerwder yn para o ganlyniad i'r aflonyddwch diwydiannol a'r bywydau a gollwyd mewn damweiniau. Roedd y twf mawr mewn cynhyrchu glo wedi digwydd drwy gyflogi mwy o lowyr, ac nid drwy gyflwyno dulliau cynhyrchu mwy effeithiol. Ym 1913 roedd y glo bron i gyd yn dal i gael ei dorri â llaw ac roedd cynhyrchiant (cynnyrch pob dyn) wedi lleihau mewn gwirionedd ers 1900. Roedd oes aur diwydiant trwm Cymru ar fin dod i ben.

C Cwestiynau

1 Pam nad oedd perchnogion y pyllau glo'n barod i godi cyflogau rhwng 1900 a 1910?

2 Pam digwyddodd terfysgoedd yn Nhonypandy ym 1910 ac yn Llanelli ym 1911?

3 Defnyddiwch y blwch gwybodaeth, Ffynhonnell D, a'ch gwybodaeth eich hunan i egluro pwysigrwydd y SWMF.

4 Pam mae 1910-11 wedi cael ei alw'n gyfnod 'yr Aflonyddwch Mawr' yng Nghymru a Phrydain?

5 A oedd cyfnod 1902-14 yn oes aur i ddiwydiant trwm Cymru? Eglurwch eich ateb.

1 YMARFER ARHOLIAD

Mae'r cwestiynau hyn yn profi Adran A y papur arholiad.

DATBLYGIAD ECONOMAIDD A CHYSYLLTIADAU DIWYDIANNOL YN NE CYMRU

Astudiwch Ffynonellau A – CH ac yna atebwch y cwestiynau sy'n dilyn.

FFYNHONNELL A Darlun i gofio am ymweliad i Gaerdydd gan y Brenin Edward VII a'r Frenhines Alexandra ym 1907, pan fu hi'n agor ac enwi Dociau'r Frenhines Alexandra.

FFYNHONNELL B

Rwyf wedi rhoi arian i ddynion dalu am fwyd a dillad iddyn nhw eu hunain a'u teuluoedd. Rwyf wedi cyfrannu mwy i hapusrwydd a lles gweithwyr pyllau glo Cymru na holl arweinyddion y glowyr gyda'i gilydd. Unig werth cyfoeth yw'r dylanwad a'r grym mae'n ei roi yn nwylo'r perchennog i wneud lles.

Geiriau D.A. Thomas a gofnodwyd yn y papur newydd, *The South Wales Daily News* ym 1916.

FFYNHONNELL  C

Pan gyrhaeddais Donypandy, roedd y terfysg wedi bod yn digwydd gydol y nos. Roedd e wedi dechrau ar ôl i'r perchnogion geisio dod â llafur blacleg i weithio yn y pwll. Gwelais y diwrnod hwnnw gynghrair filain y llywodraeth a pherchnogion y pyllau gyda chefnogaeth yr heddlu a milwyr arfog yn erbyn y glowyr. Anghofiais i fyth mo'r wers honno.

O hunangofiant yr arweinydd undeb llafur Arthur Horner, a gyhoeddwyd ym 1960.

FFYNHONNELL CH

Er bod maint y cynnwrf yn drawiadol, hawdd gorbwysleisio pa mor bwysig ydoedd. O ystyried bywyd o ddydd i ddydd cymunedau'r Gymru ddiwydiannol, dichon y gellir rhoi gormod o sylw i derfysg, ideoleg, a hyd yn oed undebaeth. Yr oedd mwy o bobl yn bresennol mewn gornest focsio yn Nhonypandy ar 8 Tachwedd 1910 nag a gymerodd ran yn y reiat yno ar y noswaith honno.

Hanesydd modern, John Davies, yn ysgrifennu yn *Hanes Cymru* (1990).

CA Cwestiynau Arholiad

1 Pa wybodaeth mae Ffynhonnell A yn ei rhoi am ddatblygiad Caerdydd? [3]

2 Defnyddiwch yr wybodaeth yn Ffynhonnell B a'ch gwybodaeth eich hun i egluro pwysigrwydd D.A. Thomas. [4]

3 Pa mor ddefnyddiol yw Ffynhonnell C fel tystiolaeth i hanesydd sy'n astudio cysylltiadau diwydiannol ym maes glo De Cymru hyd at 1914? Eglurwch eich ateb gan ddefnyddio'r ffynhonnell a'ch gwybodaeth eich hun. [5]

4 Yn Ffynhonnell CH mae'r awdur yn dweud bod gormod o bwyslais wedi ei roi ar bwysigrwydd yr aflonyddwch yn y Gymru ddiwydiannol ym 1910-11. A yw hynny'n ddehongliad dilys?
Yn eich ateb dylech ddefnyddio'r hyn rydych yn ei wybod am y testun, cyfeirio at y ffynonellau eraill sy'n berthnasol yn y cwestiwn hwn, ac ystyried sut y daeth yr awdur i'r dehongliad hwn. [8]

Pa effaith a gafodd y Rhyfel Byd Cyntaf ar y bobl?

Y RHYFEL YN DECHRAU

Ar 3 Awst 1914, sylweddolodd Syr Edward Grey, Ysgrifennydd Tramor Prydain, y byddai'n rhaid i Brydain fynd i ryfel ac meddai: 'Mae'r lampau'n diffodd dros Ewrop gyfan. Ni welwn ni nhw'n olau eto yn ein hoes ni.' Doedd pawb ddim mor drist. Roedd byddin a llynges Prydain wedi ennill buddugoliaethau dros y byd i gyd a chredai llawer o bobl y byddai her rhyfel yn Ewrop yn helpu'r wlad. Daeth miloedd o bobl allan i ddathlu cyhoeddi'r rhyfel ar strydoedd Llundain, fel y gwnaethon nhw mewn nifer o ddinasoedd eraill Ewrop. Roedd llawer o'r farn y byddai'r rhyfel ar ben erbyn y Nadolig.

Dros beth roedd pobl yn meddwl roedden nhw'n ymladd?

Gan fod y llywodraeth wedi cyhoeddi rhyfel yn enw'r brenin, credai'r rhan fwyaf o bobl mai eu dyletswydd oedd aros yn ffyddlon i'r goron. Roedd pobl yn falch iawn o'r Ymerodraeth Brydeinig yr oedd yr Almaenwyr fel petaen nhw yn ei bygwth.

Roedd Cynllun Schlieffen yr Almaenwyr i ymosod ar Ffrainc yn cynnwys anfon milwyr yr Almaen ar draws tir Gwlad Belg. Byddai hynny'n herio niwtraliaeth Gwlad Belg, yr oedd Prydain wedi ei gwarantu ers Cytundeb Llundain ym 1839. Fel rhan o'r cytundeb roedd Prydain wedi addo amddiffyn Gwlad Belg petai gwlad arall yn ymosod arni.

FFYNHONNELL A

Roedden ni'n ymladd dros y brenin, y wlad a'r ymerodraeth a dros 'Wlad Belg ddewr'. Ymerodraeth Prydain oedd yr ymerodraeth fwyaf a welwyd erioed. Roedd hi'n fawr oherwydd rhinweddau eithriadol y Prydeinwyr.

Ulric Nisbet, a ymunodd â'r fyddin ym 1914 fel is-swyddog, yn siarad wedi'r rhyfel.

FFYNHONNELL B Cerdyn post propaganda a gyhoeddwyd ym 1914, yn dangos ci tarw'n amddiffyn Gwlad Belg. Mae'n debyg i'r Kaiser gyfeirio at Gytundeb Llundain 1839 fel 'dim ond darn o bapur'.

DORA AC EFFAITH Y RHYFEL AR FYWYD POBL GYFFREDIN

Oherwydd y rhyfel, newidiodd nifer o agweddau ar fywyd nad oedd y llywodraeth wedi ymyrryd â nhw o'r blaen. Rhoddodd Deddfau Amddiffyn y Deyrnas (DORA), gyda'r ddeddf gyntaf yn cael ei phasio ym mis Awst 1914, hawliau ysgubol i'r llywodraeth i'w helpu i ymladd y rhyfel a rheoli nifer o agweddau ar fywydau pobl.

- Cafodd oriau gwaith golau dydd eu hymestyn drwy gyflwyno Amser Haf Prydain ym 1916.
- Roedd tafarnau ar agor am lai o oriau er mwyn lleihau meddwdod; roedd y cwrw'n cael ei ddyfrhau hyd yn oed.
- Cymerodd y llywodraeth reolaeth dros rai swyddi hanfodol, fel y diwydiant glo, ffermio a chludiant.
- Er mwyn osgoi streiciau mewn diwydiant, daeth cyflafareddu (datrys anghydfod gan drydydd parti) yn orfodol.
- Gorfodwyd undebau llafur i ganiatáu i fenywod a gweithwyr di-grefft eraill wneud swyddi a arferai gael eu cadw i grefftwyr. Teneuo oedd yr enw ar y polisi hwn.

Propaganda

- Hefyd cafodd y ffordd roedd papurau newydd yn adrodd am y rhyfel ei rheoli. Nid oedd hawl i gyhoeddi ffotograffau o filwyr marw neu adroddiadau am frwydrau lle collwyd llawer o filwyr. O ganlyniad roedd storïau anhygoel i'w clywed, yn enwedig yn ystod dyddiau cynnar y rhyfel. Roedd un stori boblogaidd ym 1914 am nifer fawr o filwyr Rwsiaidd a oedd wedi glanio yn yr Alban yn ôl y sôn. Honnai pobl iddyn nhw eu gweld nhw'n teithio ar y trên drwy Loegr ar eu ffordd i Ffrynt y Gorllewin, gyda'r eira'n dal ar eu hesgidiau!

C Cwestiynau

1. Disgrifiwch agweddau poblogaidd tuag at y rhyfel ym 1914.
2. Disgrifiwch y newidiadau a ddigwyddodd i wella ymdrech ryfel Prydain trwy DORA.

RECRIWTIO

Anfonwyd Byddin Ymgyrchol Prydain (BEF) draw i Ffrainc a Gwlad Belg ym mis Medi 1914 i gwrdd â'r fyddin Almaenig a oedd yn dod tuag atynt. Yn draddodiadol, roedd byddin Prydain, yn wahanol i unrhyw fyddin Ewropeaidd arall, wedi dibynnu ar wirfoddolwyr. Penderfynodd y llywodraeth y byddai'n dal i recriwtio gwirfoddolwyr, gydag ymgyrch recriwtio swyddogol.

Medi 1914	**436,000**
Rhagfyr 1915	**55,000**

Ffigurau recriwtio misol, 1914–15.

Ar ddechrau'r rhyfel roedd cymaint o ddynion ifanc yn gwirfoddoli i ymladd fel ei bod yn anodd i'r fyddin eu lletya a'u hyfforddi nhw i gyd. Ond erbyn diwedd 1915 roedd y ffigurau wedi cwympo'n sylweddol. Nid oedd modd cuddio'r holl golledion ar Ffrynt y Gorllewin. Cafodd miloedd o deuluoedd delegramau o'r Swyddfa Ryfel yn dweud bod mab, brawd neu ŵr wedi cael ei ladd, ei anafu neu ar goll; allai darllenwyr papurau newydd ddim osgoi darllen yr holl ysgrifau coffa. Roedd rhaid i'r llywodraeth ystyried cyflwyno consgripsiwn (gwasanaeth milwrol gorfodol).

Propaganda'r llywodraeth

Yn ystod y Rhyfel Byd Cyntaf cyhoeddodd y llywodraeth gyfres o bosteri'n annog pobl i gefnogi'r ymgyrch recriwtio a'r ymdrech ryfel. Roedd llawer o'r posteri hyn wedi eu hanelu at fenywod i'w hannog i berswadio eu meibion, cariadon, ac yn ddiweddarach, eu gwŷr, i ymuno â'r fyddin. Anogwyd menywod eu hunain i weithio mewn ffatrïoedd arfau rhyfel neu weithio ar ffermydd fel rhan o 'Fyddin y Tir', neu mewn cyrff gwirfoddol eraill.

FFYNHONNELL **C** Yr Arglwydd Kitchener, Ysgrifennydd Gwladol dros Ryfel, yn annog dynion i ymuno â'r rhyfel mewn poster recriwtio i fyddin Prydain ym 1914.

Consgripsiwn a gwrthwynebwyr cydwybodol

Oherwydd yr holl filwyr a gollwyd ar Ffrynt y Gorllewin a'r cwymp yn niferoedd y recriwtio, roedd y llywodraeth yn ofni na fyddai digon o filwyr gwirfoddol yn cael eu recriwtio i ddod yn lle'r rhai a laddwyd ac a anafwyd. Pasiwyd Deddf Gwasanaeth Milwrol ym 1916, gan ddod â chonsgripsiwn i ddynion rhwng 18 a 41 oed. Roedd rhai dynion, am resymau crefyddol neu wleidyddol, yn credu bod y rhyfel yn anghywir ac yn gwrthod ymrestru. Fel arfer roedd rhaid i'r dynion hyn ymddangos o flaen tribiwnlys, a'r mwyafrif yn cael eu cofrestru'n 'wrthwynebwyr cydwybodol'. Bu rhai'n cludo elorwelyau yn y rhyfel ond byddai'r rhai a oedd yn gwrthod yn mynd i garchar ac yn cael amser caled am eu bod yn 'conshis'. Byddai dynion ifanc mewn dillad bob dydd yn aml yn cael eu hamau o fod yn 'gonshis' a byddai menywod weithiau'n gweiddi arnyn nhw ac yn rhoi pluen wen iddyn nhw, arwydd llwfrdra.

I'r frawdoliaeth wrth-gonsgripsiwn
Cyfarchion cynhesaf!
Cadwch y faner i chwifio'r tu allan!

Rydym ni mewn hwyliau arbennig o dda yma, ac yn benderfynol o sefyll yn gadarn tan y diwedd, doed a ddelo. Aberth fach dros dro yw ildio ein rhyddid personol dros ryddid. . . Nid oes dwywaith fod ein hachos yn un teilwng, ac os yw'r achos yn deilwng nid oes aberth sy'n ormod.

Frodyr, rydym gyda chi yn y frwydr dros ryddid ac achos heddwch a brawdoliaeth ryngwladol.

DS Wedi ei ysgrifennu â nodwydd ac ychydig o inc mewn caead potyn halen.

FFYNHONNELL **CH** Smyglwyd y llythyr hwn gan Harold Bing, gwrthwynebydd cydwybodol, o garchar Wormwood Scrubs ym 1916.

C Cwestiynau

1 Pa mor llwyddiannus oedd ymgyrch recriwtio'r llywodraeth yn ystod 1914 ac 1915?

2 Pam roedd gwrthwynebwyr cydwybodol yn barod i wynebu bod yn amhoblogaidd a chael eu cosbi?

CYFLWYNO LLYWODRAETH GLYMBLAID

Defnyddiwyd fwy o arfau nag erioed o'r blaen wrth ymladd yn ffosydd Ffrynt y Gorllewin, a daeth prinder. Dyma argyfwng cyntaf gwirioneddol y rhyfel i'r llywodraeth. Beirniadwyd y Prif Weinidog Rhyddfrydol, Herbert Asquith, am beidio â gwneud ei orau i fynd i'r afael â'r broblem. Ym mis Mai 1915 penderfynodd Asquith wahodd aelodau o'r wrthblaid i ymuno â'i lywodraeth i ffurfio clymblaid. Daeth David Lloyd George, sef gweinidog mwyaf egnïol y llywodraeth ym marn llawer, yn gyfrifol am gynhyrchu arfau. Cyflwynodd Deddf Arfau Rhyfel 1915 reoliadau caeth ar ffatrïoedd arfau a chyn hir, o dan ei arweiniad ef, cynhyrchwyd mwy o sieliau.

FFYNHONNELL **D** Cartwn yn *Punch* ym 1915 yn dangos Lloyd George yn llwyddo i gael digon o arfau rhyfel.

EFFAITH Y RHYFEL AR Y GWEITHLU

Y glowyr

Nid oedd pob gweithiwr yn fodlon ufuddhau i bob gorchymyn gan y llywodraeth. Roedd gan y glowyr a oedd yn cynhyrchu'r glo yr oedd ei angen i redeg ffatrïoedd a llongau nifer o gwynion ers y blynyddoedd cyn y rhyfel (gweler tudalen 16). Gan wybod bod eu gwaith yn hanfodol, aeth glowyr yn Ne Cymru ar streic ym mis Gorffennaf 1915, ac er i filwyr gael eu hanfon i'w bygwth, ildiodd y llywodraeth ac enillodd y glowyr y rhan fwyaf o'u hawliau.

g DAVID LLOYD GEORGE (1863–1945)

Ganwyd David Lloyd George ym Manceinion, ond ar ôl i'w dad farw, dychwelodd ei fam i'w phentref genedigol, Llanystumdwy yng Ngogledd Cymru. Roedd David yn gymeriad tanllyd a phenderfynol. Etholwyd ef yn AS Rhyddfrydol dros Fwrdeistrefi Caernarfon ac ymgyrchodd yn galed dros Hunanlywodraeth i Gymru fel arweinydd y grŵp o genedlaetholwyr Cymreig o fewn y Blaid Ryddfrydol.

Pan oedd yn Ganghellor y Trysorlys yn llywodraeth Ryddfrydol 1906, bu'n gyfrifol am nifer o ddiwygiadau cymdeithasol a gwleidyddol. Roedd yn arwr i lawer o bobl dlawd ond roedd y cyfoethog yn aml yn ei gasáu a'i amau.

Roedd ei lwyddiant fel Gweinidog Arfau yn gam at ei benodi'n Brif Weinidog ym mis Rhagfyr 1916, y Cymro cyntaf a'r unig un i ddal y swydd honno hyd yma. Gan mai ef oedd y prif weinidog dros weddill cyfnod y rhyfel, i'w gefnogwyr, ef o hyd oedd 'y dyn a enillodd y rhyfel'. Ond, oherwydd rhaniadau o fewn ei blaid ei hun am iddo gael ei benodi'n brif weinidog, a nifer o sgandalau'n gysylltiedig ag ef, daeth ei gwymp yn y pen draw ym 1922 a diwedd y Rhyddfrydwyr fel y blaid mewn grym.

Menywod ym myd gwaith

Gan i nifer fawr o ddynion gael eu recriwtio i'r lluoedd arfog, roedd yna brinder llafur, yn enwedig yn y diwydiannau allweddol hynny a oedd yn hanfodol i'r ymdrech ryfel. Sylweddolodd y llywodraeth y gallai menywod lenwi llawer o'r swyddi gwag yn y ffatrïoedd, ac roedd DORA eisoes wedi rhoi llawer o'r pwerau angenrheidiol i reoli'r farchnad waith. Gwelodd rhai o arweinwyr y Swffragetiaid, a oedd wedi ymgyrchu heb lwyddiant i gael pleidlais cyn y rhyfel, fod cyfle i gydweithio â'r llywodraeth a hybu eu hachos efallai. I adlewyrchu'r awydd yma i helpu'r ymdrech ryfel, newidiodd y Swffragetiaid eu slogan o 'Hawl i Bleidleisio' i 'Hawl i Wasanaethu'.

Er bod menywod wedi cael eu cyflogi ers blynyddoedd lawer ym melinau cotwm gogledd Lloegr a gweithfeydd tunplat gorllewin Cymru, yn ystod y Rhyfel Byd Cyntaf cawson nhw wneud gwaith a arferai fod i ddynion yn unig. Rhoddodd y rhyfel brofiadau newydd i lawr o fenywod ac ymdeimlad o annibyniaeth, er mai'n anaml y bydden nhw'n cael yr un tâl â dynion, fel roedd y cyflogwyr wedi addo.

	Gorff. 1914	Gorff. 1918
Crefftau metel	170,000	594,000
Diwydiannau cemegol	40,000	104,000
Bwyd, diod a thybaco	196,000	235,000
Gwasanaeth y llywodraeth	2,000	225,000
Crefftau pren	44,000	79,000

Nifer y menywod yn gweithio ym Mhrydain, 1914–18.

Daeth nifer o newidiadau cymdeithasol oherwydd y cyfleoedd newydd a gafodd menywod.

- Newidiodd y ffasiwn; aeth sgertiau'n fyrrach a rhoddwyd y gorau i wisgo staesys a dillad caeth.
- Daeth ymddygiad a fyddai wedi bod yn warthus cyn y rhyfel yn fwyfwy cyffredin (gweler Ffynhonnell E).
- Ym 1918 roedd pobl hŷn wedi synnu pan gyhoeddodd Dr Marie Stopes ddau lyfr am reoli cenhedlu, *Married Love* a *Wise Parenthood*. Drwy roi gwybodaeth i fenywod am gynllunio teulu a dewis maint eu teuluoedd, dyma ddechrau chwyldro o ran rôl a statws menywod.

FFYNHONNELL DD Menywod yn gweithio mewn ffatri arfau ym 1916.

FFYNHONNELL E

Roeddwn i'n teimlo'n lletchwith un noson mewn tafarn. Roedd rhai o ferched y ffatrïoedd yno hefyd, a phan roddais i fy llaw yn fy mhoced i dalu, meddai un ferch, 'Cadwch chi eich arian, gorporal. Fe dalwn ni am hyn.' Ac ar unwaith dyma hi'n codi ei ffrog a nôl rholyn o bapurau punt. Roedd llawer o'r merched yn ennill deg gwaith fy nghyflog i fel corporal llawn.

Ysgrifennwyd gan filwr, reifflwr H.V. Shawyer, ym 1916.

Ym 1918, roedd llawer o bobl yn cydnabod cyfraniad enfawr menywod i'r ymdrech ryfel a rhoddodd Deddf Cynrychiolaeth y Bobl bleidlais i fenywod o'r diwedd. Ond, nid oedd amodau'r bleidlais yn gyfartal i fenywod a dynion (rhai menywod dros 30 oed yn unig a allai bleidleisio).

C Cwestiynau

1 Sut aeth y llywodraeth ati i ddatrys problem prinder arfau ym 1915?

2 Pa mor bwysig oedd y rhyfel wrth newid rôl menywod?

LLOYD GEORGE YN BRIF WEINIDOG

Daeth Lloyd George yn brif weinidog ar 7 Rhagfyr 1916. Ei gam cyntaf oedd sefydlu llywodraeth glymblaid o 5 gweinidog yn unig, i gwrdd bob dydd i ddelio â'r rhyfel. Roedd y Cabinet Rhyfel yn cynnwys un Rhyddfrydwr, un o'r Blaid Lafur a thri Cheidwadwr. Ennill y rhyfel oedd eu prif flaenoriaeth.

Sosialaeth Ryfel

Ym 1917 cyflwynodd Lloyd George ei bolisi, 'Sosialaeth Ryfel', er mwyn i'r llywodraeth allu rheoli adnoddau'r wlad.

- Meddiannwyd y **rhwydwaith rheilffyrdd** i gydlynu cludiant yn fwy effeithiol. Felly roedd modd symud milwyr a deunyddiau rhyfel o gwmpas Prydain yn gynt.
- Meddiannwyd y **pyllau glo** i gyd, i gael tanwydd i redeg trenau a mwyafrif y llongau. Ym 1917, cynhyrchwyd mwy o lo nag erioed; cododd cyflogau a gwellodd diogelwch hefyd.
- Meddiannwyd yr **ierdydd llongau** a daeth pob llong fasnach yn eiddo i'r llywodraeth. Ym 1916, roedd llynges yr Almaen wedi dechrau suddo pob llong a hwyliai i borthladdoedd Prydain. Gorchmynnodd Lloyd George i'r llongau masnach hwylio mewn confoi er diogelwch a gorfodi'r Llynges Frenhinol i'w hebrwng. O fis Hydref 1917, suddwyd llai o longau gan longau tanfor Almaenig.
- Meddiannwyd **cynhyrchu bwyd** Roedd llongau tanfor Almaenig yn suddo llawer o'r llongau'n cludo cyflenwadau bwyd i Brydain, felly roedd rhaid osgoi gwastraff, tyfu mwy o fwyd gartref a sicrhau ei fod yn cael ei rannu'n gyfartal. Anogwyd mwy o fenywod ifainc i ymuno â Byddin Tir y Menywod i helpu i ffermio. Dechreuwyd dogni bwyd ym mis Tachwedd 1917, gan gyfyngu ar faint o fwydydd y gallai pobl eu prynu bob wythnos. Ym 1914 tua 60 y cant yn unig o'r cyflenwad bwyd roedd Prydain yn ei gynhyrchu, ond erbyn 1918 roedd y canran hwn wedi codi i dros 90 y cant.

CYMRU A LLOEGR AR DDIWEDD Y RHYFEL

Daeth diwedd y rhyfel ym mis Tachwedd 1918 pan ofynnodd yr Almaenwyr am gadoediad ar Ffrynt y Gorllewin. Tawelodd y gynnau am 11a.m. ar 11 Tachwedd a honnodd llywodraethau'r Gynghrair, gyda chefnogaeth y papurau newydd, iddyn nhw ennill buddugoliaeth fawr dros yr Almaenwyr. Cynhaliwyd gwasanaethau diolchgarwch mewn eglwysi a chapeli. Hefyd bu dathlu gwyllt yn Llundain a'r prif drefi. O gofio'r cannoedd o filoedd o ddynion a laddwyd ac a anafwyd, meddyliai rhai pobl tybed a oedd pris y fuddugoliaeth wedi bod yn rhy uchel.

FFYNHONNELL F

Er i filoedd lawer farw a mwy hyd yn oed yn anabl o achos y rhyfel, gwellodd diet pobl at ei gilydd a bu lleihad yn y gyfradd farwolaethau, yn enwedig marwolaethau babanod. Mae'n debyg mai'r rheswm oedd i nifer o'r tlodion gael swyddi parhaol am y tro cyntaf, ac yn gyffredinol roedd cyflogau'n cynyddu'r un faint â chwyddiant yn ystod y rhyfel.

O erthygl gan hanesydd modern,
Clive Emsley, ym 1996.

C Cwestiynau

1 Pa newidiadau wnaeth Lloyd George fel prif weinidog?

2 Pa mor ddilys yw'r ddadl yn Ffynhonnell F fod y rhyfel wedi gwella bywydau pobl?

YMARFER ARHOLIAD

Mae'r cwestiynau hyn yn profi Adran B y papur arholiad.

BYWYD AR Y FFRYNT CARTREF, 1914–18.

Astudiwch yr wybodaeth isod ac yna atebwch y cwestiynau sy'n dilyn.

GWYBODAETH

Newidiodd y Rhyfel Byd Cyntaf fywydau'r rhan fwyaf o bobl, fel y fenyw yma sy'n archwilio sieliau mewn ffatri arfau.

CA Cwestiynau Arholiad

1 a Disgrifiwch sut ymatebodd pobl pan gyhoeddwyd rhyfel ym 1914. [2]

b Eglurwch rôl propaganda'r llywodraeth yn ystod y rhyfel. [4]

c Pa mor bwysig oedd penodi David Lloyd George yn brif weinidog? [5]

2 a Disgrifiwch sut roedd y llywodraeth yn rheoli masnach a diwydiant yn ystod y rhyfel. [3]

b Eglurwch pam helpodd y rhyfel i newid rôl a statws menywod [4]

3 A lwyddodd effeithiau'r Rhyfel Byd Cyntaf i wella bywydau'r holl bobl gartref?
Eglurwch eich ateb yn llawn. [7]

Sut a pham newidiodd agweddau a gwerthoedd pobl yn ystod y cyfnod 1902-19?

TWF Y BOBLOGAETH A'I EFFAITH AR YR IAITH GYMRAEG A DIWYLLIANT

Pan gyhoeddwyd y ffigurau dibynadwy cyntaf am y nifer o bobl a allai siarad Cymraeg ar ôl cyfrifiad 1891, dangoswyd bod 54.5 y cant yn gallu siarad yr iaith. Yn ystod y 1900au cynnar, roedd cyfanswm poblogaeth Cymru'n tyfu'n gyflym ac roedd miloedd o bobl, yn bennaf o Loegr, yn symud i ardaloedd diwydiannol Cymru. Un o'r bobl hyn oedd Bert Coombes, a symudodd i Resolfen ym 1912. Magwyd ef ar fferm yn swydd Henffordd lle dywedodd ei ffrind wrtho, fel yr ysgrifennodd wedyn, 'Draw fan'na tu draw i Fannau Brycheiniog, yn y gweithfeydd, y mae'r lle i fachgen ifanc. Oriau byrrach ac arian da, nid fel mae hi fan hyn.' Er i Bert Coomes ei hun ddysgu siarad Cymraeg, roedd llai o siaradwyr Cymraeg o ran nifer a chanran o'r boblogaeth.

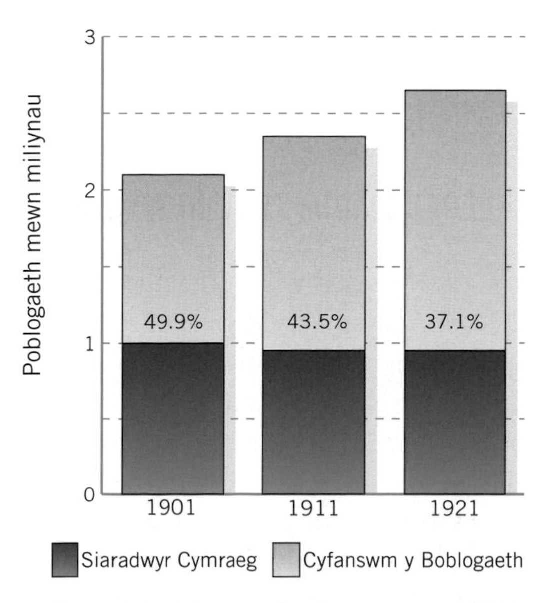

Y boblogaeth a chanran y siaradwyr Cymraeg 1901-21.

Nid mewnfudo o Loegr oedd yr unig reswm dros ddirywiad y Gymraeg yn y cyfnod hwn. Credai llawer o rieni ei bod hi'n hanfodol siarad Saesneg er mwyn i'w plant 'ddod ymlaen yn y byd'. Roedd mwyafrif y dynion busnes ac athrawon yn cefnogi hynny, a hefyd nifer o weinidogion ac arweinwyr yr undebau llafur a'r Blaid Lafur, a wyddai mai'r Blaid Ryddfrydol roedd y rhan fwyaf o'r siaradwyr Cymraeg yn ei chefnogi. Dirywiodd y Gymraeg ymhellach yn ystod y Rhyfel Byd Cyntaf (gweler tudalen 30).

FFYNHONNELL 

Roedd y Cymry'n lleiafrif yn ein stryd ni, lle roedden nhw'n cymysgu â Saeson, Gwyddelod ac Albanwyr. Ar y dechrau Cymraeg yn unig a ddysgais i gyda fy rhieni a fy nhad-cu a mam-gu, ond wrth imi ddal ati i chwarae gyda phlant Scott, Hartley, Ward a McGill, des i'n fwy rhugl yn Saesneg na fy mamiaith. Roedd Dad yn grac pan ddechreuais ei ateb yn Saesneg yn lle yn Gymraeg, ond meddai Mam yn Gymraeg: 'O, gad lonydd iddo fe. Beth yw'r ots 'ta beth?'

Atgofion ei blentyndod ym Merthyr Tydfil, gan y nofelydd Jack Jones, *Unfinished Journey*, 1937.

EGLWYS A CHAPEL: BYWYD CREFYDDOL CYMRU

Ar ddechrau'r ugeinfed ganrif, roedd crefydd yn rhan bwysig iawn o fywydau'r rhan fwyaf o bobl Cymru. Roedd miloedd lawer yn aelodau yn y prif enwadau Cristnogol. Roedd y rhan fwyaf o'r siaradwyr Cymraeg a nifer sylweddol o'r siaradwyr Saesneg yn mynychu un o gapeli'r prif enwadau anghydffurfiol – yr Annibynwyr, y Methodistiaid neu'r Bedyddwyr.

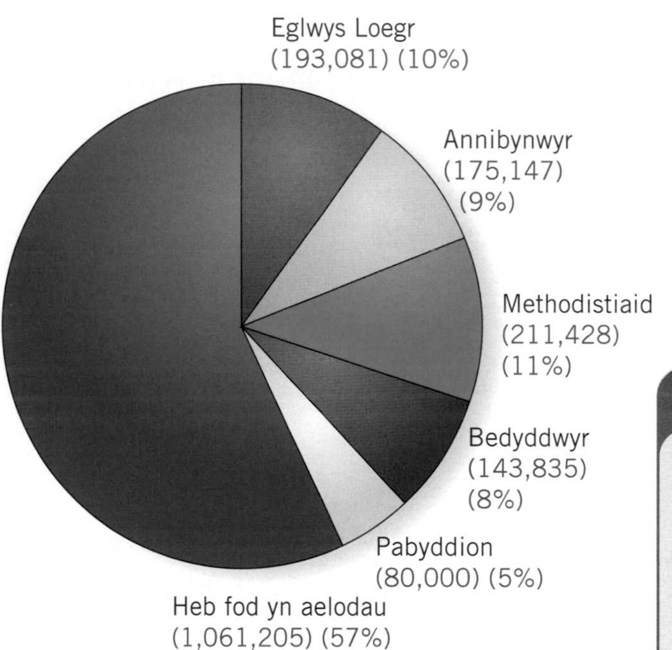

Aelodaeth eglwysi a chapeli yng Nghymru, 1905.

Roedd y gweithgareddau cymdeithasol a diwylliannol a oedd ynghlwm wrth y capeli – corau, grwpiau astudio, papurau newydd ac eisteddfodau – mewn sawl ffordd mor bwysig â'r gwasanaethau crefyddol. Roedden nhw'n helpu i gynnal y diwylliant Cymraeg mewn cyfnod pan nad oedd yn cael llawer o gefnogaeth swyddogol. Ar y llaw arall, roedd pobl yn amau fel arfer mai prin oedd cefnogaeth Eglwys Loegr i'r diwylliant Cymraeg. Cyn 1920 roedd pob eglwys Brotestannaidd yng Nghymru'n perthyn i Eglwys Loegr. Ond wedi ymgyrch hir, o dan arweiniad yr anghydffurfwyr yn bennaf, datgysylltwyd Eglwys Loegr yng Nghymru (colli statws a breintiau) a'i gwahanu oddi wrth Eglwys Loegr.

Yn wreiddiol sefydlwyd y capeli anghydffurfiol o ganlyniad i ddiwygiad crefyddol yn y ddeunawfed ganrif. Digwyddodd diwygiadau eraill yn y bedwaredd ganrif ar bymtheg. Ym 1904 bu Evan Roberts, pregethwr ifanc o Gasllwchwr, yn denu tyrfaoedd mawr gyda'i bregethu grymus. Byddai ei wasanaethau'n aml yn parhau am oriau wrth i aelodau unigol gyffesu'n gyhoeddus; roedd canu emynau brwd a sôn am wyrthiau. Lledodd y brwdfrydedd i nifer o ardaloedd eraill yng Nghymru, gyda gwasanaethau mewn chwareli a phyllau glo hyd yn oed. Parhaodd y diwygiad am dros flwyddyn gan effeithio ar rai pobl weddill eu bywydau.

C Cwestiynau

1 Esboniwch pam newidiodd safle'r Gymraeg yn ystod blynyddoedd cynnar yr ugeinfed ganrif.

2 Pa mor bwysig oedd crefydd ym mywydau pobl Cymru yn ystod y cyfnod hwn? Esboniwch eich ateb.

CYFLEOEDD ADDYSGOL NEWYDD

Ym 1902 pasiodd y llywodraeth Geidwadol Ddeddf Addysg a oedd yn rhoi'r cyfrifoldeb am ysgolion yr ardal i awdurdodau addysg lleol, fel arfer pwyllgorau addysg y cyngor sir. Roedd addysg wedi bod yn bwnc llosg yng Nghymru ers tro. Erbyn troad y ganrif roedd plant yn gorfod mynychu ysgol elfennol (gynradd). Erbyn 1900 roedd pob sir yng Nghymru wedi agor nifer o ysgolion sir (uwchradd), ac roedd plant mwy ffodus, yr oedd eu rhieni'n gallu'r talu'r ffioedd, yn parhau â'u haddysg hyd at 16 neu 18 oed. O ganlyniad roedd canran uwch o blant yn dechrau addysg uwchradd nag oedd mewn sawl rhan o Loegr. Ond nid oedd Deddf 1902 yn boblogaidd o gwbl yng Nghymru gan fod hawl i ysgolion yr eglwys gael eu cynnal gan arian cyhoeddus. Pan basiodd y Rhyddfrydwyr ddeddf newydd ym 1907, roedd rhaid i ysgolion uwchradd gadw chwarter eu llefydd ar gyfer plant a fyddai'n llwyddo yn arholiad yr *11-plus*.

Er bod mwy o gyfleoedd addysgol i blant Cymru, digwyddodd hyn ar draul yr iaith Gymraeg a'i diwylliant. Roedd yr ysgolion sir newydd ar lun ysgolion tebyg yn Lloegr a chyn hir galwyd nhw'n 'ysgolion gramadeg'. Gyda'u hiwnifform a'u cwricwlwm Saesneg, roedden nhw'n aml yn anwybyddu'r cysylltiad â'r gymuned leol, ond ar y llaw arall daeth hi'n bosibl i'r plant disgleiriaf fynd i brifysgol a chael swyddi â chyflogau gwell.

C Cwestiynau

1 Sut gwellodd cyfleoedd addysgol yn ystod y cyfnod hwn?

2 Darllenwch y blwch gwybodaeth isod. I ba raddau roedd gyrfa Syr Owen M. Edwards yn llwyddiannus?

EFFAITH RHYFEL

Colli bywydau

Er gwaethaf agweddau capeli ac undebau llafur Cymru yn erbyn y rhyfel, cafodd groeso brwd yng Nghymru. Roedd hyn i raddau helaeth oherwydd teyrngarwch llawer o Gymry at David Lloyd George, a honnai i Brydain fynd i ryfel i achub gwledydd bychain, fel Gwlad Belg, rhag ymosodiad gan yr Almaen a'r Pwerau Canol.

g SYR OWEN M. EDWARDS (1858–1920)

Ganwyd Owen Morgan Edwards yn Llanuwchllyn ac aeth i ysgol y pentref. Yn y pen draw daeth yn diwtor hanes yn Rhydychen ond roedd ei galon yn dal yng Nghymru a chredai mai ei waith oedd poblogeiddio'r iaith a'r diwylliant Cymraeg. Gwnaeth hyn drwy ysgrifennu cyfres o lyfrau taith yn Gymraeg a sefydlu nifer o gylchgronau llwyddiannus.

Ym 1907 ef oedd y cyntaf i'w benodi'n Brif Arolygydd Ysgolion yng Nghymru. Nawr defnyddiodd ei ddylanwad i gryfhau safle'r Gymraeg yn ysgolion cynradd ac uwchradd Cymru. Peth llwyddiant yn unig a gafodd – bu hi'n bosib dysgu yn Gymraeg mewn rhai ardaloedd a daeth y Gymraeg yn bwnc arholiad. Ond Saesneg oedd prif iaith ysgolion Cymru o hyd am flynyddoedd maith, yn enwedig yr ysgolion gramadeg. Ni roddwyd rhai o'i syniadau ar waith tan ail hanner yr ugeinfed ganrif, gyda thwf addysg cyfrwng Cymraeg.

FFYNHONNELL B

Syr Owen M. Edwards.

Gwasanaethodd 280,000 Cymro yn y lluoedd arfog, sef bron i 14 y cant o'r boblogaeth – cyfran ychydig yn uwch na'r ffigur cyfatebol yng ngweddill y Deyrnas Unedig. Lladdwyd 40,000 o'r rhain.

FFYNHONNELL **C**

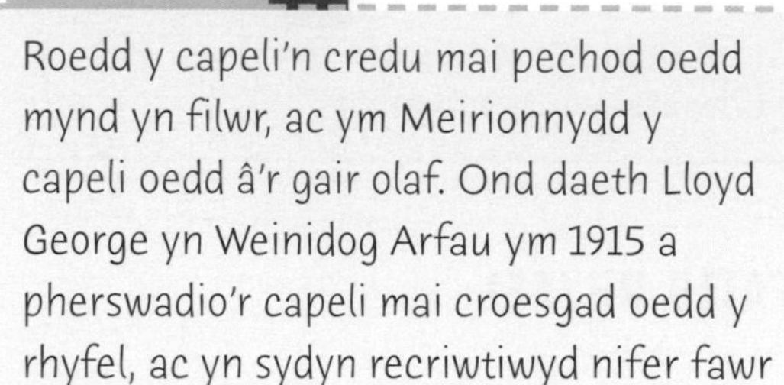

Roedd y capeli'n credu mai pechod oedd mynd yn filwr, ac ym Meirionnydd y capeli oedd â'r gair olaf. Ond daeth Lloyd George yn Weinidog Arfau ym 1915 a pherswadio'r capeli mai croesgad oedd y rhyfel, ac yn sydyn recriwtiwyd nifer fawr o Gymry.

Darn o hunangofiant cynnar y bardd a'r nofelydd Robert Graves (1895-1985), *Goodbye to All That*, 1929. Roedd gan ei deulu dŷ haf yng Nghymru, ac ymrestrodd gyda'r Ffiwsilwyr Brenhinol Cymreig ym 1914.

Dirywiad y Gymraeg

Daeth y rhyfel ag ergyd arall i'r Gymraeg. Saesneg oedd yr unig iaith roedd y lluoedd arfog yn ei chymeradwyo. Gan mai yn y papurau newydd Saesneg roedd yr adroddiadau diweddaraf am y rhyfel, trodd mwy a mwy o ddarllenwyr Cymraeg atyn nhw. Gwerthwyd llai o bapurau newydd wythnosol Cymraeg ac aeth nifer i'r wal.

Gwrthwynebu rhyfel

Wrth i'r rhyfel barhau a mwy o golli gwaed, dechreuodd rhai feirniadu'r rhyfel yn agored. Roedd tua 1000 o ddynion Cymru wedi eu cofrestru'n wrthwynebwyr cydwybodol (gweler Ffynhonnell CH ar dudalen 22), ond lleiafrif yn unig a oedd yn gwrthwynebu'r rhyfel.

Ni theimlwyd effaith beirdd rhyfel Saesneg, sydd â'u barddoniaeth yn disgrifio erchyllterau'r rhyfel yn fanwl, tan yn ddiweddarach. Ac er i farwolaeth Hedd Wyn ym 1917 greu argraff fawr ar Gymru, ni newidiodd agwedd pobl at y rhyfel yn fawr.

g WILFRED OWEN (1893–1918)

Mab i glerc rheilffordd o ardal Croesoswallt ar y ffin â Chymru oedd Wilfred Owen, y 'bardd rhyfel' gorau yn Saesneg ym marn llawer.

Er ei fod yn ei ystyried ei hun yn heddychwr, ymunodd â'r fyddin ym 1915 a mynd i'r ffosydd. Anafwyd ef, a phan oedd yn gwella yn yr ysbyty, bu iddo gyfarfod â Siegfried Sassoon a Robert Graves, a chael ei annog i barhau i ysgrifennu.

Dyna pryd yr ysgrifennodd ei gerddi enwocaf, 'Anthem for Doomed Youth' a 'Dulce et Decorum Est'. Ar ôl dychwelyd i frwydro yn Ffrainc ym mis Awst 1918, enillodd y Groes Filwrol am ei ddewrder. Lladdwyd ef yn 25 oed ar 4 Tachwedd 1918. Cyrhaeddodd y telegram yn rhoi gwybod i'w rieni am ei farwolaeth ar 11 Tachwedd, wrth i'r clychau ganu i ddathlu diwedd y rhyfel.

FFYNHONNELL **CH**

Wilfred Owen.

g HEDD WYN (1887–1917)

Ganwyd Ellis Humphrey Evans ar fferm ddiarffordd yn ardal Trawsfynydd yng Ngogledd Cymru. Byddai'n helpu ar fferm y teulu, ond barddoniaeth Gymraeg oedd ei ddiddordeb pennaf erioed. O dan ei enw barddol, Hedd Wyn, daeth pobl i wybod amdano. Pan ymunodd â'r Ffiwsilwyr Brenhinol Cymreig ym 1917, roedd eisoes wedi dechrau cyfansoddi cerdd i'r Eisteddfod Genedlaethol a oedd i'w chynnal ym Mhenbedw. Postiodd ei ymgais 'Yr Arwr', o Ffrainc. Ar 6 Medi, cyhoeddwyd mai ef oedd enillydd y gadair ond yn syth dywedwyd iddo gael ei ladd wythnos ynghynt, yn ystod Brwydr Cefn Pilkem. Gyda Lloyd George ei hun ar y llwyfan, gwelodd y gynulleidfa syfrdan y gadair yn cael ei gorchuddio â chwrlid du a galwyd Eisteddfod Penbedw yn Eisteddfod y Gadair Ddu.

Gwleidyddiaeth a chrefydd

Erbyn diwedd y Rhyfel Byd Cyntaf yng Nghymru, fel mewn mannau eraill, roedd hi'n amlwg fod newidiadau mawr yn digwydd. Roedd y Blaid Ryddfrydol, y blaid wleidyddol fwyaf pwerus yng Nghymru ers tro byd, mewn anhrefn oherwydd rhaniadau o fewn y blaid ac ar ôl nifer o sgandalau. Roedd y mudiad Llafur yn tyfu, ond heb fod yn ddigon cryf eto i ennill grym.

Wrth i'r rhyfel barhau a'r rhaniadau ymysg arweinyddion crefyddol ddod yn fwy amlwg o hyd, dechreuodd llai o Gymry gefnogi eu capeli a'u heglwysi. Hefyd roedd mwy o bobl yn colli eu ffydd wrth i bobl ymdrechu i ddygymod â'r holl golli gwaed yn ystod y Rhyfel Byd Cyntaf.

FFYNHONNELL 

Daeth y ffactorau a oedd wedi gwanhau'r capeli cyn y rhyfel – dyled, ehangu gormod yn yr ardaloedd gwledig a diffyg cefnogaeth gan Gymry di-Gymraeg a gweithwyr diwydiannol yn y de – yn amlycach ar ôl y rhyfel. Mewn sawl ffordd, roedd y byd wedi'r rhyfel yn cynnig sawl her newydd, a'r capeli'n ei chael hi'n anodd ymateb i'r her.

Allan o lyfr hanes modern.

C Cwestiynau

1 Sut ymatebodd y Cymry pan ddechreuodd y rhyfel ym 1914?

2 Beth oedd y rhesymau dros ddirywiad y capeli yng Nghymru ar ôl y Rhyfel Byd Cyntaf?

ADLONIANT POBLOGAIDD A CHWARAEON

Mewn ardaloedd Cymraeg eu hiaith roedd adloniant traddodiadol, yr eisteddfod yn bennaf, yn dal yn boblogaidd. Ond yn yr ardaloedd diwydiannol, roedd adloniant mwy modern yn ennill tir. Ym 1909 daeth adloniant y theatr gerdd i gwm Rhondda, i'r Empire Theatre of Varieties a oedd newydd agor yn Nhonypandy. Agorodd sinema'r Carlton yn Abertawe ym 1914, un o'r sinemâu pwrpasol cyntaf yng Nghymru.

Er nad oedd pobl grefyddol a'r dosbarthiadau uwch yn hoffi'r peth, roedd chwaraeon wedi eu trefnu yn tyfu'n fwy poblogaidd. Daeth rygbi'n gamp boblogaidd yng Nghymru gyda nifer fawr yn ei dilyn, yn enwedig yn Ne Cymru.

Roedd hyn yn arbennig o wir ar ôl 1905, pan enillodd tîm Cymru'n annisgwyl yn erbyn Crysau Duon Seland Newydd yng Nghaerdydd. Rhwng 1900 a 1912 enillodd tîm Cymru'r goron driphlyg ddim llai na chwe gwaith. Roedd pêl-droed lawn mor boblogaidd yn lleol, er nad oedd tîm cenedlaethol Cymru mor llwyddiannus â'r un rygbi.

Yn ystod y Rhyfel Byd Cyntaf a'r newidiadau a ddaeth wedyn ym maes chwaraeon ac adloniant poblogaidd, mae modd adnabod sawl agwedd ar fywyd yr ugeinfed ganrif yn barod.

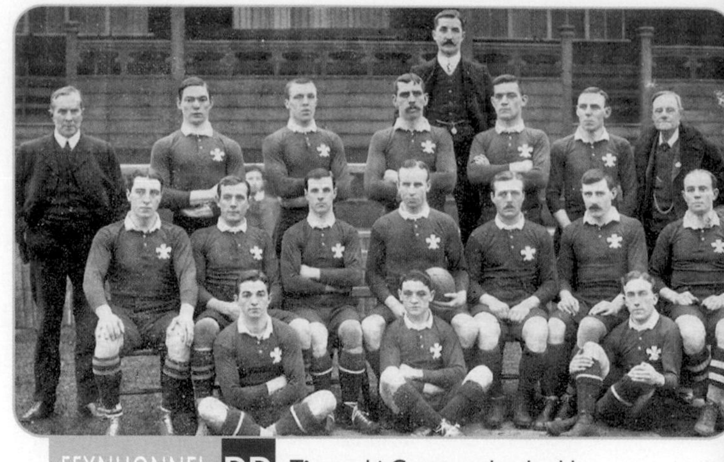

FFYNHONNEL DD Tîm rygbi Cymru a drechodd Grysau Duon Seland Newydd, 1905.

I YMARFER ARHOLIAD

Mae'r cwestiynau hyn yn profi Adran A y papur arholiad.

NEWIDIADAU CYMDEITHASOL, DIWYLLIANNOL A CHREFYDDOL, 1902-19.

Astudiwch Ffynonellau A – CH isod ac yna atebwch y cwestiynau sy'n dilyn.

FFYNHONNELL A Sinema gynnar, tua 1915.

FFYNHONNELL **B**

Ni all nifer o'n rhieni Cymraeg berswadio eu plant eu hunain i ddysgu Cymraeg yn eu cartrefi eu hunain. Rwy'n cyfaddef fod hyn yn anodd mewn tref fel Pontypridd lle mae'r Saesneg mor gryf ymysg pob dosbarth. Hyd yn oed yn y capel Cymraeg rydyn ni'n gweld bod y sgwrsio'n digwydd yn Saesneg ar ôl i'r gwasanaeth orffen.

O lythyr a gyhoeddwyd yn *The Glamorgan Free Press*, 26 Ebrill 1902.

FFYNHONNELL **C**

Rwy'n cofio dod nôl o'r pwll un prynhawn ac roedd y gweinidog yn disgwyl amdana i. Roeddwn i'n flinedig ac eisiau bwyd a heb fod mewn hwyl i drafod crefydd. Gwnaeth ei orau i geisio fy nghael i i ddychwelyd i'r capel. Yn y diwedd aeth ar ei liniau. Dyma fi'n gwylltio a dweud wrtho na fyddwn i byth yn ymateb i'r fath ddulliau.

Allan o hunangofiant arweinydd undeb llafur, Will Paynter (1972).

FFYNHONNELL **CH**

Ar ôl y Rhyfel Byd Cyntaf, dirywiodd y capeli. Roedd y colli gwaed a'r dioddefaint o achos y rhyfel wedi troi llawer yn erbyn crefydd. Roedd y byd yn newid ond credai nifer o bobl fod y capeli a'r eglwysi'n araf i addasu neu na allent wneud hynny.

Allan o werslyfr ysgol a ysgrifennwyd gan Roger Turvey, *Wales and Britain 1906–51* (1997).

CA Cwestiynau Arholiad

1 Pa wybodaeth y mae Ffynhonnell A yn ei rhoi am y ffordd roedd adloniant poblogaidd yn newid yn ystod y cyfnod hwn? [3]

2 Defnyddiwch yr wybodaeth yn Ffynhonnell B a'ch gwybodaeth eich hun i egluro sut roedd safle'r Gymraeg yn newid ar ddechrau'r ugeinfed ganrif. [4]

3 Pa mor ddefnyddiol yw Ffynhonnell C fel tystiolaeth i hanesydd sy'n astudio agweddau at grefydd yng Nghymru? Eglurwch eich ateb gan ddefnyddio'r ffynhonnell a'r hyn rydych chi'n ei wybod. [5]

4 Yn Ffynhonnell CH mae'r awdur yn dweud mai'r rhyfel achosodd ddirywiad y capeli. Ydy hwn yn gasgliad dilys?
Yn eich ateb dylech ddefnyddio'r hyn rydych yn ei wybod am y testun, cyfeirio at y ffynonellau eraill sy'n berthnasol yn y cwestiwn hwn, ac ystyried sut y daeth yr awdur i'r dehongliad hwn. [8]

2 DIRWASGIAD, RHYFEL AC ADFERIAD, 1930–51

Oherwydd effeithiau byd-eang Cwymp Wall Street yn Hydref 1929 bu dirwasgiad pellach yn niwydiant trwm Prydain, a bu'n rhaid diswyddo miloedd o weithwyr. Roedd cymunedau cyfan yng Nghymru a gogledd Lloegr yn byw ar fudd-dal diweithdra. Er i bobl gynnal gorymdeithiau protest, ni chymerodd y llywodraeth fawr o sylw. Tyfodd diwydiannau newydd yn cynhyrchu nwyddau i ddefnyddwyr, yng Nghanolbarth a De Lloegr. Wrth i bobl symud yno o Gymru a gogledd Lloegr, datblygodd yr ardaloedd mwy cyfoethog hyn yn gyflym.

O edrych yn ôl, y daith i ryfel ym 1939 oedd datblygiad mwyaf arwyddocaol y degawd, er i nifer o bobl ar y pryd geisio osgoi rhyfel byd arall. Wrth i arweinwyr y Natsïaid dorri cytundeb Versailles dro ar ôl tro, ceisiodd nifer o bobl ym Mhrydain ddod o hyd i resymau i gyfiawnhau hyn. Polisi dyhuddo oedd yr enw a roddwyd arno, a chaiff ei gysylltu'n bennaf â'r Prif Weinidog Neville Chamberlain. Roedd y polisi dyhuddo yn amlwg iawn yn München (Munich) pan gytunwyd i adael i'r Almaenwyr feddiannu rhan o Tsiecoslofacia. Wedi hynny gwelai pobl fod rhyfel yn anochel. Felly, wrth i Hitler oresgyn Gwlad Pwyl ym 1939, nid oedd gwrthwynebiad mawr pan gyhoeddodd y llywodraeth ryfel ar yr Almaen.

Effeithiodd yr Ail Ryfel Byd yn fwy ar bobl gyffredin nag unrhyw ryfel cyn hynny. Anogwyd menywod i wneud cyfraniad cadarnhaol i'r ymdrech ryfel. Bu Winston Churchill yn cynnal ysbryd pobl pan oedd Prydain yn sefyll ar ei phen ei hun yn erbyn Almaen y Natsïaid.

Daeth y Blaid Lafur i rym wedi etholiad 1945 a chyflwyno diwygiadau pellgyrhaeddol iawn wrth sefydlu'r Wladwriaeth Les. Roedd gwladoli, sef dod â'r prif ddiwydiannau yn eiddo cyhoeddus, yn llai poblogaidd. O achos hyn, a'r ffaith fod dogni'r rhyfel yn dal i ddigwydd, collodd Llafur rym ym 1951.

LLINELL AMSER DIGWYDDIADAU

1929 Ramsay MacDonald yn dod yn brif weinidog Llafur

1933 Hitler yn dod yn ganghellor yr Almaen

1934 Cyflwyno Deddf yr Ardaloedd Arbennig

1936 Crwsâd Jarrow
Milwyr yr Almaen yn ailfeddiannu ardal y Rhein
Rhyfel Cartref Sbaen

1938 *Anschluss* (undeb) rhwng Awstria a'r Almaen
Cynhadledd München

1939 Prydain yn cyhoeddi rhyfel ar yr Almaen

1940 Brwydr Prydain *(The Battle of Britain)*
Dechrau'r *Blitz*

1941 Yr Almaen yn goresgyn Rwsia
UDA yn dod i'r rhyfel

1944 6 Mehefin: Lluoedd y Cynghreiriaid yn glanio yn Normandie ar Ddydd-D *(D-day)*

1945 Mai: Diwrnod 'VE' (Buddugoliaeth yn Ewrop)
Awst: Bomiau atomig yn cael eu gollwng ar Hiroshima a Nagasaki
Medi: Diwrnod 'VJ' (Buddugoliaeth yn Japan) – diwedd yr Ail Ryfel Byd

1946 Pasio Deddf Yswiriant Gwladol

1948 Sefydlu'r Gwasanaeth Iechyd Gwladol

Sut ac i ba raddau effeithiodd newidiadau yn economi Cymru a Lloegr ar fywydau pobl yn y 1930au?

NEWID MEWN GALW AM LO A DUR A CHANLYNIADAU HYNNY

Ar ddiwedd y Rhyfel Byd Cyntaf bu'r economi'n llwyddiant am ychydig, ond sylweddolodd pobl Prydain yn fuan na fyddai'n bosibl dychwelyd i'r amodau masnachu a oedd yn bod cyn 1914. Roedd nifer o broblemau gan ddiwydiant glo Cymru, a ddibynnai ar y fasnach allforio. Roedd y ffigurau cynhyrchiant uchaf erioed cyn y rhyfel wedi digwydd drwy gyflogi mwy o lowyr ac nid drwy fuddsoddi mewn peiriannau torri glo neu foderneiddio arferion gwaith. Roedd glo Cymru'n dechrau mynd yn ddrud.

Nawr roedd hi'n well gan wledydd a oedd wedi mewnforio glo o Gymru cyn y Rhyfel Byd Cyntaf, brynu eu glo'n rhatach o Wlad Pwyl ac UDA. Cyhoeddodd cytundeb heddwch 1919 y dylai'r Almaen dalu iawndal am achosi'r Rhyfel Byd Cyntaf, felly gallai'r gwledydd buddugoliaethus dderbyn glo o'r Almaen yn lle taliadau iawndal. Ar yr un pryd roedd olew yn cymryd lle glo fel y prif danwydd i longau. Felly roedd llawer llai o fasnach i orsafoedd glo ledled y byd, a oedd wedi cael eu cyflenwi â glo o Gymru.

Effeithiodd problemau tebyg ar y diwydiant haearn a dur yng Nghymru a gweddill Prydain. Yn ystod y Rhyfel Byd Cyntaf roedd gwledydd eraill, fel Gwlad Pwyl ac UDA, wedi moderneiddio eu diwydiannau er mwyn gallu cynhyrchu dur a metelau eraill yn rhatach na Phrydain. Gwaethygu pethau'n unig wnaeth anghydfodau diwydiannol, fel y Streic Gyffredinol ym 1926.

O ganlyniad i gwymp marchnad stoc yr Unol Daleithiau, sef Cwymp Wall Street, ym mis Hydref 1929, dirywiodd masnach y byd eto. Wrth i ddiwydiannau'r Unol Daleithiau gau a miliynau'n ddi-waith, daeth hi'n amlwg y byddai Ewrop yn dioddef yr un math o broblemau cyn hir – roedd Dirwasgiad Mawr y 1930au ar fin dechrau.

A hithau'n un o'r ardaloedd yr effeithiwyd arni waethaf, cyhoeddwyd yn swyddogol fod De Cymru'n 'ardal ddirwasgedig'. Erbyn canol y 1930au, roedd nifer y glowyr a gyflogwyd yng nghymoedd Rhondda wedi mwy na haneru mewn deng mlynedd. Am y rhan fwyaf o'r 1930au roedd yn fan gwael am ddiweithdra, gyda graddfa ddiweithdra o dros 40 y cant.

Blwyddyn	Tunelledd a gynhyrchwyd	Tunelledd a allforiwyd	Glowyr a gyflogwyd
1929	48.1 miliwn	29.9 miliwn	175,000
1934	35.1 miliwn	19.5 miliwn	126,000
1939	35.2 miliwn	20.0 miliwn	136,000

Ffigurau cynhyrchiant, masnach a chyflogaeth ar gyfer maes glo De Cymru, 1929–39.

Aeth ardal Merthyr yn fan gwael am ddiweithdra pan gaewyd yr hen weithfeydd haearn a dur, gyda graddfeydd diweithdra tebyg. Ond, er i borthladdoedd De Cymru gael ergyd galed wrth i'r fasnach lo ddirywio, roedd mwy o waith amrywiol ar gael yng Nghaerdydd a threfi ar yr arfordir, felly llwyddon nhw i osgoi effeithiau gwaethaf y Dirwasgiad.

Graddfeydd diweithdra yng Nghymru a Lloegr 1928–38.

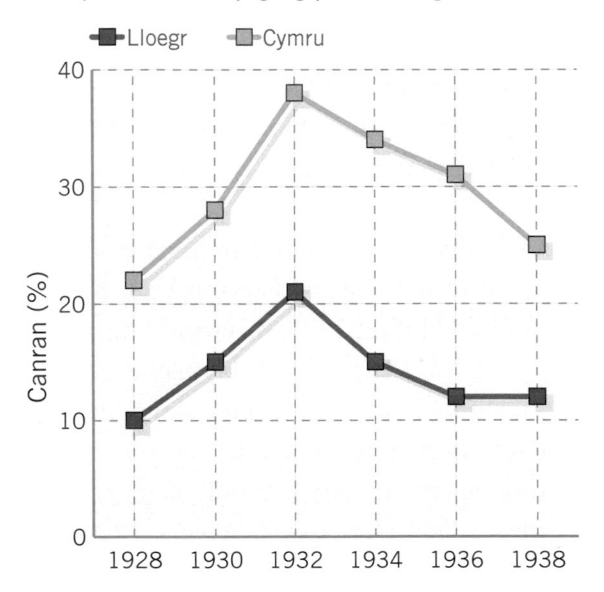

DIWEITHDRA, TLODI A'R DÔL

Roedd effeithiau cymdeithasol y Dirwasgiad yn enbyd yn yr ardaloedd a oedd wedi dibynnu cymaint ar lo a dur. Bu'n rhaid i lowyr a gweithwyr dur crefftus, a arferai gael eu hystyried yn asgwrn cefn diwydiant Prydain, hawlio budd-dal diweithdra neu fyw 'ar y clwt' neu 'ar y dôl' fel y dywedai pobl. O 1934, roedd y dôl yn cael ei reoli gan Fyrddau Cymorth Diweithdra (UAB) ac roedd prawf modd i benderfynu'r swm i'w dalu i bob teulu. Byddai teuluoedd gyda pheth arian wedi'i gynilo neu incwm bychan ychwanegol yn cael llai o arian dôl.

Sefydlwyd Mudiad Cenedlaethol y Gweithwyr Di-waith (NUWM) gyda chymorth y Blaid Gomiwnyddol i drefnu protestiadau yn erbyn diweithdra torfol. Gorymdeithiau wedi eu trefnu oedd y protestiadau hyn fel arfer, a chawsant yr enw 'gorymdeithiau newyn'. Ond ni newidiodd safbwynt y llywodraeth.

FFYNHONNELL A Menywod o Gymru'n cymryd rhan mewn gorymdaith newyn, 1934.

Trefnwyd protestiadau lleol hefyd yn erbyn y dôl a'r prawf modd. Pan ddywedodd y llywodraeth y bydden nhw'n torri budd-daliadau ym mis Chwefror 1935, cynhaliwyd gorymdeithiau mawr yn y Rhondda, Aberdâr a Phont-y-pŵl. Bu grŵp mawr o fenywod yn ymosod ar swyddfeydd yr UAB ym Merthyr ac yn dwyn oddi yno.

Mewn llawer o gymunedau dirwasgedig lle roedd y dynion yn segur, y menywod fyddai'n dioddef fwyaf yn aml. Byddai mamau'n gwneud heb bethau wrth ymdrechu i geisio bwydo eu teuluoedd a 'chael dau ben llinyn ynghyd'. Byddai mamau'n bwyta llai na phawb arall, gan esgeuluso eu hiechyd a'u lles yn gyffredinol. Gydol y 1930au, roedd adroddiadau swyddogol yn cadarnhau bod y ffigurau am farwolaethau wrth eni babanod a salwch menywod yn uwch yn gyffredinol yng Nghymru nag yng ngweddill Prydain.

FFYNHONNELL B

Mae [menyw o Gaerffili] yn dweud ei bod hi ar ei thraed am 16.5 awr y dydd. 'Ar ôl i'r plant fynd i'r gwely, bydda i'n cael dwy awr o lonydd, bydda i'n trwsio dillad y plant a thacluso yn ystod yr ychydig oriau hynny.'
Mae [menyw o Gaerdydd] yn dweud mai morwyn yn gwasanaethu oedd hi o'r blaen a byth yn dost. Mae hi nawr yn 39, gyda chwe phlentyn, pob un yn byw gartref, mewn tŷ heb ystafell ymolchi na dŵr twym. Mae cefn tost iawn ganddi a phoenau a chrychguriadau yn y galon, ond nid yw hi wedi gweld meddyg; mae'n gwrando ar y sgyrsiau iechyd ar y radio.

Darn allan o M. Spring Rice, *Working Class Wives: Health and Conditions* (1939).

MESURAU'R LLYWODRAETH I DDELIO Â'R DIRWASGIAD

Roedd hi'n anodd i'r llywodraeth Geidwadol, gyda'i pholisi lleihau gwariant cyhoeddus, roi unrhyw help go iawn i'r ardaloedd yr effeithiodd y Dirwasgiad waethaf arnynt. Penododd Deddf yr Ardaloedd Arbennig 1934 gomisiynydd y llywodraeth i ofalu am bedair ardal 'arbennig' neu 'ddirwasgedig', gan gynnwys de-ddwyrain Cymru. Wedi cau'r gwaith dur lleol ym 1936, daeth y Brenin Edward VIII i ymweld â Dowlais, lle roedd 73 y cant yn ddi-waith. Ar ôl gweld y tlodi drosto'i hun, meddai, 'Rhaid i rywbeth gael ei wneud', ond ni ddigwyddodd dim byd mewn gwirionedd. Cryfhawyd Deddf yr Ardaloedd Arbennig pan roddwyd £1 miliwn i annog sefydlu ffatrïoedd newydd yn yr ardaloedd arbennig. Gwnaed cynlluniau i adeiladu nifer o ffatrïoedd gyda'i gilydd ar un safle i greu 'stad fasnachol'. Y fwyaf o'r rhain oedd Stad Fasnachol Trefforest rhwng Pontypridd a Chaerdydd. Ond, nid oedd cyflogwyr yn barod iawn i symud i Gymru o ardaloedd mwy llewyrchus Canolbarth Lloegr ac ardal Llundain, ac erbyn mis Medi 1939, 2500 gweithiwr yn unig oedd yn Nhrefforest.

Roedd y penderfyniad i agor gwaith dur newydd yng Nglynebwy yn fwy o hwb. Pan ddechreuwyd cynhyrchu ym 1938, roedd gan Gymru o leiaf un gwaith dur o'r math diweddaraf.

C *Cwestiynau*

1 Pam roedd llai o alw am lo Prydain ar ôl y rhyfel?
2 Sut effeithiodd y Dirwasgiad ar fenywod a oedd yn byw yn yr ardaloedd dirwasgedig?
3 Pa mor llwyddiannus oedd mesurau'r llywodraeth i ddelio â'r Dirwasgiad?

PA MOR DEBYG OEDD PROFIADAU CYMRU A LLOEGR YN Y 1930AU?

Yr hen ddiwydiannau

Roedd Lloegr yn y 1930au'n dal yn wlad llawn cyferbyniadau. Yn y gogledd yn bennaf roedd yr ardaloedd a ddibynnai ar hen ddiwydiannau – glo, gwneud dur, adeiladu llongau a gweithgynhyrchu cotwm – ac roeddynt yn dioddef o'r un problemau â Chymru.

Roedd yr un diffyg galw'n effeithio ar ddiwydiannau glo a dur Lloegr. Roedd melinau cotwm Swydd Gaerhirfryn yn darparu cotwm i 65 y cant o farchnad y byd cyn 1914, ond cafwyd cwymp i lai na hanner y ffigur hwnnw.

Wrth i fasnach y byd ddirywio, roedd gormod o iardiau llongau'n cystadlu am yr ychydig waith a oedd ar gael. Ni allai cwmnïau llongau obeithio archebu llongau newydd. Diswyddwyd miloedd o weithwyr o ierdydd llongau glannau Merswy, gogledd ddwyrain Lloegr a glannau Clud yn yr Alban. Un o'r ardaloedd a effeithiwyd waethaf oedd Jarrow, ar lannau afon Tyne, 'y dref a lofruddiwyd', yn ôl yr AS lleol Ellen Wilkinson. Caeodd prif gyflogwr y dref, iard longau Palmer, a chododd cyfradd diweithdra y dref i 68 y cant. Daeth yr orymdaith brotest i Lundain ym 1936, a alwyd yn Grwsâd Jarrow (gweler Ffynhonnell C), yn un o'r gorymdeithiau newyn enwocaf a gynhaliwyd yng Nghymru a Lloegr yn ystod y 1930au. Serch hynny, ni lwyddwyd i gael cymorth gan y llywodraeth i ddatrys problemau'r dref.

FFYNHONNELL **C** Gorymdeithwyr ar Grwsâd Jarrow, 1936.

Twf diwydiant newydd

Er mai degawd y Dirwasgiad Mawr oedd y 1930au, roedd diwydiant yn ehangu'n fawr a gwelodd rhai pobl eu safon byw'n codi. Roedd technegau masgynhyrchu, a ddefnyddiwyd gyntaf gan Gwmni Ceir Ford yn UDA, yn cael eu defnyddio nawr i weithgynhyrchu amrywiaeth o nwyddau, o geir ac awyrennau i nwyddau trydan a bwydydd brand. Drwy ddefnyddio prosesau cemegol newydd, gweithgynhyrchwyd ffibrau tecstil newydd, fel rayon, a phlastigion, fel Bakelite.

Nawr roedd gan fwy a mwy o bobl brif gyflenwad trydan ac er mai goleuadau trydan yn unig y gallai'r tlodion ei fforddio, roedd teuluoedd cyfoethocach yn prynu sugnwyr llwch, oergelloedd a phoptai. Erbyn 1937 roedd radio gan dros hanner cartrefi Prydain, hyd yn oed yn ardaloedd tlotaf Cymru.

Trydan ac nid glo oedd yn rhedeg y diwydiannau 'ysgafn' newydd yn bennaf. Erbyn 1933, cwblhawyd cynllun y llywodraeth i sefydlu Grid Cenedlaethol, yn cysylltu pob gorsaf generadu ac yn darparu ynni trydan i bob rhanbarth. Bellach nid oedd rhaid adeiladu ffatrïoedd ar feysydd glo neu'n agos atyn nhw. Gallai'r ffatrïoedd newydd, a gynhyrchai nwyddau traul, gael eu gosod nawr yn agos at eu cwsmeriaid mewn ardaloedd uchel eu poblogaeth, gyda gweithlu llafur crefftus gerllaw. Am y rhesymau hyn cynhyrchwyd y nwyddau traul newydd yma yn bennaf yng Nghanolbarth a de ddwyrain Lloegr. Roedd busnesau llewyrchus y 1930au'n cynnwys cwmnïau ceir fel Austin o Birmingham, Morris o Rydychen a Ford o Dagenham, a Hoover, yn gwneud sugnwyr llwch yn Isleworth, gorllewin Llundain. Ymhlith y bwydydd brand, roedd cwmni

Cadbury yn Bourneville, Birmingham, a Mars yn Slough yn cynhyrchu cynnyrch siocled i farchnad Prydain.

Symud o Gymru i Loegr

Symudodd miloedd o weithwyr di-waith a'u teuluoedd o Gymru i ardaloedd mwy llewyrchus Lloegr. Manteisiodd rhai ar gynllun swyddogol y llywodraeth i ddod o hyd i waith a llety yn Lloegr i weithwyr di-waith o Gymru. Ond weithiau nid oedd croeso yn eu cymunedau newydd (gweler Ffynhonnell Ch). Ar ôl bod yn ddi-waith am amser mor hir, roedd rhai gweithwyr o Gymru'n barod i weithio am y tâl isaf.

Oherwydd y rhyfel ni chynhaliwyd cyfrifiad ym Mhrydain ym 1941, felly nid oes ffigurau cywir ar gyfer y newidiadau yn y boblogaeth a ddigwyddodd yn y 1930au. Ond amcangyfrifir i ryw 430,000 o bobl adael Cymru yn ystod y 1920au a'r 1930au. Collodd Merthyr Tydfil, a oedd eisoes wedi colli 17,000 o bobl yn ystod y 1920au, 10,000 arall yn ystod y 1930au ac roedd y ffigurau ar gyfer cymoedd Rhondda'n uwch eto.

FFYNHONNELL **CH**

Doedd pobl Rhydychen ddim eisiau'r Cymry, achos pan oedd stad o dai newydd yn cael ei chodi ym 1933-4, cafodd ei chodi gan Gymry a weithiai am swllt (5c) yr awr. Pan es i i fyw yno, roedd casineb ofnadwy tuag at y Cymry.

Arthur Excell, a gafodd waith yn ffatri geir Morris yn Rhydychen ar ôl symud yno o Beddau, ger Pontypridd, yn cofio'i brofiadau.

C Cwestiynau

1 A effeithiodd y Dirwasgiad ar Gymru a Lloegr i gyd? Eglurwch eich ateb.

2 Rhowch enghreifftiau o'r diwydiannau 'ysgafn' newydd.

3 Pam roedd y diwydiannau newydd hyn yn mynd i Ganolbarth a de ddwyrain Lloegr?

Diwylliant ac adloniant poblogaidd

Roedd chwaraeon ac adloniant poblogaidd yn helpu pobl i ymdopi â chaledi'r Dirwasgiad. Gan fod gan bobl lai o arian i'w wario ar eu hamser hamdden, dioddefodd pêl-droed proffesiynol, a oedd yn dibynnu ar dorfeydd mawr. Roedd pethau'n well ar chwaraeon amatur, gan gynnwys Rygbi'r Undeb; ym 1935 curodd tîm rygbi Cymru dimoedd Lloegr a Chrysau Duon Seland Newydd. Hefyd cafodd tîm criced Morgannwg nifer o dymhorau llwyddiannus. Prif arwr y campau yn ystod y 1930au yn ddi-os oedd Tommy Farr, y paffiwr o'r Rhondda. Daeth ei ornest aflwyddiannus am bencampwriaeth pwysau trwm y byd ym 1938 yn erbyn yr Americanwr, Joe Louis, yn chwedl.

Yn ystod y 1930au daeth y radio'n boblogaidd – yn lle setiau grisialau a ffonau pen daeth setiau radio gydag uchelseinyddion. Yng Nghymru, roedd sefydlu Rhanbarth Cymreig y BBC ym 1937 yn hwb i'r radio, gyda mwy o raglenni'n cael eu gwneud yn Gymraeg ac yn Saesneg. Ym 1936 darlledwyd y rhaglenni teledu newydd o Balas Alexandra i wylwyr yn ardal Llundain. Pan ohiriwyd y gwasanaeth ym 1939, amcangyfrifwyd bod dim mwy na 50,000 o wylwyr i gyd.

Y sinema oedd yr adloniant mwyaf poblogaidd yn y 1930au. Ers troad y ganrif, roedd ffilmiau mud wedi cael eu dangos. Tua diwedd y 1920au rhoddwyd trac sain i ffilmiau a *talkies* oedd yr enw arnyn nhw. Heidiai pobl i weld y ffilmiau newydd. Adeiladwyd sinemâu moethus newydd mewn sawl tref (gweler Ffynhonnell D) ac oherwydd y prisiau mynediad rhad gallai'r di-waith hyd yn oed fforddio noson mas bob hyn a hyn. Ffilmiau Americanaidd oedden nhw gan fwyaf, a daeth sêr y ffilmiau Clark Gable, Greta Garbo ac Errol Flynn yn enwau cyfarwydd. Un o'r ychydig ffilmiau â chefndir Cymreig oedd *Proud Valley*, a ryddhawyd ym 1939, gyda'r canwr a'r actor du o America, Paul Robeson, yn y brif ran.

FFYNHONNELL **D** Hysbyseb sinema newydd y Palladium ym Mhwllheli ym 1936.

2 YMARFER ARHOLIAD

Mae'r cwestiynau hyn yn profi Adran A y papur arholiad.

BYWYD YN YSTOD Y DIRWASGIAD

Astudiwch Ffynonellau A – CH isod ac yna atebwch y cwestiynau sy'n dilyn.

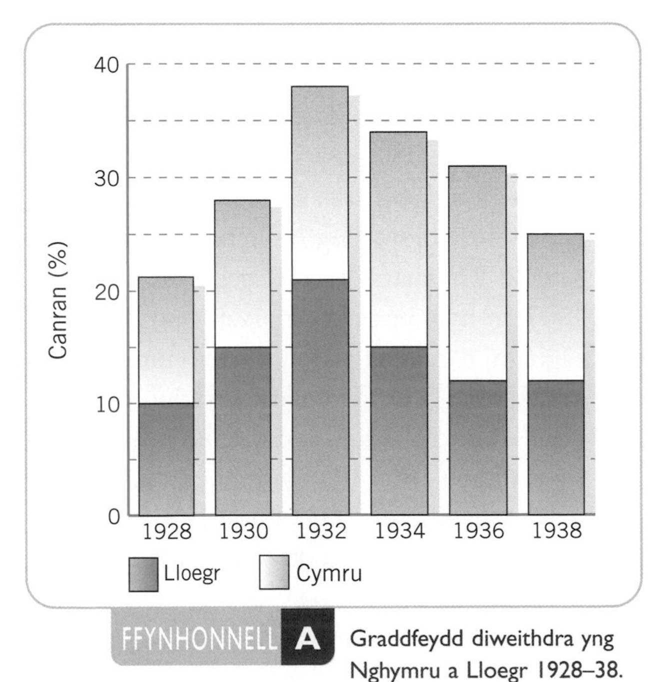

FFYNHONNELL **A** Graddfeydd diweithdra yng Nghymru a Lloegr 1928–38.

FFYNHONNELL **B** Ffatri ddillad yn cael ei hadeiladu gydag arian y llywodraeth yng nghwm Rhondda, 1938.

FFYNHONNELL **C**

Unwaith fe fues i'n byw yng Nghymru ac fe allwn i weld yn llawer cliriach sut roedd bod yn ddi-waith yn bychanu a diraddio pobl. Fe fyddai dynion yn sefyllian ar gornel strydoedd, heb wybod yn iawn beth i'w wneud ac roedd pobl yn llwgu. Roedd rhaid i chi gymryd rhan mewn unrhyw weithgaredd a fyddai'n gwneud i bobl deimlo o leiaf eu bod nhw'n ymladd 'nôl a chael pobl eraill i ddeall pa mor ddifrifol oedd y sefyllfa.

O gyfweliad a roddwyd ym 1985 gan Mrs Dora Cox, a gymerodd ran yng ngorymdaith newyn 1934.

FFYNHONNELL **CH**

Er mai delwedd gyffredinol druenus sydd gan Gymru yn y 1930au, mae ein synnwyr cyffredin hanesyddol yn dweud wrthym na allai fod wedi bod felly o hyd, i bawb, ac ym mhobman. Ar ddiwedd y 1930au, roedd mwy o setiau radio y pen o'r boblogaeth yng Nghaerdydd nag yn Slough a mwy o geir nag yn Luton ac wrth astudio'r wasg leol, mae'n ymddangos nad oedd y cyfnod hwn yn un gwael o gwbl.

Hanesydd modern, Deian Hopkin, yn ysgrifennu yn *Wales Between The Wars* (1988).

CA Cwestiynau Arholiad

1 Pa wybodaeth mae Ffynhonnell A yn ei rhoi am y Dirwasgiad? [3]

2 Defnyddiwch yr wybodaeth yn Ffynhonnell B a'r hyn rydych chi'n ei wybod i egluro sut ceisiodd y llywodraeth ddelio â'r Dirwasgiad. [4]

3 Pa mor ddefnyddiol yw Ffynhonnell C fel tystiolaeth i hanesydd sy'n astudio'r Dirwasgiad yng Nghymru? Eglurwch eich ateb gan ddefnyddio'r ffynhonnell a'r hyn rydych chi'n ei wybod. [5]

4 Yn Ffynhonnell CH mae'r awdur yn dweud mai gwella roedd pethau mewn llawer o ffyrdd yng Nghymru yn ystod y 1930au. A yw hynny'n ddehongliad dilys?
Yn eich ateb dylech ddefnyddio'r hyn rydych yn ei wybod am y testun, cyfeirio at y ffynonellau eraill sy'n berthnasol yn y cwestiwn hwn, ac ystyried sut y daeth yr awdur i'r dehongliad hwn. [8]

Pam aeth Prydain i ryfel yn erbyn yr Almaen ym 1939?

FFYNHONNELL A

Mae hi mor ofnadwy, rhyfeddol ac anhygoel ein bod yma'n palu ffosydd ac yn ffitio ein masgiau nwy oherwydd cweryla mewn gwlad bell rhwng pobl nad ydyn ni'n gwybod dim amdanyn nhw.

Neville Chamberlain yn siarad mewn darllediad radio ym 1938 ychydig cyn Cynhadledd München gyda Hitler.

Er bod haneswyr sy'n edrych ar y 1930au yn gweld cyfres o ddigwyddiadau 'fel y pethau a achosodd yr Ail Ryfel Byd', roedd y darlun yn llawer llai eglur i bobl Prydain ar y pryd. Gallai'r rhan fwyaf o bobl gofio'r Rhyfel Byd Cyntaf ac roedd yr atgofion am golli anwyliaid yn dal yn fyw; gobaith llawer oedd na fyddai rhaid byw drwy ryfel eto. Hefyd, nid oedd materion yn ymwneud â heddwch a rhyfel yn rhan o fyd darnau mawr o'r boblogaeth. Y mater pwysicaf i bobl yn ardaloedd dirwasgedig Cymru, gogledd Lloegr a chanolbarth yr Alban oedd diweithdra, y dôl a'r prawf moddion, ac analluedd'r llywodraeth i wella pethau go iawn.

Roedd teuluoedd yn ardaloedd mwy llewyrchus Canolbarth a de Lloegr yn meddwl mwy am eu swyddi a'u gallu i dalu am eu tai, eu ceir a'u nwyddau traul newydd. Roedd llawer o bobl yn meddwl mai dim ond gwella y gallai pethau ei wneud.

YMOSODIADAU'R ALMAEN YN Y 1930AU

Ar ôl i'r Almaen ildio ym mis Tachwedd 1918, cafodd y Cynghreiriaid buddugoliaethus gyfarfod ym Mhalas Versailles ger Paris i drafod y telerau i'w gosod ar yr Almaen. Mae prif delerau'r Cytundeb yn y blwch isod. Nid oedd hawl gan lywodraeth yr Almaen gymryd rhan yn y trafodaethau heddwch ac ni chafodd telerau'r Cytundeb dderbyniad da yn yr Almaen. Dros yr ugain mlynedd nesaf, roedd drwgdeimlad yr Almaen tuag at Gytundeb Versailles yn rhan o'r tensiwn a achosodd yn y pen draw i'r Ail Ryfel Byd ddechrau ym 1939.

g PRIF DELERAU CYTUNDEB VERSAILLES, 1919

- Beio'r Almaen am ddechrau'r rhyfel.
- Yr Almaen yn gorfod talu iawndal (£6600 miliwn) i'r Cynghreiriaid am y colledion a'r difrod yn sgil y rhyfel.
- Rhoi Alsace a Lorraine yn ôl i Ffrainc.
- Sefydlu Gwlad Pwyl a Tsiecoslofacia'n weriniaethau annibynnol.
- Llawer o siaradwyr Almaeneg o dan reolaeth llywodraethau gwahanol i'r Almaen.
- Dim hawl i'r Almaen ac Awstria uno (yr *Anschluss*).
- Y Rheinland i fod yn ardal heb filwyr.
- Cyfyngu byddin yr Almaen i 100,000, heb danciau nac awyrennau.
- Sefydlu Cynghrair y Cenhedloedd i weithio tuag at gynnal heddwch yn y byd.

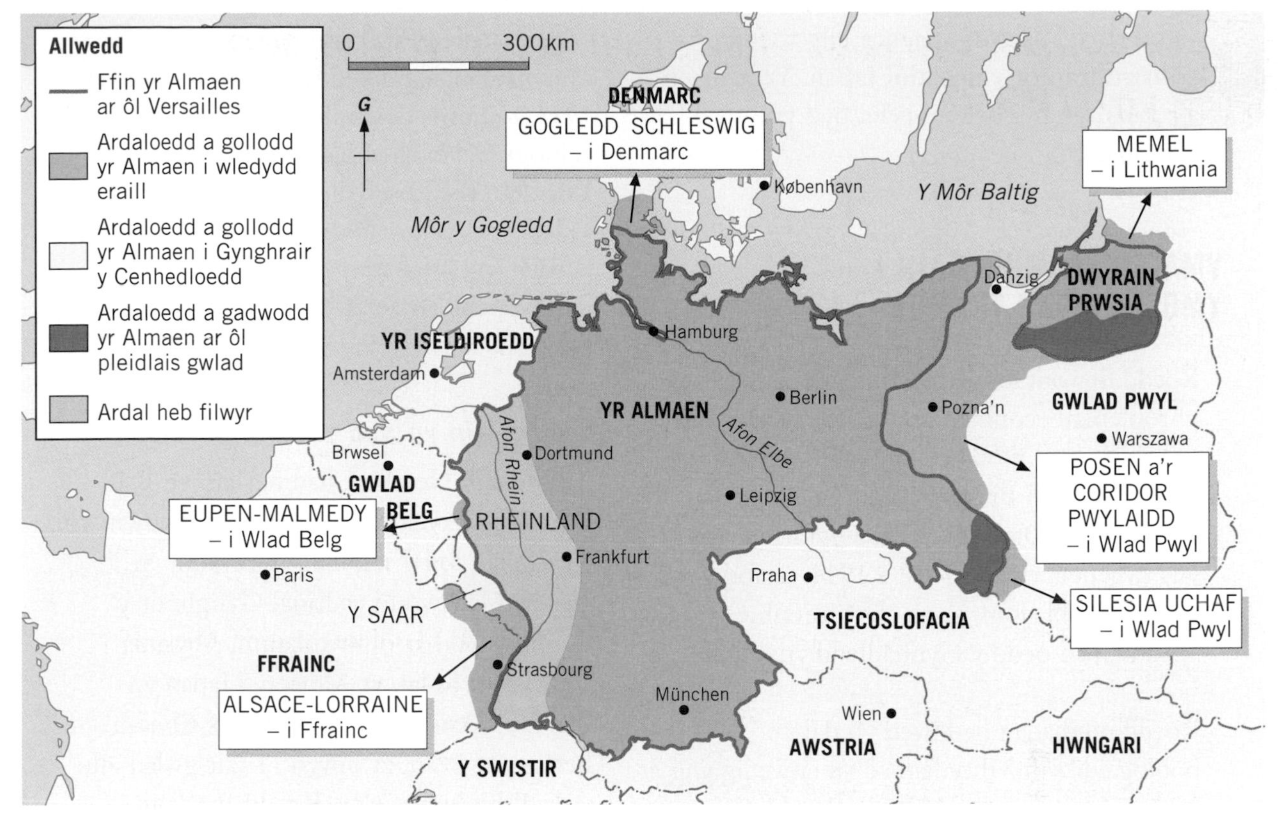

Telerau tiriogaethol Cytundeb Versailles, 1919.

Almaen y Natsïaid a Chytundeb Versailles

Yn ystod y 1920au datblygodd casineb yn erbyn 'annhegwch' Cytundeb Versailles yn yr Almaen. Daeth y Blaid Sosialaidd Genedlaethol, neu'r Blaid Natsïaidd, o dan arweinyddiaeth Adolf Hitler, yn fwy poblogaidd yn bennaf am iddi addo dadwneud telerau'r cytundeb. Daeth Hitler a'r Blaid Natsïaidd i rym yn yr Almaen ym 1933, a gwnaed cynlluniau cyfrinachol i ddadwneud llawer o'i delerau. Cyn diwedd y flwyddyn roedd yr Almaen wedi gadael Cynghrair y Cenhedloedd ac wrthi'n gyfrinachol yn cynllunio i ailarfogi – cam yr oedd Cytundeb Versailles yn ei wahardd yn llwyr.

Ailfeddiannu'r Rheinland

Ym mis Mawrth 1936 gorchmynnodd Hitler i fyddin yr Almaen ailfeddiannu'r Rheinland, yr ardal heb filwyr yng ngorllewin y wlad. Roedd Hitler yn gwybod nad oedd byddin yr Almaen yn barod i frwydro eto a rhoddodd orchymyn i'r milwyr gilio'n syth petai byddin Ffrainc yn eu gwrthsefyll. Ond ni wnaeth llywodraeth Ffrainc ddim byd. Roedd Prif Weinidog Prydain, Stanley Baldwin, yn dadlau mai symud milwyr o fewn eu tiriogaeth eu hunain yn unig roedd yr Almaenwyr, a cheisiodd ddarbwyllo pobl nad oedd yr ailfeddiannu'n fygythiad. Drwy herio pwerau'r Gorllewin a rhoi ergyd arall i Gytundeb Versailles, roedd Hitler hefyd wedi cynyddu ei rym gartref.

Cymylau'n crynhoi yn y 1930au

Nid yr Almaen oedd yr unig wlad i ddilyn polisi tramor ymosodol yn y 1930au. Meddiannodd Japan Manchuria (talaith o China) ym 1931 a gadael Cynghrair y Cenhedloedd y flwyddyn honno hefyd. Ym 1935, dechreuodd yr Eidal, o dan ei unben Ffasgaidd Mussolini, ymosod yn dreisgar ar Abysinia, yn Nwyrain Affrica. Ym 1936, anfonodd Mussolini filwyr ac anfonodd Hitler awyrennau a lluoedd arbennig yn ystod rhyfel cartref Sbaen. Felly roedd polisïau tramor ymosodol Japan, Yr Almaen a'r Eidal yn bygwth ail ryfel byd yn ystod y 1930au.

YMATEB YM MHRYDAIN I YMOSODIADAU TRAMOR

Roedd llywodraeth Prydain, gyda'i phroblemau economaidd difrifol gartref, yn gobeithio bod modd osgoi rhyfel cyffredinol. Roedd gobaith Prydain wedi'i hoelio ar Gynhadledd Diarfogi'r Byd a gynhaliwyd yng Ngenefa rhwng 1932 a 1934. Cafodd llawer o bobl siom, er na chawson nhw syndod, pan oedd y Gynhadledd yn fethiant.

Roedd mudiadau heddwch yn dal yn boblogaidd ym Mhrydain ac yn enwedig yng Nghymru yn ystod y 1930au. Roedd y Cyngor Cymreig o Undeb Cynghrair y Cenhedloedd wedi bod yn weithgar ers 1922. Yn ystod y 1930au cynnar, trefnodd Undeb Cynghrair y Cenhedloedd Bleidlais Heddwch, wedi ei seilio ar ganfasio o ddrws i ddrws ledled Prydain. Dangosodd y canlyniadau, a gyhoeddwyd ym mis Mehefin 1935, fod dros deg miliwn o gartrefi'n cefnogi heddwch a diarfogi rhyngwladol. Ym 1936 roedd sefydlu'r Undeb Ymrwymo i Heddwch *(Peace Pledge Union)* yn brawf pellach fod nifer fawr o bobl yn dal i wrthwynebu rhyfel. Ond roedd y sefyllfa ryngwladol yn gwaethygu.

Chamberlain yn dod yn Brif Weinidog

Pan ddaeth Neville Chamberlain yn Brif Weinidog Prydain yn lle Stanley Baldwin ym 1937, prin fod y sefyllfa ryngwladol yn gwella. Gadawodd yr Eidal Gynghrair y Cenhedloedd ar ôl meddiannu Abysinia. Galwyd yr Eidal, yr Almaen a Japan yn Bwerau'r Axis ar ôl llofnodi Axis Rhufain-Berlin ym 1936, er mwyn i'r tair gwlad allu cydweithio'n fwy clòs. Roedd Prydain yn dal yn gyndyn o ystyried bod rhyfel yn bosibl, ond pasiwyd Deddf Rhagofalon Cyrchoedd Awyr *(Air Raid Precautions Act)* ym mis Rhagfyr 1937 a gwnaed cynlluniau i warchod y boblogaeth rhag ymosodiadau o'r awyr.

g NEVILLE CHAMBERLAIN (1869–1940)

FFYNHONNELL B

Neville Chamberlain.

Etholwyd Chamberlain i'r senedd ym 1918 a bu'n dal nifer o swyddi pwysig yn y cabinet, yn delio'n bennaf â materion cartref. Daeth yn Brif Weinidog ym 1937 ac oherwydd iddo fyw drwy'r Rhyfel Byd Cyntaf, roedd yn benderfynol o osgoi rhyfel byd arall. Credai y byddai modd osgoi rhyfel petai'r pwerau democrataidd yn cytuno i ofynion 'rhesymol' gan ddarpar elynion. Roedd polisi dyhuddo Chamberlain, yn cynnwys ymdrechion i drafod telerau â'r Almaen, yn boblogaidd am ychydig, ond newidiodd y farn gyhoeddus wrth iddi ddod yn amlwg nad oedd Hitler yn bwriadu cadw at ei addewidion.

Methiant oedd cyhoeddi rhyfel i Chamberlain, ac yntau'n gwneud hynny mewn darllediad radio ar 3 Medi 1939. Ar ôl i Brydain fethu atal y Natsïaid rhag meddiannu Norwy yng ngwanwyn 1940, bu'n rhaid i Chamberlain ymddiswyddo. Bu farw cyn diwedd y flwyddyn.

POLISI DYHUDDO PRYDAIN

Yr Anschluss, 1938

Ac yntau'n Awstriad, roedd gan Hitler resymau personol dros gasáu'r gwaharddiad a osodwyd yn Versailles ar unrhyw *Anschluss*, neu undeb, rhwng Awstria a'r Almaen. Roedd cenedlaetholwyr yr Almaen wedi breuddwydio ers tro am *Grossdeutschland*, un wladwriaeth fawr o siaradwyr Almaeneg yng nghanol Ewrop. Credai Hitler y gallai'r freuddwyd hon gael ei gwireddu heb unrhyw wrthwynebiad mawr (gweler Ffynhonnell C).

FFYNHONNELL C

> Mae'n rhaid i'r Almaen ystyried bod ganddi ddau elyn llawn casineb, Prydain a Ffrainc, a thrwy ddefnyddio grym yn unig y gall problemau'r Almaen gael eu datrys ... Rhaid mai ein nod cyntaf yw disodli Tsiecoslofacia ac Awstria. Mae Prydain, bron yn sicr, a Ffrainc hefyd mae'n debyg, wedi anghofio'r Tsieciaid yn barod. Mae problemau gyda'r Ymerodraeth ac amharodrwydd i fynd i ryfel hir yn Ewrop yn rhesymau pendant pam na fydd Prydain yn rhyfela yn erbyn yr Almaen.
>
> Hitler yn siarad ym mis Tachwedd 1937.

Roedd cefnogwyr Awstriaidd y Natsïaid wedi'u trefnu'n dda ac roeddynt eisoes yn gwrthdystio o blaid yr *Anschluss* â'r Almaen. Trefnwyd cyfarfod ar frys rhwng Hitler a Changhellor Awstria, Schuschnigg, ar 12 Chwefror 1938, lle ildiodd Schuschnigg i ofynion Hitler. Ar 11 Mawrth mynnodd Hitler y dylai Seyss-Inquart, cefnogwr i'r Natsïaid, gymryd lle Schuschnigg. Ymddiswyddodd Schuschnigg a daeth Seyss-Inquart yn Ganghellor yn ei le. Y diwrnod canlynol, 12 Mawrth 1938, croesodd milwyr yr Almaen y ffin ag Awstria. Nid oedd neb yn eu gwrthsefyll. Roedd yr *Anschluss* wedi bod yn llwyddiant.

Protestiodd Prydain a Ffrainc, fel yr oedden nhw wedi gwneud am ailfeddiannu'r Rheinland, heb wneud dim. Ym Mhrydain, ymddiswyddodd yr Ysgrifennydd Tramor, Anthony Eden, ddiwedd Chwefror am ei fod yn anghytuno â Chamberlain ynglŷn â pholisïau ymosodol yr Almaen a'r Eidal. Yn ei le daeth Arglwydd Halifax a gefnogai'r syniad mai wrth ddatrys cwynion yr Almaen yn unig yr oedd modd osgoi rhyfel. Dyhuddo – ildio i ddarpar elyn er mwyn cadw'r heddwch – oedd polisi swyddogol y llywodraeth nawr.

Ar ôl yr *Anschluss*, roedd rhan orllewinol Tsiecoslofacia wedi'i hamgylchynu ar dair ochr gan diriogaeth Almaenig. O fewn yr ardal hon, roedd lleiafrif mawr yn siarad Almaeneg, rhyw 3.5 miliwn, yn byw mewn nifer o ardaloedd ar hyd y ffin. Roedd yr ardaloedd hyn, sef Sudetenland, yn arfer perthyn i Awstria-Hwngari cyn 1919; felly nid oedd y bobl erioed wedi bod yn ddinasyddion yr Almaen. Ond wedi i bropaganda Natsïaidd eu hannog, dechreuodd rhai Swdetiaid brotestio o blaid uno â'r Almaen.

Gydol gwanwyn a haf 1938 mynnodd Hitler ei hawl dros Sudetenland mewn anerchiadau mwy ymosodol o hyd. Ar ôl trafodaethau cyfrinachol, penderfynodd Prydain a Ffrainc nad oedd modd gwneud dim mewn gwirionedd i achub Sudetenland, na Tsiecoslofacia ei hun, rhag dioddef yr un ffawd ag Awstria.

C Cwestiynau

1. Disgrifiwch y camau a gymerodd Hitler i sicrhau *Anschluss*?
2. Pa mor ddefnyddiol yw Ffynhonnell C fel tystiolaeth am y berthynas rhwng Prydain a'r Almaen yn ystod 1937-8? Eglurwch eich ateb.

Chamberlain a Chytundeb München

Credai Chamberlain ei bod yn bosibl datrys gwahaniacthau rhyngwladol drwy gael arweinwyr i drafod. Ar 15 Medi 1938 hedfanodd i München a chyfarfod â Hitler yn Berchtesgaden. Dywedodd wrth Hitler nad oedd Prydain yn gwrthwynebu trosglwyddo Sudetenland i'r Almaen. Mater o berswadio llywodraeth Tsiecoslofacia i gytuno oedd hi. Cafodd Chamberlain a Hitler ail gyfarfod yn Godesberg wythnos yn ddiweddarach, pan fu'r Almaen yn hawlio mwy.

Trefnwyd cynhadledd arall yn München rhwng Chamberlain a Hitler, y tro hwn gyda Mussolini a Phrif Weinidog Ffrainc, Daladier. Cytunwyd i roi Sudetenland i'r Almaen a galwyd cynrychiolwyr Tsiecoslofacia i mewn i roi gwybod iddyn nhw. Sicrhaodd Prydain a Ffrainc y byddent yn gwarchod ffiniau newydd Tsiecoslofacia ac addawodd Hitler na fyddai'n hawlio mwy yn Ewrop.

Wrth ddychwelyd i Lundain, chwifiodd Chamberlain y papur a arwyddwyd ganddo yntau a Hitler a chyhoeddi, 'It is peace for our time'. Cafodd Chamberlain groeso gan dyrfaoedd brwd, a gwahoddwyd ef i ymddangos gyda'r brenin a'r frenhines ym Mhalas Buckingham.

Agweddau'r cyhoedd at y polisi dyhuddo

Roedd polisi dyhuddo Chamberlain yn boblogaidd i ddechrau gyda phobl Prydain.

- Roedd yr atgofion am erchyllterau'r Rhyfel Byd Cyntaf yn gryf, ac roedd pobl eisiau osgoi ail ryfel byd.
- Cydymdeimlai llawer o bobl â'r Almaen gan gredu bod modd cyfiawnhau hawlio Hitler. Roeddynt yn credu bod telerau Cytundeb Versailles yn rhy lym, a bod gan yr Almaen hawl i driniaeth deg a chael y tiroedd a gollwyd yn ôl.

FFYNHONNELL CH Chamberlain yn chwifio Cytundeb München wedi iddo ddychwelyd o München, 30 Medi 1938.

- Roedd pobl yn ymdrechu i ddygymod ag effeithiau'r Dirwasgiad ac nid oeddynt yn credu bod Prydain yn ddigon cryf i fforddio costau ailarfogi.

TSIECOSLOFACIA A GWLAD PWYL

Roedd amddiffynfeydd Tsiecoslofacia wedi cael eu gwanhau gan Gytundeb München. Nawr dyma Gwlad Pwyl a Hwngari'n cymryd y diriogaeth roedden nhw ei heisiau o Tsiecoslofacia; roedd ymryson mewnol yn bygwth ansefydlogi llywodraeth Tsiecoslofacia hefyd. Wedi ei gwanhau, nid oedd gan Tsiecoslofacia obaith yn erbyn ymosodiadau pellach gan yr Almaen. Gan anwybyddu Cytundeb München, symudodd byddin yr Almaen i feddiannu gweddill Tsiecoslofacia ar 15 Mawrth 1939.

Yna trodd yr Almaen ei golygon i'r dwyrain tuag at broblem arall a achoswyd gan Gytundeb Versailles. Roedd 'Y Coridor Pwylaidd' neu Orllewin Prwsia, wedi cael ei roi i Wlad Pwyl ym 1919, gan wahanu Dwyrain Prwsia a dinas rydd Danzig oddi wrth yr Almaen. Gan mai siaradwyr Almaeneg yn bennaf oedd yn byw yn

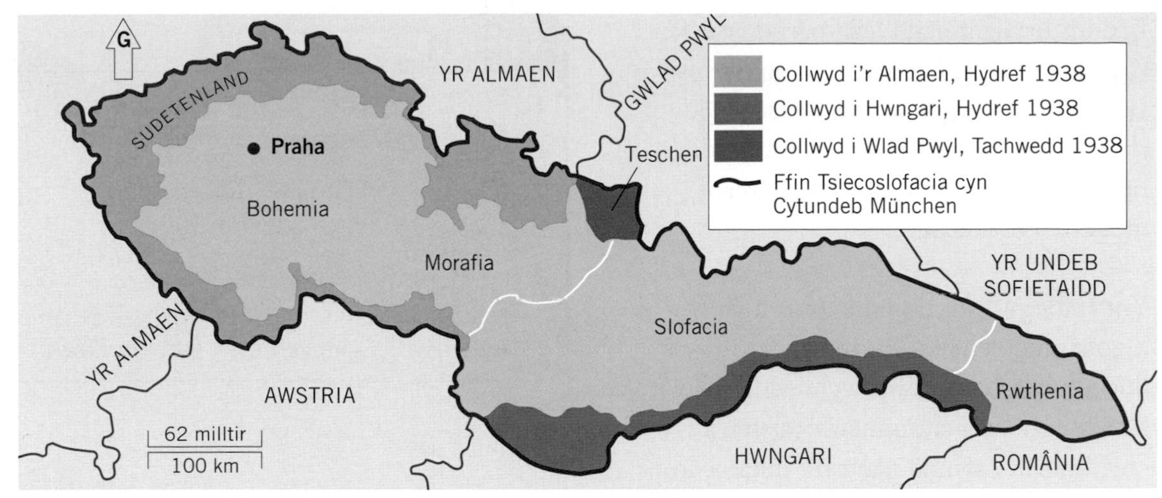

Colledion tiriogaethol Tsiecoslofacia o Gytundeb München ym 1938.

Danzig a'r coridor, dechreuodd llawer ohonynt bwyso am uno â'r Almaen.

Newidiadau ym Mholisi Prydain

Roedd gaeaf 1938-9 wedi bod yn gyfnod i lywodraeth a phobl Prydain ystyried, a dechreuodd agweddau tuag at yr Almaen newid. Nid oedd Gwlad Pwyl i gael ei haberthu fel Tsiecoslofacia. Ar 31 Mawrth 1939, ysgrifennodd Chamberlain lythyr at lywodraeth Gwlad Pwyl yn dweud 'petai bygythiad i'w hannibyniaeth, y byddai Llywodraeth Ei Fawrhydi a Llywodraeth Ffrainc yn rhoi pob cefnogaeth bosibl iddynt'. Dangosodd y datganiad hwn fod Prydain yn barod i fynd i ryfel yn erbyn yr Almaen dros Wlad Pwyl.

Y Cytundeb Natsïaidd-Sofietaidd

Ar 23 Awst 1939 cyhoeddwyd cytundeb o'r enw Y Cytundeb Natsïaidd-Sofietaidd rhwng yr Almaen a'r Undeb Sofietaidd. Fel rhan o'r cytundeb hwn, roedd Gwlad Pwyl i gael ei rhannu rhwng yr Almaen a'r Undeb Sofietaidd. Yn y tymor byr, y cytundeb oedd y rheswm pwysicaf dros yr Ail Ryfel Byd. Gan wybod na fyddai'r Undeb Sofietaidd yn rhwystro ymosodiad ar Wlad Pwyl, gorchmynnodd Hitler i'w luoedd groesi ffin Gwlad Pwyl am 4.45 a.m. ar 1 Medi 1939. Ddeuddydd yn ddiweddarach, yn unol â'r sicrwydd a roddwyd i Wlad Pwyl, anfonodd Prydain wltimatwm i'r Almaen a fyddai'n dod i ben ar 11a.m. ar 3 Medi 1939. Ni dderbyniwyd ateb ac yn ddiweddarach y diwrnod hwnnw cyhoeddodd Chamberlain fod Prydain mewn rhyfel â'r Almaen.

PA MOR BAROD OEDD PRYDAIN I RYFELA?

Paratoadau ailarfogi ac amddiffyn Prydain

Drwy ildio i ofynion Hitler, o leiaf rhoddodd Cytundeb München 12 mis ychwanegol i bobl Prydain baratoi ar gyfer rhyfel. Ym mis Medi 1939 roedd pobl Prydain yn barod i wneud safiad yn erbyn ymdrechion Hitler i fod yn unben ar Ewrop.

Roedd gan lynges Prydain gyflenwad gweddol dda o adnoddau, ac roedd yn ddigon mawr i warchod Prydain rhag unrhyw oresgyniad. Awyrennau ymladd y Llu Awyr – yr *Hurricane* a'r *Spitfire* – oedd y gorau yn y byd. Roedd Radar yn galluogi'r Llu Awyr i ganfod awyrennau'r gelyn wrth iddyn nhw nesáu a thywys yr awyrennau amddiffynnol at eu targedau. Nid oedd awyrennau bomio'r Llu Awyr mor fodern, ond roedden nhw'n ddull o ddial ar y gelyn.

Byddin Prydain oedd leiaf parod ar gyfer rhyfela modern. Cyflwynwyd consgripsiwn ym mis Mai 1939 ond pan ddechreuodd y rhyfel, roedd prinder mawr yn y fyddin o ran milwyr wedi'u hyfforddi, cludiant modern a thanciau.

Ym 1939 gwariwyd pump gwaith yn fwy ar ragofalon cyrchoedd awyr ac adeiladwyd llochesi cyrchoedd awyr cyhoeddus mawr. Roedd mwy o welyau mewn ysbytai a chynlluniau i symud plant o'r dinasoedd i'r wlad, ymhell o fygythiad cyrchoedd bomio.

C Cwestiynau

1. Pam arwyddodd Prydain a Ffrainc Gytundeb München ym 1938?
2. A oedd Chamberlain yn iawn neu'n anghywir i ddilyn polisi dyhuddo?
3. Pa mor bwysig oedd y Cytundeb Natsïaidd-Sofietaidd wrth ddechrau'r Ail Ryfel Byd? Eglurwch eich ateb yn llawn.

2 YMARFER ARHOLIAD

Mae'r cwestiynau hyn yn profi Adran B y papur arholiad.

PRYDAIN A BYGYTHIAD YR ALMAEN

Astudiwch yr wybodaeth isod ac yna atebwch y cwestiynau sy'n dilyn.

GWYBODAETH

Cartŵn, a gyhoeddwyd ym 1938 yn dangos Chamberlain, y cymodwr, yn hedfan i'r Almaen.

CA Cwestiynau Arholiad

1. a Disgrifiwch nodau'r mudiad heddwch ym Mhrydain yn ystod y 1930au. [2]
   b Eglurwch pam derbyniodd Prydain fod yr Almaen yn ailfeddiannu'r Rheinland. [4]
   c Pam roedd y polisi dyhuddo'n boblogaidd hyd at 1938? [5]
2. a Disgrifiwch rôl Prydain yng nghynhadledd München. [3]
   b Eglurwch pam aeth Prydain i ryfel yn erbyn yr Almaen ym 1939. [4]
3. Pa mor barod oedd Prydain i ryfela ym 1939? Eglurwch eich ateb yn llawn. [7]

Sut llwyddodd pobl yng Nghymru a Lloegr i ddygymod â phrofiad yr Ail Ryfel Byd?

AGWEDDAU'R LLYWODRAETH A PHOBL AT RYFEL

FFYNHONNELL 

Rwy'n siarad â chi o Ystafell y Cabinet yn 10 Stryd Downing. Y bore 'ma rhoddodd llysgennad Prydain yn Berlin nodyn terfynol i lywodraeth yr Almaen yn datgan oni bai ein bod yn clywed oddi wrthynt eu bod yn barod i dynnu eu milwyr o Wlad Pwyl, y byddai rhyfel rhyngom ni. Rhaid imi ddweud wrthych chi na chafwyd y fath addewid ac felly fod y wlad hon mewn rhyfel â'r Almaen.

Darn o ddarllediad radio gan Neville Chamberlain ar 3 Medi 1939.

Pan ddechreuodd yr Ail Ryfel Byd, rhoddwyd paratoadau'r llywodraeth ar waith yn syth. Rhoddwyd y llynges a'r Llu Awyr ar wyliadwriaeth rhyfel ac anfonwyd Byddin Ymgyrchol Prydain (BEF) i Ffrainc i ymuno â'r Ffrancod i ddisgwyl ymosodiad yr Almaenwyr. Cyflwynwyd consgripsiwn i ddynion rhwng 18 a 41 oed, symudwyd plant o'r dinasoedd i ardaloedd saffach yn y wlad a chafodd petrol ei ddogni.

Roedd cyrchoedd bomio, ffurf newydd ar ryfela, yn codi ofn mawr. Gosodwyd a phrofwyd seirenau cyrch awyr. Rhoddwyd llochesi Anderson i bobl oedd â gerddi. Yr oedd y rhain wedi eu gwneud o haearn rhychiog i'w palu i'r ddaear. Adeiladwyd llochesi cyhoeddus mawr hefyd ar frys. Cafodd pawb fasg nwy rhag ofn i ymosodiadau nwy ddigwydd. Ar ôl iddi nosi, roedd 'blacowt'; pob golau stryd wedi ei ddiffodd a bleinds neu lenni blacowt dros y ffenestri. Byddai wardeniaid rhagofalon cyrchoedd awyr gwirfoddol yn sicrhau bod y rheoliadau amddiffyn sifil ar waith. Ymunodd dynion nad oeddynt yn mynd i'r fyddin â'r Gwirfoddolwyr Amddiffyn Lleol, a alwyd wedyn yn Warchodlu Cartref.

Gan fod yr Almaenwyr yn brysur gyda'u hymgyrch yng Ngwlad Pwyl, ychydig o weithgarwch oedd yn y gorllewin yn ystod chwe mis cyntaf y rhyfel. Y llysenw ar y cyfnod tawel hwn oedd y 'rhyfel ffug'.

FFYNHONNELL **B** Ffotograff i godi'r ysbryd o ddyddiau cynnar y rhyfel.

Daeth y rhyfel ffug i ben yn sydyn yn Ebrill 1940 pan oresgynnodd yr Almaen Denmarc a Norwy. Ni lwyddodd lluoedd tir a llynges Prydain a anfonwyd i Norwy i rwystro'r Almaenwyr rhag goresgyn y wlad a galwyd nhw 'nôl ar frys. Y Prif Weinidog a gafodd y bai am y methiant a wynebodd feirniadaeth yn Nhŷ'r Cyffredin ar 7 Mai. Ymddiswyddodd Chamberlain ddau ddiwrnod yn ddiweddarach a daeth Winston Churchill yn Brif Weinidog llywodraeth glymblaid.

C Cwestiynau

1 Pa gamau gymerodd y llywodraeth i baratoi pobl ar gyfer rhyfel?

2 Beth oedd y 'rhyfel ffug' a sut daeth i ben?

Cafodd arweinyddiaeth Churchill ei rhoi ar brawf yn fuan iawn. Dechreuodd yr Almaenwyr ar eu *Blitzkrieg* (rhyfel mellt) yn erbyn yr Iseldiroedd, Gwlad Belg a Ffrainc.

g WINSTON LEONARD SPENCER CHURCHILL (1874–1965)

FFYNHONNELL C

Winston Churchill.

Ar ôl gwasanaethu yn y fyddin, daeth Churchill yn enwog gyntaf fel gohebydd rhyfel yn ystod Rhyfel y Boer (1899-1902). Yna daeth yn AS Ceidwadol, ond cyn hir ymunodd â'r Blaid Ryddfrydol. Ef oedd yr Ysgrifennydd Cartref yn y llywodraeth Ryddfrydol ar ôl 1906, ac yn ystod y Rhyfel Byd Cyntaf daeth yn Brif Arglwydd y Morlys ac yna'n Weinidog Arfau. Ar ôl y rhyfel aeth yn Geidwadwr unwaith eto.

Yn ystod y 1930au, gwrthwynebodd bolisi dyhuddo'r llywodraeth gan rybuddio am berygl ehangu'r Almaen. Ar ôl cyhoeddi'r rhyfel ym 1939, daeth mwy o bobl i gredu mai Churchill oedd yr arweinydd cryf yr oedd ar Brydain ei angen, ac ar 10 Mai 1940 olynodd Chamberlain fel Prif Weinidog. Ysbrydolodd ei areithiau (gweler Ffynhonnell CH) bobl Prydain (gweler tudalen 54).

Roedd Churchill yn gallu cydweithio'n agos ag Arlywydd UDA, Roosevelt, ac o bellter â Stalin. Wrth i UDA ymwneud mwy â'r rhyfel, roedd llai o allu gan Churchill i reoli digwyddiadau. Er iddo barhau'n ddylanwad cryf ar faterion tramor hyd at 1945, roedd yn llai poblogaidd gartref. Dechreuodd pobl feddwl mai'r Blaid Lafur a ddylai fod yn gyfrifol am Brydain ar ôl y rhyfel, a threchwyd y Ceidwadwyr yn etholiad 1945. Ymddeolodd Churchill ym 1955. Bu farw ym 1965 a chafodd angladd swyddogol mawr.

FFYNHONNELL CH

Nid oes gen i ddim i'w gynnig ond gwaed, llafur, dagrau a chwys. Fe ofynnwch chi, beth yw ein polisi ni? Fe ddwedaf i: Rhyfela, ar fôr a thir ac yn yr awyr, gyda'n holl egni a'r holl nerth y gall Duw eu rhoi i ni. Fe ofynnwch chi, beth yw ein nod? Fe allaf ateb mewn gair: Buddugoliaeth – buddugoliaeth beth bynnag yw'r pris; buddugoliaeth er gwaethaf pob braw; buddugoliaeth, waeth pa mor hir a chaled fydd y ffordd.

Araith gyntaf Churchill fel Prif Weinidog.

FFYNHONNELL **D** Poster o 1940.

Roedd y ffurf newydd yma ar ryfela'n dibynnu ar gyflymdra ac ymosodiadau annisgwyl, ar ddefnyddio grym o'r awyr a thanciau arfog (y *Panzers*). Nid oedd y Prydeinwyr a'r Ffrancod yn gallu amddiffyn yn eu herbyn nhw. Cyn hir roedd y Prydeinwyr wedi cael eu hamgylchynu ac yn symud am yn ôl tuag at borthladd Dunkirk. Symudwyd y rhan fwyaf o'r BEF a miloedd o filwyr Ffrainc o borthladdoedd a thraethau Dunkirk. Collwyd y rhan fwyaf o arfau trwm ac offer y fyddin, ond llwyddodd Churchill i ddarlunio Dunkirk yn ddihangfa wyrthiol, a allai bron gael ei hystyried yn fuddugoliaeth.

Ildiodd Ffrainc i'r Almaen ar 22 Mehefin 1940 ac am y 12 mis nesaf bu Prydain yn sefyll ar ei phen ei hun yn erbyn y Natsïaid.

Ar ôl i Ffrainc gwympo, gorchmynnodd Hitler i'r *Luftwaffe* (llu awyr yr Almaen) ddinistrio'r Llu Awyr, a'i fwriad wedyn oedd goresgyn Prydain. Galwyd y frwydr yn yr awyr a ddilynodd hyn yn Frwydr Prydain *(Battle of Britain)*. Digwyddodd y frwydr yn yr awyr uwchben de-ddwyrain Lloegr gan barhau tan fis Medi. Enillodd y Llu Awyr yn y pen draw oherwydd radar, am fod y *Spitfire* a'r *Hurricane* yn awyrennau ymladd gwell, oherwydd dewrder ei pheilotiaid a chamsyniadau'r Almaen. Mynegodd Churchill gymaint roedd pobl yn gwerthfawrogi eu rôl arwrol mewn araith gofiadwy ar 20 Awst 1940: 'Ni fu erioed o'r blaen gymaint o ddyled gan gynifer i gyn lleied ym maes rhyfela.'

Y *BLITZ* A BOMIO DINASOEDD YNG NGHYMRU A LLOEGR

Yn hydref 1940, dechreuodd y *Luftwaffe* ei ymgyrch fomio ar Lundain a dinasoedd eraill Prydain. Yr enw arni oedd y *Blitz*, ffurf fer y gair Almaeneg, *Blitzkrieg* gyda bomiau ffrwydron ffyrnig a bomiau tân.

FFYNHONNELL **DD**

Adfeilion Eglwys Gadeiriol Coventry wedi'r ymosodiad mwyaf difrifol yn ystod y *Blitz* ym mis Tachwedd 1940. Dinistriwyd canol y ddinas a lladdwyd dros 500 o bobl.

Wrth i'r ddinas losgi uwch eu pennau, aeth pobl Llundain i'w llochesi Anderson a mynnu bod y gorsafoedd tanddaearol yn agor yn y nos i roi mwy o loches diogel. Felly tyfodd ysbryd o gyfeillgarwch a chydweithredu yn ystod y rhyfel, a hynny'n help i bobl ddygymod â'r caledi a cholli anwyliaid. Adlewyrchai adroddiadau'r wasg a'r radio'r ysbryd hwn adeg y rhyfel gan roi llai o bwyslais ar unrhyw awgrym fod panig neu ddiffyg cefnogaeth gyffredinol i'r ymdrech ryfel.

FFYNHONNELL E

Nid yw darlun y wasg o fywyd yn mynd yn ei flaen fel arfer yn Nwyrain Llundain yn wir. Doedd dim bara, dim llaeth, dim trydan, dim nwy, dim ffôn. Gor-ddweud enbyd yw darlun y wasg o bobl hapus yn wên i gyd ...
Mae pobl Southampton yn ddigalon ar ôl y nosweithiau di-gwsg ac enbyd.
Ym mhobman roedd dynion a menywod yn cario casys a bwndeli, yn ymdrechu i fynd i unrhywle allan o'r dref. Roedd ofn ar bawb.

Adroddiadau cyfoes o'r *Blitz*.

Ar ôl i Hitler benderfynu ymosod ar yr Undeb Sofietaidd ym mis Mehefin 1941, roedd llai o gyrchoedd awyr ar Brydain a daeth y *Blitz* i ben. Ond tua diwedd y rhyfel, cafodd pobl Llundain a de Lloegr ail *Blitz*, pan ddefnyddiodd yr Almaenwyr fomiau hedfan V1 a rocedi V2 i ymosod ar y ddinas.

C Cwestiynau

1 Eglurwch y term *Blitz*.
2 Disgrifiwch effaith y *Blitz* ar bobl gyffredin Prydain.

BYWYD BOB DYDD YN YSTOD Y RHYFEL

Dogni

Wrth i'r rhyfel fynd rhagddo, tynhaodd y llywodraeth ei gafael ar y rhan fwyaf o agweddau ar fywyd bob dydd. Rheolwyd prisiau nwyddau i rwystro gorelwa ac erbyn 1942 nid oedd dim petrol i geir preifat. O fis Ionawr 1940, dognwyd bwydydd sylfaenol, cig, menyn a siwgr, a dillad hefyd o fis Mehefin 1941. Cafodd pawb lyfr o gwponau; roedd hi'n amhosibl prynu nwyddau hebddo. Prynai rhai pobl gan fasnachwyr y farchnad ddu, neu 'spivs' a werthai nwyddau wedi'u dogni 'o dan y cownter' am brisau uchel, ond nid oedd swyddogion a'r cyhoedd yn cymeradwyo hyn. Gan fod yr un faint o fwyd ar gael i bawb, roedd diet rhai pobl yn well oherwydd y dogni.

Faciwîs

Un o effeithiau pwysicaf y rhyfel oedd faciwîs yn dod o'r dinasoedd i'r wlad. Yn aml symudwyd ysgolion cyfan gyda'u hathrawon, gan rannu adeilad ysgol leol â phlant lleol. Hefyd aeth faciwîs i aros gyda theuluoedd lleol. Cymysg oedd profiadau'r faciwîs; cafodd llawer groeso gan ddod yn aelodau llawn o'u teuluoedd newydd a mwynhau gwell safon byw na gartref yn aml. Ond teimlai eraill fod pobl yn dal dig, ac mewn rhai mannau roedd disgwyl iddyn nhw weithio'n galed iawn ar fferm neu fusnes teuluol arall. Cafodd rhai teuluoedd sioc o weld ymddygiad rhai o'r faciwîs o gymunedau tlawd y ddinas ac roedd llawer o sôn am wlychu'r gwely a diffyg moesgarwch wrth y bwrdd bwyd.

Yng Nghymru, poenai rhai siaradwyr Cymraeg y byddai dyfodiad y faciwîs yn niweidio'r iaith. Mewn gwirionedd dysgodd llawer o faciwîs o Lannau Merswy a mannau eraill i siarad Cymraeg yn rhugl.

FFYNHONNELL **F** Faciwîs yn cyrraedd gorsaf reilffordd yn Ne Cymru ym 1939

Cyfraniad menywod i'r ymdrech ryfel

Roedd cyfraniad menywod i'r ymdrech ryfel yn llawer mwy nag ydoedd yn ystod y Rhyfel Byd Cyntaf. Anogwyd menywod i listio yn y lluoedd arfog, y Gwasanaeth Tiriogaethol Cynorthwyol (ATS), Llu Awyr Cynorthwyol y Menywod (WAAF) a Gwasanaeth Llynges Frenhinol y Menywod (WRNS). Er na fu menywod yn ymladd, buont yn rhoi cefnogaeth werthfawr, o lenwi bagiau tywod i ddefnyddio chwiloleuadau. Daeth nyrsio mewn ysbytai cyffredin a militaraidd yn waith hanfodol ac uchel ei barch. Wrth i ddynion gael eu consgriptio i'r lluoedd arfog, roedd prinder gweithwyr mewn llawer o ddiwydiannau, gan gynnwys ffermio. Consgriptiwyd menywod di-briod i weithio mewn ffatrïoedd yn cynhyrchu deunyddiau rhyfel o bob math, gan gynnwys arfau, awyrennau a cherbydau. Erbyn 1943, menywod oedd 57 y cant o'r gweithwyr. Yng Nghymru, menywod oedd mwyafrif y gweithlu yn y gwaith arfau mawr ym Mhen-y-bont.

FFYNHONNELL **FF** Poster yn annog menywod i gefnogi'r ymdrech ryfel.

Ffurfiwyd Byddin Tir y Menywod i ateb y galw am weithwyr fferm. Ymunodd llawer o ferched y trefi a dod yn grefftus wrth drin creaduriaid a defnyddio peiriannau fferm. Erbyn 1943, roedd cynnyrch bwyd bron wedi dyblu gyda chymorth Byddin y Tir a'r ymgyrch *Dig for Victory*, yn annog pobl i dyfu eu bwyd eu hunain.

Propaganda'r llywodraeth a chynnal ysbryd pobl

Credai'r llywodraeth ei bod yn hanfodol bod ag agwedd gadarnhaol tuag at y rhyfel i gadw ysbryd pobl yn uchel – polisi tebyg i'r un yn y Rhyfel Byd Cyntaf. Roedd areithiau Churchill yn hybu 'ysbryd penderfynol' neu'r *bulldog spirit*. Roedd y llywodraeth yn rheoli, neu'n sensora'r wybodaeth i'r wasg a'r radio. Roedd pwyslais mawr ar 'ysbryd rhyfel pobl', gan ennyn y gorau mewn pobl. Rhoddwyd sylw mawr i lwyddiannau fel Brwydr Prydain, ac unrhyw storïau am ddewrder ac ysbryd penderfynol yn ystod y *Blitz*. Roedd llai o sylw i fethiannau, fel cwymp Singapore neu golli llongau yng Nghefnfor Iwerydd. Cyflogodd y Weinyddiaeth Gwybodaeth arlunwyr a dylunwyr gorau'r cyfnod i gynhyrchu posteri propaganda.

Dywedwyd wrth bobl gyffredin i beidio â siarad am eu gwaith rhag i wybodaeth ddefnyddiol gyrraedd clustiau ysbïwyr y gelyn (Ffynhonnell G). Hefyd roedd cosbau llym am godi braw. Anogwyd gwragedd tŷ i beidio â gwastraffu bwyd ac i 'glytio a thrwsio' yn lle prynu dillad newydd. Roedd plant wrthi'n casglu metel sgrap i'r ymdrech ryfel.

FFYNHONNELL **G** Poster yn annog gofal gartref.

C Cwestiynau

1 Pa mor bwysig oedd rôl menywod yn yr ymdrech ryfel?

2 Sut llwyddodd y llywodraeth i gynnal ysbryd pobl Prydain?

Cynllunio ar gyfer heddwch

Roedd y bobl a fu fyw drwy'r Ail Ryfel Byd yn benderfynol o greu gwell byd iddyn nhw'u hunain a'u plant ar ôl i'r rhyfel ddod i ben. Dechreuodd nifer o wleidyddion o'r tair prif blaid wleidyddol gynllunio gwell dyfodol. Yn eu mysg roedd R.A. Butler (Ceidwadwyr), William Beveridge (Rhyddfrydwyr) ac Aneurin Bevan (Llafur).

Cyhoeddwyd Adroddiad Beveridge ar wella lles cymdeithasol ym mis Rhagfyr 1942. Roedd yr adroddiad yn argymell y dylai'r wladwriaeth ofalu am ei dinasyddion 'o'r crud i'r bedd'. Roedd hefyd yn egluro sut dylai'r wladwriaeth ymosod ar y 'pum cawr' a oedd yn gyfrifol am broblemau pobl gyffredin – angen, anwybodaeth, afiechyd, aflendid a diogi. Daeth pobl i ddisgwyl y byddai llywodraethau ar ôl y rhyfel yn gwella yswiriant gwladol, addysg, iechyd, tai a chyflogaeth.

- Ym 1943 sefydlwyd Gweinyddiaeth Cynllunio Gwlad a Thref i gynllunio'r ailadeiladu roedd ei angen ar ôl difrod y bomio.
- Pasiwyd Deddf Addysg ym mis Awst 1944. Ei phrif nod oedd mynd i'r afael ag 'anwybodaeth' drwy roi addysg uwchradd i bob plentyn. Codwyd yr oedran gadael ysgol i 15 oed, ac, yn ddiweddarach, i 16 oed.

Gyda diwedd y rhyfel ar y gorwel, roedd pobl fwyfwy o'r farn mai'r Blaid Lafur fyddai fwyaf tebygol o roi'r addewidion ar waith.

DIWEDD YR AIL RYFEL BYD

Ar ôl hunanladdiad Hitler ar 30 Ebrill 1945, ildiodd yr Almaenwyr a dathlwyd diwedd y rhyfel yn Ewrop yn swyddogol ar 8 Mai 1945 – diwrnod VE. Daeth llywodraeth glymblaid adeg y rhyfel i ben ar 23 Mai 1945. Yna ffurfiodd Churchill weinyddiaeth 'ofalu' i lywodraethu tan yr etholiad cyffredinol ar 5 Gorffennaf 1945. Y Blaid Lafur a enillodd a daeth Clement Attlee yn Brif Weinidog yn ystod wythnosau olaf y rhyfel. Ar ôl i'r Japaneaid ildio, dathlwyd diwrnod VJ ar 2 Medi 1945. Roedd Prydain wedi bod mewn rhyfel am chwe blynedd ond diwrnod.

C Cwestiynau

1 Beth oedd nodau Adroddiad Beveridge 1942?

2 Sut aeth llywodraeth Prydain ati i 'gynllunio ar gyfer heddwch'?

3 Ym mha ffyrdd newidiodd bywyd pobl gyffredin Prydain yn ystod yr Ail Ryfel Byd?

4 Disgrifiwch y gwahanol ddulliau propaganda a ddefnyddiodd llywodraeth Prydain yn ystod yr Ail Ryfel Byd.

2 YMARFER ARHOLIAD

Mae'r cwestiynau hyn yn profi Adran A y papur arholiad.

BYWYD AR Y FFRYNT CARTREF, 1939–45

Astudiwch Adnoddau A – CH (tudalennau 55-6) ac yna atebwch y cwestiynau sy'n dilyn.

FFYNHONNELL A Cartŵn gan David Low, 'Rydyn ni i gyd y tu ôl i ti, Winston'/*'We're all behind you, Winston'*, a gyhoeddwyd yn haf 1940.

FFYNHONNELL B

Mae'r caniad diogelwch yn dweud wrthon ni fod yr awyrennau bomio wedi mynd. Dim ond chwech y bore yw hi. Mae Llundain yn codi ei phen, yn siglo malurion y nos o'i gwallt ac yn ystyried y difrod. Arwydd o ymladdwr da yw ei allu i godi o'r llawr ar ôl cael ei lorio. Dyma mae Llundain yn ei wneud bob bore. Heddiw mae ysbryd y bobl yn uwch nag erioed.

Sylwebaeth ffilm newyddion gan Quentin Reynolds, gohebydd o UDA, ym 1940.

FFYNHONNELL C

Rwy'n tybied bod y Frwydr am Brydain ar fin dechrau. Mae ffawd y gwareiddiad Cristnogol yn dibynnu ar y frwydr hon. Mae Hitler yn gwybod y bydd rhaid iddo ein concro ni yn yr ynys hon neu golli'r rhyfel. Os gallwn ei wrthsefyll, yna gall Ewrop gyfan fod yn rhydd. Ond os methwn ni, bydd y byd i gyd yn suddo i Oes Dywyll newydd. Felly gadewch i ni ymbaratoi at ein dyletswyddau ac ymddwyn yn y fath fodd fel y bydd dynion, os bydd Ymerodraeth Brydeinig a'i Chymanwlad mewn mil o flynyddoedd, yn dal i ddweud , 'Dyma oedd eu hawr fawr'.

O araith gan Winston Churchill, a roddwyd yn Nhŷ'r Cyffredin ar 18 Mehefin 1940 a'i hailadrodd gyda'r nos ar y radio.

FFYNHONNELL CH

Wrth ddilyn y slogan 'Buddugoliaeth beth bynnag yw'r gost', nid oedd Churchill yn gofidio beth allai'r costau fod. Erbyn diwedd y rhyfel, roedd hi wedi mynd yn anodd dadlau bod Prydain wedi ennill mewn unrhyw ystyr heblaw osgoi cael ei goresgyn. Safai Churchill dros yr Ymerodraeth Brydeinig, dros annibyniaeth Prydain a thros weledigaeth gwrthsosialaidd o Brydain. Erbyn mis Gorffennaf 1945, roedd y cyntaf o'r tri'n edwino, roedd yr ail yn gwbl ddibynnol ar America ac roedd y trydydd wedi diflannu gyda buddugoliaeth Llafur.

Hanesydd modern, John Charmley, yn ysgrifennu yn ei lyfr, *Churchill, The End of Glory* (1993).

CA Cwestiynau Arholiad

1 Pa wybodaeth mae Ffynhonnell A yn ei rhoi am benodiad Churchill yn brif weinidog? [3]

2 Defnyddiwch yr wybodaeth yn Ffynhonnell B a'r hyn rydych chi'n ei wybod i egluro sut bu pobl Llundain a dinasoedd eraill yn dygymod â'r *Blitz*. [4]

3 Pa mor ddefnyddiol yw Ffynhonnell C fel tystiolaeth i hanesydd sy'n astudio arweinyddiaeth Churchill yn ystod y rhyfel? Eglurwch eich ateb gan ddefnyddio'r ffynhonnell a'r hyn rydych chi'n ei wybod.. [5]

4 Yn Ffynhonnell CH mae'r awdur yn dweud na lwyddodd Churchill i gyflawni ei amcanion rhyfel. A yw hyn yn ddehongliad dilys?
Yn eich ateb dylech ddefnyddio'r hyn rydych yn ei wybod am y testun, cyfeirio at y ffynonellau eraill sy'n berthnasol yn y cwestiwn hwn, ac ystyried sut y daeth yr awdur i'r dehongliad hwn. [8]

Sut ac i ba raddau newidiodd Cymru a Lloegr o ganlyniad i bolisïau economaidd a chymdeithasol y llywodraethau Llafur yn y cyfnod 1945-51?

CYMRU A LLOEGR YM 1945

Yr etholiad cyffredinol

Synnodd canlyniad etholiad cyffredinol 1945 nifer o bobl. Sylwodd y Brenin George hyd yn oed fod y prif weinidog newydd, Clement Attlee, yn dal i edrych yn syn yn ystod eu cyfarfod ffurfiol cyntaf.

Llafur	393 sedd (25 yng Nghymru)
Ceidwadwyr	213 sedd (3 yng Nghymru)
Rhyddfrydwyr	12 sedd (7 yng Nghymru)
Eralll	22 sedd

Canlyniadau Etholiad Cyffredinol 1945.

Roedd mwyafrif llethol y Cymry'n cefnogi'r llywodraeth newydd a chafodd dau AS o Gymru, Aneurin Bevan (Glyn Ebwy) a James Griffiths (Llanelli) swyddi allweddol yng nghabinet Attlee fel Gweinidog Iechyd a Gweinidog Yswiriant Gwladol.

Roedd y rhan fwyaf o bobl ym 1945 yn gallu cofio problemau economaidd a dirwasgiad y 1920au a 1930au, ac yn benderfynol na fyddai hynny'n digwydd eto, sef un o'r rhesymau dros fuddugoliaeth Llafur. Roedd y llywodraeth Lafur yn awyddus i ddefnyddio'r 'ysbryd adeg rhyfel' o gydweithio i fynd i'r afael â phroblemau Prydain wedi'r rhyfel.

g CLEMENT ATTLEE (1883–1967)

FFYNHONNELL A

Clement Attlee.

Ganwyd Clement Attlee yn Llundain i deulu dosbarth canol cyfoethog. Yn wahanol i nifer o aelodau'r Blaid Lafur ar y pryd, aeth i ysgol breswyl a Phrifysgol Rhydychen. Daeth yn gyfreithiwr ond treuliodd y rhan fwyaf o'i amser yn gwneud gwaith cymdeithasol gyda thlodion Dwyrain Llundain. Ar ôl dod yn AS ym 1922, cafodd ei benodi cyn hir yn is-weinidog yn y llywodraeth Lafur leiafrifol gyntaf. Erbyn 1931 ef oedd Dirprwy Arweinydd y Blaid ac yn ystod y rhyfel bu'n gwasanaethu fel Dirprwy Brif Weinidog. Daeth yn Brif Weinidog ym 1945. Roedd arddull ofalus a diymhongar Attlee'n cyferbynnu ag arddull fwy dramatig Churchill. Roedd Attlee hefyd yn drafodwr medrus. Ar ôl colli etholiadau 1951 a 1955 i'r Ceidwadwyr, aeth i Dŷ'r Arglwyddi.

Y sefyllfa economaidd ym 1945

Y sefyllfa economaidd a wynebai llywodraeth Attlee oedd bod Prydain fwy neu lai'n fethdalwr. Yn ystod y rhyfel roedd gwerth £1000 miliwn o fuddsoddiadau tramor Prydain wedi eu gwerthu ar golled. Roedd y ddyled wladol wedi codi o £760 miliwn i £3355 miliwn ac roedd £2000 miliwn y flwyddyn yn cael ei wario dramor, a £350 miliwn yn unig o enillion. Nid oedd rhyfedd bod prinder bwyd a defnyddiau crai a bod rhaid i ddogni adeg rhyfel barhau. 'Oes y Llymder' oedd yr enw ar y cyfnod. Roedd rhaid benthyca mwy o UDA, ond roedd problemau economaidd gan Brydain o hyd.

SEFYDLU'R WLADWRIAETH LES

Delfrydau'r Blaid Lafur

Cyflwynodd y Blaid Lafur a etholwyd ym 1945 bolisïau'n adlewyrchu ei syniadau am gydraddoldeb cymdeithasol. Credai gwleidyddion Llafur ei bod yn bosibl cael cydraddoldeb go iawn rhwng pobl Prydain drwy rannu cyfoeth y wlad a chynnig cyfle cyfartal. Felly roedd polisïau Llafur yn canolbwyntio ar ddarparu gwell gwasanaethau cyhoeddus. Roedd y rhain yn cynnwys gwasanaeth iechyd am ddim; gwell cefnogaeth gan y llywodraeth i'r henoed, y sâl a'r di-waith; tai rhatach a chyfleoedd addysgol newydd.

Ailadeiladu a pholisi tai Llafur: 'cartrefi i bawb'

Ar ôl y Rhyfel Byd Cyntaf, roedd Lloyd George wedi methu cadw ei addewid i ddarparu 'cartrefi addas i arwyr'. Ym 1945 dechreuodd y llywodraeth Lafur roi ei pholisi 'cartrefi i bawb' ar waith o dan ofal Aneurin Bevan. Roedd hyn yn rhan o ymgyrch y llywodraeth yn erbyn aflendid.

g ANEURIN BEVAN (1897–1960)

FFYNHONNELL B

Aneurin Bevan.

Ganwyd Aneurin Bevan, yn fab i löwr, yn Nhredegar yn Ne Cymru. Gadawodd yr ysgol yn 13 oed a dechrau gweithio o dan ddaear. Daliodd ati â'i addysg ei hunan drwy ddarllen llyfrau o'r llyfrgell am economeg a gwleidyddiaeth. Cafodd ei ethol yn gadeirydd cangen leol ei undeb, Ffederasiwn Glowyr De Cymru, pan oedd yn 19 oed. Wedyn astudiodd yn y Coleg Llafur yn Llundain ac yn ystod y 1920au roedd yn gynghorydd lleol, yn gynghorydd sir ac yn ymgyrchwr lleol amlwg yn ystod Streic Gyffredinol 1926. Daeth yn AS dros Lyn Ebwy ym 1929 a dod yn adnabyddus fel areithiwr tanllyd, yn beirniadu polisïau cymdeithasol ac economaidd y llywodraeth. Ar ôl i Lafur ddod i rym ym 1945 cafodd ei benodi'n Weinidog Iechyd, gyda chyfrifoldeb hefyd dros dai.

Camp fwyaf Bevan oedd sefydlu'r Gwasanaeth Iechyd Gwladol ym 1948. Credai Bevan y dylai iechyd fod am ddim i bawb ac ym 1951, fel Gweinidog Iechyd, ymddiswyddodd dros fwriad y llywodraeth i godi tâl am wasanaeth deintyddol ac optegol.

Codwyd dros 800,000 o dai newydd rhwng 1946 a 1951, ond roedd diffyg arian a defnyddiau'n rhwystro'r polisi. Roedd pedwar o bob pump cartref yn dai cyngor a godwyd gan awdurdodau lleol i'w gosod i deuluoedd dosbarth gweithiol. Ond roedd prinder o dai newydd wedi'u codi i'w gwerthu o hyd. Ni ddaeth y cyfanswm byth yn agos i'r 350,000 tŷ y flwyddyn a godwyd yn ystod y 1930au; ar ei uchaf codwyd 200,000 o gartrefi newydd ym 1948.

Am gyfnod roedd rhaid i'r llywodraeth letya pobl ddigartref mewn gwersylloedd milwrol. Codwyd tai parod hefyd mewn rhai mannau. Polisi arall oedd adeiladu trefi newydd, fel Stevenage a Harlow yn Llundain a Chwmbrân yng Nghymru, fel bod llai o bobl yn y dinasoedd. Dymchwelwyd rhai slymiau a gwellwyd y tai drwy osod ystafelloedd ymolchi a systemau dŵr twym.

C Cwestiwn

1 Pa mor llwyddiannus oedd polisïau tai'r llywodraeth Lafur, 1945-51? Eglurwch eich ateb.

Nawdd Cymdeithasol

Roedd nifer o lywodraethau yn y gorffennol wedi ceisio delio ag 'angen', neu dlodi. Roedd pensiynau henoed wedi cael eu cyflwyno cyn y Rhyfel Byd Cyntaf a hefyd dâl salwch a diweithdra i rai gweithwyr. Argymhellodd Beveridge yn ei adroddiad y dylai'r ymosodiad ar 'angen' ddod yn gyntaf. Teimlai mai dyma ddylai fod yn sylfaen i'r Wladwriaeth Les.

Rhoddodd Attlee gyfrifoldeb am fudd-daliadau salwch a diweithdra i James Griffiths, AS dros Lanelli a benodwyd yn Weinidog Yswiriant Gwladol. Roedd Griffiths wedi bod yn Llywydd Ffederasiwn Glowyr De Cymru ac yn gwybod yn iawn am broblemau pobl dosbarth gweithiol. Roedd yn benderfynol o gael gwared ar weddillion Deddf y Tlodion a'r prawf modd.

Gyda Deddf Yswiriant Gwladol 1946 cafodd y boblogaeth gyfan ei hyswirio ar gyfer budd-dal salwch, budd-dal diweithdra, pensiynau ymddeol, pensiynau gweddwon, grantiau mamolaeth a grantiau marwolaeth. Daeth deddf ar wahân â lwfans teulu, i'w dalu'n uniongyrchol i famau am bob plentyn yn y teulu. Ychwanegwyd Bwrdd Cymorth Gwladol ym 1948 i drafod taliadau ychwanegol i bobl a oedd angen help arbennig. Daeth yr arian i'r cynllun o gyfraniadau wythnosol gan weithwyr a chyflogwyr, wedi'u talu drwy roi stampiau ar gerdyn Yswiriant Gwladol.

Y GIG a rôl Bevan

Roedd ymosodiad Llafur ar 'afiechyd' wedi cael ei nodi yn Adroddiad Beveridge ac yn creu fframwaith i'r Gwasanaeth Iechyd Gwladol (GIG/NHS). Cyflwynwyd Mesur y Gwasanaeth Iechyd Gwladol i Dŷ'r Cyffredin ym 1946 gan Aneurin Bevan. Ei nod oedd rhoi ystod lawn o wasanaethau meddygol i bobl 'i'w cyflenwi am ddim'. Byddai cyfraniadau Yswiriant Gwladol a'r dreth gyffredinol yn talu am y gwasanaeth.

Er mwyn gweithio, roedd rhaid i'r GIG gael cefnogaeth meddygon. I ddechrau dywedon nhw na fyddent yn cydweithredu â system ganolog a oedd yn bygwth mynd â'u hannibyniaeth. Roedd llawer o feddygon yn gweithio mewn practis meddygol preifat lle roedd y cleifion yn eu talu'n uniongyrchol.

g GWASANAETHAU MEDDYGOL WEDI'U CYNNWYS YN Y GWASANAETH IECHYD GWLADOL

- Gwasanaeth meddyg teulu.
- Gwasanaeth optegydd, gan gynnwys sbectol.
- Gofal deintyddol, gan gynnwys dannedd gosod.
- Gwasanaeth nyrs ardal a mamolaeth.
- Gwasanaethau lles Babanod a Phlant.
- Cyffuriau a moddion presgripsiwn am ddim.
- Pob triniaeth ysbyty, gan gynnwys llawdriniaeth a'r gofal wedyn.

Roedd y Blaid Geidwadol a'r Gymdeithas Feddygol Brydeinig hefyd yn erbyn y syniad o gael GIG.

Ar ôl trafodaethau hir am yn agos i 18 mis y daeth cytundeb o'r diwedd rhwng Bevan a chynrychiolwyr y meddygon. Cytunwyd ar gyfaddawd lle roedd hawl gan feddygon i wneud peth gwaith preifat tra'n gweithio'n bennaf o fewn y GIG.

FFYNHONNELL C Cartŵn o 1946 am boblogrwydd y GIG. Mae'r ffurf ar y dde'n cynrychioli'r meddygon a oedd yn erbyn y mesur.

Cafodd y GIG newydd groeso gan fwyafrif llethol y bobl, yn arbennig felly gan rai nad oedd yn draddodiadol wedi eisiau talu i gael sylw meddygol. Yn ei flwyddyn gyntaf, cododd cost y GIG y tu hwnt i £500 miliwn ac erbyn 1951 roedd rhaid i'r llywodraeth ddechrau codi tâl am wasanaethau deintyddol ac optegol.

Cyfleoedd addysgol newydd

Yn ôl Deddf Addysg 1944, roedd hawl gan bob plentyn hyd at 15 oed, ac wedyn 16 oed, i gael addysg uwchradd am ddim. Byddai'r hen ysgolion elfennol yn dysgu plant o 5 i 14 oed, yn cael eu diddymu. Byddai'r system uwchradd newydd wedi'i seilio ar dri math gwahanol o ysgol:

- ysgolion gramadeg, yn rhoi addysg academaidd draddodiadol i'r rhai a fyddai'n llwyddo yn yr arholiad *11-plus*
- technegol, yn dysgu sgiliau galwedigaethol
- ysgolion uwchradd modern.

O ganlyniad i'r Ddeddf, cynyddodd nifer y disgyblion a oedd yn aros mewn ysgolion uwchradd ac yn symud ymlaen i golegau a phrifysgolion. Roedd rhai ASau Llafur, serch hynny, yn meddwl y dylai addysg uwchradd i gyd fod mewn ysgolion cyfun yn addysgu disgyblion o bob gallu gyda'i gilydd. Roedd diffyg adnoddau'n golygu mai ychydig yn unig o ysgolion technegol a sefydlwyd.

POLISÏAU GWLADOLI LLAFUR

Credai aelodau'r Blaid Lafur mai'r bobl ddylai fod yn berchen ar brif ddiwydiannau'r wlad, nid criw bychan o berchnogion neu gyfranddalwyr. Y rhai mwyaf amhoblogaidd oedd perchnogion y pyllau glo, gyda phobl yn eu cyhuddo o orelwa ac esgeuluso lles eu gweithwyr.

Gan fod y pyllau glo, y rheilffyrdd a'r dociau a'r camlesi'n hen ffasiwn ac angen buddsoddiad mawr i'w moderneiddio, gadawodd y Ceidwadwyr i'r rhain gael eu gwladoli. Byrddau a benodwyd gan y llywodraeth a redai'r diwydiannau a oedd newydd eu gwladoli a chafodd y perchnogion a'r cyfranddalwyr blaenorol iawndal. Roedd llywodraeth Attlee wedi gwrthod y syniad y dylai gweithwyr gael llais wrth redeg eu diwydiant. Yng Nghymru, roedd y rhan fwyaf o'r pyllau'n dal i gael eu rheoli gan ddynion a oedd yn arfer gweithio i'r cwmnïau glo preifat Ocean a Powell Duffryn.

Bu dathlu yn y cymoedd glofaol pan wladolwyd y diwydiant glo o dan y llywodraeth Lafur; gwelwyd hyn yn fuddugoliaeth dros berchnogion atgas y pyllau. Ond daeth anawsterau ariannol y llywodraeth i'r amlwg yn ystod gaeaf caled 1947, gan wneud diffyg glo a thanwydd arall yn boenus o amlwg gyda gweithio amser byr a tharfu ar ddiwydiant yn gyffredinol.

Yn wahanol i'r rheilffyrdd a'r pyllau glo, roedd llawer o bobl yn ystyried cludiant ar y ffyrdd a haearn a dur yn ddiwydiannau cymharol fodern a oedd yn cael eu rhedeg yn effeithiol gan berchnogion preifat. Pan gynigiodd y llywodraeth y byddent hefyd yn gwladoli'r diwydiant haearn a dur ym 1949, penderfynodd ASau Ceidwadol mai hwn oedd y cyfle i ymosod ac ennill cefnogaeth y cyhoedd. Llwyddodd y Ceidwadwyr i oedi gwladoli, ac, yn ystod y cyfnod hwn, dechreuodd y cyhoedd weld bod gwladoli'n gysylltiedig â diwydiannau a oedd yn edwino a rheoli canolog gan y llywodraeth.

g DIWYDIANNAU A WLADOLWYD GAN Y LLYWODRAETH LAFUR 1945–50

1946	Banc Lloegr
1947	Y diwydiant glo o dan y Bwrdd Glo Gwladol (NCB)
	Y cwmnïau hedfan, BEA a BOAC
	Cynhyrchu a dosbarthu trydan
1948	Rheilffyrdd
	Dociau a chamlesi
	Cludiant ar y ffyrdd
	Cynhyrchu a dosbarthu nwy
1949	Y diwydiant haearn a dur

C *Cwestiynau*

1. Pam nad oedd y GIG yn boblogaidd gyda'r meddygon?
2. Pa mor llwyddiannus oedd polisi gwladoli'r llywodraeth Lafur?

ADWAITH I BOLISÏAU LLAFUR

Ar ôl pum mlynedd mewn grym, roedd rhaid i Attlee alw etholiad cyffredinol ym 1950. Cafodd cefnogwyr Llafur sioc pan ddaeth canlyniadau etholiad mis Chwefror. Roedd eu mwyafrif 'ysgubol' ym 1945 wedi cwympo i un ffigur. Er bod Attlee a mesurau'r Wladwriaeth Les yn dal yn boblogaidd, teimlai pobl mai prin roedd pethau wedi gwella ers diwedd y rhyfel.

- Roedd dogni o hyd a llawer o nwyddau a defnyddiau yn brin.
- Roedd y llywodraeth yn gwario mwy ar ailarfogi oherwydd y Rhyfel Oer.
- Roedd chwyddiant yn bygwth safonau byw'r dosbarth canol.
- Roedd trethi'n uchel o hyd a'r bobl gyfoethocaf yn anhapus â hynny.

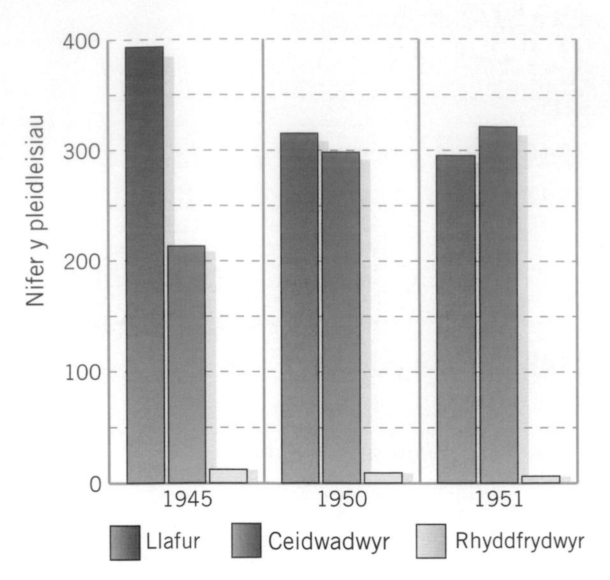

Canlyniadau etholiadau 1945–51.

Arhosodd y llywodraeth Lafur mewn grym am 18 mis arall. Yn raddol, roedd y Ceidwadwyr yn dod yn fwy poblogaidd gyda'u polisi'n gwrthwynebu gwladoli dur a dogni. Aeth y llywodraeth yn wannach eto oherwydd rhaniadau o fewn y Blaid Lafur.

Roedd rhaid i Attlee alw etholiad arall ym mis Hydref 1951 oherwydd anawsterau yn y Senedd. Enillodd y Ceidwadwyr yr etholiad a daeth Winston Churchill yn brif weinidog eto. Ond, gadawyd y Wladwriaeth Les ac agweddau eraill ar bolisïau economaidd a chymdeithasol Llafur yn eu lle gan barhau'n ddylanwad cryf ar fywyd yng Nghymru a Lloegr weddill yr ugeinfed ganrif

C Cwestiynau

1 Sut ymosododd y llywodraeth Lafur ar 'anwybodaeth'?

2 Pam roedd llywodraeth Attlee wedi mynd yn llai poblogaidd erbyn 1950?

2 YMARFER ARHOLIAD

Mae'r cwestiynau hyn yn profi Adran B y papur arholiad.

CYMRU A LLOEGR 1945–51

Astudiwch yr wybodaeth isod ac yna atebwch y cwestiynau sy'n dilyn.

GWYBODAETH

Gwaith dur Port Talbot, a agorwyd ym 1951 ychydig ar ôl gwladoli'r diwydiant dur.

CA Cwestiynau Arholiad

1 **a** Disgrifiwch *un* o'r prif broblemau mewnol a oedd gan y llywodraeth Lafur ym 1945. [2]
b Eglurwch beth oedd nodau Clement Attlee fel prif weinidog. [4]
c Pa mor bwysig oedd sefydlu'r Gwasanaeth Iechyd Gwladol? [5]

2 **a** Disgrifiwch y newidiadau i fyd addysg a gyflwynodd y llywodraethau Llafur. [3]
b Eglurwch pam roedd cefnogaeth a gwrthwynebiad i bolisi gwladoli Llafur. [4]

3 I ba raddau roedd polisïau economaidd a chymdeithasol y llywodraethau Llafur wedi newid Cymru a Lloegr erbyn 1951? Eglurwch eich ateb yn llawn. [7]

3 CHWYLDRO YN RWSIA, 1905–24

Rhwng 1905 a 1924 aeth Ymerodraeth Rwsia drwy gyfnod o newid mawr. Gan ei bod yn estyn dros diroedd eang roedd yr Ymerodraeth yn gymysgedd o wahanol bobl, ieithoedd, diwylliannau a thraddodiadau. Er bod yr Ymerodraeth yn dechrau diwydianeiddio wrth i ddinasoedd dyfu, roedd y broses yn un araf.

Ym 1905 Tsar Nicholas II oedd yn llywodraethu Rwsia. Cafodd grym absoliwt y tsar ei herio gan Chwyldro ym 1905 a bu'n rhaid iddo ganiatáu i rywfaint o ddiwygio ddigwydd. Ond, cyn hir roedd wedi sefydlu ei awdurdod absoliwt eto ac roedd pobl radical naill ai'n cael eu harestio neu eu halltudio. Yn ystod y Rhyfel Byd Cyntaf nid oedd digon o arweiniad, hyfforddiant a chyflenwadau gan fyddin Rwsia. Oherwydd hyn, a mwy o galedi yn Rwsia, bu pobl yn beirniadu'r tsar a'r tsarina ac yn galw am newid.

Ym 1917 digwyddodd dau Chwyldro yn Rwsia. Oherwydd y cyntaf ym mis Chwefror bu'n rhaid i'r tsar ildio'r goron o blaid Llywodraeth Dros Dro. Yn yr ail chwyldro ym mis Hydref dyma Lenin, a oedd newydd ddychwelyd o fod yn alltud, a'r Bolsieficiaid yn llwyddo i gipio grym yn Petrograd. Yna roedd tasg anodd yn wynebu'r Bolsieficiaid, sef lledu eu hawdurdod dros weddill Rwsia. Rhwng 1918 a 1920 bu Rhyfel Cartref rhwng lluoedd y Bolsieficiaid (Cochion) a'r Tsariaid (Gwynion) – a'r Cochion o dan arweiniad Trotsky enillodd y rhyfel yn y pen draw. Oherwydd y straen ar y sifiliaid, digwyddodd newyn mawr ym 1921.

Rhwng 1921 a'i farwolaeth ym 1924 gosododd Lenin sylfeini gwladwriaeth gomiwnyddol UGSS. Bu'r Comiwnyddion, fel roedd ei ddilynwyr yn cael eu galw'n awr, wrthi'n ceisio rheoli pob agwedd ar fywyd gan gynnwys addysg, crefydd a diwylliant. Cafodd yr economi ei adfywio gyda chymorth y Polisi Economaidd Newydd ond wrth i iechyd Lenin dorri, bu brwydr fawr i'w olynu, a Stalin yn ennill y pen draw.

LLINELL AMSER DIGWYDDIADAU

1904	Dechrau Rhyfel Rwsia-Japan
1905	9 Ionawr: Chwyldro Sul y Gwaed yn St Petersburg
	Y Tsar yn cyhoeddi Maniffesto mis Hydref
1906	Y Duma cyntaf i'w ethol yn ddemocrataidd yn parhau am 75 diwrnod yn unig
	Stolypin yn dod yn Brif Weinidog
1914	Awst: Rwsia'n ymuno â'r Rhyfel Byd Cyntaf
1917	Chwefror: Chwyldro ar strydoedd Petrograd; Tsar Nicholas yn ildio'r goron
	Llywodraeth Sofietaidd Dros Dro'n cael ei ffurfio
	Grym Deuol
	Gosodiadau Ebrill Lenin
	Diwrnodau Gorffennaf
	Cynllwyn Kornilov
	Hydref: ymosod ar Balas y Gaeaf – y Bolsieficiaid yn cipio grym
1918	Cytundeb Brest-Litovsk
	Rhyfel Cartref rhwng y Gwynion a'r Cochion
	Gorffennaf: llofruddio teulu brenhinol Romanov
1920	Buddugoliaeth i'r Cochion
	Rhyfel Rwsia-Gwlad Pwyl
1921	Gwrthryfel Kronstadt
	Cyflwyno'r PEN
1924	Lenin yn marw

Pam dechreuodd chwyldro ym 1905 a beth oedd canlyniadau hynny o ran rheolaeth y tsar yn Rwsia?

RWSIA YM 1905

Natur a strwythur cymdeithas Rwsia

Roedd Ymerodraeth Rwsia'n cynnwys chweched ran o arwynebedd tir y byd ac oherwydd ei maint anferth roedd hi'n anodd iawn ei llywodraethu. Yn ôl cyfrifiad 1897 roedd poblogaeth o 125 miliwn gan gynnwys 55 miliwn o Rwsiaid, a'r 70 miliwn arall yn cynnwys gwahanol genhedloedd fel Wcreiniaid, Belorwsiaid, Pwyliaid, Iddewon, Tartariaid ac Almaenwyr. Roedd polisi swyddogol 'Rwsieiddio' yn golygu bod rhaid i'r grwpiau hyn ddod yn Rwsiaid, gan ddefnyddio Rwseg ym myd busnes ac mewn ysgolion.

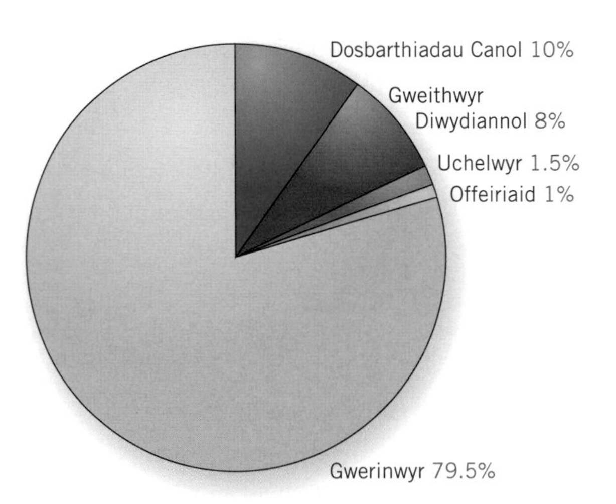

Strwythur cymdeithas Rwsia ym 1905.

Roedd cymdeithas Rwsia'n gaeth iawn ac ar ei brig roedd y tsar. Unben oedd ef â'r grym i gyd yn ei ddwylo, felly gallai greu deddfau a llywodraethu fel roedd yn dymuno. Nid oedd senedd ac roedd pleidiau gwleidyddol wedi'u gwahardd. Byddai'r tsar yn cael cyngor gan Bwyllgor o Weinidogion wedi'u dewis ganddo o blith yr uchelwyr cyfoethog. Byddai papurau newydd a llyfrau'n cael eu sensora a'r heddlu cudd, yr Okhrana, yn delio ag unrhyw wrthwynebiad. Eu gwaith oedd cael gwared ar grwpiau a oedd yn gwrthwynebu'r tsar. Bydden nhw'n defnyddio tactegau didostur ac yn anfon pobl a oedd yn ceisio gwrthwynebu'r tsar i wersylloedd carchar yn Siberia.

Islaw'r tsar roedd yr uchelwyr. Rhyw 0.1 y cant o'r boblogaeth oedden nhw ond eto roedden nhw'n berchen ar 25 y cant o'r tir. Roedden nhw'n gyfoethog a dylanwadol iawn. Dechreuodd dosbarth canol, y *bourgeoisie*, godi ar ôl diwydianeiddio cyflym ar ddiwedd y bedwaredd ganrif ar bymtheg. Roedd y bobl hyn yn gofyn am fwy o lais yn y ffordd roedd y wlad yn cael ei llywodraethu.

Roedd bron i 80 y cant o boblogaeth Rwsia'n werinwyr. Er bod taeogaeth wedi ei dileu ym 1861 roedd y mwyafrif yn dal yn dlawd iawn. Roedd comiwn y pentref,

FFYNHONNELL A Cartref uchelwr cyfoethog yn Rwsia gyda'i holl weision a morynion ym 1905.

neu'r *mir* yn cyfyngu ar eu gweithgarwch ac yn gwneud pob penderfyniad pwysig. Oherwydd dulliau ffermio cyntefig a thir amaethyddol gwael nid oedd llawer o gnydau ac roedd prinder bwyd yn aml. Roedd amodau byw'n ofnadwy, gyda theuluoedd cyfan yn aml yn byw mewn un ystafell.

FFYNHONNELL B

Maen nhw'n cael cyflogau gwael, ac fel arfer yn byw ar ben ei gilydd, yn aml iawn mewn llety arbennig. Mae gweld deg neu fwy o bobl yn byw mewn un ystafell a phedwar yn cysgu mewn gwely'n rhywbeth cyffredin. Mae'r diwrnod gwaith fel arfer yn un ar ddeg a hanner o oriau o waith, heb gynnwys amser bwyta.

Adroddiad am amodau byw gweithwyr Rwsiaidd gan y Tad Gapon (1905), offeiriad Rwsiaidd a geisiodd drefnu undeb llafur i helpu'r gweithwyr.

Dim ond tua 15 y cant o'r boblogaeth oedd yn byw mewn trefi a dinasoedd ond roedd y niferoedd yn codi bob blwyddyn wrth i'r gwerinwyr adael y tir i chwilio am swyddi yn y ffatrïoedd newydd. Roedd yr amodau'n wael i'r gweithwyr diwydiannol ac roedd rhaid i sawl teulu fyw mewn un ystafell. Roedd llawer o dai heb ddŵr tap na system carthffosiaeth. Roedd gweithwyr yn gweithio oriau hir ond roedd y cyflogau'n isel. Roedd undebau llafur wedi'u gwahardd. Roedd streicio'n anghyfreithlon ond daethon nhw'n fwy cyffredin ar ôl 1900 wrth i weithwyr brotestio am yr amodau gwael.

Roedd crefydd yn chwarae rhan bwysig ym mywyd bob dydd y bobl, ac roedd Eglwys Uniongred Rwsia'n un o'r tirfeddianwyr pwysicaf. Roedd parch mawr i ddynion sanctaidd neu *startsy* a bydden nhw'n dysgu pobl i barchu awdurdod a thraddodiad. Roedden nhw'n honni bod gwrthwynebu'r tsar yn bechod, gan ei bortreadu fel 'tad bychan' a'u hamddiffynnydd arbennig.

Cymeriad Tsar Nicholas II

Roedd Tsar Nicholas II yn bennaeth llinach frenhinol Romanov a oedd wedi rheoli Rwsia am dros 300 mlynedd. Roedd yn rheoli Rwsia'n llwyr (unben). Roedd angen arweinydd carismataidd a chryf ar y system unbenaethol ond roedd Nicholas yn wan. Roedd yn ddyn ei deulu, a gwell oedd ganddo dreulio'i amser gyda'i wraig o'r Almaen, y Tsarina Alexandra, a'u pump o blant yn hytrach nag yn ymdrin â materion y wladwriaeth. Roedd Alexei, unig fab y pâr, yn dioddef o haemoffilia (anhwylder prin ar y gwaed) ac nid oedd disgwyl iddo dyfu'n oedolyn.

Roedd Nicholas yn grefyddol iawn ac yn credu iddo gael ei ddewis gan Dduw i reoli. Roedd yn meddwl nad oedd hawl gan neb i'w herio ac y byddai democratiaeth yn arwain at ddymchwel Rwsia. Gyda'r tsarina'n cefnogi ei syniadau, ymladdodd Nicholas i gynnal y system unbenaethol. Ychydig roedd e'n ei wybod am y bobl o dan ei lywodraeth oherwydd mai gyda'r uchelwyr yn unig roedd e'n cymysgu.

GWRTHWYNEBIAD I'R TSAR

Tan i Chwyldro 1905 ddigwydd, roedd pob gwrthwynebiad wedi'i wahardd ac oherwydd hyn roedd hi'n anodd i'r grwpiau a oedd yn gwrthwynebu'r tsar leisio'u barn yn agored. Felly trodd rhai ohonyn nhw at weithgarwch terfysgol. Erbyn 1905, serch hynny, mae'n bosibl nodi tri grŵp gwrthwynebu gwahanol:

1 **Y Rhyddfrydwyr**
Dyma wrthwynebwyr mwyaf cymedrol Nicholas ac roedden nhw'n cynnwys dynion o'r dosbarthiadau canol, a oedd eisiau gweld newid gwleidyddol heddychlon. Roedden nhw eisiau system ddemocrataidd lle roedd y tsar yn rhannu

grym â senedd wedi'i hethol, neu Duma. Nid oedd llawer yn eu rhaglen i ddenu cefnogaeth y gwerinwyr neu'r gweithwyr. Ym 1905, pan ddaeth gwrthwynebu'n gyfreithlon, rhannodd y Rhyddfrydwyr yn ddau grŵp. Roedd y Democratiaid Cyfansoddiadol, neu'r Cadlanciau, eisiau gwthio am fwy o newid cyfansoddiadol, tra oedd grŵp arall, yr Hydrefwyr, yn fwy cymedrol ac yn fodlon ag addewidion Tsar Nicholas yn ei Faniffesto Hydref (gweler tudalen 69).

2 **Y Blaid Sosialaidd Chwyldroadol (y Chwyldroadwyr Sosialaidd)**
Cafodd y grŵp yma ei ffurfio ym 1901 a Victor Chernov oedd yr arweinydd. Ei nod oedd cipio grym drwy chwyldro. Roedden nhw eisiau mynd â'r tir i gyd oddi ar y tirfeddianwyr cyfoethog a'i roi i'r gwerinwyr. Ond roedden nhw'n dadlau am eu nodau a'u dulliau. Roedd rhai'n credu mewn defnyddio trais.

3 **Y Blaid Sosialaidd Ddemocratiadd**
Cafodd y grŵp yma ei ffurfio ym 1898 gan ddilyn dysgeidiaeth Karl Marx (gweler y blwch gwybodaeth ar dudalen 67) a'i nod oedd defnyddio chwyldro i gyflwyno system llywodraethu gomiwnyddol (gweler y blwch gwybodaeth ar dudalen 67). Ond roedden nhw'n anghytuno ynglŷn â sut roedd y chwyldro i ddechrau ac ym 1903 ymrannodd y mudiad yn ddau grŵp gwrthwynebus, y Mensieficiaid a'r Bolsieficiaid. Roedd y Mensieficiaid, o dan arweiniad Yuly Martov, yn credu mewn plaid dorfol lle roedd y grym wedi'i rannu rhwng cymaint o aelodau ag oedd yn bosibl. Roedd y Bolsieficiaid, o dan arweiniad Vladimir Lenin, yn credu mai cnewyllyn bach elitaidd o chwyldroadwyr ymroddedig ddylai redeg y blaid. Nhw fyddai'n gwneud y prif benderfyniadau ac yn arwain y chwyldro.

FFYNHONNELL **C**

Clawr y cylchgrawn gwleidyddol gwrth-tsaraidd *Raven* (1906). Mae'r rhifyn hwn yn dangos gweinidogion y llywodraeth yn cael eu chwythu i fyny. Roedd cyhoeddiadau o'r fath wedi eu gwahardd cyn 1905.

O 1903 ymlaen roedd tri grŵp chwyldroadol pwysig ar waith yn Rwsia – y Bolsieficiaid, y Mensieficiaid a'r Chwyldroadwyr Sosialaidd. Roedd yr un nod ganddyn nhw – dinistrio system llywodraethu'r tsar – ond roedden nhw'n methu cytuno sut i wneud hyn.

C Cwestiynau

1 Beth allwch chi ei ddysgu o Ffynhonnell A a'r testun rydych chi wedi ei ddarllen am gyflwr cymdeithas Rwsia ar droad yr ugeinfed ganrif?

2 Faint o wrthwynebiad oedd i reolaeth y tsar erbyn 1905?

g MARCSAETH A CHYNLLUNIAU LENIN AR GYFER CHWYLDRO

FFYNHONNELL CH Karl Marx.

Karl Marx (1818–83)

Iddew Almaenig oedd Marx a dreuliodd y rhan fwyaf o'i oes yn alltud oherwydd ei syniadau gwleidyddol. Yn ei waith enwocaf, *Y Maniffesto Comiwnyddol* (1848), nododd ei ddamcaniaeth ynglŷn â newid cymdeithasol. Cafodd y ddamcaniaeth yma yr enw Marcsaeth.

Marcsaeth

Roedd Marx yn gweld mai cyfres o frwydrau oedd hanes rhwng y rhai mewn grym a'r rhai heb rym – rhwng gwahanol ddosbarthiadau cymdeithas. Ym 1848 disgrifiodd Marx sut roedd Ewropeaid yn byw mewn cymdeithasau cyfalafol lle roedd y grym yn nwylo perchnogion ffatrïoedd a masnachwyr. Roedden nhw'n bwerus achos mai nhw oedd yn berchen ar ddulliau cynhyrchu cymdeithas, fel ffatrïoedd a siopau. Ar y llaw arall, y gweithwyr oedd y bobl heb rym. Roedd rhaid i weithwyr eu gwerthu eu hunain fel llafur dynol i'r perchnogion ffatrïoedd a'r masnachwyr. Rhagwelodd Marx y byddai'r gweithwyr ym mhob cymdeithas gyfalafol yn codi yn y pen draw mewn chwyldro yn erbyn perchnogion y ffatrïoedd a'r masnachwyr, a chymryd y grym i'w dwylo eu hunain.

Syniadau Lenin ar gyfer chwyldro

Roedd Lenin, wedi'i ysbrydoli gan syniadau Marx, yn credu mewn chwyldro gan y gweithwyr yn Rwsia. Ond roedd Rwsia'n gymdeithas o werinwyr ar y cyfan ac nid oedd yn gymdeithas gyfalafol a fyddai, yn ôl Marx, yn cael chwyldro. Felly dyma Lenin yn addasu Marcsaeth i weddu i'w gynlluniau ef ar gyfer chwyldro yn Rwsia.

- Dywedodd Lenin na ddylai'r chwyldro aros tan i gyfalafiaeth ddatblygu ac y dylai gwerinwyr ymuno â'r gweithwyr yn y chwyldro.
- Gan y byddai gwrthwynebiad i'r chwyldro yn Rwsia, ac na fyddai'n cael ei arwain gan y gweithwyr, byddai cnewyllyn bach o aelodau gweithgar y blaid yn dechrau'r chwyldro. Llywodraeth unbenaethol fyddai ei hangen i wneud hyn.

Y RHESYMAU DROS CHWYLDRO 1905

Mae rhesymau tymor hir a thymor byr am y chwyldro a ddigwyddodd yn Rwsia yn ystod 1905. Ers nifer o flynyddoedd roedd y gwerinwyr wedi mynd yn fwyfwy anfodlon wedi iddyn nhw gael eu taro gan gynaeafau gwael ym 1900 a 1902. Ym 1902 dechreuodd dirwasgiad diwydiannol a bu'n rhaid diswyddo gweithwyr ac felly digwyddodd streiciau a gwrthdystiadau mewn nifer o ddinasoedd. Roedd rhyddfrydwyr dosbarth canol yn awyddus i gael llais yn y ffordd roedd y wlad yn cael ei rhedeg ac roedden nhw'n pwyso am ddiwygio, tra oedd rhai o'r Chwyldroadwyr Sosialaidd yn dal at eu polisi, sef llofruddiaethau gwleidyddol. Ond colli'r rhyfel yn erbyn Japan a'r gyflafan ar Sul y Gwaed oedd y rhesymau pwysicaf am yr aflonyddwch mawr.

Rhyfel Rwsia-Japan, 1904-5

Ym 1904 aeth Rwsia i ryfel yn erbyn Japan, gan gredu y byddai ei ennill yn gyflym yn helpu i dynnu sylw pobl o'r tensiynau a oedd ar gynnydd gartref. Aeth y ddwy wlad i ryfel er mwyn rheoli Manchuria a Korea yn y Dwyrain Pell. Roedd Rwsia wedi prydlesu Port Arthur gan China er mwyn cael porthladd heb iâ i'w llynges.

Roedd Japan yn teimlo wedi'i bychanu oherwydd hyn ac ymosododd ar luoedd Rwsia, gan gipio Port Arthur ym mis Rhagfyr 1904. Anfonodd y Rwsiaid longau cymorth ond ni chyrhaeddon nhw'r ardal tan mis Mai 1905. Bu ymosodiad a chawson nhw eu dinistrio. Roedd Rwsia'n ystyried colli'r rhyfel yn warth a bu'n rhaid iddi dderbyn cytundeb heddwch a oedd yn golygu bod Rwsia'n colli tiroedd a dylanwad yn y Dwyrain Pell.

Dim ond gwaethygu pethau o fewn Rwsia wnaeth rhyfel 1904-5. Effeithiodd y rhyfel ar gyflenwadau bwyd, gan achosi prinder a chododd prisiau. Bu'n rhaid i ffatrïoedd ddiswyddo gweithwyr, a hynny felly'n achosi mwy o streiciau. Yn hytrach na thynnu sylw o'r problemau, roedd y rhyfel yn dangos pa mor amhoblogaidd oedd llywodraeth y tsar.

Digwyddiadau Sul y Gwaed

Ar 22 Ionawr 1905 arweiniodd offeiriad, y Tad Gapon, dorf o 200,000 o weithwyr drwy strydoedd St Petersburg i Balas Gaeaf y tsar. Eu bwriad oedd cyflwyno deiseb i'r tsar, yn rhestru eu cwynion, er nad oedd y tsar yn y palas ar y pryd. Wrth i'r dorf nesáu, aeth y milwyr i banig a dechrau saethu. Mae'r ffigurau swyddogol yn cofnodi i 96 gael eu lladd a 333 gael eu hanafu ond mae'n debyg fod y nifer a fu farw'n nes at 1000.
O ganlyniad mae'r digwyddiad wedi cael ei alw'n gyflafan Sul y Gwaed.

Chwyldro 1905

Ar ôl digwyddiadau Sul y Gwaed bu ton o brotestio ledled Rwsia. Lledodd streiciau a therfysg ledled y wlad ac erbyn diwedd mis Ionawr roedd dros 400,000 o weithwyr ar streic. Mewn rhai dinasoedd bu'r gweithwyr yn ethol sofietau, neu gynghorau, i ddechrau rheoli pethau. Ym mis Chwefror cafodd ewythr y tsar, yr Archddug Sergei Aleksandrovich, ei lofruddio yn Moskva (Moscow), ac ym mis Mehefin digwyddodd miwtini ar y llong ryfel Potemkin oherwydd amodau gwaith erchyll. Yn ystod mis Mehefin a mis Gorffennaf 1905 gwrthryfelodd llawer o werinwyr gan gipio tir a llofruddio'u tirfeddianwyr. Roedd yr argyfwng yn ei anterth ym mis Hydref pan effeithiodd streic gyffredinol ar y wlad i gyd. Ar 26 Hydref cafodd Sofiet St Petersburg ei ffurfio i gydlynu'r streiciau. Roedd yn cynnwys cynrychiolwyr o weithwyr ffatrïoedd a'i gadeirydd oedd Leon Trotsky. Yn fuan daeth yn ffynhonnell grym gwirioneddol yn St Petersburg ac yn sgil ei lwyddiant cafodd sofietau eraill eu sefydlu mewn dinasoedd eraill.

FFYNHONNELL D Milwyr yn tanio ar y dorf a oedd yn gorymdeithio tuag at Balas y Gaeaf – llun llonydd o'r ffilm a gafodd ei gwneud am y digwyddiad ym 1925.

Maniffesto'r Hydref

Yn ystod Chwyldro 1905, llwyddodd Prif Weinidog y tsar, Sergei Witte, i ddarbwyllo'r tsar mai'r unig ffordd o ddod â'r argyfwng i ben oedd ildio consesiynau i'r Rhyddfrydwyr ac adennill eu cefnogaeth. Ar 30 Hydref, cyhoeddodd Nicholas Faniffesto'r Hydref a oedd yn cyflwyno newidiadau cyfansoddiadol yn rhoi hawliau gwleidyddol ac yn sefydlu Duma, neu senedd wedi'i hethol. Felly cafodd gefnogaeth y dosbarthiadau canol eto. Nawr roedd y tsar yn gallu chwarae am amser a gweithredu yn erbyn y dosbarth gweithiol.

g TELERAU MANIFFESTO'R HYDREF

Roedd yn addo:

- Duma wedi'i ethol
- pleidlais i bob dyn yn Rwsia
- y byddai'n rhaid i bob deddf gael ei chymeradwyo gan y Duma
- hawliau sifil e.e. rhyddid barn, rhyddid i gynnal cyfarfodydd
- hawl i greu pleidiau gwleidyddol
- papurau newydd heb eu sensora.

Ym mis Tachwedd 1905 ceisiodd y tsar adennill cefnogaeth y gwerinwyr drwy gyhoeddi y byddai taliadau adbrynu'n dod i ben. Roedd y rhain yn daliadau amhoblogaidd iawn roedd yn rhaid i'r gwerinwyr eu gwneud am y tir roedden nhw wedi'i dderbyn ar ôl cael eu rhyddhau o fod yn daeog. Erbyn mis Rhagfyr roedd y rhan fwyaf o'r milwyr wedi dychwelyd i Rwsia wedi'r rhyfel yn erbyn Japan felly roedd digon o rym gan y tsar i adennill rheolaeth. Defnyddiodd y grym hwnnw i gau Sofiet St Petersberg ac arestio ei arweinwyr. Cafodd gwrthryfel arfog gan Sofiet Moskva ei sathru'n ddidostur gan y fyddin a chollodd 1000 o bobl eu bywydau. Erbyn diwedd y flwyddyn roedd y tsar yn rheoli Ymerodraeth Rwsia eto.

Mae rhai haneswyr yn dadlau nad ymgais i ddisodli'r tsar oedd chwyldro 1905 ond ymgais i brotestio am amodau gwaith a byw gwael. Ni chafodd y gwrthryfeloedd eu trefnu na'u cynllunio'n dda, ac mewn gwirionedd cyfres o brotestiadau digyswllt ymysg gwerinwyr a gweithwyr diwydiannol oedden nhw.

C Cwestiynau

1 Sut cyfrannodd Rhyfel Rwsia-Japan i Chwyldro 1905?

2 Disgrifiwch ddigwyddiadau Sul y Gwaed.

3 I ba raddau newidiodd Maniffesto'r Hydref y sefyllfa wleidyddol yn Rwsia?

STOLYPIN A'I BOLISÏAU

Cyn hir roedd y tsar yn edifaru iddo ganiatáu Maniffesto'r Hydref ac ym mis Gorffennaf 1906 diswyddodd Witte o'i swydd yn Brif Weinidog. Yn ei le penododd Peter Stolypin, gwleidydd digyfaddawd a oedd yn credu mewn llywodraeth lem. Addawodd sefydlu polisi 'gormesu a diwygio'.

Cyfyngu ar rym y Duma

Cafodd yr etholiadau i Duma cyntaf Rwsia eu cynnal ym mis Mawrth 1906.
Y canlyniad oedd mwyafrif i'r asgell chwith a oedd yn beirniadu cyfundrefn y tsar.
Ym mis Mai, ymatebodd y tsar drwy basio'r Deddfau Sylfaenol i adfer ei rym fel unben. Felly pan fynnodd y Duma gael mwy o lais wrth lywodraethu, anfonodd y tsar y milwyr i'w ddiddymu. Roedd Duma cyntaf Rwsia wedi parhau am 75 diwrnod yn unig.

Cafodd etholiadau am ail Duma eu cynnal ym 1907 a'r canlyniad oedd mwy fyth o ogwydd i'r chwith, gyda'r Chwyldroadwyr Sosialaidd a'r Democratiaid Sosialaidd yn ennill eu seddi cyntaf. Am dri mis yn unig y bu'r Duma yma mewn grym cyn cael ei ddiddymu. Cyn y trydydd Duma, yn ddiweddarach ym 1907, newidiodd y tsar y system bleidleisio. Byddai'r 1 y cant cyfoethocaf o'r Rwsiaid yn ethol dwy ran o dair o'r cynrychiolwyr. Felly roedd hyn yn golygu mai gwleidyddion ceidwadol fyddai yn y Duma a oedd fel arfer yn cefnogi'r tsar. Bu'r Duma yma mewn grym am y pum mlynedd llawn. Roedd y pedwerydd Duma a etholwyd ym 1912 hefyd yn ateb dymuniadau'r tsar.

FFYNHONNELL DD Cartŵn o Rwsia ym 1906 sy'n dangos aelod o'r Duma wedi ei gagio, a dau swyddog y tsar bob ochr iddo.

Polisi gormesu Stolypin

Fel na fyddai bygythiad o fwy o aflonyddwch ac i roi taw ar y gweithredoedd terfysgol a ddechreuodd y Chwyldroadwyr Sosialaidd ym 1906, dechreuodd Stolypin bolisi gormesu llym. Cafodd llysoedd arbennig o'r enw Llysoedd Maes i Sifiliaid eu sefydlu i ddod â'r rhai a oedd 'yn amlwg yn euog' o flaen eu gwell yn gyflym. Yn ystod 1906, cafodd 1008 o bobl eu harestio, eu rhoi ar brawf a'u dienyddio am eu rhan yn y chwyldro, tra anfonwyd 21,000 i wersylloedd carchar arbennig yn Siberia. Rhwng 1907 a 1911 cafodd 1800 arall eu crogi, fel bod rhaff y crogwr yn cael y llysenw 'tei Stolypin'.

Polisïau diwygio Stolypin

Cyflwynodd Stolypin gyfres o ddiwygiadau amaethyddol gan obeithio y bydden nhw'n ennill teyrngarwch y gwerinwyr ac yn arwain at sefydlogrwydd yng nghefn gwlad. Roedd y tsar eisoes wedi dileu'r taliadau adbrynu ac ym 1906 a 1907 cafodd mesurau eu cyflwyno fel bod gwerinwyr yn gallu prynu tir o'r *mir*. Roedd system ffermio stribedi gan y *mir* lle roedd pob teulu'n cael siâr o'r stribedi gorau a gwaethaf. Roedd y system yn cyfyngu ar ffermwyr gan fod rhaid i bawb dyfu'r un cnwd, roedd y stribedi'n rhy fach i annog defnyddio peiriannau modern, ac roedd y stribedi y byddai ffermwr yn eu derbyn yn aml wedi eu gwasgaru dros ardal eang. Petai ffermwyr yn gallu prynu nifer o stribedi'n agos at ei gilydd yna gallen nhw ffurfio fferm fechan, gan felly greu dosbarth newydd o ffermwyr o'r enw kulakiaid.

Cafodd Banc y Gwerinwyr ei greu i helpu gwerinwyr i ddod yn kulakiaid ond dim ond 15 y cant o'r gwerinwyr a fanteisiodd ar hyn, gan fod y mwyafrif yn rhy dlawd i wneud

g PETER STOLYPIN (1862-1911)

FFYNHONNELL E

Peter Stolypin.

Stolypin oedd y gwleidydd mwyaf amlwg yn Rwsia ar ôl chwyldro 1905. Roedd yn ddyn galluog, penderfynol ac effeithiol, a chafodd ei wneud yn Weinidog Materion Cartref ym mis Mai 1906, a dau fis yn ddiweddarach cafodd ei ddyrchafu'n Brif Weinidog. Er mwyn ceisio gwneud Rwsia'n fwy diogel a llewyrchus dilynodd bolisi deuol, gormesu a diwygio. Byddai terfysgwyr yn cael eu dal a'u dienyddio. Ar yr un pryd cyflwynodd bolisi diwygio (gweler tudalennau 70-71). Oherwydd ei bolisïau a'i ddulliau cafodd ei lofruddio ym mis Medi 1911.

hynny. Yn y pen draw, daeth y datblygiadau hyn i ben pan ymunodd Rwsia â'r Rhyfel Byd Cyntaf ym 1914.

Roedd Stolypin yn credu mai cael Rwsia lewyrchus oedd y ffordd orau o leihau'r gefnogaeth i grwpiau gwrthwynebu radical. Cafodd mesurau eu cyflwyno i wella addysg a darparu cynllun yswiriant cymdeithasol. Cafodd amodau yn y gwasanaethau arfog eu gwella i osgoi miwtiniau yn y dyfodol, a dechreuodd rhaglen i adeiladu'r llynges fel mai Rwsia fyddai â'r drydedd lynges fwyaf erbyn 1931. O ran diwydiant roedd yn annog adeiladu ffatrïoedd newydd a mwy.

Roedd Stolypin wedi gosod y sylfeini ar gyfer twf ond pan gafodd ei lofruddio ym 1911 daeth y diwygiadau i ben gan nad oedd y rhai a ddaeth ar ei ôl yn arddel y polisi.

EFFAITH NEWID ECONOMAIDD

Rhwng 1906 a 1914 digwyddodd ffyniant diwydiannol yn Rwsia a chododd cynhyrchiant 100 y cant. Cafodd ffatrïoedd newydd eu hadeiladu a chwyddodd y dinasoedd wrth i werinwyr symud i chwilio am waith. Ond er bod perchenogion y ffatrïoedd yn gwneud elw da, ni chafodd llawer ei wneud i wella amodau byw a gweithio'r gweithwyr. Roedd yr amodau'n ofnadwy a chododd nifer y streiciau'n sylweddol i dros 8000 yn ystod y cyfnod 1910-1914. Felly roedd llawer o dyndra'n barod pan ddaeth y penderfyniad y byddai Rwsia'n ymuno â'r Rhyfel Byd Cyntaf.

C Cwestiynau

1. Disgrifiwch waith y Llysoedd Maes i Sifiliaid.
2. Defnyddiwch yr wybodaeth yn Ffynhonnell DD a'r hyn rydych chi'n ei wybod eich hun i egluro sut roedd y tsar yn cyfyngu ar rym y Duma.
3. Eglurwch sut ceisiodd Stolypin gael gwerinwyr Rwsia i fod yn deyrngar i gyfundrefn y tsar unwaith eto.

3 YMARFER ARHOLIAD

Mae'r cwestiynau hyn yn profi Adran B y papur arholiad.

RWSIA O DAN Y TSAR, 1905–14

Astudiwch yr wybodaeth isod ac yna atebwch y cwestiynau sy'n dilyn.

GWYBODAETH

Ym 1905 roedd y tsar yn bennaeth ar Rwsia, gyda chymorth yr uchelwyr. Oddi tanyn nhw roedd torf o weithwyr a gwerinwyr Rwsia.

CA Cwestiynau Arholiad

1 **a** Disgrifiwch sut roedd uchelwyr yn byw yn Rwsia. [2]
  b Eglurwch pam dechreuodd chwyldro yn Rwsia ym 1905. [4]
  c Pa mor llwyddiannus oedd chwyldro 1905? Eglurwch eich ateb yn llawn. [5]

2 **a** Disgrifiwch waith yr Okhrana. [3]
  b Eglurwch pam roedd streiciau gan weithwyr diwydiannol yn gyffredin yn ystod y cyfnod yma. [4]

3 A oedd bywyd wedi gwella i werinwyr Rwsia erbyn 1914? Eglurwch eich ateb yn llawn. [7]

Pa ffactorau a arweiniodd at y Bolsieficiaid yn cipio grym ym mis Hydref 1917?

RHAN RWSIA YN Y RHYFEL BYD CYNTAF

Y cyfnodau cyntaf

Ar 1 Awst 1914 aeth Rwsia i ryfel yn erbyn Awstria-Hwngari a'r Almaen. Roedd pobl yn frwd wrth glywed am y rhyfel a bu gwrthdystiadau gwladgarol ledled Ymerodraeth Rwsia. Y Bolsieficiaid yn unig a ddangosodd eu gwrthwynebiad i ryfel a oedd yn 'rhyfel imperialaidd' yn eu barn nhw. Roedd casineb at bopeth Almaenig yn gyffredin felly ailenwodd y tsar y brifddinas yn Petrograd yn lle St Petersburg, a oedd yn rhy Almaenig iddo.

Ond daeth y brwdfrydedd am y rhyfel i ben yn fuan wedi colli dwy frwydr yn Tannenberg a Llynnoedd Masuria yn hydref 1914. Cafodd dros 250,000 o filwyr Rwsia eu lladd, eu hanafu neu eu cymryd yn garcharorion. Er bod mwy o filwyr gan Rwsia na'r gelyn, nid oedd arweiniad cadarn na digon o arfau ganddyn nhw. Roedd bron i filiwn o filwyr heb rifflau ac roedd llawer heb esgidiau. Symudodd yr Almaenwyr yn eu blaenau dros 300 milltir (480 km) i mewn i Rwsia yn ystod 1915, ac er i wrthymosodiad ddigwydd o dan arweiniad y Cadfridog Brusilov ym 1916, ni fu'n llwyddiannus a bu farw dros filiwn o Rwsiaid yn yr ymgyrch.

Cafodd y rhyfel effaith fawr ar amodau o fewn Rwsia. Cafodd pymtheg miliwn o ddynion eu hymrestru i'r fyddin felly nid oedd digon o ddynion ar ôl i redeg y ffatrïoedd neu weithio'r tir. Ym 1915 roedd rhaid i hyd at 600 ffatri gau.

Roedd y system drafnidiaeth hefyd yn methu ymdopi. Nid oedd digon o drenau gan Rwsia i fynd â chyflenwadau o fwyd a defnyddiau i'r fyddin a'r trefi. Wrth i'r cyflenwadau bwyd yn y trefi ddod i ben cododd y prisiau, ond arhosodd y cyflogau'n isel. I dalu am yr ymdrech ryfel argraffodd y llywodraeth fwy a mwy o arian, felly collodd y rwbl ei werth a chododd chwyddiant 400 y cant rhwng 1914 a 1917. Wrth i'r amodau waethygu, daeth streiciau a gwrthdystiadau'n gyffredin yn Moskva a Petrograd.

Y tsar yn rheoli

Ym mis Awst 1915 aeth y tsar ei hun i reoli byddin Rwsia. Roedd hwn yn gamgymeriad mawr gan ei fod yn gadlywydd gwan ac aneffeithiol.

FFYNHONNELL A Gwerinwyr Rwsiaidd yn ciwio am fara yn Petrograd, 1917.

Nawr byddai'n rhaid iddo fe dderbyn y bai am fethiannau milwrol Rwsia. Gadawodd y tsar Petrograd a mynd i'r ffrynt, gan adael Tsarina Alexandra yng ngofal y llywodraeth. Roedd hwn hefyd yn gamgymeriad arswydus gan iddi ddibynnu gormod ar Rasputin (gweler Ffynhonnell B) ac am ei bod yn Almaenes roedd pobl yn ddrwgdybus ohoni. Byddai tarfu ar waith y llywodraeth am fod gweinidogion yn newid yn gyson o dan y tsarina, felly roedd hi'n anodd cydlynu polisi. Roedd y diffyg arweiniad a chyfeiriad yma'n gwneud dim ond ychwanegu at broblemau Rwsia.

FFYNHONNELL **B**

Anwylyd, clywais fod y Rodzianko erchyll yna [arweinydd y Duma] eisiau i'r Duma gael ei alw ynghyd – o da ti, paid, nid yw'n ddim o'u busnes, maent eisiau trafod pethau sydd â dim i'w wneud â nhw a chreu mwy o aflonyddwch – rhaid iddynt gael eu cadw draw ... Gwrando ar ein ffrind [Rasputin] ... nid yn ofer yr anfonodd Duw ef atom ni ... rhaid inni wrando ar yr hyn y mae'n ei ddweud.

Rhan o lythyr a ysgrifennwyd ym 1916 gan y tsarina at Nicholas sy'n dangos y tyndra gwleidyddol cynyddol yn Petrograd.

Dylanwad Rasputin

Wrth i'r tsarina ddibynnu'n drwm ar Rasputin, yn enwedig wrth ddewis gweinidogion, aeth sibrydion ar led am 'rymoedd dieflig yn dinistrio'r goron' o'r tu mewn. Roedd sibrydion mai asiantau Almaenig oedd y ddau'n ceisio tanseilio'r ymdrech ryfel. Ar ôl i'r Prif Weinidog Stolypin gael ei lofruddio ym 1911, cynyddodd dylanwad Rasputin ar y teulu brenhinol. Roedd y tsar a tsarina, a oedd yn ddiolchgar i Rasputin am reoli haemoffilia eu mab, yn gwrthod gwrando ar y straeon am ei ffordd wyllt o fyw. Dim ond tanseilio enw da'r tsar a tsarina wnaeth y straeon hynny, ac roedd yr uchelwyr yn synnu at eu dibyniaeth ar Rasputin. Ym mis Rhagfyr 1916, dyma grŵp bychan, wedi ei arwain gan y Tywysog Yusupov, yn llofruddio Rasputin.

C Cwestiynau

1 Eglurwch sut effeithiodd y rhyfel ar amodau byw o fewn Rwsia.

2 Pa mor ddefnyddiol yw Ffynhonnell B i hanesydd sy'n astudio'r problemau gwleidyddol cynyddol o fewn Rwsia yn ystod 1916-17? Eglurwch eich ateb gan ddefnyddio'r ffynhonnell a'r hyn rydych chi'n ei wybod.

g RASPUTIN (1871–1916)

FFYNHONNELL **C** Rasputin.

Roedd Gregori Efimovich yn fab i werinwr o Siberia ac yn uchelgeisiol a charismataidd. Daeth yn ddyn sanctaidd neu staretz. Oherwydd ei ymddygiad gwyllt, gan gynnwys yfed trwm a nifer o garwriaethau, cafodd y llysenw 'Rasputin' sef 'anfoesol' neu 'yr un ag enw drwg'. O 1905 ymlaen cynyddodd ei ddylanwad yn llys y tsar o achos ei allu i reoli'r haemoffilia a oedd yn effeithio ar y Tsarevich Alexei. Y gred yw mai drwy hypnosis byddai'n gwneud hyn. Aeth y tsarina i ddibynnu'n drwm arno ar ôl 1915 a chafodd mwy a mwy o uchelwyr swyddi yn y llywodraeth am eu bod yn gwybod sut i blesio Rasputin. Ym mis Rhagfyr 1916 lladdodd grŵp o uchelwyr ef.

DIGWYDDIADAU MIS CHWEFROR I FIS HYDREF 1917

Chwyldro Chwefror

Erbyn mis Chwefror 1917 roedd Rwsia mewn anhrefn llwyr. Oherwydd prinder bwyd a thanwydd, a hefyd gaeaf caled gyda thymheredd o 35 °C o dan y rhewbwynt, aeth pobl yn fwy anfodlon, yn enwedig yn y dinasoedd. Roedd streiciau'n gyffredin wrth i weithwyr fynnu cyflogau uwch a gwell amodau. Ar 23 Chwefror, Diwrnod Rhyngwladol y Menywod, gorymdeithiodd grŵp o fenywod drwy strydoedd Petrograd i brotestio am fod rhaid ciwio am fwyd. Cyn hir daeth dros 90,000 o streicwyr a phrotestwyr i ymuno â nhw, a gwaethygodd yr argyfwng dros y diwrnodau canlynol. Erbyn 26 Chwefror roedd 250,000 o weithwyr ar streic. Dyma Arlywydd y Duma, Michael Rodzianko, yn anfon telegram at y tsar yn dweud wrtho fod y tyndra'n cynyddu yn Petrograd (Ffynhonnell CH). Anwybyddodd y tsar ei sylwadau a rhoi gorchmynion i'r fyddin glirio'r protestwyr o'r strydoedd.

Ar 27 Chwefror gwrthryfelodd milwyr yn Petrograd a gwrthod saethu at y protestwyr. Roedd hwn yn drobwynt achos, hyd yma, roedd y fyddin wedi aros yn deyrngar i'r tsar. Yn lle hynny ymunodd y milwyr â'r protestwyr a gorymdeithio i'r Duma i fynnu ei fod yn cymryd rheolaeth o'r llywodraeth. Ni wnaeth yr heddlu ddim byd.

FFYNHONNELL CH

Mae'r sefyllfa'n ddifrifol. Mae'r brifddinas mewn anhrefn llwyr. Mae'r llywodraeth wedi'i pharlysu; mae'r system drafnidiaeth wedi torri; nid oes trefn ar y cyflenwadau bwyd a thanwydd. Mae anfodlonrwydd yn gyffredin ac ar gynnydd. Mae saethu gwyllt ar y strydoedd; mae milwyr yn saethu at ei gilydd. Rhaid i rywun sydd â hyder y wlad ffurfio llywodraeth newydd ar fyrder.

Telegram a anfonwyd gan Arlywydd y Duma, Michael Rodzianko, at y tsar ar 27 Chwefror 1917.

Y Llywodraeth Dros Dro a'r sofietau

Ar 27 Chwefror, mewn ymateb i'r gwrthdystiadau ac yn groes i ddymuniadau'r tsar, cafodd 12 aelod o'r Duma gyfarfod i ffurfio pwyllgor i gymryd y llywodraeth drosodd. Galwon nhw eu hunain yn Llywodraeth Dros Dro, a'u bwriad oedd rheoli tan i etholiadau go iawn allu cael eu cynnal i ddewis Duma newydd. Ar yr un pryd cafodd cynrychiolwyr o'r gweithwyr a'r streicwyr gyfarfod ac ailffurfio Sofiet Petrograd a oedd wedi ei ffurfio gyntaf ym 1905.

g CALENDR RWSIA

Yn y cyfnod yma, roedd Rwsia'n dilyn calendr Iŵl (Julian) a oedd 13 diwrnod ar ôl calendr Gregori (modern) yr oedd gweddill Ewrop yn ei ddefnyddio. Mae'r chwyldro a ddigwyddodd yn Rwsia rhwng 23 a 27 Chwefror, yn ôl calendr Iŵl, yn cael yr enw Chwyldro Mawrth o ddefnyddio calendr Gregori. Felly hefyd digwyddodd y Chwyldro ar 24-25 Hydref yn ôl calendr Iŵl ar 6-7 Tachwedd o ddefnyddio'r calendr modern. Mabwysiadodd y Bolsieficiaid galendr Gregori ym mis Chwefror 1918. Mae'r llyfr hwn yn defnyddio'r dyddiadau o galendr Iŵl.

FFYNHONNELL D Protestwyr yn ymgynnull y tu allan i Balas y Gaeaf yn Petrograd, mis Chwefror 1917.

Dechreuodd sofietau tebyg ymddangos mewn dinasoedd ledled Rwsia dros yr wythnosau canlynol.

Ar ôl cael newyddion am y chwyldro, ceisiodd y tsar fynd yn ôl i Petrograd. Ond stopiodd milwyr y trên roedd e'n teithio arno. Gan sylweddoli nad oedd neb yn ei gefnogi, arwyddodd y tsar ordinhad i ildio'r goron. Gan fod Alexei'n rhy wael i deyrnasu, aeth yr orsedd i'w frawd yr Archddug Michael, ond ildiodd yntau hefyd 24 awr yn ddiweddarach. Felly daeth llinach frenhinol Romanov i ben ar ôl rheoli Rwsia am 304 mlynedd.

FFYNHONNELL DD

Chwaraeodd y Rhyfel Byd Cyntaf ran allweddol yng nghwymp y tsar. Y tsar a gafodd y bai am y brwydrau a gollodd Rwsia, a'r holl filwyr a gafodd eu lladd, ac yntau wedi'i wneud ei hun yn Gadlywydd ym 1915. Collodd y tsar hyder a chefnogaeth y fyddin. Roedd y dosbarthiadau canol wedi cael llond bol ar y colli brwydrau ac aneffeithiolrwydd y tsarina. Gwaethygodd pethau oherwydd ymddygiad a dylanwad Rasputin. Roedd y gweithwyr wedi blino ar y prinder ac yn wyllt o weld prisiau'n codi a hwythau mewn perygl o lwgu. Gydag ychydig yn unig yn ei gefnogi, roedd hi'n hawdd disodli'r tsar. Ym mis Mawrth 1917, daeth streicwyr i ymuno â'r terfysgwyr bara yn Petrograd. Ymunodd llawer o filwyr â'r terfysgwyr tra gwrthododd yr heddlu ymyrryd. Cafodd y tsar ei orfodi i ildio'r goron.

Hanesydd modern, Philip Ingram, yn egluro pam collodd y tsar rym.

Grym Deuol

Nid oedd y Llywodraeth Dros Dro, a'i phennaeth rhyddfrydol y Tywysog Lvov, yn bwriadu newid popeth ond cyflwynodd nifer o fesurau poblogaidd:

- Cafodd carcharorion gwleidyddol eu rhyddhau.
- Roedd hawl i alltudion chwyldroadol ddychwelyd i Rwsia.
- Roedd hawl i ryddid barn a hawl gan y papurau newydd i argraffu beth bynnag fynnen nhw.
- Dechreuodd gweithwyr diwydiannol weithio diwrnod 8 awr.
- Cafodd heddlu cudd y tsar, yr Okhrana, ei ddileu.
- Roedd pawb yn gydradd, beth bynnag oedd eu crefydd, dosbarth neu genedl.
- Byddai pawb yn cael ethol senedd newydd Rwsia.

Ond mewn gwirionedd, Sofiet Petrograd, ac nid y Llywodraeth Dros Dro oedd yn rheoli Petrograd. Gyda 3000 o aelodau etholedig, y Sofiet oedd sylfaen y grym ac ni allai'r Llywodraeth Dros Dro reoli heb ei gefnogaeth. Roedd Alexander Kerensky, Chwyldroadwr Sosialaidd, yn aelod o'r ddau a bu'n bont rhyngddyn nhw.

Un o'r pethau cyntaf wnaeth Sofiet Petrograd oedd cyhoeddi Gorchymyn Rhif Un, a oedd yn rhoi'r rheolaeth iddo dros luoedd arfog Rwsia. Cyhoeddodd hefyd y byddai'n derbyn dyfarniadau'r Llywodraeth Dros Dro ond dim ond os oedd o'r farn eu bod yn briodol. Cafodd y rhannu grym yma ei alw'n Llywodraeth Ddeuol neu Grym Deuol. I ddechrau roedd y ddau gorff yn gallu cydweithio. Ond wrth i ddylanwad y Bolsieficiaid gynyddu o fewn y Sofiet cawson nhw eu gwthio ar wahân gan fod y Bolsieficiaid wedi gwrthwynebu'r penderfyniad i barhau â'r rhyfel.

Roedd dau fater brys yn wynebu'r gyfundrefn newydd, a'r pwysicaf oedd rhan Rwsia yn y Rhyfel Byd Cyntaf. Roedd y Llywodraeth Dros Dro eisiau cefnogi'r Cynghreiriaid a dal ati i ymladd. Hefyd roedd arnyn nhw ofn cael eu trechu a'u cywilyddio gan yr Almaenwyr, a phetaen nhw'n penderfynu tynnu'n ôl, y bydden nhw'n gorfod derbyn cytundeb anffafriol. Gyda chefnogaeth y Sofiet daeth y penderfyniad i barhau â'r rhyfel. Ym mis Mehefin 1917 lansiodd Rwsia ymosodiad mawr ond methodd a chafodd dros 60,000 o filwyr Rwsia eu lladd. Roedd hwn yn fethiant allweddol i Rwsia. Roedd y rhyfel yn dal i fynd yn wael i Rwsia a dechreuodd mwy a mwy o filwyr encilio drwy adael y fyddin heb ganiatâd. Oherwydd bod prinder bwyd a thanwydd o hyd, roedd llawer o Rwsiaid yn dyheu am weld diwedd y rhyfel.

Y mater pwysig arall oedd perchnogaeth y tir. Roedd y gwerinwyr eisiau bod yn berchen ar eu tir eu hunain, gan fynd ag e oddi ar yr uchelwyr a'r Eglwys. Roedd y llywodraeth Dros Dro'n gyndyn o wneud hyn, gan gredu mai llywodraeth wedi ei hethol o'r newydd ddylai benderfynu ar fater mor bwysig. Ond dyma lawer o werinwyr yn anwybyddu hyn a dechrau mynd â thir yn anghyfreithlon.

g ALEXANDER KERENSKY (1881–1970)

FFYNHONNELL **E** Kerensky.

Dechreuodd Kerensky ymwneud â gweithgareddau chwyldroadol yn ddyn ifanc a dod yn gysylltiedig â'r Chwyldroadwyr Sosialaidd. Ym 1912 cafodd ei ethol i'r Duma. O dan y Llywodraeth Dros Dro cafodd ei wneud yn Weinidog Cyfiawnder ond roedd hefyd wedi'i ethol yn aelod o Sofiet Petrograd. Cynyddodd ei ddylanwad ar hyd 1917, gan ddod yn Weinidog Rhyfel ac yna'n brif weinidog ym mis Gorffennaf. Oherwydd cefnogaeth Kerensky i barhau â'r rhyfel ac wrth i sefyllfa economaidd Rwsia waethygu cafodd ei ddisodli gan y Bolsieficiad ym mis Hydref 1917. Ffodd i Ffrainc ym 1918 ac yn y pen draw i UDA ym 1940.

Enciliodd miloedd lawer o filwyr o'r fyddin i wneud yn siŵr eu bod yn cael eu siâr felly gwaethygodd y problemau ar y ffrynt.

Lenin yn dychwelyd a 'Diwrnodau Gorffennaf'

Ym mis Ebrill 1917 dychwelodd Lenin i Rwsia ar ôl bod yn alltud yn y Swistir. Wedi cyrraedd Petrograd, rhoddodd Lenin anerchiad pwysig gerbron y Bolsieficiaid, a chafodd y prif bwyntiau eu galw'n Gosodiadau Ebrill.

- Ni ddylai'r Bolsieficiaid roi eu cefnogaeth i'r Llywodraeth Dros Dro.
- Rhaid dod â'r rhyfel i ben.
- Rhaid rhoi'r tir i gyd i'r gwerinwyr.
- Rhaid gwladoli pob banc.
- Rhaid i'r sofietau gydweithio i ffurfio llywodraeth newydd a gwthio'r Llywodraeth Dros Dro o'r neilltu.

Roedd Lenin yn dweud wrth y Bolsieficiaid am baratoi am ail chwyldro, syniad a oedd yn syndod mawr i lawer gan nad oedden nhw'n meddwl ei bod hi'n bryd cipio grym eto. Ond roedd apêl Lenin am 'Heddwch, Bara a Thir' a 'Grym llwyr i'r sofietau' yn sloganau poblogaidd iawn ymhlith pobl Rwsia.

Yn dilyn methiant ymosodiad milwrol mis Mehefin daeth 'Diwrnodau Gorffennaf'. Dyma nifer o encilwyr a morwyr Kronstadt yn mynd i Petrograd lle ymunon nhw â'r Bolsieficiaid i fynnu bod y Llywodraeth Dros Dro yn dod i ben. Bu dros 100,000 o filwyr, morwyr a Bolsieficiaid yn crwydro strydoedd Petrograd ac ar ôl tri diwrnod o derfysg, dyma Kerensky, y Gweinidog Rhyfel ar y pryd, yn anfon milwyr i wasgaru'r gwrthdystwyr. Cafodd dros 400 naill ai eu lladd neu eu hanafu a bu'n rhaid i Lenin ffoi'n alltud i'r Ffindir. Arhosodd yno am y tri mis nesaf. Daeth Kerensky'n brif weinidog yn lle'r Tywysog Lvov.

Cynllwyn Kornilov, Medi 1917

Ym mis Medi dyma Gadlywydd y fyddin, y Cadfridog Kornilov, yn ceisio dymchwel y Llywodraeth Dros Dro. Roedd eisiau parhau â'r rhyfel yn erbyn yr Almaen heb ymyrraeth y llywodraeth. Nid oedd byddin gan y Prif Weinidog Kerensky i amddiffyn Petrograd felly bu'n rhaid iddo arfogi'r Bolsieficiaid. Dyma Trotsky, arweinydd dros dro'r Bolsieficiaid yn absenoldeb Lenin, yn mynd ati i drefnu'r fyddin newydd yma, a gafodd yr enw y Gwarchodlu Coch.

FFYNHONNELL F Diwrnodau Gorffennaf: milwyr teyrngar i'r Llywodraeth Dros Dro'n saethu at brotestwyr yn erbyn y llywodraeth ym 1917.

Cafodd byddin Kornilov ei gwanhau gan encilwyr a gan streic y gweithwyr rheilffordd. Rhwystrwyd ei filwyr rhag mynd i mewn i Petrograd. Felly llwyddodd y Bolsieficiaid i atal Kornilov ac achub y Llywodraeth Dros Dro ond gwrthododd y Gwarchodlu Coch roi eu gynnau'n ôl. Wedyn, yn yr etholiadau i Sofiet Petrograd yn ddiweddarach y mis Medi hwnnw, cafodd y Bolsieficiaid fwyafrif a chynyddu'r cynrychiolwyr yn Sofiet Moskva a'r sofietau mewn dinasoedd eraill. Erbyn mis Hydref 1917 roedd y Bolsieficiaid yn rym gwleidyddol cryf yn Rwsia.

C Cwestiynau

1 Disgrifiwch ddigwyddiadau Chwyldro Chwefror.

2 Defnyddiwch yr wybodaeth yn Ffynhonnell DD a'ch gwybodaeth eich hunan i egluro pam collodd y tsar ei awdurdod ym mis Chwefror 1917.

3 Beth lwyddodd y Bolsieficiaid i'w gyflawni yn ystod 'Diwrnodau Gorffennaf' ym 1917?

4 Pam ceisiodd y Cadfridog Kornilov ddymchwel y Llywodraeth Dros Dro ym mis Medi 1917?

5 Pam methodd Cynllwyn Kornilov?

Y BOLSIEFICIAID YN CIPIO GRYM

Er ei bod yn gymharol fach ym 1917, roedd Plaid y Bolsieficiaid yn drefnus iawn ac wedi'i harwain yn effeithiol. Roedd y blaid yn defnyddio propaganda i gael cefnogaeth ac yn cyhoeddi ei phapur newydd ei hun, *Pravda* (yn golygu 'gwirionedd') i ymosod ar y llywodraeth. Y Bolsieficiaid oedd yr unig blaid a oedd yn cynnig yr hyn roedd mwyafrif poblogaeth Rwsia ei eisiau, gan addo dod â'r rhyfel i ben a chael heddwch, dod â'r prinder i ben, sicrhau bwyd i bawb a dechrau rhaglen i ddiwygio tirddaliadaeth. Roedd llu arfog disgybledig gan y Bolsieficiaid hefyd, y Gwarchodlu Coch, i'w helpu i gefnogi'r alwad am newid.

Ymosod ar Balas y Gaeaf

Yn ystod yr hydref gwaethygodd y trais yng nghefn gwlad wrth i'r gwerinwyr geisio cipio tir. Ymateb Kerensky oedd anfon 'cyrchoedd cosbi' ond cafodd broblemau wrth geisio dod o hyd i ddigon o filwyr teyrngar. Er mwyn osgoi cael ei arestio, dychwelodd Lenin o'r Ffindir wedi gwisgo fel rhywun arall. Mynychodd gyfarfod o Bwyllgor Canolog Plaid y Bolsieficiaid a llwyddodd i'w darbwyllo ei bod yn bryd dechrau'r chwyldro.

Cafodd Trotsky ei ethol yn bennaeth y Pwyllgor Chwyldroadol Milwrol a lluniodd gynlluniau i ymosod. Ar noson 24-25 Hydref 1917 cipiodd y Gwarchodlu Coch fannau allweddol yn Petrograd, fel yr orsaf rheilffordd a'r gyfnewidfa ffôn. Cafodd llong ryfel gyflym, yr *Aurora*, ei hanfon i fyny Afon Neva i saethu sieliau gwag at Balas y Gaeaf lle roedd y Llywodraeth Dros Dro'n cyfarfod. Ymosododd y Gwarchodlu Coch a milwyr chwyldroadol ar yr adeilad a oedd yn cael ei amddiffyn gan rai cadlanciau milwrol a Bataliwn y Menywod. Arestion nhw aelodau'r llywodraeth wrth iddyn nhw eistedd o gwmpas bwrdd y cabinet. Ni cheision nhw wrthsefyll a chafodd neb ei ladd. Llwyddodd Kerensky i ddianc.

Y diwrnod canlynol cyhoeddodd Lenin bod llywodraeth Folsieficaidd newydd yn cael ei chreu ond cymerodd hi nifer o ddiwrnodau i gipio'r awdurdod dros sofietau mewn dinasoedd eraill. Roedd y pleidiau gwleidyddol eraill naill ai'n rhy anhrefnus neu'n gyndyn o weithredu, a Lenin yn unig a oedd fel petai'n cynnig arweiniad pendant.

Cyfraniad Lenin i Chwyldro'r Hydref

Mae haneswyr wedi bod yn dadlau llawer ynglŷn â rôl Lenin yn nigwyddiadau mis Chwefror i fis Hydref 1917. Mae awduron Sofietaidd wedi ei bortreadu'n ffigwr canolog a wthiodd am fuddugoliaeth y Bolsieficiaid, ei llywio, a'i hennill. Mae awduron eraill, er nad ydynt yn gwadu rôl bwysig Lenin, wedi tueddu i bwysleisio pwysigrwydd ffactorau fel amhoblogrwydd y Llywodraeth Dros Dro a'i phenderfyniad i barhau â'r rhyfel, a phwysigrwydd Trotsky ac arweinwyr eraill y Bolsieficiaid a fu'n rhedeg y blaid pan oedd Lenin yn alltud.

FFYNHONNELL FF

O ran trefnu camau olaf Chwyldro'r Bolsieficiaid, roedd rôl Lenin yn llawer llai nag un Trotsky . . . Er hynny, nid oes dwywaith y byddai gwrthryfel y Bolsieficiaid wedi ei ohirio heb Lenin a gallai fod wedi methu.

Darn o *The Russian Revolutions* gan Leonard Schapiro (1984).

FFYNHONNELL NG

Prin roedd e wedi dod oddi ar y trên, dyma Lenin yn gofyn i'w gymrodyr yn y blaid, 'Pam na chipioch chi rym?' Ac yn syth cyflwynodd ei Osodiadau Ebrill . . . Mae pobl yn dweud ei fod yn wallgof a gwyllt . . . Ond yn sydyn mae'n amlwg fod clust y dyn cyffredin ganddo . . . Ei athrylith yw ei allu i ddweud yr hyn mae'r bobl yma eisiau ei ddweud, ond yn methu ei ddweud.

Barn V. Serge, un o gefnogwyr y Bolsieficiaid ym 1917.

Heb Lenin ni fyddai'r Bolsieficiaid wedi gwthio am chwyldro am nifer o flynyddoedd, gan gredu nad oedd hi'n bryd eto. Roedd Lenin yn anghytuno ac yn dadlau'n gryf am weithredu yn ei Osodiadau Ebrill (gweler tudalen 78) ac eto ym mis Hydref 1917. Pan oedd yn alltud roedd wedi ysgrifennu i Bwyllgor Canolog y Bolsieficiaid yn eu hannog i 'gymryd grym y wladwriaeth i'w dwylo' ond roedd ei gynnig wedi cael ei drechu. Wedi iddo ddychwelyd i Petrograd perswadiodd y Pwyllgor i gytuno â'i gynlluniau am *coup d'état*. Zinoviev a

g VLADIMIR ILYICH VLYANOV – LENIN (1870-1924)

FFYNHONNELL G Lenin.

Ar ôl gadael y brifysgol, bu Vladimir Ulyanov (a newidiodd ei enw'n ddiweddarach i Lenin) yn hyfforddi i fod yn gyfreithiwr. Ym 1887 cafodd ei frawd ei ddienyddio am geisio llofruddio Tsar Alexander III. Ym 1894 ffurfiodd Lenin grŵp Marcsaidd a chafodd ei arestio oherwydd ei weithgarwch a'i anfon yn alltud i Siberia rhwng 1895 a 1900, pan briododd Nadezhda Krupskaya, chwyldroadwraig arall. Ar ôl cael eu rhyddhau teithiodd y ddau i Lundain lle ysgrifennodd Lenin *Beth sydd i'w Wneud*? lle dadleuodd mai cnewyllyn bach o aelodau gweithredol y blaid ddylai ddechrau'r chwyldro, nid y dorf. Rhannodd y syniad yma'r Democratwyr Sosialaidd gan arwain at ffurfio'r Bolsieficiaid ym 1903. Arhosodd Lenin yn alltud yn trefnu Plaid y Bolsieficiaid tan chwyldroadau 1917. Bu'n rheoli Rwsia o'r cyfnod wedi dymchwel y Llywodraeth Dros Dro ym mis Hydref 1917 tan ei farwolaeth ym 1924.

Kamenev yn unig wrthwynebodd ei gynlluniau. Petai Lenin heb wthio'r mater mae'n annhebygol y byddai'r Bolsiefficiaid wedi mynd ati i gael gwrthryfel arfog.

Roedd Lenin hefyd yn rhoi arweiniad deallusol i'r blaid yn ogystal ag egni a phenderfyniad. Cyhoeddodd ddwsinau o lyfrau ac erthyglau, gan addasu damcaniaethau Marx i sefyllfa Rwsia, i greu Leniniaeth-Farcsaidd. Sefydlodd *Pravda*, papur newydd Plaid y Bolsiefficiaid, i helpu i ledaenu neges y blaid. Roedd yn areithiwr cyhoeddus dawnus ac roedd yn gallu dweud yr hyn roedd pobl eisiau ei glywed. Ond eto roedd rhaid i Lenin ddibynnu ar gydweithrediad aelodau eraill o Blaid y Bolsiefficiaid i weithredu ei syniadau. Roedd Trotsky'n ganolog i hyn, ac oherwydd ei fod yn llywydd Sofiet Petrograd a chadlywydd y Gwarchodlu Coch, fe fu'n cyfarwyddo'r milwyr a gipiodd y grym i'r Bolsiefficiaid ym mis Hydref 1917.

C Cwestiynau

1 Disgrifiwch y digwyddiadau'n ymwneud â'r ymosodiad ar Balas y Gaeaf ym mis Hydref 1917.

2 Pa mor bwysig oedd cyfraniad Trotsky i lwyddiant y Bolsiefficiaid i gipio grym? Eglurwch eich ateb.

3 Beth oedd cyfraniad Lenin pan lwyddodd y Bolsiefficiaid i gipio grym?

3 YMARFER ARHOLIAD

Mae'r cwestiynau hyn yn profi Adran A y papur arholiad.

CHWYLDROADAU 1917

Astudiwch Ffynonellau A-CH ac yna atebwch y cwestiynau sy'n dilyn.

FFYNHONNELL A

Cartŵn yn dangos Rasputin gyda Tsar Nicholas a Tsarina Alexandra.

FFYNHONNELL B

Cyn y rhyfel roeddem ni'n meddwl mai Duw ar y Ddaear oedd ein tsar. Rwy'n cofio pan aeth i ymweld ag ardal Kursk ym 1913, aethon ni i gyd i'w weld e. Meddai fy mam, 'Dyna fe, fan 'na. Ein Tad Bychan. Heb y tsar, fyddai dim Rwsia'. Newidiodd hynny i gyd erbyn 1917. Roedden ni'n meddwl nad oedd y tsar yn poeni. Doedd e ddim yn poeni bod ein bwyd yn cael ei ddwyn oddi wrthon ni. Daeth rhai dynion i'r dref a'i alw'n 'ddienyddiwr â choron ar ei ben'. Dw i ddim yn meddwl ein bod ni'n credu hyn ond fyddai neb wedi meiddio dweud hynny cyn 1917.

Natalya Fyodorovna yn siarad ym 1964.

FFYNHONNELL C

Rwy'n credu'n onest fod symudiad cyn 1917 tuag at chwyldro ac na allai dim fod wedi'i dorri neu'i atal. Dyma'r symudiad a ddaeth â Lenin i rym. Y rheswm pam daeth y Bolsieficiaid i rym yw, rwy'n credu, achos yr eiliad honno roedd y bobl y tu cefn iddyn nhw. Y bobl, nid Lenin, wnaeth y Chwyldro.

Joseph Berger, gweithiwr staff Comintern a gafodd ei garcharu o dan Stalin, yn ysgrifennu yn yr Eidal ym 1973.

FFYNHONNELL CH

Roedd Plaid y Bolsieficiaid yn brwydro'n benderfynol i ennill calonnau'r dorf. Lenin oedd ar flaen y gad, yn llywio ac yn cyfarwyddo Pwyllgor Canolog y Blaid. Byddai'n aml yn annerch ralïau a chyfarfodydd torfol. Byddai anerchiadau Lenin, gyda'u cynnwys deallus a'u cyflwyniad gwych, yn ysbrydoli gweithwyr a milwyr. Dechreuodd aelodaeth Plaid y Bolsieficiaid gynyddu'n gyflym.

Barn am rôl Lenin gan awdur comiwnyddol pan oedd y Comiwnyddion mewn grym (1981).

CA Cwestiynau Arholiad

1. Pa wybodaeth y mae Ffynhonnell A yn ei rhoi am rôl Rasputin yn Rwsia? [3]
2. Defnyddiwch yr wybodaeth yn Ffynhonnell B a'r hyn rydych chi'n ei wybod i egluro sut roedd agweddau at y tsar wedi newid erbyn 1917. [4]
3. Pa mor ddefnyddiol yw Ffynhonnell C i hanesydd sy'n astudio'r digwyddiadau'n arwain at y Bolsieficiaid yn cipio grym? Eglurwch eich ateb drwy ddefnyddio'r ffynhonnell a'r hyn rydych chi'n ei wybod. [5]
4. Yn Ffynhonnell CH mae'r awdur yn awgrymu na fyddai Plaid y Bolsieficiad wedi dod i rym heb arweiniad a chyfarwyddyd Lenin. A yw hynny'n ddehongliad dilys? *Yn eich ateb dylech ddefnyddio'r hyn rydych yn ei wybod am y testun, cyfeirio at y ffynonellau eraill sy'n berthnasol yn y cwestiwn hwn, ac ystyried sut y daeth yr awdur i'r dehongliad hwn.* [8]

Pam enillodd y Bolsieficiaid y Rhyfel Cartref a sut llwyddon nhw i sefydlu gwladwriaeth gomiwnyddol yn Rwsia?

Y PROBLEMAU CYNTAF A OEDD YN WYNEBU LENIN AR ÔL CIPIO GRYM

Wedi cipio grym yn Petrograd roedd Lenin yn wynebu'r broblem o geisio lledaenu dylanwad y Bolsieficiaid dros weddill Ymerodraeth Rwsia.

Y Cynulliad Cyfansoddol

Er mwyn rheoli'r ffordd roedd y wladwriaeth yn cael ei rhedeg, sefydlodd Lenin Gyngor Comisariaid y Bobl, neu'r Sovnarkom. Grŵp o 25 o aelodau oedd hwn yn cynnwys y Mensieficiaid, y Chwyldroadwyr Sosialaidd a 14 o Folsieficiaid. Lenin oedd y Cadeirydd, Trotsky oedd y Comisâr Rhyfel a Stalin oedd Comisâr y Cenhedloedd. Roedd y Llywodraeth Dros Dro wedi trefnu i etholiadau gael eu cynnal ym mis Tachwedd 1917 i senedd newydd, y Cynulliad Cyfansoddol. Er mwyn cadw'r gefnogaeth wleidyddol gadawodd Lenin i'r etholiadau ddigwydd ond nid oedd y canlyniad yn plesio Plaid y Bolsieficiaid. Aeth y canran mwyaf o'r pleidleisiau i'r Chwyldroadwyr Sosialaidd. Pan gafodd y Cynulliad y cyfarfod cyntaf yn gynnar ym mis Ionawr 1918 anfonodd Lenin filwyr i mewn i'w ddiddymu ar ôl diwrnod yn unig.

Mewn gwirionedd roedd y brif ffynhonnell grym yn nwylo'r Sovnarkom ac yn ystod mis Tachwedd a mis Rhagfyr 1917 pasiodd gyfres o archddyfarniadau (deddfau) a osododd sylfeini'r Rwsia newydd:

- Dechreuodd trafodaethau heddwch â'r Almaen ac Awstria-Hwngari i ddod â'r rhyfel i ben.

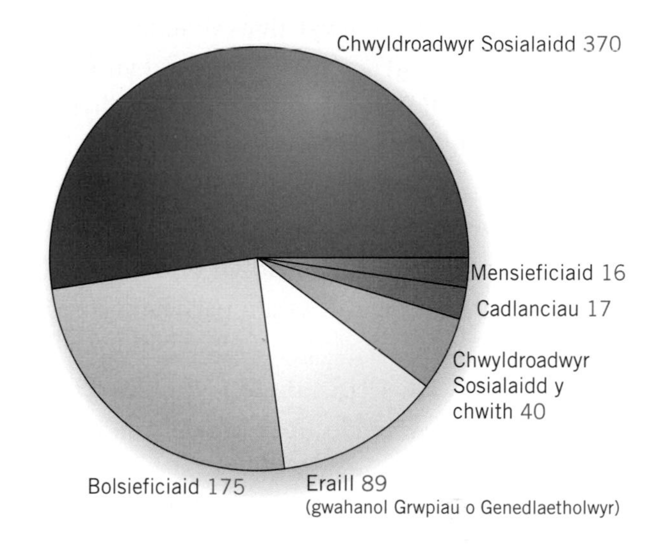

Canlyniadau etholiad 1917 i'r Cynulliad Cyfansoddol (yn dangos nifer y seddi).

- Cafodd tiroedd a oedd wedi bod yn berchen i'r tsar, yr Eglwys a'r uchelwyr eu hailddosbarthu.
- Cafodd pob teitl ei ddileu a daeth 'dinesydd' a 'cymrawd' yn eu lle.
- Roedd gweithwyr ffatri i weithio 8 awr y dydd a 48 awr yr wythnos ar y mwyaf.
- Byddai pob papur newydd nad oedd yn un Bolsieficaidd yn cael eu cau.
- Cafodd heddlu cudd, y Cheka, ei sefydlu.
- Cafodd deddfau priodas eu llacio fel bod cyplau'n gallu cael priodasau nad oedd yn rhai crefyddol ac i'w gwneud hi'n haws cael ysgariad.

Yn gynnar ym 1918 dyma Lenin yn ailenwi Plaid y Bolsieficiaid yn Blaid Gomiwnyddol a chyhoeddi bod pob plaid arall heblaw am y Blaid Gomiwnyddol yn anghyfreithlon. Felly helpodd i greu gwladwriaeth un blaid.

Cytundeb Brest-Litovsk, 1918

Er mwyn sefydlogi'r sefyllfa o fewn Rwsia, i ennill grym ac osgoi gwallau Kerensky, roedd rhaid i Lenin dynnu ei wlad o'r Rhyfel Byd Cyntaf. Ym mis Rhagfyr 1917 cafodd cynrychiolwyr llywodraethau'r Almaen, Awstria a Rwsia gyfarfod yn Brest-Litovsk i drafod telerau heddwch a chyn hir daeth hi'n amlwg y byddai Rwsia'n gorfod talu'n hallt am heddwch. Roedd Trotsky wedi arswydo gan rai o'r gofynion, ond roedd y Bolsieficiaid yn ofni'r canlyniadau petai Rwsia'n parhau i ryfela.

Ar 3 Mawrth 1918 cafodd Cytundeb Brest-Litovsk ei arwyddo. Roedd y telerau'n mynnu consesiynau anferth:

- Collodd Rwsia 27 y cant o'i thir ffermio gan gynnwys y Ffindir, Estonia, Latvia, Lithuania, Gwlad Pwyl, Georgia a gorllewin Ukrain.
- Collodd Rwsia 26 y cant o'i phoblogaeth (62 miliwn o bobl).
- Collodd Rwsia ei thiroedd diwydiannol mwyaf gwerthfawr a oedd yn cynnwys 74 y cant o'i mwyn haearn a'i glo.
- Collodd Rwsia 26 y cant o'i rheilffyrdd.
- Roedd rhaid i Rwsia dalu dirwy enfawr o 3 biliwn rwbl yn iawndal i'r Almaen ac Awstria-Hwngari, gan wneud mwy o niwed i'r economi.

FFYNHONNELL A

Mae arnom awydd gwrthod arwyddo'r cytundeb heddwch yma sy'n lladrata. Ni all Rwsia wrthsefyll oherwydd nid oes ganddi adnoddau ar ôl wedi tair blynedd o ryfel. Mae rhyfeloedd yn cael eu hennill heddiw, nid gan frwdfrydedd yn unig, ond gan sgiliau technegol, rheilffyrdd a digon o gyflenwadau. Rhaid i Rwsia arwyddo'r cytundeb heddwch i gael ei gwynt ati i adfer er mwyn y frwydr.

Lenin yn egluro i'w gyd-Folsieficiaid ym mis Mawrth 1918 pam roedd rhaid i Rwsia gytuno ar heddwch.

C Cwestiynau

1. Disgrifiwch rôl y Sovnarkom.
2. Pam rydych chi'n meddwl i Lenin deimlo bod angen diddymu'r Cynulliad Cyfansoddol mor fuan ar ôl yr etholiad?
3. Eglurwch pam roedd Cytundeb Brest-Litovsk mor amhoblogaidd ymhlith llawer o Rwsiaid.

RHYFEL CARTREF RWSIA, 1918–20

Gwrthwynebiad i'r Bolsieficiaid

Wrth i unbennaeth y Comiwnyddion gael ei chreu, dechreuodd eu gwrthwynebwyr drefnu eu gwrthsafiad. Yn ystod haf 1918 dechreuodd rhyfel cartref yn Rwsia rhwng y Cochion (y Bolsieficiaid) a'r Gwynion (y rhai a oedd yn gwrthwynebu'r Bolsieficiaid). Y Gwynion oedd yr enw ar y gwrthwynebwyr oherwydd mai gwyn oedd lliw traddodiadol y tsar, ond nid oedd y Gwynion i gyd yn cefnogi'r tsar. Roedd byddinoedd y Gwynion yn cynnwys brenhinwyr, y rheiny a oedd eisiau gweld y tsar yn dychwelyd i deyrnasu, yn ogystal â Kerenskyaid (a oedd yn cynnwys y Chwyldroadwyr Sosialaidd a'r Cadlanciau) a oedd eisiau gweld y Cynulliad Cyfansoddol a democratiaeth seneddol yn dychwelyd. Roedd tirfeddianwyr yn cefnogi'r Gwynion achos eu bod yn ddig fod y gwerinwyr wedi cipio eu tir, tra oedd gwledydd tramor yn eu cefnogi am nad oedden nhw eisiau gweld Rwsia'n gadael y Rhyfel Byd Cyntaf. Roedden nhw hefyd yn ddig fod y Bolsieficiaid yn gwrthod talu dyledion y tsar i wledydd tramor, ac roedden nhw'n ofni y byddai comiwnyddiaeth yn lledaenu i wledydd cyfagos.

Daeth mwy o gefnogaeth i'r Gwynion gan fyddin o filwyr Tsiecaidd a oedd wedi ymladd ar ochr Rwsia yn erbyn Awstria yn ystod y Rhyfel Byd Cyntaf yn y gobaith petai Awstria-Hwngari'n colli, y byddai gwlad newydd Tsiecoslofacia'n cael ei chreu.

Cryfderau a gwendidau'r byddinoedd a oedd yn gwrthwynebu ei gilydd

Roedd mantais ddaearyddol gan y Cochion achos bod calon y wlad yn eu meddiant a nhw oedd yn rheoli dinasoedd pwysig Petrograd a Moskva, y brifddinas newydd. Roedden nhw hefyd yn rheoli'r ardaloedd diwydiannol allweddol a rhwydwaith rheilffordd da i symud eu milwyr a'u cyflenwadau'n gyflym. Erbyn diwedd 1918 roedd y Bolsieficiaid yn cael eu bygwth gan fyddinoedd Gwynion yn ymosod ond er bod mwy o ddynion ac offer gan y Gwynion, roedd y Cochion wedi eu trechu erbyn diwedd 1920.

Nid oedd y Gwynion wedi eu trefnu'n un llu ymladd ond yn hytrach roedden nhw'n gweithredu'n nifer o fyddinoedd annibynnol. Y ffaith eu bod yn casáu'r Bolsieficiaid oedd yr unig beth oedd yn gyffredin rhyngddyn nhw ac ni fuon nhw'n cydlynu eu hymgyrchoedd. Roedd eu byddinoedd wedi eu gwasgaru dros ardal eang felly roedd hi'n anodd mynd â chyflenwadau i'w milwyr a chadw cysylltiad â'i gilydd. Roedd hyn yn golygu bod y Fyddin Goch yn gallu concro lluoedd y Gwynion fesul un.

Cyn-gadfridogion y tsar oedd yn rheoli byddin y Gwynion gan gynnwys Deniken, Yudenich, Wrangel a'r Llyngesydd Kolchak. Cawson nhw eu helpu gan filwyr a chyflenwadau o dros ddwsin o wledydd tramor, yn bennaf Prydain, UDA, Ffrainc a Japan. Yng ngwanwyn 1919 ymosododd lluoedd y Gwynion o dan y Llyngesydd Kolchak ar ddwyrain Rwsia a symud ymlaen cyn belled â Kazan, tra daeth lluoedd Prydain, Ffrainc a UDA o'r gogledd, gan gipio Murmansk ac Arkhangel'sk (Archangel). Yn y dwyrain cipiodd y Japaneaid Vladivostok a dal y porthladd tan fis Tachwedd 1922.

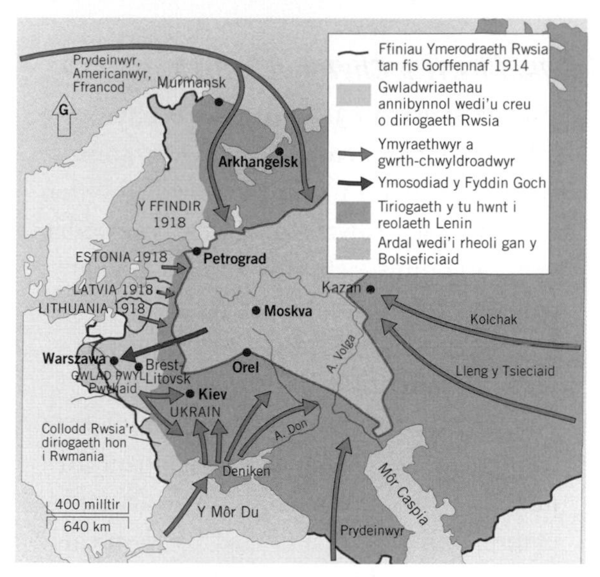

Prif ardaloedd y gwrthdaro yn Rhyfel Cartref Rwsia, 1918-20.

FFYNHONNELL B

Mae Lloegr, UDA a Ffrainc yn rhyfela yn erbyn Rwsia. Maen nhw'n dial ar yr Undeb Sofietaidd am ddisodli'r tirfeddianwyr a'r cyfalafwyr . . . maen nhw'n helpu ac yn cryfhau sefyllfa tirfeddianwyr Rwsia gydag arian a chyflenwadau milwrol.

Araith a wnaeth Lenin ym 1919 yn ymosod ar ymyrraeth dramor yn Rhyfel Cartref Rwsia.

Yn ystod diwedd gwanwyn 1919 dyma'r Cadfridog Deniken gyda chefnogaeth o Ffrainc yn gwthio ymlaen gyda byddin Wen o'r Ukrain. Cyrhaeddodd o fewn 200 milltir (320 km) i Moskva. Trefnodd Trotsky wrthymosodiad a wthiodd luoedd Deniken yn ôl. Yn ardal y Môr Baltig ar ddechrau haf 1919 ymosododd y Cadfridog Yudenich, gan ddod o fewn 30 milltir (48 km) i Petrograd, ond cafodd e ei drechu hefyd. Ym mis Mehefin 1920, dyma fyddin Wen o dan arweiniad y Cadfridog Wrangel yn ymosod ymhellach i'r de gan obeithio cysylltu â byddin Bwylaidd a oedd yn ymosod ond bu'n rhaid iddo dynnu ei filwyr yn ôl. Roedd rhaid i'r Bolsieficiaid hefyd ymladd â byddinoedd Latvia, Lithuania, Estonia a'r Ffindir, ac erbyn diwedd 1920 roedd pob un ohonyn nhw wedi'u trechu.

Gwlad Pwyl a Chytundeb Riga

Ym 1920 dyma'r Pwyliaid, gyda chymorth y Ffrancod, yn cymryd mantais ar anhrefn y Rhyfel Cartref i lansio ymosodiad sydyn a chipio Kiev. Gwthiodd gwrth-ymosodiad gan y Fyddin Goch nhw yn ôl ond yna cawson nhw eu trechu ym Mrwydr Warszawa ym mis Awst. O dan delerau Cytundeb Riga a arwyddwyd ym 1921 bu'n rhaid i Rwsia roi 130,000 cilometr o diriogaeth i Wlad Pwyl. Er i'r Japaneaid ddal ati i frwydro tan 1922, mae arwyddo cytundeb heddwch â Gwlad Pwyl yn cael ei ystyried yn ddiweddglo ffurfiol i'r Rhyfel Cartref.

Rôl Trotsky a'r Fyddin Goch

Gyda Rhyfel Cartref yn bygwth, roedd y Bolsieficiaid yn gwybod bod angen llu effeithiol a disgybledig i drechu'r Gwynion. Ym mis Mawrth 1918 cafodd Trotsky ei wneud yn Gadeirydd y Cyngor Rhyfel Goruchaf ac aeth ati i aildrefnu'r Fyddin Goch. Cafodd consgripsiwn ei gyflwyno i bob dyn rhwng 18 a 40 oed. Diflannodd y diffyg disgyblaeth a oedd yn nodwedd ar hen fyddin Rwsia ac yn ei lle daeth trefn ddisgybledig a llym. I wneud yn siŵr fod milwyr yn aros yn deyrngar, cafodd y gosb eithaf ei chyflwyno eto am droseddau fel encilio neu ddiffyg teyrngarwch. Gan fod nifer o filwyr yn newydd ac amhrofiadol, cyflogodd Trotsky swyddogion gorau hen fyddin y tsar, ac i wneud yn siŵr eu bod yn deyrngar, byddai aelodau eu teuluoedd weithiau'n cael eu dal yn gaeth. Eto roedd Trotsky'n barod i roi dyrchafiad i bobl dalentog nad oedden nhw'n uchelwyr a chododd dynion fel Zhukov gan ddod yn rhai o gadfridogion gorau'r Fyddin Goch.

Bu Trotsky'n arweinydd gwych ac yn fuan enillodd barch ei filwyr. Sylweddololodd bwysigrwydd y rheilffyrdd yn fuan ac roedd yn gweld mai trenau oedd grym newydd dyfodol trafnidiaeth. Byddai ei ymweliadau â'r ffrynt a'i anerchiadau tanllyd yn codi ysbryd y Fyddin Goch. Trodd hi'n llu ymladd effeithiol ac unedig, yn gwbl wahanol i'r byddinoedd Gwynion a oedd yn dioddef o ddiffyg ysbryd a llawer o encilio.

g LEON TROTSKY (1879-1940)

FFYNHONNELL C

Leon Trotsky.

Ganwyd Lev Davidovitch Bronstein ym 1879 gan newid ei enw i Leon Trotsky'n ddiweddarach. Cafodd ei addysgu ym Mhrifysgol Odessa lle dechreuodd ymddiddori yng ngwaith Marx. Gan ei fod yn gwrthwynebu teyrnasiad y tsar bu'n rhaid iddo dreulio cyfnodau hir yn alltud. Yn wahanol i Lenin a Stalin, roedd Trotsky'n un o'r Mensieficiaid i ddechrau ac ni ymunodd â'r Bolsieficiaid tan 1917. Chwaraeodd ran flaenllaw pan gipiodd y Bolsieficiaid rym ym mis Hydref 1917 a bu'n gyfrifol am drefnu'r Fyddin Goch yn ystod Rhyfel Cartref 1918-20. Yn y frwydr am rym wedi marwolaeth Lenin ym 1924 trechodd Stalin Trotsky ac aeth Trotsky'n alltud ym 1929. Roedd yn credu mewn chwyldro parhaol (y syniad mai'r unig ffordd i gomiwnyddiaeth oroesi oedd iddi ymledu i wledydd eraill) a bu'n beirniadu'r gyfundrefn Sofietaidd fwy a mwy. Cafodd ei lofruddio yn México ym 1940 gan asiantau Stalin a ddefnyddiodd gaib iâ i chwalu ei ben.

FFYNHONNELL CH Trotsky'n ysbrydoli milwyr y Fyddin Goch a oedd newydd gael ei chreu ym 1918.

C Cwestiynau

1. Eglurwch pam dechreuodd Rhyfel Cartref yn Rwsia ym 1918.
2. Defnyddiwch yr wybodaeth yn Ffynhonnell B a'ch gwybodaeth eich hunan i egluro pam bu gwledydd tramor yn ymladd yn y Rhyfel Cartref.
3. Pa mor bwysig oedd Trotsky wrth helpu i sicrhau llwyddiant y Fyddin Goch yn y Rhyfel Cartref?

COMIWNYDDIAETH RYFEL

Er mwyn ennill y Rhyfel Cartref roedd angen i Lenin gyflenwi digon o fwyd ac arfau i'r Fyddin Goch felly dechreuodd bolisi Comiwnyddiaeth Ryfel. Cymerodd y wladwriaeth reolaeth dros bob agwedd ar yr economi, gan wladoli'r prif ddiwydiannau a rheoli cynhyrchu a dosbarthu'r nwyddau i gyd. Bu Comiwnyddiaeth Ryfel ar waith o 1918 i 1921. Daeth bywyd economaidd normal i ben wrth i anghenion y fyddin gael y flaenoriaeth.

Y sefyllfa yn y trefi

Ym mis Mehefin 1918 daeth Archddyfarniad Gwladoli â'r holl brif ddiwydiannau o dan reolaeth y llywodraeth ganolog. Cafodd ffatrïoedd eu gwladoli a chafodd corff newydd, y Vesenkha (Cyngor Goruchaf yr Economi Cenedlaethol) ei sefydlu i benderfynu beth ddylai pob diwydiant ei gynhyrchu. Anfonodd Lenin ei reolwyr ei hun i redeg ffatrïoedd. Roedd y gweithwyr yn cael eu disgyblu'n llym, cafodd undebau llafur eu gwahardd a daeth y gosb eithaf i streicwyr. Y broblem fwyaf oedd prinder llafur ac felly cafodd pobl eu rhwystro rhag gadael y dinasoedd. Cododd prisiau a gwnaeth y chwyddiant yma i'r rwbl golli ei werth. Roedd y rwbl ym 1920 yn werth 1 y cant yn unig o'i werth ym 1917. Rhoddodd pobl y gorau i ddefnyddio arian gan gyfnewid nwyddau yn lle hynny. Tynhaodd gafael y llywodraeth ar ddiwydiant adeg Comiwnyddiaeth Ryfel ond ni arweiniodd hyn at dwf economaidd.

Y sefyllfa yng nghefn gwlad

Roedd Comiwnyddiaeth Ryfel yn gorfodi gwerinwyr i gynhyrchu mwy o fwyd, ond tan i'r llywodraeth fod yn barod i dalu'r hyn roedd y gwerinwyr yn ei ystyried yn bris teg am rawn nid oedd llawer o gymhelliant iddyn nhw weithio'n galetach. Beirniadodd y llywodraeth y gwerinwyr yn hallt am wrthod cydweithredu a gorchmynnodd Lenin i griwiau meddiant gorfodol o dan y Cheka gipio'r bwyd a oedd dros ben. Roedd cosb lem i'r rhai a oedd yn cronni cyflenwadau a rhwng 1918 a 1921 bu'r criwiau meddiant gorfodol yn brawychu pobl yng nghefn gwlad. Byddai'r cwlaciaid yn cael eu trin yn arbennig o wael. Nid oedd gwerinwyr eisiau trosglwyddo cnydau dros ben felly bydden nhw'n tyfu llai – dim ond digon i fwydo'u teuluoedd. Hanner cyfanswm grawn cynhaeaf 1913 gynhyrchodd cynaeafau grawn 1920 a 1921 ac felly daeth newyn mawr.

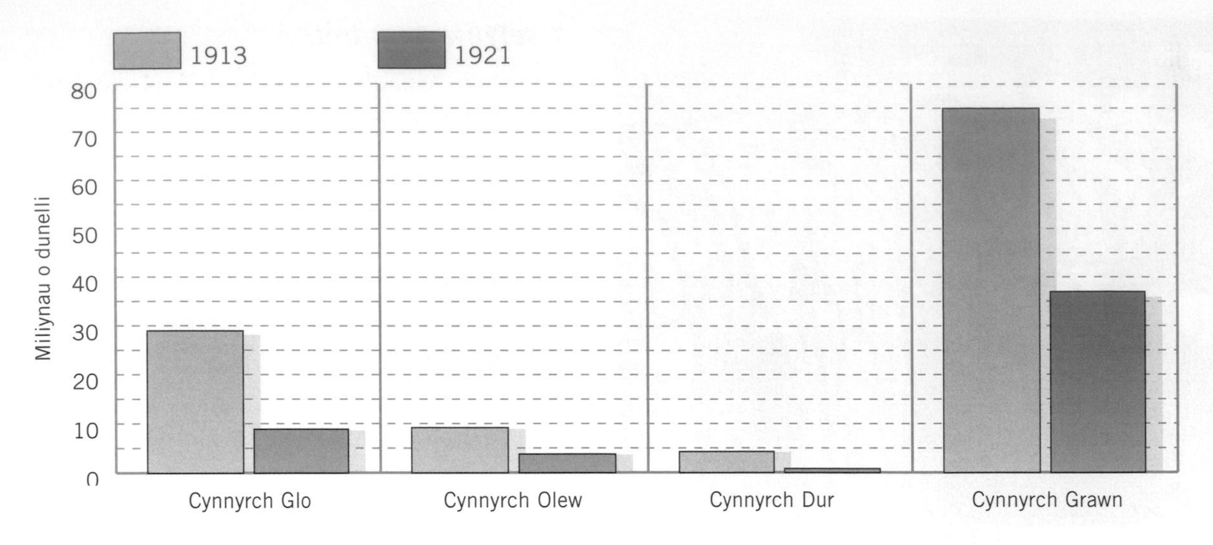

Ffigurau cynnyrch ar gyfer 1913 a 1921.

Y Cheka a'r Arswyd Coch

Ym mis Rhagfyr 1917 creodd Lenin y Comisiwn Arbennig i Ymladd yn Erbyn y Gwrth-Chwyldro, Difrod a Hapfasnachu – heddlu cudd y Bolsieficiaid, neu'r Cheka. Felix Dzerzhinsky oedd y pennaeth. Roedd yn arestio, poenydio a llofruddio unrhyw un nad oedd yn ymddangos yn deyrngar i'r Bolsieficiaid.

Ym mis Awst 1918 dyma Chwyldroadwr Sosialaidd o'r enw Fanya Kaplan yn saethu Lenin dair gwaith o bellter agos iawn. Aeth y bwledi i'w wddf a'i ysgyfaint ond llwyddodd i oroesi. Yr un mis cafodd cadeirydd Cheka Petrograd ei lofruddio. Oherwydd y digwyddiadau hyn aeth y Cheka ati i ddwysáu eu hymgyrch brawychu, a'r canlyniad oedd yr Arswyd Coch *(Red Terror)*. Cafodd cannoedd o wrthwynebwyr y Bolsieficiaid eu dienyddio.

Ar ôl cael eu cipio gan y Cochion roedd y teulu brenhinol wedi cael eu dal yn gaeth yn Tobolsk yn Siberia, ond ym mis Ebrill 1918 cawson nhw eu symud i Ekaterinburg ym mynyddoedd Ural. Roedd presenoldeb y tsar yn fygythiad i'r Bolsieficiaid gan ei fod yn ganolbwynt cynlluniau'r Gwynion i'w ddychwelyd i rym. Yn ystod mis Gorffennaf 1918 roedd Byddin Wen Kolchak yn gwthio ymlaen tuag at Ekaterinburg ac roedd y Cochion yn poeni y byddai'r Gwynion yn cael gafael ar y tsar. Ar noson 16-17 Gorffennaf 1918 cafodd y tsar, y tsarina, eu plant, yn ogystal â rhai o'u gweision, eu hanfon i seler Tŷ Ipatiev a'u saethu gan Filwyr y Fyddin Goch (gweler Ffynhonnell D). Cafodd eu cyrff eu torri'n ddarnau, a chafodd asid ei arllwys drostyn nhw fel nad oedd modd adnabod y cyrff cyn eu claddu. Ni ddaeth neb o hyd iddyn nhw tan 1991 pan ddangosodd profion DNA mai gweddillion teulu Romanov oedd yr esgyrn a gafodd eu darganfod ger Ekaterinburg.

Yn ystod diwedd 1918 aeth y Cheka'n fwyfwy creulon. Byddai pob un a oedd yn dangos unrhyw fath o wrthwynebiad yn cael ei arestio a'i saethu heb achos llys neu ei anfon i weithio mewn gwersylloedd llafur. Mae pobl wedi amcangyfrif i'r Cheka ladd dros 250,000 o bobl rhwng 1917 a 1924.

FFYNHONNELL **D** Seler Tŷ Ipatiev lle digwyddodd llofruddiaeth teulu brenhinol Romanov ym mis Gorffennaf 1918.

C Cwestiynau

1. Pa wybodaeth mae'r tabl ar dudalen 88 yn ei rhoi am gynhyrchiant diwydiannol ac amaethyddol o fewn Rwsia rhwng 1913 a 1921?
2. Eglurwch bolisi Comiwnyddiaeth Ryfel.
3. Disgrifiwch beth ddigwyddodd i deulu brenhinol y Romanov ym mis Gorffennaf 1918.

SEFYDLU TREFN Y BOLSIEFICIAID

Trefniadaeth Plaid Gomiwnyddol yr Undeb Sofietaidd

Erbyn 1921 roedd Rwsia wedi cael ei throi'n wladwriaeth un blaid yn cael ei rheoli gan y Comiwnyddion. Ym 1918 roedd y Bolsieficiaid wedi newid eu henw i Blaid Gomiwnyddol yr Undeb Sofietaidd. Yn ddamcaniaethol roedd y grym yn nwylo Pwyllgor Canolog y Blaid Gomiwnyddol, ond roedd y grym go iawn yn nwylo dau is-bwyllgor llai a oedd yn gallu gwneud penderfyniadau'n gynt. Y Politburo a'r Orgburo oedd y rhain. Roedd y Politburo'n cynnwys nifer fach o Folsieficiaid blaenllaw fel Lenin, Trotsky a Stalin a fyddai'n cyfarfod bob wythnos i wneud penderfyniadau pwysig. Roedd yr Orgburo (Biwro Trefniadaeth) yn gyfrifol am weithredu'r penderfyniadau hynny a'r Ysgrifenyddiaeth, o dan Joseph Stalin yn ei arwain.

Y Comintern

Yn Negfed Gyngres y Blaid ym mis Mawrth 1919 cyhoeddodd Lenin y byddai Comintern neu Drydydd Rhyngwladol yn cael ei greu, er mwyn trefnu chwyldro sosialaidd ledled Ewrop ac felly ledaenu comiwnyddiaeth y tu hwnt i Rwsia. Roedd corff o'r fath yn codi ofn ar wledydd y Gorllewin ac felly roedden nhw'n fwy parod i gefnogi'r Gwynion yn ystod y Rhyfel Cartref. Ym 1920 ymosododd y Fyddin Goch ar Wlad Pwyl fel rhan o'u cynllun i gael chwyldro byd-eang ond wedi iddi gael ei threchu cafodd y rhan fwyaf o'r arweinyddion comiwnyddol eu darbwyllo bod eisiau rhoi'r gorau i'r cynlluniau am chwyldro byd-eang am y tro. Ar ôl marwolaeth Lenin ym 1924 (gweler tudalen 96) roedd Trotsky'n dal ati i bregethu'r syniad o 'chwyldro parhaol' tra oedd ei wrthwynebydd, Stalin, yn datblygu ffordd 'sosialaeth mewn un wlad'.

Propaganda a sensoriaeth

Er mwyn lledaenu'r neges gomiwnyddol ac egluro barn y Blaid roedd hi'n hanfodol sensora a rheoli'r wasg. Cafodd papurau newydd, llyfrau a ffilmiau eu defnyddio at ddibenion propaganda a'u gwahardd os nad oedden nhw'n cario'r negeseuon 'iawn'. Felly dylanwadodd y Blaid ar y ffordd roedd pobl Rwsia'n meddwl a gweithredu.

Mewn gwlad lle nad oedd llawer iawn o'r boblogaeth yn gallu darllen neu ysgrifennu, daeth posteri propaganda'n bwysig iawn.

Yn ystod y Rhyfel Cartref cynhyrchodd y Comiwnyddion dros 3000 o bosteri er mwyn cael pobl yn deyrngar i achos y Cochion. Ar ôl y rhyfel roedd angen i'r Comiwnyddion feithrin teyrngarwch i'r gyfundrefn newydd a lledaenu neges y Blaid. I wneud hyn buon nhw'n anfon trenau a chychod agitprop (cynnwrf a phropaganda) er mwyn egluro syniadau comiwnyddiaeth i'r bobl. Roedden nhw'n defnyddio amrywiaeth o ddulliau gan gynnwys posteri, pamffledi, ffilmiau a grwpiau theatr. Gwelodd llawer o Rwsiaid eu ffilm gyntaf ar y trenau agitprop teithiol.

FFYNHONNELL **DD** Poster propaganda yn dangos 'Moskva Goch yng nghanol y chwyldro byd-eang'.

C Cwestiynau

1. Disgrifiwch drefniadaeth Plaid Gomiwnyddol yr Undeb Sofietaidd.
2. Eglurwch pam sefydlodd Lenin y Comintern.
3. Pa mor bwysig oedd propaganda a sensoriaeth wrth helpu i sefydlu trefn gomiwnyddol o fewn Rwsia?

3 YMARFER ARHOLIAD

Mae'r cwestiynau hyn yn profi Adran A y papur arholiad.

Y RHYFEL CARTREF A SEFYDLU'R GYFUNDREFN GOMIWNYDDOL, 1918-21

Astudiwch Ffynonellau A-CH ac yna atebwch y cwestiynau sy'n dilyn.

FFYNHONNELL **A**

Poster gan y Bolsieficiaid adeg y Rhyfel Cartref ym 1919. Mae'r 'cŵn' yn cynrychioli arweinwyr y byddinoedd Gwynion tra caiff Prydain, Ffrainc ac UDA eu dangos yn y cefndir.

FFYNHONNELL B

Roedd pobl yn llifo o'r dinasoedd. Collodd Moskva hanner ei phoblogaeth, ac aeth bron dwy ran o dair o Petrograd. Daeth masnach â gwledydd eraill i ben. Gosododd y cynghreiriaid warchae llwyr. Ni ddaeth dim i mewn i'r wlad. Nid aeth dim allan. Roedd injans trenau'n llosgi pren. Yr unig beth yr oedd digon ohono oedd arian papur. Ar ddechrau 1919 roedd bron i 34 biliwn rwbl mewn cylchrediad: flwyddyn yn ddiweddarach roedd pethau ddeg gwaith yn waeth.

Harrison Salisbury yn ysgrifennu yn *Russia in Revolution, 1900-30* (1978).

FFYNHONNELL  C

Teithiais ar draws ardal y rhyfel yn fy nhrên, gan orchymyn i'r cadlywyddion ddal ati i frwydro ac annog y dynion i ennill. Pan oedden nhw'n ymwybodol fod y trên rai milltiroedd y tu ôl i'r llinell danio, byddai hyd yn oed yr unedau mwyaf nerfus yn ymwroli. Yn aml byddai cadlywydd yn ymbil arnaf i aros am hanner awr arall fel bod y sôn fy mod wedi cyrraedd yn ymledu'n bell.

Trotsky'n ysgrifennu yn ei hunangofiant, *Fy Mywyd* (1930).

FFYNHONNELL CH

Anfonodd y Blaid Gomiwnyddol, o dan arweiniad Lenin, ei haelodau gorau i ymuno â'r Fyddin Goch. Erbyn diwedd 1918 roedd Lenin wedi anfon dros 1,700,000 o ddynion i ymladd â'r Gwynion. Roedd y Fyddin Goch yn fyddin gref. Serch hynny, ar bob ffrynt, roedd rhaid i unedau'r Fyddin Goch ymladd â gelyn a oedd â gwell offer, wedi ei hyfforddi'n well ac â mwy o filwyr. Gweithwyr a gwerinwyr oedd yn y Fyddin Goch a phawb wedi ymroi yn llwyr i achos y chwyldro. Dyna sut cawson nhw fuddugoliaeth.

Wedi'i ysgrifennu gan hanesydd comiwnyddol swyddogol, Y. Kukushkin, yn ei lyfr *Hanes UGSS* (1981), pan oedd y Blaid Gomiwnyddol yn dal i reoli Rwsia.

CA Cwestiynau Arholiad

1. Pa wybodaeth mae Ffynhonnell A yn ei rhoi am y gefnogaeth i fyddinoedd y Gwynion yn ystod y Rhyfel Cartref? [3]
2. Defnyddiwch yr wybodaeth yn Ffynhonnell B a'r hyn rydych chi'n ei wybod i egluro cyflwr Rwsia ym 1919. [4]
3. Pa mor ddefnyddiol yw tystiolaeth Ffynhonnell C i hanesydd sy'n astudio rôl Trotsky yn ystod y Rhyfel Cartref? Eglurwch eich ateb gan ddefnyddio'r ffynhonnell a'r hyn rydych chi'n ei wybod. [5]
4. Yn Ffynhonnell D mae'r awdur yn dweud i'r Fyddin Goch ennill y Rhyfel Cartref oherwydd eu bod yn ymroi i'r chwyldro. A yw hwn yn ddehongliad dilys?
   Yn eich ateb dylech ddefnyddio'r hyn rydych yn ei wybod am y testun, cyfeirio at y ffynonellau eraill sy'n berthnasol yn y cwestiwn hwn, ac ystyried sut y daeth yr awdur i'r dehongliad hwn. [8]

Beth oedd prif nodweddion tair blynedd olaf Lenin mewn grym a'r frwydr i'w olynu?

AMODAU ECONOMAIDD, CYMDEITHASOL A GWLEIDYDDOL YM 1921

Erbyn 1921 roedd economi Rwsia mewn cyflwr gwael. Roedd pedair blynedd o wrthryfel a rhyfel cartref wedi llyncu adnoddau'r wlad, ac roedd Comiwnyddiaeth Ryfel wedi achosi i'r gweithwyr a'r gwerinwyr wynebu mwy o galedi. Gwaethygodd y sefyllfa oherwydd sychder ym 1920 a 1921 a achosodd newyn mawr pan fu farw dros 5 miliwn o bobl o newyn. Aeth rhai'n ganibaliaid wrth ymdrechu'n daer i oroesi (gweler Ffynhonnell B).

Roedd y sefyllfa lawn cyn waethed yn y dinasoedd lle roedd prinder llafur a Chomiwnyddiaeth y Rhyfel wedi gwneud i gynhyrchu diwydiannol ostwng yn sylweddol. Roedd llawer o weithwyr wedi mudo i gefn gwlad gan gredu y gallen nhw ddod o hyd i fwyd a gwaith yno.

FFYNHONNELL **A** Teulu o werinwyr newynog yn ystod newyn 1921.

FFYNHONNELL **B**

Weithiau bydd teulu newynog yn bwyta corff un o'i aelodau ifanc . . . Weithiau bydd rhieni'n dwyn rhan o gorff o fynwent a'i roi i'w plant i fwyta.

Adroddiad yn ystod y newyn yn sôn am ganibaliaeth.

Gwrthryfel Kronstadt a rhoi'r gorau i Gomiwnyddiaeth Ryfel

Oherwydd bod yr amodau economaidd yn gwaethygu ac effeithiau Comiwnyddiaeth Ryfel, tyfodd y gwrthwynebiad i lywodraeth Lenin. Ar ddechrau 1921 aeth gweithwyr yn Petrograd ar streic ac erbyn mis Chwefror ymunon nhw â morwyr a gweithwyr y dociau yng nghanolfan y llynges yn Kronstadt i fynnu gwell amodau i weithwyr a therfyn ar Gomiwnyddiaeth Ryfel. Roedd hyn yn sioc i Lenin gan fod morwyr Kronstadt wedi bod yn rhai o'i gefnogwyr selocaf.

Roedd rhaid sathru ar wrthryfel Krondstadt a gorchmynnodd Trotsky i'r Cadfridog Tukhachevsky ymosod ar ganolfan y llynges gan ddefnyddio 60,000 o filwyr. Yn ystod brwydr dair wythnos o hyd, cafodd dros 10,000 o ddynion eu lladd neu'u hanfon i ffwrdd i wersylloedd llafur.

NEWID ECONOMAIDD A'R POLISI ECONOMAIDD NEWYDD (PEN)

Cafodd Lenin ei ddarbwyllo gan wrthryfel Kronstadt fod angen rhoi'r gorau i Gomiwnyddiaeth Ryfel os oedd y Blaid Gomiwnyddol yn mynd i barhau i reoli

Rwsia. Yn Negfed Gynhadledd y Blaid ym mis Mawrth 1921 cyhoeddodd fod Polisi Economaidd Newydd (PEN) i'w gyflwyno a fyddai'n lleihau rheolaeth y llywodraeth ganolog ar agweddau ar yr economi.

- Daeth y criwiau meddiant gorfodol i ben a chafodd elfennau o farchnad rydd economaidd ei chyflwyno.
- Byddai gwerinwyr yn talu swm sefydlog o rawn yn dreth bob blwyddyn ond roedd hawl i werthu unrhyw rawn dros ben ar y farchnad rydd.
- Cafodd ffatrïoedd bychain a oedd yn cyflogi llai na 20 o weithwyr eu dychwelyd i'w perchnogion blaenorol ac roedd hawl ganddyn nhw i wneud elw.
- Nawr roedd gweithwyr yn cael prynu, gwerthu a gwneud nwyddau i wneud elw. Felly roedd dynion canol yn cael prynu nwyddau'n rhad a'u gwerthu am brisiau uwch.
- Cafodd masnach â gwledydd tramor ei hannog. Bu cytundeb masnach Eingl-Sofietaidd ym 1921 yn help i roi hwb i'r economi drwy agor cysylltiadau masnachu â'r Gorllewin.

Roedd Lenin yn ystyried y PEN yn fesur dros dro er mwyn codi'r wlad yn ei hôl eto, ond roedd rhai o fewn y blaid yn credu ei fod yn bradychu delfrydau comiwnyddiaeth. Nid oedden nhw'n hoffi'r syniad fod gweithwyr yn cael gwneud elw. Gan ei fod yn derbyn diwydiannau preifat a masnach breifat, roedd llawer yn credu bod y PEN yn troi'n ôl at gyfalafiaeth.

Pa mor llwyddiannus oedd y PEN?

Llwyddodd y PEN i adfywio'r economi Sofietaidd ac erbyn i Lenin farw roedd tystiolaeth fod adfywiad sylweddol. Roedd cynhyrchu bwyd wedi cynyddu a daeth y newyn mawr i ben ar ôl cynaeafau da ym 1922 a 1923. Dechreuodd diwydiant adfywio hefyd ond yn arafach. Roedd gorffen cynhyrchu ar gyfer rhyfel yn golygu bod mwy o amrywiaeth o nwyddau ar werth yn y siopau. Bu cyflwyno rwbl newydd yn help i reoli chwyddiant ac felly roedd gweithwyr a gwerinwyr yn fwy bodlon. Parhaodd y PEN tan 1928 ac erbyn hynny'n sicr roedd yr Undeb Sofietaidd yn well ei byd.

Ond nid oedd y PEN yn llwyddiant i gyd. Nid oedd datblygiad diwydiannol yn digwydd mor gyflym â'r adfywiad ym myd amaeth. Roedd cynhyrchu mwy o fwyd yn golygu bod pris bwyd wedi cwympo.

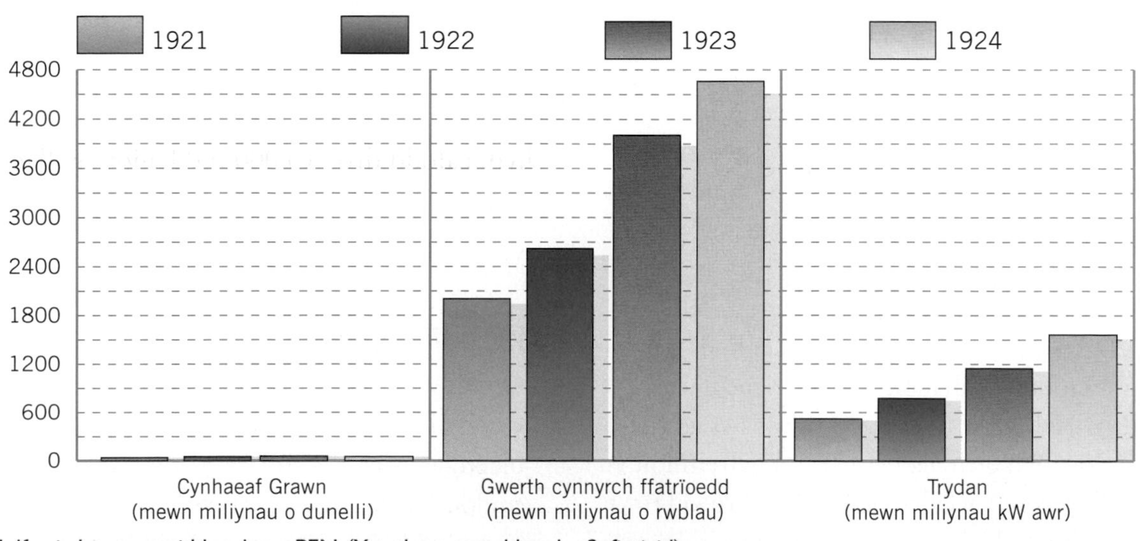

Adfywiad economaidd o dan y PEN (Ystadegau swyddogol y Sofietiaid).

Serch hynny, ym myd diwydiant roedd y gwrthwyneb yn wir gan i brisiau godi oherwydd prinder nwyddau. Erbyn 1924 roedd diwydiant yn dangos arwyddion fod pethau'n gwella, ac felly'n lleihau'r bwlch. Cafodd y dynion canol eu beirniadu am fod yn gyfalafwyr barus, gan ddod yn gyfoethog ar draul gwaith caled eraill, ar adeg pan oedd diweithdra mawr o hyd mewn ardaloedd trefol.

C Cwestiynau

1 Eglurwch pam penderfynodd Lenin roi'r gorau i Gomiwnyddiaeth Ryfel.

2 Pa mor ddefnyddiol yw tabl yr adfywiad economaidd i hanesydd sy'n astudio effaith y Polisi Economaidd Newydd? Eglurwch eich ateb drwy ddefnyddio'r tabl a'r hyn rydych chi yn ei wybod.

BYWYD O DAN Y COMIWNYDDION

Cydraddoldeb i fenywod

Roedd menywod wedi cael bywydau caled o dan gyfundrefn y tsar. Roedden nhw wedi gorfod gweithio am oriau hir yn y caeau a'r ffatrïoedd. Hanner cyflog dynion roedden nhw'n ei ennill ac nid oedd hawl i gael amser o'r gwaith pan oedden nhw'n feichiog. Un o'r pethau cyntaf wnaeth y Bolsieficiaid oedd gwneud menywod yn gyfartal. Yn ddiweddarach creodd Lenin Adran Fenywod o'r Sovnarkom o dan Alexandra Kollontai, aelod benywaidd cyntaf unrhyw lywodraeth Ewropeaidd.

Daeth nifer o ddiwygiadau. Ym mis Rhagfyr 1917 daeth Cyfraith Priodi fel ei bod hi'n gyfreithlon i ddynion dros 18 a menywod dros 16 briodi. Daeth ysgaru'n haws ac ym 1920 daeth erthyliad ar gais yn gyfreithlon yn holl ysbytai'r wladwriaeth. Hefyd roedd mwy o gydraddoldeb i fenywod yn y gweithle. Ond, roedd y cynnydd yn araf gan ei bod yn anodd newid agweddau ynglŷn â'r uned deuluol a delweddau traddodiadol ohoni.

Atal crefydd

Roedd y rhan fwyaf o'r Rwsiaid yn grefyddol iawn, ond roedd Lenin yn gweld y gallai'r Eglwys Uniongred fod yn ganolfan i wrthwynebwyr comiwnyddiaeth. Roedd yn cydnabod na allai wahardd crefydd yn llwyr felly cymerodd y llwybr canol. Gadawodd i bobl gael rhyddid i gredu ac addoli ond ar yr un pryd dinistriodd rym a chyfoeth yr Eglwys. Cafodd holl eiddo'r eglwys ei gipio ac roedd rhaid i offeiriaid dalu trethi uchel. Cafodd tiroedd yn perthyn i'r Eglwys eu hawlio a chafodd llawer o fynachlogydd eu cau. Cafodd cyfres o gyfreithiau gwrth-grefyddol eu pasio a oedd yn gwahardd offeiriaid rhag cwrdd heb hawl swyddogol, cau pob ysgol Sul, a gwahardd addysgu crefydd mewn ysgolion.

Rheoli addysg

Roedd Lenin yn sylweddoli ei bod yn bwysig rheoli addysg felly lansiodd y Comiwnyddion ymgyrch lythrennedd enfawr i helpu'r blaid i ledaenu ei syniadau. Cafodd miloedd o aelodau gweithgar eu hanfon allan i addysgu gweithwyr a gwerinwyr i ddarllen a chafodd nifer fawr o ysgolion newydd eu hadeiladu. Cafodd Cynghrair y Comiwnyddion Ifainc (y Komsomol) ei chreu i annog twf syniadau comiwnyddol ymysg yr ifanc.

Bywyd diwylliannol

O dan y Comiwnyddion, mabwysiadodd y celfyddydau batrwm mwy modern a blaengar, gan wrthod yr hen ffurfiau traddodiadol. Roedd y pwyslais newydd ar gelfyddyd i'r bobl a chafodd hyn ei

FFYNHONNELL C Golygfa gan Brodski, a baentiwyd ym 1929, sy'n dangos Lenin yn annerch gweithwyr ffatri Putilov ym mis Mai 1917. Mae'n rhoi'r argraff fod cefnogaeth dorfol i'r Bolsieficiaid.

adlewyrchu wrth ddylunio adeiladau, strydoedd, ffabrigau, dillad a dodrefn.

Roedd gweithgareddau diwylliannol yn adlewyrchu'r ymdeimlad newydd o gydraddoldeb. Byddai arlunwyr yn cael eu hannog i weithio mewn timau a chafodd cerddorfeydd wared ar eu harweinwyr. Datblygodd diwydiant ffilmiau Rwsia'n un o'r rhai mwyaf arloesol yn y byd ac roedd ffilmiau newydd comiwnyddol yn helpu i ledaenu propaganda'r blaid. Roedd ffilmiau Sergei Eisenstein *Mis Hydref* a *Llong Ryfel Potemkin* yn dangos bod grym y bobl yn allweddol pan gipiodd y Bolsieficiaid rym. Roedd celf Rwsiaidd yn dramateiddio digwyddiadau 1917 a Lenin yn cael ei bortreadu'n arwr y chwyldro.

C Cwestiynau

1. Disgrifiwch agwedd llywodraeth Lenin tuag at fenywod.
2. Eglurwch pam roedd Lenin mor awyddus i atal crefydd yn yr Undeb Sofietaidd.
3. Pa mor ddefnyddiol yw Ffynhonnell C i hanesydd sy'n astudio sut roedd y Comiwnyddion yn defnyddio celf i ddweud hanes digwyddiadau 1917? Eglurwch eich ateb drwy ddefnyddio'r ffynhonnell a'r hyn rydych chi'n ei wybod.

CYSYLLTIADAU Â PHWERAU ERAILL: POLISI TRAMOR Y SOFIETIAID

Nid oedd llywodraeth Lenin yn boblogaidd ymhlith pwerau'r Gorllewin. Roedd cyn-gynghreiriaid Rwsia'n teimlo bod Rwsia wedi eu bradychu a throi cefn arnyn nhw, a dyma un rheswm pam bu Prydain a Ffrainc yn cefnogi'r Gwynion yn ystod y Rhyfel Cartref.

Roedd llywodraethau'r Gorllewin hefyd yn amau ideoleg y Comiwnyddion. Roedd y Comiwnyddion yn dadlau nad oedd ffiniau gwladwriaethau'n bwysig ac yn pwysleisio y dylai'r gweithwyr uno i ddod â chwyldro dros y byd. Pan gafodd y Comintern ei greu ym 1919 a phan ymosododd Rwsia ar Wlad Pwyl ym 1920 dechreuodd y clychau seinio rhybudd ledled Ewrop. Gwrthododd nifer o lywodraethau'r Gorllewin gydnabod cyfundrefn Lenin.

Gwellodd pethau'n araf ar ddechrau'r 1920au wrth i wledydd gydnabod y llywodraeth gomiwnyddol a masnachu â Rwsia. Ym mis Ebrill 1922 arwyddodd Rwsia a'r Almaen Gytundeb Rapallo a ddechreuodd perthynas fwy cyfeillgar rhwng y ddwy wlad a daeth mesurau i gael mwy o gydweithredu economaidd. Cafodd cytundebau masnachu eu harwyddo hefyd â Phrydain a Ffrainc.

SALWCH LENIN A'R FRWYDR AM YR ARWEINYDDIAETH

O 1922 ymlaen dechreuodd iechyd Lenin waethygu. Yng ngwanwyn 1922 cafodd strôc. Cafodd ddwy strôc arall ym mis Rhagfyr 1922 a mis Mawrth 1923. Bu farw o waedlif ar yr ymennydd ar 21 Ionawr 1924 yn 53 oed.

Ym mis Rhagfyr 1922 roedd Lenin wedi arddweud ei *Destament*, gan nodi cryfderau a gwendidau'r dynion a allai ei olynu. Daeth i'r canlyniad na ddylai un person yn unig gymryd ei le. Yn hytrach roedd eisiau arweinyddiaeth ar y cyd o bosib gan y Politburo, gyda'i brif aelodau Trotsky, Stalin, Kamenev a Zinoviev. Roedd Lenin yn teimlo mai Trotsky oedd y mwyaf galluog o bell ffordd, gan ei fod yn awdur ac arweinydd dawnus, ond ei fod yn rhy falch a hunanhyderus i gymryd y brif swydd. Roedd Stalin yn gystadleuydd brwd arall ond gwnaeth Lenin hi'n eglur nad oedd yn ystyried Stalin yn arweinydd addas. Gan ddefnyddio'i swydd fel Ysgrifennydd Cyffredinol y Blaid Gomiwnyddol roedd Stalin wedi penodi'i gefnogwyr ef ei hun i swyddi pwysig o fewn y Blaid. Roedd hefyd wedi bod yn anghwrtais iawn wrth wraig Lenin ac felly roedd Lenin wedi argymell yn ei *Destament* y dylai Stalin gael ei ddiswyddo.

Y frwydr am rym wedi i Lenin farw

Wedi i Lenin farw dechreuodd aelodau'r Politburo frwydro am rym i ddod yn arweinydd. Ymunodd Stalin â Kamenev a Zinoviev i ddwyn anfri ar Trotsky a'i atal rhag llwyddo. Pan alwodd Lenin ar i Stalin gael ei ddiswyddo dyma Kamenev a Zinoviev yn cefnogi Stalin, gan honni bod barn Lenin yn anghywir.

Hefyd rhwystron nhw bob apêl gan weddw Lenin ar i Bwyllgor Canolog y Blaid gyhoeddi ei *Destament*. Pan fu farw Lenin roedd Trotsky yn ne Rwsia a honnodd i Stalin ddweud celwydd wrtho am ddyddiad yr angladd. Nid aeth Trotsky i'r angladd, felly roedd yn ymddangos yn amharchus a chollodd gefnogaeth oherwydd hyn. Chwaraeodd Stalin, ar y llaw arall, ran flaenllaw yn yr angladd ac roedd yn cael ei ystyried yn brif alarwr.

Erbyn 1929 roedd Stalin wedi trechu aelodau eraill o'r Politburo'n dactegol a'u diarddel i'w wneud ei hun yn brif arweinydd. Cafodd Trotsky ei orfodi i roi'r gorau i'w swydd fel Comisâr y Rhyfel ym 1925, ac ym 1926 cafodd ei ddiarddel o'r Politburo a'r flwyddyn ganlynol o'r Blaid Gomiwnyddol ei hun. Roedd Trotsky a Stalin wedi gwrthdaro ynglŷn â'u barn wleidyddol, gyda'u syniadau gwahanol am ddyfodol Rwsia. Hefyd, nid oedd angen cefnogaeth Kamenev a Zinoviev ar Stalin bellach. Roedd y ddau eisiau cael gwared ar y PEN ond roedd Stalin yn ei gefnogi felly defnyddiodd eu gwrthwynebiad i'w diarddel o'r Politburo. Drwy ddod â'i gefnogwyr ef ei hun i gymryd lle aelodau eraill y Politburo, roedd y grym i gyd gan Stalin.

ETIFEDDIAETH LENIN

Gadawodd Lenin wlad ar ei ôl a oedd wedi mynd drwy newid anferthol mewn cyfnod cymharol fyr. Roedd wedi llwyddo i sicrhau bod y Bolsieficiaid yn cipio'r grym gan adfer peth o sefydlogrwydd gwleidyddol, economaidd a chymdeithasol i'r wlad erbyn 1924. Ym 1924 newidiodd Rwsia ei henw i Undeb y Gweriniaethau Sosialaidd Sofietaidd

g JOSEPH STALIN (1879–1953)

FFYNHONNELL CH Stalin.

Roedd Stalin, a anwyd â'r enw Josef Djugashvili, yn un o'r ychydig rai ymhlith arweinwyr y Bolsieficiaid a ddaeth o gefndir dosbarth gweithiol. Pan oedd yn y coleg ymunodd â'r Blaid Sosialaidd Ddemocrataidd ac ymroi i weithgarwch chwyldroadol. Cefnogodd Lenin a'r Bolsieficiaid adeg y rhwyg ym 1903 a threuliodd lawer o'r cyfnod 1905-17 naill ai'n alltud neu ar ffo rhag yr awdurdodau. Ym 1913 mabwysiadodd yr enw Stalin, sef 'dyn o ddur'. Dychwelodd i Petrograd o Siberia ym mis Chwefror 1917 a daeth yn olygydd *Pravda*. Ym 1922 cafodd ei wneud yn Ysgrifennydd Cyffredinol y Blaid Gomiwnyddol a thrwy hynny llwyddodd i herio am yr arweinyddiaeth ar ôl marwolaeth Lenin.

(UGSS), neu'r Undeb Sofietaidd, gan gydnabod y rhan bwysig roedd y sofietau wedi ei chwarae wrth lywodraethu Rwsia.

Roedd Lenin wedi chwarae'r rhan ganolog wrth drefnu pethau wedi i'r Bolsieficiaid gipio grym. Roedd wedi gwneud penderfyniadau amhoblogaidd, fel cyflwyno Comiwnyddiaeth Ryfel, ond roedd wedi gwneud hynny er mwyn sicrhau bod y Cochion yn llwyddo a bod gweriniaeth gomiwnyddol yn cael ei sefydlu. Bu aelodau radical y Blaid yn beirniadu ei benderfyniad i fabwysiadu'r PEN a rhoi'r gorau i Gomiwnyddiaeth Ryfel, ond mewn gwirionedd helpodd hyn i achub yr Undeb Sofietaidd rhag dymchwel.

Ond, nid oedd etifeddiaeth Lenin yn fêl i gyd. Mae rhai haneswyr yn gweld mai natur lem cyfundrefn Stalin oedd y cam rhesymegol nesaf yn y system a greodd Lenin wedi 1917. Er enghraifft, erbyn i Lenin farw roedd system un blaid gan yr Undeb Sofietaidd yn barod, roedd ganddi heddlu cudd ac roedd wedi gwahardd pob gwrthwynebiad.

Nid oedd hi'n eglur chwaith pwy ddylai olynu Lenin wedi iddo farw. Roedd wedi awgrymu y gallai arweinyddiaeth ar y cyd gael ei defnyddio ond nid oedd wedi gadael unrhyw gyfarwyddiadau eglur ynglŷn â sut i wneud hyn.

Nid oedd chwaith wedi hyfforddi rhywun i'w olynu. O ganlyniad digwyddodd brwydr am rym ar ôl 1924 a aeth ymlaen tan ddiwedd y 1920au, pan fu'r prif arweinwyr yn canolbwyntio ar ddiogelu eu swyddi eu hunain yn lle gofalu am faterion y wladwriaeth. Roedd cyfeiriad y Blaid Gomiwnyddol i'r dyfodol yn aneglur hefyd. Dim ond ar ôl brwydr hir rhwng Trotsky a Stalin y cafodd ei ddatrys.

C Cwestiynau

1 Eglurwch pam roedd Lenin yn meddwl na ddylai Trotsky na Stalin ei olynu fel arweinydd.

2 Pa mor llwyddiannus oedd Stalin wrth drechu ei wrthwynebwyr yn dactegol yn y frwydr i olynu Lenin?

3 Pa welliannau roedd Lenin wedi eu gwneud i'r Undeb Sofietaidd erbyn 1924?

3 YMARFER ARHOLIAD

Mae'r cwestiynau hyn yn profi Adran B y papur arholiad.

BLYNYDDOEDD OLAF LENIN, 1921–4

Astudiwch yr wybodaeth isod ac yna atebwch y cwestiynau sy'n dilyn.

GWYBODAETH Lenin yn ystod ei flynyddoedd olaf, tua 1922.

CA Cwestiynau Arholiad

1 a Disgrifiwch y digwyddiadau yn Kronstadt ym 1921. [2]
  b Eglurwch pam roedd newyn mor ddifrifol yn Rwsia ym 1921. [4]
  c Pa mor llwyddiannus oedd y Polisi Economaidd Newydd? [5]

2 a Disgrifiwch sut deliodd Lenin ag Eglwys Uniongred Rwsia. [3]
  b Eglurwch pam llwyddodd Stalin i ennill y frwydr i ddod yn arweinydd. [4]

3 A fethodd bopeth y ceisiodd Lenin ei wneud yn ystod ei flynyddoedd olaf? Eglurwch eich ateb yn llawn. [7]

4 UNOL DALEITHIAU AMERICA, 1910-29

Erbyn 1910, UDA oedd gwlad ddiwydiannol gryfaf a chyfoethocaf y byd. Hi oedd y wlad oedd yn cynnig cyfle a chroeso i fewnfudwyr. Ond er bod rhai'n cael cynnig cyfle, rhyddid personol a chyfoeth mawr, roedd eraill yn dioddef erledigaeth, eithrio cymdeithasol a thlodi. Ar ôl profiadau'r Rhyfel Byd Cyntaf, bu cyfyngu ar y polisi mewnfudo 'Drws Agored', ac roedd mwy o densiwn hiliol nag erioed. Yn y 1920au, cafodd alcohol ei wneud yn anghyfreithlon yn UDA (y Gwaharddiad) ac oherwydd hyn daeth troseddu cyfundrefnol.

Daeth banciau a busnesau UDA yn gyfoethog drwy gyflenwi nwyddau i Ewrop yn ystod y Rhyfel Byd Cyntaf, felly roedd yr economi'n llewyrchus yn ystod y 1920au. Ond nid oedd yn gyfnod llewyrchus i bob Americanwr: roedd hi'n anodd ar ffermwyr, y duon a'r Americanwyr brodorol. Erbyn diwedd y degawd roedd y ffyniant wedi dod i ben.

Datblygodd diwylliant a chymdeithas UDA yn fawr yn ystod y cyfnod hwn. Roedd cynulleidfaoedd mawr yn gwylio ffilmiau mud gan ddechrau edmygu sêr y ffilmiau. Daeth cerddoriaeth *jazz* yn boblogaidd. Torrodd menywod yn rhydd o fywydau cysgodol y cyfnod cyn y rhyfel a mwynhau ffasiynau newydd, gweithgareddau cymdeithasol mwy mentrus ac amgylchedd mwy rhyddfrydig.

Ar ddechrau'r cyfnod hwn roedd polisi ymneilltuedd gan UDA ac nid oedd am gymryd rhan yn rhyfeloedd Ewrop. Llwyddodd i gadw allan o'r Rhyfel Byd Cyntaf tan 1917, ond cafodd profiadau'r rhyfel effaith ddofn ar y genedl. Unwaith eto dychwelodd i'r polisi ymneilltuedd ond oherwydd ei grym a'i statws economaidd nid oedd yn gallu cadw ato'n llwyr.

LLINELL AMSER DIGWYDDIADAU

1909	Sefydlu'r Gymdeithas Genedlaethol er budd hyrwyddo'r duon (NAACP) i ymgyrchu yn erbyn arwahanu
1913	Henry Ford yn dechrau cynhyrchu ar linellau cydosod
1915	Suddo *The Lusitania*
1917	UDA yn ymuno yn y Rhyfel Byd Cyntaf
1918	Wilson yn cyhoeddi ei Bedwar Pwynt ar Ddeg
1919	Cynhadledd Heddwch Paris
1920	Y Deunawfed Gwelliant yn dechrau cyfnod y Gwaharddiad
	Y Pedwerydd Gwelliant ar Bymtheg yn rhoi'r bleidlais i fenywod
	Y Gyngres yn pleidleisio yn erbyn ymuno â Chynghrair y Cenhedloedd
1921	Deddf Cwotâu Brys yn dod â'r polisi mewnfudo 'Drws Agored' i ben
1922	Deddf Tollau Fordney-McCumber
1924	Americanwyr Brodorol yn cael dod yn ddinasyddion UDA
	Cynllun Dawes
1925	Nifer aelodau'r Ku Klux Klan ar ei uchaf
1928	Cytundeb Kellogg-Briand
1929	Cwymp Wall Street

Beth oedd y prif broblemau a'r sialens a oedd yn wynebu pobl America yn ystod y cyfnod hwn?

UDA: CENEDL O FEWNFUDWYR

Polisi'r Drws Agored

Cymdeithas amlddiwylliannol ac amlhiliol sydd yn UDA heddiw, a hynny oherwydd i nifer fawr o fewnfudwyr ddod yno o Ewrop yn bennaf. Roedd dros 40 miliwn o bobl wedi cyrraedd erbyn 1919.

O ganlyniad roedd cymysgedd o bobl o wahanol hil, diwylliannau, crefyddau a ieithoedd. Yn ystod diwedd y bedwaredd ganrif ar bymtheg, roedd llywodraeth UDA yn cefnogi hyn er mwyn cael pobl i fyw ar y cyfandir. Bwriad polisi'r Drws Agored oedd gwneud dod i mewn i'r wlad mor hawdd â phosibl.

FFYNHONNELL **A** Mewnfudwyr o ddwyrain Ewrop yn cyrraedd Ynys Ellis, Efrog Newydd, tua 1914.

Pam roedd pobl eisiau dod?

Roedd cyfuniad o ffactorau gwthio a thynnu'n achosi pobl i ymfudo. Roedd y ffactorau gwthio'n gwneud i bobl eisiau gadael eu gwlad eu hunain a'r ffactorau tynnu'n eu denu nhw i UDA.

Roedd y rhain yn cynnwys:

- ceisio dianc o'r tlodi yn eu gwlad eu hunain
- eisiau dianc o erledigaeth wleidyddol ac economaidd
- addewid bod goddefgarwch crefyddol a chyfle i arfer eu ffydd yn ddiogel
- apêl digonedd o dir a'r gobaith o fod yn berchen ar eiddo
- gobeithio creu bywyd gwell iddyn nhw eu hunain a'u teuluoedd
- ymdeimlad o antur mewn gwlad oedd yn cynnig cyfle.

FFYNHONNELL **B**

Unwaith y flwyddyn y bydden ni'n cael cig. Roedd geifr a buwch gyda ni, ond llaeth gafr y bydden ni'n yfed gan amlaf. Weithiau, byddai mam yn prynu un o'r bolognas byr yna (selsig) a phawb yn cael tamaid bach. Byddwn i'n meddwl, 'Petawn i ond yn cael digon nes bod fy mola'n llawn!' Wel, pan ddaethon ni i America, gallen ni fwyta fel brenin am ychydig cents. Dyna beth oedd nefoedd!

Atgofion Charles Bartunek, a adawodd Awstria-Hwngari yn blentyn ym 1914.

Mewnfudwyr yn cyrraedd Ynys Ellis ger Efrog Newydd

Ar longau roedd y rhan fwyaf o'r mewnfudwyr yn cyrraedd, a mwy na 70 y cant yn glanio ar Ynys Ellis ger Efrog Newydd. Yn ystod y cyfnodau prysuraf, byddai cymaint â 5000 person y dydd yn mynd drwy'r broses rheoli mewnfudo. Fel arfer roedd y broses, a oedd yn cynnwys archwiliadau meddygol a chyfreithiol, yn cymryd rhwng tair a phum awr. I eraill, roedd mwy o aros yn golygu mwy o brofion, ac i'r rhai anlwcus a oedd yn cael eu gwrthod, taith adref.

Cyfyngu ar fynediad

Wrth i nifer y mewnfudwyr godi, dechreuodd rhai Americanwyr amau polisi Drws Agored y llywodraeth. Roedd y mewnfudwyr yn draddodiadol wedi tueddu i ddod o ogledd a gorllewin Ewrop – Prydain, Iwerddon a'r Almaen. Rhwng 1900 a 1914, cyrhaeddodd 13 miliwn, yn bennaf o dde a dwyrain Ewrop – yr Eidal, Awstria-Hwngari, Rwsia, Gwlad Pwyl a Groeg. Dechreuodd pobl ddigio wrth y mewnfudwyr 'newydd' hyn oherwydd:

- roedden nhw'n aml yn dlawd
- roedd llawer yn anllythrennog ac yn methu siarad Saesneg
- roedd llawer yn Babyddion neu Iddewon a'u cefndir diwylliannol a chrefyddol yn wahanol
- roedd trawma'r Rhyfel Byd Cyntaf ac ofn comiwnyddiaeth yn ystod Bygythiad Coch 1919 (gweler tudalen 106) yn dychryn llawer o Americanwyr.

O ganlyniad pasiodd Cyngres UDA dair Deddf i gyfyngu ar fewnfudo, a phob Deddf yn fwy llym na'r un flaenorol.

1. Prawf Llythrennedd, 1917

Roedd rhaid i fewnfudwyr lwyddo mewn cyfres o brofion darllen ac ysgrifennu. Roedd llawer o'r mewnfudwyr tlotach, yn enwedig y rhai o ddwyrain Ewrop, heb gael addysg ac felly'n methu'r prawf ac yn cael eu gwrthod.

2. Deddf Cwotâu Brys, 1921

Pennodd y Ddeddf yma uchafswm o 357,000 o fewnfudwyr y flwyddyn, a chwotâu hefyd: 3 y cant yn unig o gyfanswm poblogaeth unrhyw grŵp tramor oedd yn UDA yn barod ym 1910 a fyddai'n cael dod i mewn ar ôl 1921.

3. Deddf Tarddiad Cenedlaethol, 1924

Gostyngodd y Ddeddf hon uchafswm y mewnfudwyr i 150,000 y flwyddyn, a thorri'r cwota i 2 y cant, wedi ei seilio ar boblogaeth UDA ym 1890. Bwriad y ddeddf oedd cosbi mewnfudwyr o dde a dwyrain Ewrop nad oedd llawer ohonyn nhw wedi dechrau dod i UDA tan ar ôl 1890. Roedd y ddeddf hefyd yn gwahardd mewnfudo o Asia, a digiodd hyn gymunedau Chineaidd a Japaneaidd oedd yn UDA yn barod.

Roedd cyfyngu ar fewnfudo'n newid polisi enfawr. Roedd y Drws Agored bellach wedi troi'n 'Ddrws Ar Gau' i lawer. Doedd pobl ddim yn meddwl fod y mewnfudwyr 'newydd' yn cyfoethogi bywyd a diwylliant UDA. O ganlyniad roedd mwy o ofn mewnfudwyr ac erledigaeth hiliol.

C Cwestiynau

1. Disgrifiwch bolisi mewnfudo'r Drws Agored.
2. Eglurwch pam dechreuodd llywodraeth UDA gyfyngu ar fewnfudwyr yn ystod y cyfnod ar ôl y Rhyfel Byd Cyntaf.
3. Pa mor ddefnyddiol yw Ffynhonnell B i hanesydd sy'n astudio'r rhesymau pam daeth rhai pobl o Ewrop i UDA? Eglurwch eich ateb gan ddefnyddio'r ffynhonnell a'ch gwybodaeth eich hunan.

PROBLEMAU HILIOL

Ar ddechrau'r ugeinfed ganrif roedd mwy o ragfarn hiliol a drwgdeimlad tuag at y rhai nad oedden nhw'n Americanwyr 'go iawn'.

Y duon yn dioddef diffyg cydraddoldeb a thlodi

Ym 1900, roedd 12 miliwn o bobl dduon yn byw yn UDA, a 75 y cant ohonyn nhw'n byw yn y de. Roedd gwahaniaethu yn eu herbyn ym maes tai, swyddi, addysg a dim ond rhai oedd yn gallu pleidleisio. Deddfau Jim Crow oedd enw'r deddfau a gyflwynodd arwahanu yn y de (sef y deddfau a oedd yn cadw pobl dduon a'r gwynion ar wahân). Roedd y rhain yn atal y duon rhag defnyddio'r un cyfleusterau â'r gwynion. Sefydlwyd tai, ysbytai ac ysgolion ar wahân, ac mewn rhai taleithiau cafodd priodasau cymysg eu gwahardd.

Ni lwyddodd mwyafrif yr Americanwyr du i elwa ar economi llewyrchus y 1920au (gweler tudalen 110). Roedd hyn yn arbennig o wir yn nhaleithiau'r de gan mai amaethyddiaeth oedd sail yr economi yno, a chwympodd prisiau gydol y 1920au a dechrau'r 1930au. Roedd y duon wastad yn waeth eu byd na'r gwynion; nhw oedd â'r swyddi gwaethaf a'r cyflogau isaf. A nhwythau heb gael llawer o addysg, doedd dim sgiliau ganddyn nhw i herio'r sefyllfa.

Mudo i'r gogledd a'r gorllewin

Roedd bywyd yn galed i'r duon yn y de, ac roedd hi'n ymddangos fel petai dim arwahanu yn y gogledd. Roedd datblygu diwydiannol yn ystod y Rhyfel Byd Cyntaf wedi creu galw am nwyddau wedi'u gweithgynhyrchu a daeth swyddi mewn dinasoedd diwydiannol a oedd yn tyfu yn y gogledd. O ganlyniad dechreuodd duon o'r de fudo i'r gogledd a'r gorllewin i chwilio am swyddi ac amodau gwell. Aeth heidiau i ddinasoedd fel Efrog Newydd, Philadelphia, Chicago a Detroit. Rhwng 1910 a 1930, cynyddodd poblogaeth ddu Detroit 2400%. Gwaethygodd y berthynas rhwng y duon a'r gwynion wrth i bobl symud i ddinasoedd y gogledd, lle datblygodd ardaloedd du, o'r enw ghettos, fel Harlem yn Efrog Newydd. Roedd hyn yn un ffactor a ysgogodd y cynnydd yn aelodaeth y Ku Klux Klan (KKK).

FFYNHONNELL 

> Gwrthryfel oedd y Mudo Mawr ...cafodd y bobl eu hysgogi gan syniad – syniad am ryddid – gan anfon mwy a mwy ohonyn nhw i Chicago, Efrog Newydd, Detroit. Daeth y duon yn rhydd yn ninasoedd mawr y gogledd, gan ddiosg dillad caethwasiaeth a system ffiwdal y de.
>
> **Barn Americanwr du cyfoes am y Mudo Mawr**

Y Ku Klux Klan yn dod i'r amlwg eto

Ym 1920 daeth y Ku Klux Klan (KKK) i'r amlwg eto. Roedd wedi dechrau yn nhaleithiau'r de ar ddiwedd Rhyfel Cartref America ym 1865. Grŵp terfysgol oedd e wedi'i sefydlu gan bobl a oedd yn credu bod y gwynion yn well ac eisiau i'r duon aros yn gaethweision. Cafodd y mudiad ei adfywio ym 1915 gan William J. Simmons. Tyfodd yr aelodaeth yn gyflym ac erbyn 1921 roedd dros 100,000 o aelodau. Erbyn canol y 1920au roedd y mudiad ar ei gryfaf gyda 5 miliwn o aelodau, ac roedd wedi lledu i ddinasoedd mawr fel Detroit, Denver a Dallas.

Roedd y KKK yn gwahaniaethu yn erbyn y duon, Pabyddion, Iddewon a Mecsicanwyr ac yn ymosod arnyn nhw. WASPS *(White Anglo Saxon Protestants)* yn unig a gâi ymuno â'r Klan. Roedd y mudiad yn cefnogi'r Gwaharddiad (gweler tudalen

104) ac yn erbyn dawnsio, ysgariad a charwriaethau y tu allan i briodas.

FFYNHONNELL CH Lynsio gan y Ku Klux Klan. Roedd y ddau ddyn yma, Abram Smith a Thomas Shipp, wedi eu cyhuddo o ladd dyn gwyn ac fe'u llusgwyd o garchar gan dorf lynsio.

Roedd aelodau'r Klan yn lynsio duon (lladd drwy grogi) ac yn aml yn cymryd y gyfraith i'w dwylo eu hunain. Roedden nhw'n cosbi drwy chwipio, llosgi a digeillio hefyd, yn ogystal â thynnu dillad a gorchuddio cyrff noeth â thar a phlu. Weithiau byddai'r heddlu lleol yn methu amddiffyn y dioddefwyr a hyd yn oed yn cymryd rhan yn y lladd. Ni fyddai'r rhai a oedd yn gyfrifol yn cael eu dwyn ger bron llys yn aml iawn a gwyddai aelodau'r Klan na fyddai eu ffrindiau yn y llysoedd yn eu cael yn euog.

Daeth croes yn llosgi'n symbol o'u cyfarfodydd gyda'r nos. Byddai'r aelodau'n gwisgo masgiau a chlogynnau gwyn, yn cario baner UDA ac yn cymryd rhan mewn seremonïau cymhleth. Ym 1922 daeth Hiram Wesley Evans yn arweinydd gan fabwysiadu'r teitl *Imperial Wizard*. Roedden nhw'n meddwl bod UDA yn troi'n 'fin sbwriel' o wahanol hilion a chrefyddau a bod angen gweithredu i buro'r wlad.

Pam roedd hi'n anodd i'r llywodraeth weithredu yn erbyn y KKK?

Byddai gan aelodau'r Klan ffrindiau pwerus. Roedd pobl yn aml yn cefnogi'r Klan am eu bod yn cael eu bygwth ac yn ofni ei weithgareddau. Roedd hi'n anodd i'r Llywodraeth Ffederal yn Washington newid agweddau'r gwynion yn y de ac felly roedd tuedd i osgoi'r pwnc rhag ofn y byddai'n colli eu pleidlais.

Dirywiad y KKK ar ddiwedd y 1920au

Roedd enw drwg gan y Klan o fod yn dreisgar a byddai ei weithgareddau'n aml yn dod i sylw'r cyfryngau. Ond sgandal o fewn y mudiad ei hun a effeithiodd fwyaf arno. Ym 1925 cafwyd David Stephenson, *Grand Dragon* o Klan Indiana, yn euog o dreisio ac anffurfio menyw ar drên yn Chicago. Difethodd y sgandal enw da Stephenson yn llwyr. Cwympodd aelodaeth y Klan yn sydyn ac erbyn 1928 ychydig gannoedd o filoedd o aelodau'n unig oedd ganddo.

Y duon yn ymladd yn ôl

Erbyn 1900, roedd cyn-gaethwas, Booker T. Washington, yn ymladd achos y duon. Agorodd Sefydliad Tuskegee yn Alabama i roi addysg a hyfforddiant i'r duon, gan gredu bod rhaid iddyn nhw wneud cynnydd economaidd cyn gallu camu ymlaen yn wleidyddol. Roedd barn wahanol gan arweinwyr dau fudiad a geisiai roi sylw i'r driniaeth annheg i Americanwyr du: Y Gymdeithas Genedlaethol er budd Hyrwyddo Pobl Dywyll eu Croen (NAACP), a sefydlwyd ym 1909 gan Williams Du Bois, a'r Gymdeithas Fyd Eang Er Budd Dyrchafu Negroaid (UNIA), a sefydlwyd ym 1914 gan Marcus Garvey.

Bu Du Bois a Garvey'n gweithio i wella amodau'r duon, ond roedd eu dulliau mor wahanol fel y daethon nhw'n elynion pennaf.

Roedd y NAACP yn canolbwyntio ar wrthwynebu hiliaeth ac arwahanu drwy fynd i gyfraith a gweithgareddau di-drais, fel gorymdeithiau a phrotestiadau. Bu Du Bois yn ymgyrchu yn erbyn gwahaniaethu a thros integreiddio pobl o bob hil mewn gwlad lle byddai cyfle cyfartal i bawb.

Roedd aelodau'r UNIA yn fwy milwriaethus. Roedd Garvey'n annog y duon i sefydlu eu busnesau eu hunain gan gyflogi gweithwyr du'n unig. Roedd e eisiau i'r duon ddychwelyd i Affrica, eu mamwlad; *Black is beautiful* oedd ei slogan enwocaf. Roedd yr awdurdodau'n benderfynol o roi taw ar yr UNIA. Ym 1923 cafwyd Garvey yn euog o gamddefnyddio arian a roddwyd i'r UNIA, cafodd ei garcharu am bum mlynedd ac yna ei alltudio i'w famwlad, Jamaica, ym 1927.

Sut roedd Americanwyr Brodorol yn cael eu trin

Yn ystod diwedd y bedwaredd ganrif ar bymtheg cyflwynodd llywodraeth UDA ddeddfau i orfodi'r Americanwyr Brodorol i fyw fel y gwynion. Cawson nhw eu gorfodi i fyw ar diriogaethau a neilltuwyd ar eu cyfer, ond roedd y tir yn aml yn wael a doedd dim digon o anifeiliaid i'w hela. Rhoddwyd dognau bwyd a thai dros dro iddyn nhw ond doedd hynny ddim yn ddigon ac roedd bywyd yr Americanwyr Brodorol yn galed. Anfonwyd eu plant i ysgolion preswyl a'u dysgu i fyw fel y gwynion. Er mwyn lladd arferion a thraddodiadau'r Americanwyr Brodorol roedd rhaid i ddynion dorri eu gwalltiau a doedd menywod ddim yn cael paentio eu hwynebau. Ceisiodd Cenhadon eu troi'n Gristnogion.

Ym 1924 cafodd yr Americanwyr Brodorol hawl i fod yn ddinasyddion UDA. Nawr roedden nhw'n cael pleidleisio a'u hamddiffyn gan y system gyfreithiol. Roedd llawer yn meddwl mai gwobr oedd hyn am y nifer fawr o Americanwyr Brodorol a ymladdodd ym myddin UDA yn ystod y Rhyfel Byd Cyntaf. Ond roedd nifer o Americanwyr Brodorol yn dal i orfod byw ar y tiriogaethau gan ddioddef anoddefgarwch hiliol, fel y duon.

C Cwestiynau

1 Disgrifiwch beth yw ystyr y term arwahanu.

2 Pa wybodaeth mae Ffynhonnell CH yn ei rhoi am weithgareddau'r Ku Klux Klan?

3 Pa mor llwyddiannus oedd y llywodraeth wrth ddelio â gweithgarwch hiliol y Ku Klux Klan yn nhaleithiau'r de?

CYFNOD Y GWAHARDDIAD

Ar 16 Ionawr 1920 daeth y Deunawfed Gwelliant i'r cyfansoddiad i rym, gan wneud gwerthu alcohol yn anghyfreithlon yn UDA. Bwriad Deddf Volstead 1919 oedd rhoi'r gwelliant ar waith a phennu cosbau am dorri'r ddeddf newydd.

Rhesymau dros gyflwyno'r Gwaharddiad

Rhoddodd nifer o fudiadau fel y Cynghrair Gwrth-Salŵn, Undeb Dirwest Cristnogol y Menywod a rhai grwpiau crefyddol fel y Methodistiaid a'r Bedyddwyr bwysau ar y llywodraeth i wahardd cynhyrchu a gwerthu alcohol. Roedden nhw'n honni mai gwaith y diafol oedd alcohol a'i fod yn erbyn Cristnogaeth.

Y Gwaharddiad yn methu

Roedd hi'n anodd gorfodi Deddf Volstead. Wrth i *gangsters* ddechrau gwerthu alcohol, daeth llawer mwy o droseddu cyfundrefnol. *Bootleggers* oedd yr enw ar bobl a oedd yn gwerthu alchohol. Byddai *rum-runners* yn smyglo diodydd i UDA o Canada a Mexico a *moonshiners* yn distyllu eu diod eu hunain gartref. Agorodd bariau yfed anghyfreithlon o'r enw *speakeasies* ac erbyn 1925 roedd dros 100,000 yn Efrog Newydd yn unig.

Roedd mwy o lygredd wrth i'r gangsters lwgrwobrwyo swyddogion yr heddlu, barnwyr a gwleidyddion fel eu bod yn anwybyddu eu gweithgarwch anghyfreithlon. Byddai uchel swyddogion yr heddlu'n derbyn llwgrwobrwyon oddi wrth droseddwyr fel Al Capone a John Torrio. Cyn hir, daeth hi'n amlwg na allai'r system gyfreithiol ymdopi. Ceisiodd y llywodraeth ddatrys y broblem drwy benodi Comisiynydd y Gwaharddiad, John F. Kramer, ym 1921 a chyn hir sefydlodd garfan o 3000 asiant. Ym 1924 sefydlwyd y Biwro Archwilio (yr FBI yn ddiweddarach) o dan J. Edgar Hoover. Roedd dulliau caletach gan ei ddynion ef.

Methiant fu ceisio gorfodi deddf y Gwaharddiad. Doedd dim digon o asiantau, roedden nhw ar gyflogau isel ac yn hawdd eu llwgrwobrwyo. Roedd hi'n amhosibl perswadio yfwyr i newid arfer oes.

FFYNHONNELL **D** Poster a gyhoeddwyd gan y Gynghrair Gwrth-Salŵn i ddangos drygioni'r ddiod feddwol.

C Cwestiynau

1. Eglurwch pam cafodd alcohol ei wahardd yn UDA ym 1920.
2. Pa wybodaeth mae Ffynhonnell D yn ei rhoi sy'n help i egluro pam roedd rhai Americanwyr yn cefnogi'r syniad y tu ôl i'r Gwaharddiad?
3. Eglurwch pam roedd hi mor anodd i'r llywodraeth orfodi'r Gwaharddiad.

g AL 'SCARFACE' CAPONE

Alfonso Capone oedd *gangster* mwyaf drwg-enwog y 1920au. Dan arweiniad John Torrio, y gangster o Chicago, datblygodd y grefft o wneud arian drwy werthu alcohol yn anghyfreithlon. Pan ymddeolodd Torrio o'r busnes, daeth Capone i ofalu am ei ymerodraeth gyda dulliau caled. Byddai'n gorfodi pobl i roi arian, brawychu a llofruddio er mwyn rheoli pob math o ddrygioni, gan gynnwys gamblo, puteindai a *speakeasies*. Doedd dim digon o dystiolaeth i'r awdurdodau ei erlyn: roedd y tystion i'w droseddau yn gwrthod siarad mewn llys am eu bod yn ofni'r canlyniadau. Ond yn y diwedd cafodd ei roi ar brawf a'i garcharu am osgoi talu trethi.

FFYNHONNELL **DD** Al Capone ym 1934 ar ôl cael ei ddedfrydu am osgoi talu treth incwm.

Y *GANGSTERS* YN RHEOLI

Roedd *gangsters* ym mhob dinas ac yn ystod y 1920au byddai grwpiau yn ymladd â'i gilydd i reoli ardaloedd penodol. Dutch Schultz oedd yn ben yn Efrog Newydd, a Chester La Mare yn Detroit. Yn Chicago, roedd Dion O'Banion yn rheoli'r busnes *bootleg* yn ne'r ddinas, a John Torrio yn y gogledd. Gynnau peiriant bychain Thompson oedd eu hoff arfau.

Cyflafan Dydd San Ffolant oedd uchafbwynt rhyfeloedd y *gangsters*. Wedi iddo gymryd gang O'Banion drosodd, lladdodd Bugs Moran un o ffrindiau Capone. Er mwyn dial am hyn, lladdodd dynion Capone wedi eu gwisgo fel swyddogion yr heddlu saith aelod o gang Moran.

Ar ôl diddymu deddf y Gwaharddiad ym 1933 diflannodd y fasnach alcohol anghyfreithlon; roedd y troseddau dychrynllyd yn troi ar bobl a daeth oes y *gangsters* i ben.

FFYNHONNELL E Cyflafan waedlyd Dydd San Ffolant, 1929.

Y BYGYTHIAD COCH

Ofn comiwnyddiaeth

Cafodd llawer o Americanwyr fraw o glywed am ddigwyddiadau chwyldro 1917 yn Rwsia. Roedd llawer o Americanwyr yn credu y gallai chwyldro comiwnyddol ddigwydd yn UDA, gan fod nifer y pleidiau sosialaidd a chomiwnyddol yn tyfu a llif o fewnfudwyr wedi dod o ddwyrain Ewrop.

Hefyd, roedd mwy o ofn comiwnyddiaeth, neu'r Bygythiad Coch (Red Scare) fel y'i gelwid, oherwydd yr aflonyddwch diwydiannol yn UDA ym 1919-1920. Ym mis Medi 1920, ffrwydrodd bom ar Wall Street gan ladd 38 o bobl a dinistriodd bom arall flaen tŷ'r Twrnai Cyffredinol. Oherwydd gweithredu o'r fath roedd pobl yn ofni bod comiwnyddion ac anarchwyr yn bygwth UDA.

Cyrchoedd Palmer

Trefnodd y Twrnai Cyffredinol, A.Mitchell-Palmer, gyfres o gyrchoedd yn erbyn grwpiau asgell chwith pan arestiwyd dros 6000, mewnfudwyr gan fwyaf. Cawson nhw eu cadw yn y carchar heb eu cyhuddo ac alltudiwyd cannoedd ohonyn nhw. Ymateb i fygythiad dychmygol ar y cyfan oedd cyrchoedd Palmer. Pobl heddychlon oedd mwyafrif y mewnfudwyr, a oedd wedi dod i UDA i gael cyfle i wneud eu ffortiwn, nid i ddinistrio'r wlad. Yn y pen draw cawson nhw eu rhyddhau a chiliodd y braw.

Achos Sacco a Vanzetti

Roedd y driniaeth a gafodd dau fewnfudwr o'r Eidal, Nicola Sacco a Bartolomeo Vanzetti, yn nodweddiadol o'r braw a oedd ar led yn y cyfnod. Ar 5 Mai 1920 cawson nhw eu harestio a'u cyhuddo o ladrata o ffatri esgidiau lle bu dau berson farw.

FFYNHONNELL **F**

Dechreuodd Palmer erlid comiwnyddion ac anarchwyr. Cymerodd y gyfraith i'w ddwylo ei hun ac yn ystod deuddydd o gyrchoedd yn y dinasoedd mawr ym 1920, aeth asiantau i gartrefi, clybiau, neuaddau undeb, neuaddau pŵl a siopau coffi, gan arestio bron i 6000 o bobl, a'u carcharu heb hawl i ffonio neb, a'u trin yn ofnadwy. Doedd y rhan fwyaf ddim yn euog o unrhyw drosedd.

O werslyfr ysgol yn America, a gyhoeddwyd ym 1999.

O'r dechrau roedd barn y cyhoedd yn eu herbyn oherwydd eu syniadau gwleidyddol a chan eu bod yn fewnfudwyr.

Dechreuodd yr achos llys ym mis Mai 1921. Doedd dim tystiolaeth gref yn eu herbyn. Roedd drylliau gan y ddau ddyn pan gawson nhw eu harestio ac roedd yr heddlu'n honni bod y bwledi yn nryll Sacco yr un maint â'r rhai a laddodd y gwarchodwr. Er i 61 tyst ddweud iddyn nhw eu gweld, roedd gan yr amddiffyniad 107 tyst arall yn honni iddyn nhw eu gweld nhw yn rhywle arall adeg y drosedd. Er i lofrudd ar ei gyffes ei hun, Celestino Madeiros, gyfaddef wedyn mai ef gyflawnodd y drosedd, colli eu hapêl wnaeth Sacco a Vanzetti a'u dienyddio ar 23 Awst 1927.

C Cwestiynau

1 Disgrifiwch beth yw ystyr y 'Bygythiad Coch'.
2 Eglurwch pam digwyddodd cyrchoedd Palmer ym 1920.
3 Pa wybodaeth mae Ffynhonnell E yn ei rhoi am gangsters yn y 1920au?

4 YMARFER ARHOLIAD

Mae'r cwestiynau hyn yn profi Adran A y papur arholiad.

PROBLEMAU A SIALENSAU

Astudiwch Ffynonellau A – CH ac yna atebwch y cwestiynau sy'n dilyn.

FFYNHONNELL **A** Cartŵn o America, 1924.

FFYNHONNELL B

Mae tri syniad hiliol gwych y mae'n rhaid eu defnyddio i greu America gref: teyrngarwch i'r gwynion, i draddodiadau America ac i ysbryd Protestaniaeth. Rhaid cadw hil yr arloeswyr yn bur. Rhaid i'r gwynion fod drechaf nid yn America'n unig ond yn y byd i gyd. Mae'r Klan yn credu bod y Negroaid yn broblem arbennig. Rhaid i Brotestaniaid fod drechaf. Mae'r Eglwys Babyddol yn an-Americanaidd ac fel arfer yn wrth-Americanaidd.

Hiram Wesley Evans, *Imperial Wizard* y Ku Klux Klan, yn siarad ym 1924.

FFYNHONNELL C

Bu hi'n amhosibl gorfodi deddfau'r Gwaharddiad a gyflwynwyd ym 1920, a gwelwyd llawer mwy o droseddu cyfundrefnol. Roedd gwerthu alcohol anghyfreithlon yn talu'n dda iawn. Gwnaeth gangsters fel Al Capone $60,000,000 o werthu cwrw a gwirodydd mewn blwyddyn. Gan fod posib gwneud cymaint o arian, roedd mwy o frwydro rhwng y gwahanol gangiau. Roedd mwy a mwy o aelodau'r gangiau'n saethu ei gilydd ar strydoedd dinasoedd America.

Cyfieithiad o wybodaeth a gafodd ei llwytho i lawr o wefan hanes adran addysg y BBC.

FFYNHONNELL CH

Erbyn canol y 1920au roedd agweddau mwy goddefgar wedi dod yn lle agweddau cul a chyffro emosiynol y Bygythiad Comiwnyddol. Felly'n raddol llwyddodd America i adennill ei henw da am ryddid a chyfiawnder..

Addasiad o *The USA from Wilson to Nixon* (1998), gwerslyfr hanes gan Harriet Ward.

CA Cwestiynau Arholiad

1 Pa wybodaeth mae Ffynhonnell A yn ei rhoi am fewnfudo i UDA ym 1924? [3]

2 Defnyddiwch yr wybodaeth yn Ffynhonnell B, a'r hyn rydych chi'n ei wybod i egluro amcanion y Ku Klux Klan. [4]

3 Pa mor ddefnyddiol yw Ffynhonnell C fel tystiolaeth i hanesydd sy'n astudio'r problemau a achosodd y Gwaharddiad? Eglurwch eich ateb gan ddefnyddio'r ffynhonnell a'r hyn rydych chi'n ei wybod. [5]

4 Yn Ffynhonnell CH mae'r awdur yn awgrymu bod cymdeithas UDA wedi dod yn fwy goddefgar o ran ei hagwedd at broblemau fel mewnfudo, materion hiliol a chyfraith a threfn erbyn canol y 1920au. A yw hynny'n ddehongliad dilys?
Yn eich ateb dylech ddefnyddio'r hyn rydych yn ei wybod am y testun, cyfeirio at y ffynonellau eraill sy'n berthnasol yn y cwestiwn hwn, ac ystyried sut y daeth yr awdur i'r dehongliad hwn. [8]

Sut newidiodd economi America yn ystod y cyfnod hwn a pham daeth y ffyniant i ben yn sydyn ym 1929?

ECONOMI UDA YM 1910

Erbyn 1910 roedd economi UDA yn un o'r cryfaf yn y byd. Roedd potensial diwydiannol y wlad yn dechrau dod â manteision economaidd, ac wrth ddatblygu tir ffermio cyfoethog ar y Gwastadeddau Mawr sefydlwyd system amaethyddol effeithiol a blaengar. Roedd pob dosbarth cymdeithasol yn dechrau elwa ar gael lefelau cynhyrchu uwch a mwy effeithiol. Roedd mwy o archebion a mwy o alw am fwyd yn golygu bod gwaith cyson ac incwm cyson. Roedd yr economi'n ffynnu ond nid oedd pob Americanwr yn gweld dyfodol disglair o'u blaenau, er enghraifft:

- mewnfudwyr tlawd, anllythrennog yn chwilio am waith mewn dinasoedd fel Efrog Newydd
- y duon yn byw o dan y deddfau arwahanu yn y de
- Americanwyr Brodorol yn byw o dan amodau gwael ar y tiriogaethau brodorol.

EFFAITH A CHANLYNIADAU'R RHYFEL BYD CYNTAF

Oherwydd polisi ymneilltuedd (gweler tud. 124) nid oedd UDA wedi bod yn barod i ymuno â'r rhyfel a oedd wedi effeithio ar Ewrop ym 1914 ac ni wnaeth hynny tan 1917. Manteisiodd diwydiant ac amaethyddiaeth UDA ar y penderfyniad yma gan ddarparu bwyd, arfau, deunyddiau crai a nwyddau wedi'u gweithgynhyrchu i Ewrop adeg y rhyfel.

- Llwyddodd cwmnïau UDA i arwain datblygiadau technolegol fel defnyddio defnyddiau newydd fel Bakelite (plastig).
- Gyda mwy o fecanyddiaeth a datblygu technegau masgynhyrchu, roedd nwyddau UDA'n cael eu cynhyrchu'n gyflymach ac yn rhatach, felly roedden nhw'n ddeniadol a phobl Ewrop yn gallu eu fforddio.
- Byddai ffermwyr UDA yn gwerthu gweddill eu cynnyrch dros Gefnfor Iwerydd yn Ewrop.
- Benthycodd banciau cyfoethog UDA symiau anferth o arian i wledydd Ewrop er mwyn helpu ariannu eu hymdrech ryfel.
- Buddsoddodd dynion busnes a bancwyr arian mawr mewn cwmnïau yng ngorllewin Ewrop gan obeithio gwneud elw da ar ôl i'r rhyfel ddod i ben.

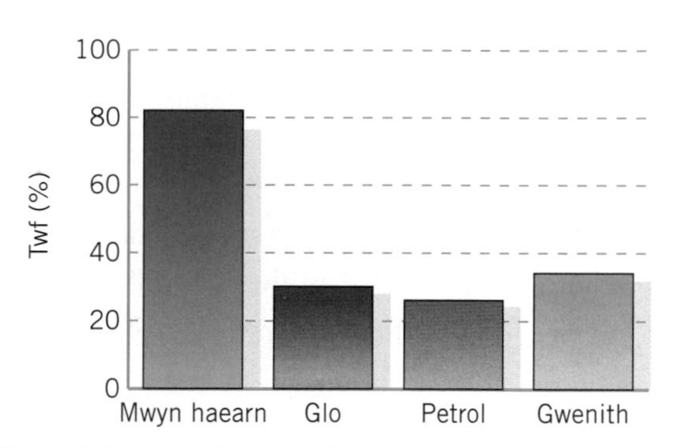

Cynnydd yn y lefelau cynhyrchu.

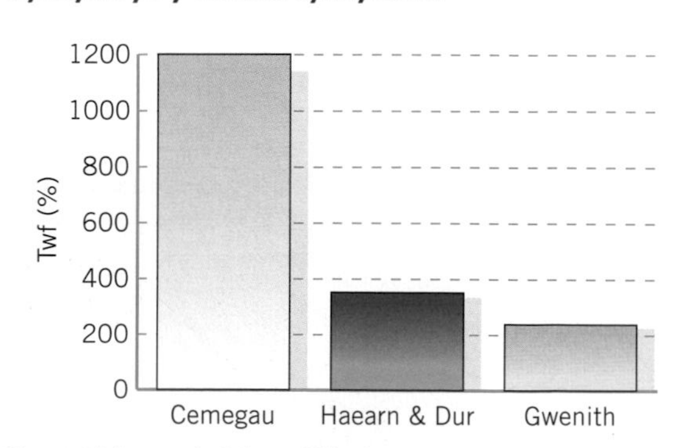

Cynnydd yn y lefelau allforio.

Cynnydd yn lefelau cynhyrchu ac allforio UDA rhwng 1914 a 1917.

Cafodd penderfyniad yr Arlywydd Wilson i anfon milwyr i Ewrop yn y pen draw effaith ar economi UDA. Yn ystod y misoedd yn union wedi gorchfygu'r Almaen ym mis Tachwedd 1918 dychwelodd nifer o'r 1 miliwn o filwyr UDA a fu'n ymladd yn Ewrop adref. Ar yr un pryd, dyma ffatrïoedd UDA, wedi cyfnod o dyfu i ymdopi â galw am gynhyrchu nwyddau rhyfel, yn dechrau diswyddo gweithwyr gan fod llai o archebion yn dod i mewn. Felly cododd diweithdra. Hefyd dechreuodd cyflogwyr wrthod galwadau am godiad cyflog, er bod costau byw wedi cynyddu'n sylweddol ers 1914, achos roedden nhw'n gwybod y gallen nhw gyflogi gweithwyr eraill pan oedd cymaint o ddiweithdra. Felly, roedd gweithwyr yn fwy anfodlon.

Yn ystod 1919 bu nifer o streiciau, yn enwedig yn y diwydiant tecstilau, dur a glo. Wrth i bwysau mewnfudo gynyddu, aeth pobl i ofni comiwnyddiaeth hefyd. Cynyddodd tensiynau hiliol hefyd gyda therfysgoedd hiliol yn nifer o ddinasoedd y gogledd. Dechreuodd dirwasgiad economaidd ym 1920; erbyn y flwyddyn ganlynol roedd dros 5 miliwn yn ddi-waith. Ond pharodd hyn ddim yn hir ac erbyn 1922 roedd yr economi'n edrych fel petai'n gwella.

C Cwestiynau

1. Defnyddiwch yr wybodaeth yn y siartiau bar ar dudalen 109 i ddisgrifio cyflwr economi UDA ym 1917.
2. Eglurwch pam bu dirwasgiad yn economi UDA yn y cyfnod 1920-2.
3. Pam mae 1919 yn cael ei galw yn 'flwyddyn o anfodlonrwydd'?

Y RHESYMAU AM FFYNIANT ECONOMAIDD Y 1920AU

O 1922 ymlaen gwelodd economi UDA ffyniant na welwyd ei debyg o'r blaen. Ar ôl iddo ddechrau, roedd y ffyniant yma'n creu ei lewyrch ei hunan; oherwydd masgynhyrchu (gweler tud. 111) daeth prisiau'n rhatach, ac felly roedd mwy o werthiant. Roedd cwmnïau'n cyflogi mwy o weithwyr a'r rheiny yn eu tro'n rhoi arian yn ôl i'r economi. Galwyd y cyfnod yma'n 'Y Dauddegau Gwyllt' *(Roaring Twenties)* oherwydd yr hyder yma a'r cyfnod hir o dwf economaidd a ddaeth wedyn. Roedd llawer o resymau dros y ffyniant yma ac yn aml roedd cysylltiad rhyngddyn nhw.

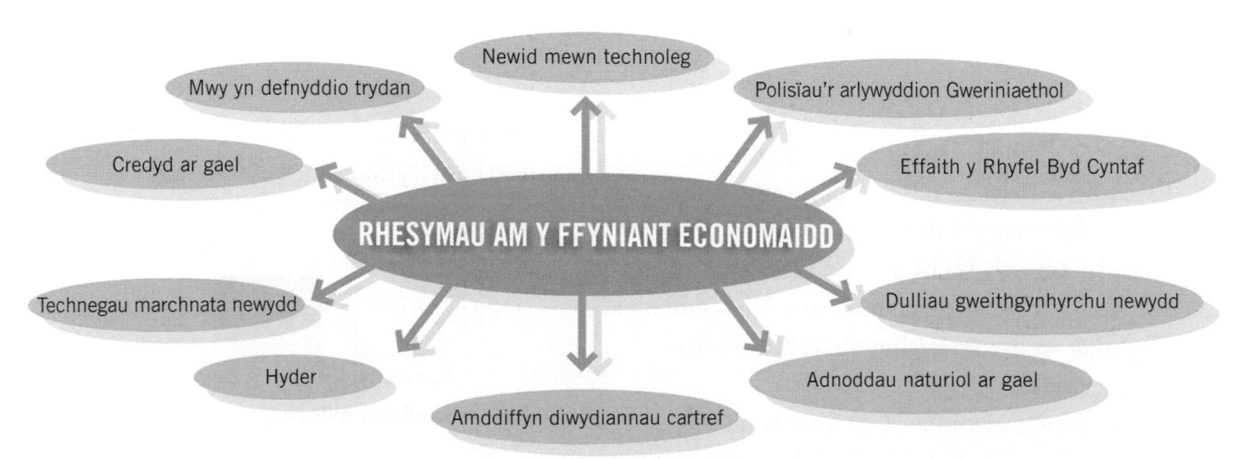

Rhesymau am y ffyniant economaidd.

Polisïau'r arlywyddion Gweriniaethol

Gweriniaethwyr oedd pob un o arlywyddion y 1920au. Eu polisi oedd peidio â gadael i'r llywodraeth ymyrryd â'r economi, neu *laissez-faire*. Rhoddodd hyn ryddid i fusnesau mawr ehangu a ffynnu heb gael eu cyfyngu gan reoliadau'r llywodraeth.

Pan ddaeth Warren Harding yn Arlywydd ym 1921, ceisiodd 'ddychwelyd at Normalrwydd'. Dilynodd bolisi o beidio ag ymyrryd, er mwyn ceisio dod â ffyniant yn ôl. Torrodd drethi i roi mwy o arian i gwmnïau ei fuddsoddi er mwyn datblygu a thyfu, ac i roi arian ym mhocedi Americanwyr cyffredin. Er mwyn amddiffyn y wlad rhag cystadleuaeth dramor cyflwynodd Ddeddf Tollau Fordney-McCumber ym 1922. Roedd hon yn rhoi treth ar nwyddau wedi eu mewnforio i'w gwneud yn ddrutach na nwyddau UDA.

Pan fu Harding farw ym 1923, daeth ei ddirprwy, Calvin Coolidge yn Arlywydd. Ei lysenw oedd 'Silent Cal', a chadwodd at yr un polisi, sef peidio ag ymyrryd â'r economi, cadw trethi'n isel a thollau'n uchel. 'Busnes yw busnes America', meddai. Ffynnodd yr economi'n well nag erioed yn ystod ei gyfnod fel arlywydd. Er nad oedd yn gwneud llawer roedd y rhan fwyaf o Americanwyr yn credu bod Coolidge yn arlywydd da ac roedd yn boblogaidd iawn.

FFYNHONNELL A

Efallai mai un o'r pethau pwysicaf wnes i yn ystod fy nghyfnod fel Arlywydd oedd peidio â busnesa.

Coolidge yn sôn am ei gyfnod fel arlywydd.

Daeth Herbert Hoover yn arlywydd ar ôl Coolidge ym 1929. Cafodd ei ethol gyda mwyafrif enfawr gan addo 'rhoi cyw iâr ym mhob crochan a char ym mhob garej'. Fel Coolidge, roedd Hoover yn credu mewn *laissez-faire*, ond hefyd mewn polisi llymach 'unigoliaeth rymus'. Ystyr hyn oedd na ddylai pobl ddisgwyl help gan y llywodraeth, ond y dylen nhw geisio datrys eu hanawsterau drwy weithio'n galed. Oherwydd hyn, collodd Hoover yr etholiad arlywyddol ym 1932.

Dulliau cynhyrchu newydd

Bu bron i dwf diwydiannol UDA ddyblu yn ystod y 1920au. Roedd y cynnydd fwyaf amlwg mewn diwydiannau newydd fel cemegion, trydan, nwyddau trydan a gweithgynhyrchu ceir. Dim ond trwy ddyfeisio technegau gweithgynhyrchu cyflymach y bu hyn yn bosibl, yn enwedig technegau masgynhyrchu, sef gweithgynhyrchu nifer fawr o nwyddau gan ddefnyddio proses fecanyddol safonol.

Ceir	**1913 =** 1 miliwn	**1929 =** 26 miliwn
Ffôn	**1915 =** 10 miliwn	**1929 =** 20 miliwn
Setiau radio	**1920 =** 60,000	**1929 =** 10 miliwn

Cynnydd yng ngwerthiant nwyddau traul, 1913-1929.

Wrth i bŵer trydan ddatblygu i yrru peiriannau ffatrïoedd, daeth hi'n bosibl defnyddio technegau masgynhyrchu mewn nifer o ddiwydiannau, er enghraifft, nwyddau trydan i'r cartref fel sugnwyr llwch, oergelloedd, peiriannau golchi a setiau radio.

Henry Ford a datblygiad y diwydiant ceir

Roedd gan Henry Ford freuddwyd syml, sef cynhyrchu car rhad y byddai Americanwyr cyffredin yn gallu ei fforddio. Hyd at y cyfnod yma, roedd ceir yn cael eu cynhyrchu mewn gweithdai bychain, gan grwpiau o ddynion yn adeiladu'r car cyfan, fesul darn. Erbyn 1913 roedd Ford wedi defnyddio llinell gydosod drydan am y tro cyntaf, i gario'r car i'w adeiladu heibio i grwpiau o weithwyr a fyddai'n gwneud un dasg yn unig. Wedi cyflwyno'r llinell gydosod, roedd car Model T yn cymryd 1 awr 33 munud i'w adeiladu yn lle 13 awr. Wrth i'r cynhyrchu gyflymu, cwympodd y prisiau. Ym 1908 roedd y Model T yn costio $850; erbyn 1925 roedd yn costio $290 yn unig, pris roedd llawer o Americanwyr yn gallu ei fforddio. Cafodd dros 15 miliwn o'r ceir hyn eu gweithgynhyrchu a'u gwerthu, y car mwyaf llwyddiannus erioed.

Gan fod y gwaith ailadroddus ar y llinell gydosod yn ddiflas, dyblodd Ford gyflogau ei weithwyr i $5 y dydd, swm anhygoel ar y pryd. Felly cododd galw'n gyffredinol gan fod y gweithwyr yn gwario cyfran fawr o'u cyflog ychwanegol ar nwyddau traul newydd, a llawer ohonyn nhw wedi eu gweithgynhyrchu gan ddefnyddio dulliau masgynhyrchu.

Twf hysbysebu a chredyd

Gan eu bod yn masgynhyrchu amrywiaeth o nwyddau traul roedd rhaid i gwmnïau hysbysebu'r nwyddau i farchnad ehangach. Gwariwyd llawer mwy o arian ar hysbysebu yn ystod y 1920au, gyda mwy o hysbysebu ar y radio ac yn y sinema.

Ymddangosodd siopau cadwyn am y tro cyntaf yn y 1920au; un o'r cadwyni mwyaf oedd J.P. Penney, gyda mwy na 1000 siop erbyn 1929. Daeth archebu drwy'r post yn ffasiynol yn y 1920au a phrynu o gatalogau hefyd. Mantais hyn oedd y gallech chi brynu nwyddau ar gredyd gan ddefnyddio hurbwrcasu. Daeth hwn yn ddull poblogaidd iawn o brynu nwyddau.

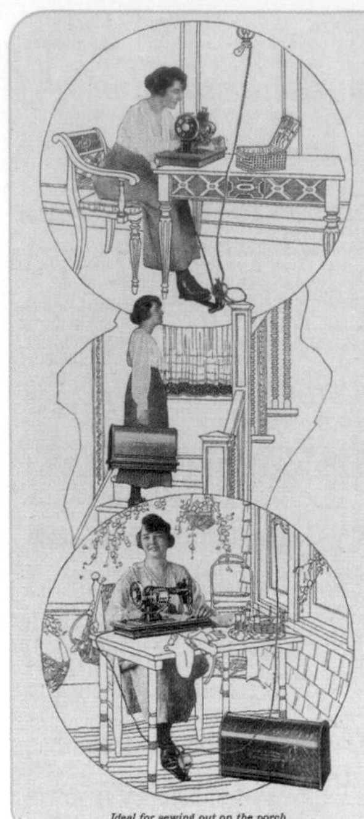

FFYNHONNELL **B** Hysbyseb o'r 1920au gan y Western Electric Company i geisio perswadio menywod i brynu'r nwydd diweddaraf i'r cartref.

Datblygiadau o ran cludiant ac adeiladu

Gan fod mwy o geir, loriau a bysiau, adeiladwyd mwy o ffyrdd a daeth hi'n haws dosbarthu a gwerthu nwyddau. Erbyn 1929 roedd nifer y ffyrdd â wyneb arnyn nhw wedi dyblu, a nifer y loriau wedi treblu i 3.5 miliwn. Defnyddiwyd awyrennau am y tro cyntaf ar gyfer teithiau sifil, gan wneud 162,000 taith y flwyddyn erbyn 1929.

Oherwydd y twf diwydiannol, daeth mwy o alw am adeiladau newydd fel ffatrïoedd, swyddfeydd a siopau. Ac wrth i'r trefi dyfu daeth galw am adeiladau cyhoeddus fel ysbytai ac ysgolion. Yn ystod y 1920au adeiladwyd nendyrau a'r corfforaethau'n cystadlu i gael y pencadlys uchaf a mwyaf mawreddog.

C Cwestiynau

1 Eglurwch pam roedd hysbysebu a chredyd yn chwarae rhan bwysig wrth ysgogi twf economaidd.

2 Pa mor bwysig oedd Henry Ford i'r datblygiadau yn y diwydiant ceir?

A GAFODD POB AMERICANWR GYFNOD O FFYNIANT?

Ni chafodd pob Americanwr flas ar y cyfoeth a'r bywyd bras a ddaeth gyda ffyniant economaidd y 1920au. Roedd dros 60 y cant o'r boblogaeth yn byw mewn tlodi.

Y ffermwyr

Gan fod llai o farchnadoedd yn Ewrop i gynnyrch America yn y 1920au, cwympodd prisiau ac roedd nifer o ffermwyr bron â mynd i'r wal. Wrth i ffermwyr geisio dod o hyd i farchnadoedd i'w cynnyrch, bu'n rhaid iddyn nhw fenthyg arian a mynd i fwy o ddyled. Aeth y rhai a gollodd eu ffermydd yn grwydriaid *(hoboes)*, yn crwydro'r wlad yn chwilio am waith.

FFYNHONNELL **C** Teulu crwydrol du yn ystod y 1920au.

Y duon

Roedd hi'n galed iawn ar y duon, yn enwedig yn nhaleithiau'r De lle roedd arwahanu'n digwydd (gweler tudalen 102). Labrwyr neu gyfran-gnydwyr (*sharecroppers*) oedd llawer ohonyn nhw ac roedden nhw'n byw mewn slymiau gan weithio oriau hir am arian bach. Doedd yr amodau ddim yn llawer gwell i'r rhai a oedd wedi symud i'r dinasoedd mawr yn y gogledd, lle roedd rhaid iddyn nhw fyw mewn getos.

Mewnfudwyr

Roedd mewnfudwyr yn llafur rhad achos eu bod yn fodlon cymryd unrhyw waith a oedd ar gael. Roedd eu cyflogau'n isel ac roedden nhw'n dioddef mwy a mwy o ragfarn a gwahaniaethu.

Hen ddiwydiannau traddodiadol

Roedd y diwydiannau newydd a oedd wedi addasu i dechnegau masgynhyrchu'n gwneud elw da ac yn gallu fforddio talu cyflogau teg, yn wahanol i'r hen ddiwydiannau traddodiadol. Oherwydd gorgynhyrchu yn y diwydiant glo, cwympodd prisiau a chollodd glowyr eu swyddi. Dirywiodd y diwydiant adeiladu llongau hefyd.

C Cwestiynau

1 Defnyddiwch Ffynhonnell C a'ch gwybodaeth eich hunan i ddisgrifio amodau byw teuluoedd du a oedd yn byw yn y dinasoedd diwydiannol.

2 Eglurwch pam nad oedd hi'n gyfnod o ffyniant i ffermwyr yn ystod y 1920au.

3 A ydy hi'n gywir dweud bod y rhan fwyaf o Americanwyr wedi elwa ar y ffyniant economaidd?

PAM DAETH Y CYFNOD O FFYNIANT I BEN YN SYDYN YM 1929?

Mae haneswyr wedi nodi nifer o resymau dros gwymp economi UDA ym 1929. Gallwn eu rhannu'n ffactorau tymor hir a thymor byr.

Ffactorau tymor hir

- **Gorgynhyrchu ym myd diwydiant**
  Erbyn diwedd y 1920au roedd gormodedd o nwyddau traul heb eu gwerthu ym marchnad y UDA. Dechreuodd y cyflenwad dyfu'n fwy na'r galw, ond wnaeth y gwneuthurwyr ddim byd i gynhyrchu llai a llifodd nwyddau i'r farchnad.
- **Gorgynhyrchu ym myd amaeth**
  Oherwydd bod technegau ffermio wedi gwella roedd mwy o gynhyrchu ac erbyn diwedd y 1920au roedd ffermwyr yn cynhyrchu gormod o fwyd. Roedd marchnadoedd Ewrop wedi ailgodi ar ôl y rhyfel, felly roedd ffermwyr UDA yn allforio llai. Nid ehangodd marchnad UDA i werthu'r gormodedd yma, felly roedd gorgynhyrchu'n digwydd. Cafodd prisiau eu torri ac aeth llawer o ffermydd i'r wal oherwydd bod mwy o gystadleuaeth.
- **Masnach**
  Erbyn diwedd y 1920au roedd UDA yn ceisio gwerthu nwyddau dros ben i wledydd Ewrop ond roedd Ewrop erbyn hyn wedi rhoi eu tollau eu hunain ar nwyddau wedi eu mewnforio. Felly roedd llai o fasnachu, a gan fod y gwledydd hyn yn brin o arian yn barod, roedd hi'n fwyfwy anodd iddyn nhw dalu eu dyledion i fanciau UDA.
- **Prisiau eiddo'n codi**
  Cododd prisiau tai'n sydyn yn ystod y 1920au cynnar, gyda gwerth tir Florida'n cynyddu'n aruthrol. Ar ôl 1926 cwympodd prisiau eiddo, felly roedd nifer o Americanwyr yn berchen tai a oedd yn werth llai o arian na'r hyn roedden nhw wedi ei dalu amdanyn nhw *(negative equity)*.
- **Llai o alw**
  Nid oedd pawb yn y gymdeithas yn UDA wedi rhannu'r cyfoeth a gafodd ei greu yn y 1920au ac roedd canran uchel o'r boblogaeth yn dal yn dlawd. Roedd llawer wedi prynu nwyddau traul newydd, ond drwy ddefnyddio'r cyfleusterau credyd a oedd ar gael. O ganlyniad, roedd llawer o bobl mewn dyled, problem y gallen nhw ei datrys dim ond o ddal ati i weithio.
- **Gormod o fanciau bach**
  Nid oedd rheoliadau tynn iawn yn y sector ariannol. Roedd gormod o fanciau bach, heb adnoddau ariannol i ymdopi â'r rhuthr i godi arian yn ystod Cwymp Wall Street ym mis Hydref 1929 (gweler tudalen 115). O ganlyniad, aeth llawer o fanciau i'r wal, gan adael eu cwsmeriaid heb arian.

Ffactorau tymor byr

- **Y farchnad stoc a hapfasnachu ar gynnydd**
  Roedd prisiau cyfranddaliadau wedi codi i lefelau afrealistig a llawer o bobl yn gobeithio gwneud arian yn gyflym. Daeth buddsoddi mewn stociau a chyfranddaliadau'n boblogaidd: roedd nifer y cyfranddalwyr wedi codi o 4 miliwn ym 1920 i 20 miliwn ym 1929.

Gan fod credyd ar gael yn rhwydd, prynodd llawer 'ar y ffin', sef benthyg arian i brynu cyfranddaliadau mewn cwmni arbennig, gan gredu y byddai'r pris yn codi eto. Roedden nhw'n gobeithio y byddai pris y cyfranddaliadau'n codi er mwyn iddyn nhw allu ad-dalu'r benthyciad a chael elw hefyd. Wrth i brisiau ddal i godi, gamblodd (hapfasnachodd) llawer gyda mwy a mwy o arian, gan fenthyg mwy o hyd.

→ Colli hyder a phrisiau'n cwympo'n sydyn: Cwymp Wall Street

Yn ystod hydref 1929 rhybuddiodd nifer o arbenigwyr ariannol y byddai prisiau'r farchnad yn newid yn fawr gan nad oedd busnesau America'n tyfu mor gyflym. Ym mis Medi dechreuodd rhai buddsoddwyr mawr werthu nifer enfawr o gyfranddaliadau achos eu bod yn poeni bod yr economi'n arafu. Felly dechreuodd pobl deimlo'n ansicr ac aeth buddsoddwyr bach i banig a rhuthro i werthu eu cyfranddaliadau. Ar 24 Hydref 1929, sef *Black Thursday*, gwerthwyd 12.8 miliwn o gyfranddaliadau. Ceisiodd grŵp o fancwyr atal y gwerthu drwy fuddsoddi $30 miliwn yn y farchnad stoc. Ond ni lwyddodd eu hymdrechion i rwystro'r farchnad stoc rhag cwympo a gwelodd nifer o fuddsoddwyr eu ffortiwn yn diflannu. Bu'r masnachu trymaf ar 29 Hydref, sef *Black Tuesday*, pan gafodd 16 miliwn o gyfrandaliadau eu gwerthu am brisiau isel iawn. Roedd y farchnad stoc wedi cwympo.

FFYNHONNELL CH

Yn hwyr neu'n hwyrach, mae cwymp yn mynd i ddod, a gallai fod yn un enfawr. Bydd ffatrïoedd yn cau, bydd dynion yn cael eu diswyddo, bydd cylch dieflig yn dechrau a'r canlyniad fydd dirwasgiad difrifol ym myd busnes.

Roger Babson, arbenigwr ariannol, yn rhybuddio ar 5 Medi 1929 bod newid mawr ar fin digwydd yn y farchnad.

CANLYNIADAU UNIONGYRCHOL CWYMP WALL STREET

Daeth y Dauddegau Gwyllt i ben yn ddramatig wrth i brisiau cyfranddaliadau gwympo. Roedd llawer o fuddsoddwyr wedi colli arian yn y cwymp ac yn methu talu eu dyledion. O ganlyniad aeth nifer o fanciau i'r wal a chollodd buddsoddwyr eu cynilion. Roedd diffyg hyder yn y system ariannol. Roedd diffyg gobaith, a rhoddodd pobl y gorau i brynu nwyddau traul fel dillad a cheir. Bu'n rhaid i gwmnïau gynhyrchu llai, diswyddo gweithwyr a thorri cyflogau. Cododd diweithdra'n sydyn dros y misoedd i ddod, a dyma ddechrau'r Dirwasgiad Mawr.

C Cwestiynau

1. Disgrifiwch beth yw ystyr prynu cyfranddaliadau 'ar y ffin'.
2. Pa mor ddefnyddiol yw'r tabl ystadegau (isod) wrth geisio deall pa mor ddifrifol oedd y cwymp economaidd?
3. Ai 'gormod o hapfasnachu' oedd y ffactor pwysicaf a achosodd y cwymp? Eglurwch eich ateb.

Cwmni	3 Medi 1929	13 Tachwedd 1929
American Can	189	86
General Electric	396	168
General Motors	182	36
Radio Corporation of America	505	28
Woolworth	251	52

Ystadegau swyddogol a gyhoeddwyd gan Gyfnewidfa Stoc Efrog Newydd, yn dangos cwymp dramatig prisiau cyfranddaliadau (mewn sentiau).

4 YMARFER ARHOLIAD

Mae'r cwestiynau hyn yn profi Adran B y papur arholiad.

ECONOMI AMERICA

Astudiwch yr wybodaeth isod ac yna atebwch y cwestiynau sy'n dilyn.

GWYBODAETH

Roedd y 1920au cynnar yn flynyddoedd o ffyniant yn UDA ac mae hyn yn cael ei adlewyrchu yn nhwf y diwydiant ceir.

CA Cwestiynau Arholiad

1 a Eglurwch beth yw ystyr polisi *laissez-faire*. [2]
b Eglurwch pam cafodd Deddf Tollau Fordney-McCumber ei chyflwyno. [4]
c Pa mor llwyddiannus oedd polisïau economaidd arlywyddion UDA erbyn 1929? [5]

2 a Disgrifiwch sut roedd hysbysebu a chredyd yn effeithio ar economi UDA yn ystod y cyfnod hwn. [3]
b Eglurwch pam y bu'r Rhyfel Byd Cyntaf o fantais i economi UDA. [4]

3 A oedd pob Americanwr yn gyfoethog yn ystod y cyfnod hwn? Eglurwch eich ateb yn llawn. [7]

Beth oedd prif nodweddion diwylliant a chymdeithas America yn ystod y cyfnod hwn?

FFWNDAMENTALIAETH GREFYDDOL AC 'ACHOS Y MWNCÏOD'

Yn ystod y cyfnod 1910-29 datblygodd rhwyg rhwng yr ardaloedd gwledig mwy ceidwadol a diwylliant dinesig modern ardaloedd trefol America. Yn yr ardaloedd gwledig, roedd nifer fawr o bobl yn dal i fynd i'r eglwysi, yn enwedig yn y de a gorllewin canolbarth UDA, ardal a gafodd ei galw'n *Bible Belt*. Yma, pasiwyd deddfau i wahardd drygioni bywyd y ddinas, fel gwahardd gwisgoedd nofio anweddus a gamblo ar y Sul. Byddai ffwndamentalwyr Cristnogol (rhai a oedd yn credu yn y Beibl, air am air) yn beirniadu ffordd o fyw fywiog ac anfoesol y dinasoedd ac yn enwedig y diwylliant *jazz* a sut roedd rhai menywod yn ymddwyn.

Ym 1925, gwaharddodd chwe thalaith, gan gynnwys Tennessee, addysgu damcaniaeth esblygiad Darwin yn yr ysgolion. Roedd awdurdodau'r taleithiau'n gwrthod damcaniaeth Darwin fod pobl, mwncïod ac epaod wedi esblygu o'r un hynafiaid dros filiynau o flynyddoedd. Anwybyddodd yr athro Bywydeg Johnny Scopes y ddeddf newydd yn fwriadol ac felly cafodd ei arestio a'i anfon i sefyll ei brawf. Cafodd yr achos ei glywed ym mis Gorffennaf 1925 ac fe'i galwyd yn 'Achos y Mwncïod'. Cafodd sylw'r wasg genedlaethol a'i ddarlledu ar y radio. Y cyfreithiwr troseddol enwog Clarence Darrow a oedd yn amddiffyn Scopes; y cyfreithiwr ffwndamentalaidd William Jennings Bryan oedd yn cyflwyno'r achos gwrth-esblygiad. Canolbwyntiodd yr achos ar y dadleuon o blaid ac yn erbyn damcaniaeth esblygiad, ac er i Darrow lwyddo i wanhau dadl y ffwndamentalwyr, cafwyd Scopes yn euog o dorri'r ddeddf wrth-esblygiad a dirwy o $100. Daeth syniadau'r ffwndamentalwyr yn destun sbort o ganlyniad i'r achos.

FFYNHONNELL 

Mae gan bobl hawl i reoli'r hyn sy'n cael ei addysgu yn eu hysgolion. Yn gam neu'n gymwys, mae llawer yn credu'n angerddol bod rhywbeth yn siglo seiliau'r wlad, o ran crefydd a moesoldeb. Rwy'n credu mai protest boblogaidd yw'r ddeddf [wrth-esblygiad] yn erbyn y duedd wrth-grefyddol mewn rhai ysgolion i ddyrchafu rhywbeth sy'n cael ei alw'n wyddoniaeth, a gwrthod y Beibl.

Cyfweliad ag Austin Peay, Llywodraethwr Tennessee, a ymddangosodd yn y *Nashville Banner* ym mis Mawrth 1925.

C Cwestiynau

1 Disgrifiwch beth yw ystyr y term ffwndamentaliaeth Gristnogol.

2 Pa wrthwynebiad fuodd i ymgyrch Johnny Scopes i addysgu damcaniaeth Darwin?

DATBLYGIAD Y SINEMA FUD

Daeth y sinema'n boblogaidd ar ôl y Rhyfel Byd Cyntaf; erbyn diwedd y 1920au, dyma'r brif ffurf ar adloniant. Roedd sinema ym mhob tref fechan, a llawer o Americanwyr yn mynd yno sawl gwaith yr wythnos am fod prisiau'n rhad. Hyd at 1927 roedd pob ffilm yn fud, a chyfeiliant piano oedd yr unig sŵn.

g EFFAITH SÊR Y FFILMIAU

Clara Bow (1905–65)

FFYNHONNELL **B** Clara Bow.

Daeth Clara Bow yn un o sêr benywaidd encwocaf y ffilmiau mud. Ei ffilm fwyaf llwyddiannus oedd *It*, lle chwaraeodd ran *flapper* hardd. Cafodd ei bywyd oddi ar y llwyfan lawer o sylw, ac yn y pen draw gwnaeth y storïau am ei phartïon gwyllt a'i charwriaethau ddrwg i'w henw da.

Rudolph Valentino (1895–1926)

Ymddangosodd mewn 14 prif ffilm ac ef oedd sêr gwrywaidd disgleiriaf Hollywood. Gwnaeth ei enw fel carwr rhamantus gydag apêl rywiol gref. Roedd mor boblogaidd fel y bu tipyn o derfysg pan fu farw'n sydyn a rhai dilynwyr yn lladd eu hunain.

Charlie Chaplin (1889–1977)

Byddai ganddo bob amser ddelwedd debyg i dramp, gyda mwstas cul, het bowler, siwt lac a ffon roedd e'n ei throelli. Ymddangosodd mewn dwsinau o ffilmiau mud gan symud ymlaen yn llwyddiannus i'r ffilmiau siarad. Oherwydd ei safbwyntiau gwleidyddol asgell chwith symudodd o UDA i'r Swistir ym 1952.

Datblygodd Hollywood yn ganolfan y diwydiant ffilmiau a dechreuodd gynhyrchu ffilmiau cowbois, storïau ditectif, chwedlau rhamantus a chomedïau slapstic. Sefydlodd cwmnïau fel Paramount, Warner Brothers ac MGM eu stiwdios yno, a thrwy farchnata a hysbysebu'n helaeth, llwyddon nhw i greu diddordeb yn sêr eu ffilmiau. Roedd pawb eisiau darllen amdanyn nhw mewn cylchgronau a daethon nhw'n symbol o ffasiynau a ffordd o fyw newydd y Dauddegau Gwyllt.

Ond nid oedd pawb yn croesawu hyn, ac roedd beirniaid yn dadlau bod y ffilmiau'n gywilyddus ac yn gostwng safonau moesol. Roedd hanesion am fywydau preifat rhai o sêr y ffilmiau'n cryfhau'r dadleuon hyn. Er mwyn tawelu'r feirniadaeth, ceisiodd Hollywood ei reoli ei hun drwy bennu rheolau caeth ynglŷn â'r hyn a allai gael ei ddangos ar y sgrin.

Pan ryddhawyd *The Jazz Singer* gydag Al Jolson yn y brif ran ym 1927, dechreuodd cyfnod y ffilmiau siarad, neu'r *talkies* a daeth y sinema'n fwy poblogaidd fyth. Y flwyddyn ganlynol dechreuodd Hollywood gyflwyno gwobrwyo, sef yr Oscars.

C Cwestiwn

1 Pa mor bwysig oedd y sinema ym mywyd cymdeithasol a diwylliannol UDA?

STATWS MENYWOD YN NEWID

Cyn y Rhyfel Byd Cyntaf nid oedd llawer o fenywod yn dilyn gyrfa. Roedd arferion cymdeithasol yn cyfyngu ar eu ffordd o fyw, a bywydau cysgodol oedd gan fenywod dosbarth canol ac uwch. Yn fwy na dim, nid oedd hawl gan fenywod i bleidleisio.

FFYNHONNELL **C**

Ychydig o reolau sydd heblaw am y rhai a fyddai'n berthnasol i unrhyw ferch o deulu da. Tra bydd hi yn y coleg, mae disgwyl iddi fod â *chaperone* yn ei gwarchod mewn unrhyw adloniant yn Boston, neu mewn gêm bêl-droed yn Harvard, neu mewn te prynhawn, yn union fel y byddai'n gwneud petai hi gartref gyda'i theulu ei hun.

Erthygl yn *Wellesley College Magazine* yn disgrifio'r ymddygiad a oedd i'w ddisgwyl gan ferched a oedd yn fyfyrwyr yn y sefydliad yn Boston cyn y rhyfel.

Hawl i bleidleisio

Rhoddodd y Rhyfel Byd Cyntaf gyfle i ferched fynd i'r gweithle a gwneud gwaith roedd dynion yn arfer ei wneud. Gan fod merched wedi gwneud cyfraniad i'r ymdrech ryfel roedd hi'n anodd gwrthod pan oedden nhw'n hawlio cydraddoldeb gwleidyddol. O ganlyniad daeth y Pedwerydd Gwelliant ar Bymtheg yn ddeddf ym 1920, gan roi'r hawl i ferched bleidleisio.

FFYNHONNELL **CH** Dwy *flapper* ar eu beiciau modur yn ystod y 1920au. Roedd pobl yn cael sioc o weld y fath beth.

Flappers

Yn ystod y 1920au dechreuodd merched iau y dosbarthiadau canol ac uwch fyw bywydau mwy rhydd. *Flappers* oedd yr enw ar ferched a fyddai'n gwisgo'r ffasiwn newydd, sef sgertiau byr a ffrogiau heb lewys, gyda cholur a phersawr, mynd allan ar eu pennau eu hunain gyda'u cariadon, yfed diodydd *bootleg*, ysmygu'n gyhoeddus ac yn gyrru ceir a beiciau modur. Bydden nhw'n mynd i bartïon yn y neuaddau dawns a chlybiau *jazz* newydd, ac yn mwynhau'r dawnsfeydd newydd fel y *Charleston* neu'n mynd i'r sinema. Gan fod ganddynt fwy o amser hamdden a rhyddid, ymunodd llawer â'r mudiad ffeministaidd a oedd ar gynnydd yn UDA.

Ond nid oedd pob merch yn mwynhau ffordd y *flappers* o fyw. Nid oedd menywod tlawd yn gallu fforddio'r ffasiynau newydd ac nid oedd ganddynt amser i fynychu digwyddiadau cymdeithasol. Yn y dinasoedd roedd y *flappers* gan fwyaf: roedd hi'n fwy anodd i ferched ifanc yn yr ardaloedd mwy gwledig a cheidwadol dorri'n rhydd o'r gwerthoedd a'r syniadau traddodiadol. Roedd llawer o'r to hŷn yn wyllt gacwn a ffurfiodd rhai y Gynghrair yn erbyn Fflyrtio; ond roedden nhw'n brwydro yn erbyn ysbryd yr oes.

C Cwestiynau

1 Disgrifiwch beth yw ystyr y term *flapper*.

2 Pa wybodaeth mae Ffynhonnell C yn ei rhoi am ffordd o fyw merched dosbarth canol ac uwch cyn y Rhyfel Byd Cyntaf?

3 Pa mor bwysig oedd y Rhyfel Byd Cyntaf wrth newid ffordd o fyw rhai merched yn America?

Datblygiad jazz

Datblygodd *jazz* o ffurfiau traddodiadol ar gerddoriaeth y duon fel y *blues* a *ragtime* a ddaeth yn wreiddiol o daleithiau'r de. Erbyn dechrau'r 1920au roedd *jazz* yn cael ei chwarae yn y clybiau a'r *speakeasies* newydd. Y cerddorion eu hunain oedd yr unig dduon a oedd yn cael mynd i lawer o'r clybiau hyn. Daeth Bessie Smith yn un o gantorion *blues* enwocaf y cyfnod a chafodd y teitl 'Ymerodres y Blues'. Bu farw'n drasig ar ôl damwain car, wedi i ysbyty i'r gwynion yn unig wrthod rhoi triniaeth iddi.

Clybiau a dawnsio

Yn lle dawnsiau araf, ffurfiol y blynyddoedd cyn y rhyfel, daeth dawnsiau mwy rhywiol awgrymog fel y *jives*, a dawnsfeydd rhythmig fel y *Charleston* a'r *Black Bottom*. Roedd llawer o'r to hŷn yn feirniadol o'r clybiau ac yn beio *jazz* am wneud i safonau moesol ddirywio.

Y radio a'r gramoffon

Erbyn diwedd y 1920au, y radio oedd y ffurf fwyaf poblogaidd ar adloniant, gan gyrraedd dros 50 miliwn o bobl. Oherwydd hyn tyfodd hysbysebu i ariannu rhaglenni radio. Roedd pobl yn gyffredinol yn gwybod mwy am yr hyn oedd yn digwydd yn wleidyddol ac yn gymdeithasol: nid oedd rhaid i bobl allu darllen nawr i wybod beth oedd y newyddion. Gan fod *jazz* mor boblogaidd tyfodd gwerthiant recordiau yn ystod y degawd hwn, ac felly daeth y gramoffon yn boblogaidd dros ben.

Ffasiynau, chwiwiau ac addoli arwyr

Roedd y 1920au yn gyfnod o ffasiynau a chwiwiau. Roedd y rhain yn amrywio o ddyn o'r enw Shipwreck Kelly a fuodd yn sefyll ar ben polyn baneri am 23 diwrnod a 7 awr i'r chwiw llai dramatig o wneud croeseiriau. Ymledodd y dawnsiau *jazz* newydd drwy'r wlad a chynhaliwyd marathonau dawnsio. Daeth cystadlaethau harddwch yn boblogaidd, ac, am gyfnod byr, cystadlaethau bwyta pysgod aur!

g LOUIS ARMSTRONG (1900–71)

Magwyd Louis Armstrong yn New Orleans, lle dechreuodd *jazz*. Roedd ganddo dalent unigryw i chwarae'r cornet a'r utgorn. Ym 1919 cafodd ei swydd lawn-amser gyntaf fel cerddor, yn chwarae ar gychod afon Mississippi, a daeth yn enw mawr yn y byd adloniant gyda'i lais dwfn unigryw.

FFYNHONNELL D *The Creole Jazz Band*, gyda Louis Armstrong yn penlinio.

FFYNHONNELL **DD** Y peilot Charles Lindbergh a dorrodd record hedfan â'i awyren *The Spirit of St Louis*.

Roedd chwilio am arwyr yn symbol o ysbryd yr oes a daeth enwogion i'r amlwg ym myd chwaraeon a'r sinema, gan ddod yn arwyr a denu ffans a chefnogwyr ffyddlon. Charles Lindbergh oedd y peilot cyntaf i hedfan yn ddi-dor o Efrog Newydd i Baris ar 20-21 Mai 1927. Cymerodd y daith 33 awr, 39 munud: doedd dim radio gan yr awyren *The Spirit of St Louis* ac nid oedd map na pharasiwt gan ei pheilot. Dyma antur a daniodd ddychymyg pawb yn America, ac roedd yn arwr pan ddychwelodd i Efrog Newydd. Flwyddyn yn ddiweddarach, gwnaeth Amelia Earhart, un o'r merched cyntaf i hedfan, daith ddi-dor debyg ar draws Cefnfor Iwerydd.

Effaith y car

Cafodd y car effaith fawr ar fywyd economaidd a chymdeithasol UDA. Tyfodd diwydiannau eraill fel dur, olew, gwydr plât a rwber, adeiladwyd ffyrdd newydd a daeth swyddi ym maes gwasanaethau fel garejys, motelau a thai bwyta minffordd. Daeth teithio a chyfathrebu'n haws a chafodd miliynau o Americanwyr ryddid i fwynhau'r hamddena newydd, er enghraifft, mynd i'r sinema, y stadiwm chwaraeon neu'r neuadd ddawns.

FFYNHONNELL **E**

Nid oes modd gorbwysleisio effaith y car ar fywyd yn UDA. Rhoddodd ryddid mawr i bobl deithio, pa un ai i ymweld â ffrindiau neu i fynd am ddiwrnod i'r ddinas. Symudodd llawer o bobl i fyw i'r maestrefi yn ystod y 1920au oherwydd gallen nhw yrru i'r gwaith. Gallai pobl ifanc ddianc yn y car oddi wrth eu rhieni a mynd i sinemâu a chlybiau. Nid oedd pawb o blaid y car: credai rhai ei fod yn arwain at ddirywiad moesol ymhlith pobl ifanc; roedd eraill yn ei feio am wneud troseddu'n haws.

Hanesydd modern yn dweud sut helpodd y car i newid cymdeithas UDA yn ystod y 1920au.

C Cwestiynau

1. Disgrifiwch beth oedd yn gwneud dawnsiau'r 1920au mor boblogaidd.
2. Eglurwch pam gafodd y car gymaint o effaith ar ffordd o fyw Americanwyr cyffredin.
3. A roddodd pob Americanwr groeso i'r Oes *Jazz* gan gymryd rhan yn ei diwylliant? Eglurwch eich ateb.

DATBLYGIADAU MEWN CHWARAEON

Mwy o chwaraeon wedi trefnu

Yn ystod y blynyddoedd ar ôl y Rhyfel Byd Cyntaf roedd mwy o amser rhydd gan bobl, ac arian hefyd, ar gyfer gweithgareddau hamdden. Datblygodd chwaraeon wedi'u trefnu yn y cyfnod yma, yn enwedig pêl fas, bocsio, tennis a golff. Roedd digwyddiadau'n gallu cael eu darlledu'n fyw ar draws UDA ar y radio. Daeth chwaraeon yn fusnes proffidiol gan ddenu mwy a mwy o bobl.

FFYNHONNELL F

Cwympodd America mewn cariad â chwaraeon wedi'u trefnu yn ystod y *Roaring Twenties*. Daeth sêr chwaraeon yn arwyr i'r Americanwyr. Roedd oriau gwaith yn newid, ac roedd mwy o amser hamdden gan fwy o Americanwyr. Gallen nhw fynd i'r parciau chwarae pêl fas neu wrando ar gêmau ar y radio. Hefyd gallen nhw gymryd rhan mewn chwaraeon eu hunain. Pan ddaeth y Rhyfel Byd Cyntaf i ben, ychydig iawn o gyrtiau tennis neu gyrsiau golff oedd yn y wlad. Erbyn diwedd y 20au roedd cyrsiau golff a chyrtiau tennis yn ymddangos ym mhobman. Roedd yr Americanwyr wrthi'n chwarae.

O werslyfr Americanaidd, a gyhoeddwyd ym 1999

Arwyr y maes chwarae

Dadansoddwyd gêmau a chanlyniadau a thrafodwyd technegau'r chwaraewyr. Felly datblygodd cwlt arwyr y byd chwaraeon.

- Seren focsio enwocaf y genedl oedd Jack Dempsey, a ddaeth yn bencampwr pwysau trwm y byd ym 1919. Collodd y teitl i Gene Tunney ym 1926 gyda dros 120,000 yn gwylio'r ornest yn Philadelphia.
- Bill Tilden oedd chwaraewr tennis gorau'r byd gydol y 1920au, a 'Red' Grange o Brifysgol Illinois oedd y prif chwaraewr pêl-droed Americanaidd.
- Gertrude Ederle oedd y ferch gyntaf i nofio ar draws Culfor Dover. Torrodd record y dynion ym mis Awst 1926.

C Cwestiynau

1 Defnyddiwch yr wybodaeth yn Ffynhonnell F a'ch gwybodaeth eich hunan i egluro pam daeth chwaraeon mor boblogaidd yn ystod y *Roaring Twenties.*

2 I ba raddau datblygodd Americanwyr ddiddordeb mawr yn arwyr y byd chwaraeon yn ystod y 1920au?

g 'BABE' RUTH (1895–1948)

Mae rhai'n credu mai 'Babe' Ruth oedd y chwaraewr pêl fas gorau a welodd America erioed. Dechreuodd chwarae ym 1914 fel taflwr pêl a daeth yn ergydiwr gorau'r gêm hefyd. Cafodd ei dymor gorau ym 1927 pan lwyddodd i daro 60 rhediad cartref, a oedd yn record tan 1961. Sefydlodd record o 714 rhediad cartref dros ei gyfnod fel chwaraewr, ac oherwydd ei allu arbennig fel taflwr pêl, enillodd yr Yankees bedair pencampwr-iaeth y byd. Oherwydd 'Babe' Ruth, pêl fas oedd y gamp fwyaf poblogaidd yn UDA rhwng y ddau ryfel. Ymddeolodd o'r gêm ym 1935 ac yntau'n seren enwocaf meysydd chwarae UDA.

FFYNHONNELL FF

'Babe' Ruth wrth ei grefft.

4 YMARFER ARHOLIAD

Mae'r cwestiynau hyn yn profi Adran B y papur arholiad.

DIWYLLIANT A CHYMDEITHAS AMERICA

Astudiwch yr wybodaeth isod ac yna atebwch y cwestiynau sy'n dilyn.

GWYBODAETH

Bu newid mawr yn UDA yn ystod y cyfnod 1910-29. Roedd ffilmiau a cherddoriaeth yn adlewyrchu'r newidiadau hyn, gan gynnwys mwy o ryddid i ferched.

CA Cwestiynau Arholiad

1 a Disgrifiwch ddiwydiant ffilmiau UDA yn ystod y cyfnod hwn. [2]
  b Eglurwch pam roedd Americanwyr yn gallu mwynhau diwylliant poblogaidd yn ystod y cyfnod hwn. [4]
  c Pa mor llwyddiannus oedd ffwndamentalwyr crefyddol wrth geisio cadw gafael ar gredoau a gwerthoedd traddodiadol UDA? [5]

2 a Disgrifiwch sut effeithiodd y radio ar fywydau Americanwyr. [3]
  b Eglurwch pam roedd y diwylliant *jazz* newydd mor boblogaidd ymhlith Americanwyr ifanc. [4]

3 A wellodd bywyd pob merch yn UDA yn ystod y cyfnod 1910-29? Eglurwch eich ateb yn llawn. [7]

Pam ymunodd yr Unol Daleithiau â'r Rhyfel Byd Cyntaf a beth oedd prif nodweddion polisi tramor UDA yn y blynyddoedd wedi'r rhyfel?

POLISI TRAMOR UDA YM 1910: 'YMNEILLTUEDD'

Roedd arlywyddion y cyfnod wedi'r rhyfel cartref yn y 1860au wedi dilyn polisi tramor a luniodd yr Arlywydd James Monroe ym 1823. Yn ôl y polisi hwn, Egwyddor Monroe, ni fyddai UDA yn ymyrryd â materion cartref gwledydd eraill, ac felly roedd yn disgwyl na fyddai gwledydd eraill yn ymyrryd â materion cartref UDA. Felly, datgysylltodd UDA ei hun oddi wrth faterion gweddill y byd gan weithredu polisi ymneilltuedd.

Erbyn 1910 roedd UDA wedi datblygu'n un o bwerau diwydiannol cryfaf y byd. Oherwydd ei chyfoeth economaidd, roedd rhaid iddi fasnachu â gwledydd eraill. Felly roedd hi'n amhosibl cadw at bolisi ymneilltuedd yn llwyr ac ym 1887 rhoddwyd llongau yn 'Pearl Harbor' yn Hawaii i gryfhau llynges UDA yn y Cefnfor Tawel. Eto, ceisiodd UDA beidio ag ymuno ag unrhyw gynghrair gan anwybyddu'r anghytuno rhwng gwledydd Ewrop.

UDA A'R RHYFEL BYD CYNTAF

Pan ddechreuodd y rhyfel yn Ewrop ym 1914 cafodd pobl America sioc ac roedd pawb eisiau aros yn niwtral, yn enwedig gan fod UDA yn masnachu â nifer o'r gwledydd a oedd yn rhyfela. Dywedodd yr Arlywydd Woodrow Wilson fod hwn yn rhyfel 'nad oes ganddo ddim i'w wneud â ni, ac na all y rhesymau drosto effeithio arnon ni', a cheisiodd drafod heddwch rhwng y ddwy ochr, ond heb lwyddiant.

Eto ym 1917 ymunodd UDA â'r rhyfel ar ochr pwerau'r Gynghrair, Prydain a Ffrainc.

FFYNHONNELL 

Rhaid i'r Unol Daleithiau fod yn niwtral mewn gweithred ac mewn enw yn ystod y dyddiau anodd hyn. Rhaid i ni fod yn ddiduedd o ran meddwl a gweithred.

Barn yr Arlywydd Wilson ym mis Awst 1914.

Rhoi'r gorau i fod yn niwtral

Mae haneswyr wedi nodi nifer o resymau i egluro pam ymunodd UDA â'r rhyfel.

- **Llongau tanfor yr Almaen yn suddo llongau UDA**
  Yn nyddiau cynnar y rhyfel lansiodd yr Almaen ymgyrch llongau tanfor *(U-Boote)* i darfu ar fasnach UDA ag Ewrop. Rhwng 1915 a 1917 ymosododd *U-Boote* yr Almaen ar longau, polisi a newidiodd farn pobl America yn raddol yn erbyn bod yn niwtral. Digwyddodd yr achos mwyaf difrifol ar 7 Mai 1915 pan gafodd llong deithwyr, *The Lusitania*, a oedd yn hwylio o Efrog Newydd i Lerpwl, ei tharo oddi ar arfordir de Iwerddon gan ladd 1198 o bobl, 128 ohonyn nhw'n Americanwyr. Protestiodd Wilson i'r Almaen, ac wedyn bu llai o ymosodiadau. Ond ym mis Ionawr 1917 cyhoeddodd yr Almaen ei bod yn bwriadu ailddechrau defnyddio *U-Boote* o ddifrif. Suddwyd nifer o longau yn ystod mis Chwefror a mis Mawrth ac ymateb Wilson oedd torri cysylltiadau diplomyddol â'r Almaen. Ond nid oedd Cyngres UDA yn barod i fynd i ryfel o hyd.

→ **Telegram Zimmerman**

Ym mis Ionawr 1917 cafodd gwasanaethau cudd Prydain afael ar delegram mewn cod wedi'i anfon gan weinidog tramor yr Almaen, Alfred Zimmerman, at lysgennad yr Almaen yn Mexico. Roedd yn dangos bod yr Almaen yn ceisio annog Mexico i dynnu sylw America o'r digwyddiadau yn Ewrop drwy ymladd rhyfel yn erbyn UDA. Yn gyfnewid am hyn gallai adennill tiroedd yn Texas, New Mexico a Arizona a gollwyd i UDA yn y 1840au. Roedd America wedi cyrraedd pen ei thennyn ac ar 6 Ebrill 1917 pleidleisiodd America i gyhoeddi rhyfel yn erbyn yr Almaen.

FFYNHONNELL **B**

Rydyn ni'n bwriadu dechrau rhyfela o ddifrif gyda'n llongau tanfor ar y cyntaf o Chwefror. Byddwn yn ceisio cadw Unol Daleithiau America'n niwtral. Os na fydd hynny'n llwyddo, byddwn yn cynnig creu cynghrair â Mexico fel hyn: rhyfela gyda'n gilydd, creu heddwch gyda'n gilydd, cefnogaeth ariannol hael a'n bod yn cytuno y bydd Mexico'n ailennill y tiriogaeth a gollodd yn Texas, New Mexico ac Arizona …
Arwyddwyd: Zimmerman.

Telegram Zimmerman.

UDA yn rhyfela: y ffrynt cartref

Daeth llywodraeth UDA yn fwy pwerus yn ystod y rhyfel wrth geisio trefnu'r wlad er mwyn rhyfela:

→ Cafodd Bwrdd Diwydiannau Rhyfel ei sefydlu i reoli cynhyrchu cyflenwadau.

→ Cafodd Adran Gweinyddu Bwyd ei chreu i reoli cynhyrchu bwyd. Byddai pobl yn gwirfoddoli i gael 'Dydd Llun di-wenith' a 'Dydd Mawrth di-gig' er mwyn arbed bwydydd hanfodol. Cafodd pobl eu hannog i blannu 'gerddi buddugoliaeth'.

"All the News That's Fit to Print."

The New York Times.

LUSITANIA SUNK BY A SUBMARINE, PROBABLY 1,000 DEAD; TWICE TORPEDOED OFF IRISH COAST; SINKS IN 15 MINUTES; AMERICANS ABOARD INCLUDED VANDERBILT AND FROHMAN; WASHINGTON BELIEVES THAT A GRAVE CRISIS IS AT HAND

FFYNHONNELL **C** Adroddiad am suddo *The Lusitania* yn *The New York Times*.

→ Daeth Deddf Gwasanaethau Dethol Mai 1917 â chonsgripsiwn, ac wrth i'r dynion ymrestru, aeth menywod i gymryd eu lle mewn ffatrïoedd, melinau, pyllau a ffermydd.

→ Codwyd trethi i dalu am y rhyfel a gofynnwyd i'r cyhoedd ddangos eu gwladgarwch drwy brynu Bondiau Rhyddid.

Cyflwynwyd mesurau i sicrhau bod pawb yn cefnogi'r ymdrech ryfel:

→ Byddai'r Pwyllgor Gwybodaeth Gyhoeddus, a sefydlwyd yn union wedi cyhoeddi rhyfel, yn defnyddio propaganda i ennyn casineb yn erbyn yr Almaen a'i Kaiser (ymerawdwr).

→ Nid oedd hawl gan ysgolion ddysgu Almaeneg.

→ Oherwydd Deddf Ysbïo Mehefin 1917 roedd hi'n anghyfreithlon i rwystro recriwtio neu annog diffyg teyrngarwch. Cyflwynodd Deddf Annog Gwrthryfel Mai 1918 gosbau llym am feirniadu'r llywodraeth neu'r lluoedd arfog. Cafodd dros 1500 o bobl eu carcharu o dan y ddwy Ddeddf hon.

UDA yn rhyfela: ymladd yn Ewrop

Ymunodd UDA y rhyfel yn Ewrop ar adeg dyngedfennol i'r Cynghreiriaid gan fod eu milwyr bron ag ymlâdd ac yn isel eu hysbryd. Wedi i'r tsar gael ei ddisodli yn ystod y Chwyldro Bolsieficaidd, roedd Lenin wedi tynnu Rwsia o'r rhyfel ym mis Mawrth 1918 ac felly nid oedd ail ffrynt gan y Cynghreiriaid i dynnu sylw milwyr yr Almaen. Felly symudodd dros 1 miliwn o filwyr yr Almaen o Ffrynt y Dwyrain i ymladd yn erbyn y Cynghreiriaid yn y gorllewin. Yn ystod yr un mis lansiodd yr Almaenwyr Ymosodiad Ludendorff ar hyd Ffrynt y Gorllewin, er mwyn ceisio meddiannu Paris cyn i luoedd America gyrraedd.

I ddechrau roedd Ymosodiad Ludendorff yn llwyddiannus, ond ar ôl i filwyr ac arfau UDA gyrraedd, arafodd pethau gan helpu troi'r rhyfel o blaid y Cynghreiriaid. Ar y môr, bu llongau cymdaith UDA yn helpu i amddiffyn llongau rhag ymosodiadau'r *U-Boote* ac felly ni lwyddodd yr Almaen i rwystro cyflenwadau hanfodol rhag cyrraedd Prydain. Erbyn mis Tachwedd 1918 roedd dros filiwn o filwyr UDA wedi croesi Cefnfor yr Iwerydd. Roedd llu'r Gynghrair bellach yn ddigon cryf i orfodi'r Almaenwyr i gytuno i gael cadoediad ar 11 Tachwedd 1918, felly daeth yr ymladd ar Ffrynt y Gorllewin i ben.

FFYNHONNELL **CH** Poster propaganda yn galw ar ddynion i ymuno â byddin America. Nid oedd yn llwyddiannus iawn, felly bu'n rhaid consgriptio dynion i'r lluoedd arfog.

C Cwestiynau

1. Disgrifiwch Egwyddor Monroe.
2. Defnyddiwch yr wybodaeth yn Ffynhonnell B a'ch gwybodaeth eich hunan i egluro pam ymunodd America â'r rhyfel ym 1917.
3. Pa mor bwysig oedd cyfraniad lluoedd UDA wrth ennill y frwydr ar Ffrynt y Gorllewin? Eglurwch eich ateb.

WILSON A'R YMDRECH I GAEL HEDDWCH CYFIAWN

Oherwydd y Rhyfel Byd Cyntaf, bu mwy o farwolaeth a difrod nag erioed o'r blaen. Anfonodd llywodraeth UDA dros 5 miliwn o Americanwyr i ryfel: o'r rhain lladdwyd 53,513 ar faes y gad ac anafwyd 204,002. Nid oedd Wilson yn cytuno ag arweinwyr eraill y Gynghrair ynglŷn â sut dylai'r Almaen gael ei thrin ar ôl y rhyfel. Roedd Prydain a Ffrainc eisiau dial, yn enwedig y Ffrancod a oedd wedi dioddef fwyaf. Nid oedd Wilson eisiau i'r Almaen gael ei thrin yn rhy lym, a cheisiodd gael 'heddwch cyfiawn'.

g WOODROW WILSON (1856–1924)

FFYNHONNELL D

Woodrow Wilson.

Bu Wilson, a oedd yn Ddemocrat, yn Arlywydd rhwng 1913 a 1921. Credai fod angen i UDA ledaenu egwyddorion rhyddfrydiaeth, democratiaeth a chyfalafiaeth. Llwyddodd i gadw UDA allan o'r rhyfel tan 1917 a chwaraeodd ran bwysig yn nhrafodaethau heddwch 1919-20. Chwalodd ei freuddwyd o gael heddwch i'r dyfodol pan wrthododd y Gyngres adael i UDA ymuno â Chynghrair y Cenhedloedd. Cafodd strôc ym 1919 a gadawodd ei swydd wedi ei siomi, ar ôl sylweddoli nad oedd pobl UDA yn rhannu ei freuddwyd. Enillodd Wobr Heddwch Nobel ym 1919.

Delfrydwr oedd Wilson ac ym mis Rhagfyr 1918 ei obaith oedd y byddai ei Bedwar Pwynt ar Ddeg yn sail i drafod y cytundebau heddwch unigol ar gyfer yr Almaen, Awstria-Hwngari, Bwlgaria a Thwrci. Oherwydd bod anghytuno ynglŷn â'r gosb i'w rhoi, bu'n rhaid i Wilson aberthu llawer o'i bwyntiau, ond llwyddodd i gael ei brif syniad, sef Cynghrair y Cenhedloedd, wedi ei gynnwys yng Nghytundeb Versailles.

GWRTHWYNEBIAD I WILSON

Pan ddychwelodd i UDA, roedd mwy a mwy o wrthwynebiad i Wilson wrth iddo geisio cael y Gyngres i gadarnhau Cytundeb Versailles ac ymuno â Chynghrair y Cenhedloedd. Oherwydd profiadau'r Rhyfel Byd Cyntaf, roedd llawer o Americanwyr eisiau mynd yn ôl at eu polisi traddodiadol, sef ymneilltuedd.

g PEDWAR PWYNT AR DDEG WILSON

1. Diplomyddiaeth agored yn hytrach na chytundebau cyfrinachol
2. Rhyddid ar y môr
3. Masnach rydd rhwng y gwledydd
4. Lleihau arfau
5. Rhaid rhoi hawl i'r trefedigaethau benderfynu eu dyfodol
6. Rhaid i'r Almaenwyr adael tiriogaeth Rwsia
7. Rhaid i wlad Belg fod yn rhydd ac annibynnol
8. Dychwelyd Alsace-Lorraine i Ffrainc
9. Newid ffiniau'r Eidal yn ôl cenedl
10. Hawl i bobl Awstria-Hwngari benderfynu drostyn nhw eu hunain
11. Rhaid i Romania, Serbia a Montenegro fod yn rhydd ac annibynnol
12. Hawl i bobl yr Ymerodraeth Dwrcaidd benderfynu drostyn nhw eu hunain
13. Rhaid i Wlad Pwyl fod yn annibynnol gyda mynediad i'r Môr Baltig
14. Sefydlu Cynghrair y Cenhedloedd i ddatrys anghytuno rhwng gwledydd

Bwriad pwyntiau 1 i 4 oedd ymdrin ag achosion y Rhyfel Byd Cyntaf; mae pwyntiau 5 i 13 yn dangos sut credai Wilson fod gan bobl hawl i benderfynu eu dyfodol eu hunain; bwriad pwynt 14 oedd sicrhau heddwch i'r dyfodol drwy gael gwledydd i gydweithredu.

REAR VIEW.

—Orr in the Chicago *Tribune*.

FFYNHONNELL DD Cartŵn o'r UDA, 1920. Mae Arlywydd Wilson yn arwain cân o'r enw 'Everlasting Peace' i Japan, Lloegr, Ffrainc, yr Eidal ac 'Wncwl Sam'.

C Cwestiynau

1 Eglurwch beth yw ystyr hunan-benderfynu.
2 Eglurwch pam nad ymunodd UDA â Chynghrair y Cenhedloedd.

A YMNEILLTUODD UDA YN LLWYR YN YSTOD Y 1920AU?

Er bod Harding a'i olynydd, Coolidge, yn credu mai rhan economaidd, nid gwleidyddol oedd gan UDA i'w chwarae, roedd nifer o bethau'n tynnu UDA i ymwneud â materion y byd.

Arweiniodd y Seneddwr Henry Cabot Lodge, cadeirydd Pwyllgor Cysylltiadau Tramor y Senedd, a Gweriniaethwr ymgyrch i wrthod ymaelodi â'r Gynghrair. Lluniodd 14 pwynt i wrthwynebu hyn, sef Gwrthwynebiadau Lodge. Ei ddadl oedd mai'r Gyngres, nid y Gynghrair oedd i benderfynu a ddylai America fynd i ryfel, ac y byddai ymaelodi'n groes i'r polisi traddodiadol o fod yn niwtral. Roedd rhaid i'r Gyngres gytuno er mwyn i UDA ymuno â'r Gynghrair ac ar 19 Mawrth 1920 pleidleisiodd yn erbyn arwyddo Cytundeb Versailles ac yn erbyn ymaelodi â'r Gynghrair.

Ar ôl etholiad arlywyddol 1920, addawodd yr arlywydd newydd, y Gweriniaethwr Warren Harding, y byddai'n dychwelyd at bolisi ymneilltuedd. Yn ei anerchiad cyntaf cadarnhaodd y newid cyfeiriad hwn drwy ddweud: 'Nid ydym yn bwriadu penderfynu ar ffawd gwledydd y byd.'

Iawndal a dyledion rhyfel

O ganlyniad i'r Rhyfel Byd Cyntaf, roedd ar wledydd Ewrop ddyledion o dros $22 biliwn i UDA. Roedd benthyciadau UDA wedi helpu gwledydd Ewrop i dalu am gostau enfawr y rhyfel, ond gan fod y rhyfel wedi gwanhau economïau Ewrop, datblygodd drwgdeimlad am fod UDA yn mynnu cael yr arian yn ôl. Hefyd, roedd gallu'r Cynghreiriaid i dalu UDA yn dibynnu ar allu'r Almaen i dalu ei dyledion rhyfel i'r Cynghreiriaid. Pan fethodd yr Almaen dalu, trefnodd UDA gynhadledd o dan arweiniad Charles Dawes, banciwr o Chicago. Wedi'r gynhadledd cynigiodd Cynllun Dawes 1924 fod yr Almaen yn talu llai bob blwyddyn, fod mwy o amser i dalu a bod UDA yn benthyg mwy i'r Almaen. Bum mlynedd yn ddiweddarach rhoddodd Cynllun Young hawl i'r Almaen dalu'n ôl dros gyfnod hirach o 59 mlynedd.

Diarfogi a chadw'r heddwch

Roedd y Gweriniaethwyr yn hoffi'r syniad o ddiarfogi, gan ei fod yn ffordd o dorri ar wario milwrol a gostwng trethi. Roedd yr Arlywydd Harding hefyd yn poeni am fod llynges Japan yn cryfhau yn y Cefnfor Tawel, ac am fod y Japaneaid yn symud i mewn i China. Felly noddodd Gynhadledd Diarfogi Washington ym 1921-2 lle arwyddwyd tri chytundeb:

- **Cytundeb y Pum Pŵer, 1921**
  Cytunodd UDA, Prydain, Japan a Ffrainc a'r Eidal i gyfyngu ar faint y llynges.
- **Cytundeb y Pedwar Pŵer, 1921**
  Cytunodd UDA, Prydain, Japan a Ffrainc i gydnabod hawliau eraill yn y Dwyrain Pell a'r Cefnfor Tawel.
- **Cytundeb y Naw Pŵer, 1922**
  Cytunodd pwerau'r Cefnfor Tawel i barchu annibyniaeth China.

Llwyddodd y Gynhadledd i arafu'r ras arfau am ychydig flynyddoedd. Ym 1927 mynychodd UDA Gynhadledd Genefa i drafod cysylltiadau rhyngwladol. Ym 1928 arwyddodd Arlywydd Ffrainc, Aristide Briand, ac Ysgrifennydd Gwladol UDA, Frank Kellogg, gytundeb lle cytunodd y pwerau mawr i beidio â rhyfela â'i gilydd. Yn y pen draw arwyddwyd Cytundeb Kellog-Briand gan 62 gwlad a gytunodd i beidio â datrys anghydfod drwy ryfela, ond nid oedd modd gorfodi'r penderfyniad hwn.

C Cwestiynau

1. Eglurwch bwysigrwydd Cynlluniau Dawes a Young.
2. Eglurwch pam roedd UDA yn awyddus i drefnu Cynhadledd Washington ym 1921.
3. I ba raddau roedd polisi tramor UDA wedi ei seilio ar ymneilltuedd ar ôl y Rhyfel Byd Cyntaf?

4 YMARFER ARHOLIAD

Mae'r cwestiynau hyn yn profi Adran A y papur arholiad.

POLISI TRAMOR: RHYFEL AC YMNEILLTUEDD

Astudiwch Ffynonellau A-CH ac yna atebwch y cwestiynau sy'n dilyn.

FFYNHONNELL A

Carŵn Prydeinig am y problemau roedd dyledion rhyfel yn eu hachosi i wledydd Ewrop yn y 1920au. 'Uncle Sam' yw'r ffigwr ar y chwith gyda'r sêr a'r streipiau, yn cynrychioli UDA.

FFYNHONNELL **B**

Rwy'n gwrthwynebu'n chwyrn fod UDA yn cytuno i gael ei rheoli gan Gynghrair a allai gael ei thynnu i ryfeloedd mewn gwledydd eraill. Yr Unol Daleithiau'n unig a all anfon milwyr America i ryfel, a neb arall. Mudiad gwleidyddol yn bennaf yw'r Gynghrair hon. Rwyf am gyfyngu'n llwyr ar ein hymwneud â materion Ewropeaidd.

Y Seneddwr Henry Cabot Lodge, Cadeirydd Pwyllgor Cysylltiadau Tramor y Senedd, yn gwrthwynebu Cytundeb Versailles yn Senedd UDA.

FFYNHONNELL **CH**

Ar ôl i Harding ddod yn Arlywydd ym 1921, ac o dan Coolidge ym 1923 a Hoover ym 1929, bu'r Unol Daleithiau'n ymwneud â materion gwledydd eraill. Gan fod ei heconomi mor bwysig i ffyniant y byd i gyd, ni allai gwlad mor gyfoethog ag America ei datgysylltu ei hun oddi wrth bob gwlad arall mewn gwirionedd.

John Vick, hanesydd modern, mewn gwerslyfr i ysgolion, *Modern America* (1985).

FFYNHONNELL **C** Cartŵn a gyhoeddwyd yn rhifyn 10 Rhagfyr 1919 y cylchgrawn dychanol Prydeinig *Punch*. 'Uncle Sam' yw'r ffigwr sy'n pwyso ar y conglfaen gydag 'USA' arni.

CA Cwestiynau arholiad

1 Pa wybodaeth mae Ffynhonnell A yn ei rhoi am UDA a phroblem dyledion rhyfel? [3]

2 Defnyddiwch yr wybodaeth yn Ffynhonnell B a'r hyn rydych chi'n ei wybod i egluro pam roedd rhai Americanwyr yn erbyn Cytundeb Versailles. [4]

3 Pa mor ddefnyddiol yw Ffynhonnell C fel tystiolaeth i hanesydd sy'n astudio polisi tramor UDA? Eglurwch eich ateb gan ddefnyddio'r ffynhonnell a'r hyn rydych chi'n ei wybod. [5]

4 Yn Ffynhonnell CH mae'r awdur yn dweud na ddilynodd UDA bolisi ymneilltuedd yn ystod y 1920au. A yw hynny'n ddehongliad dilys?
Yn eich ateb dylech ddefnyddio'r hyn rydych yn ei wybod am y testun, cyfeirio at y ffynonellau eraill sy'n berthnasol yn y cwestiwn hwn, ac ystyried sut y daeth yr awdur i'r dehongliad hwn. [8]

5 YR ALMAEN, 1919-45

Collodd yr Almaen y Rhyfel Byd Cyntaf ym 1918. Roedd yr economi wedi mynd i'r gwellt, roedd y Kaiser wedi ildio ac roedd cynnwrf wrth i grwpiau gwleidyddol ymladd am rym. Sefydlwyd llywodraeth Weimar ar ôl y rhyfel ond aeth i drafferthion mewn dim amser. Roedd y llywodraeth yn amhoblogaidd am iddi dderbyn telerau llym Cytundeb Versailles. Erbyn 1923 nid oedd yr Almaen yn gallu talu'r iawndaliadau ac roedd y sefyllfa ariannol yn drychinebus.

O dan arweiniad Gustav Stresemann, cynyddodd economi a hyder yr Almaen yn ystod canol y 1920au. Bu'r Almaen yn talu ei dyledion rhyfel gyda help benthyciadau o UDA a gwellodd yr economi. Gwellodd cysylltiadau â gwledydd tramor. Ffynnodd y celfyddydau a diwylliant hefyd yn ystod cyfnod Weimar. Ond gan fod yr Almaen yn dibynnu ar fenthyciadau UDA, gwaethygodd economi'r Almaen yn gyflym eto pan gwympodd marchnad stoc UDA ym mis Hydref 1929.

Daeth Plaid y Natsïaid yn fwyfwy poblogaidd ar ôl i'r economi syrthio ym 1929. Erbyn 1933 hi oedd y blaid wleidyddol fwyaf yn yr Almaen a'i harweinydd, Adolf Hitler, yn Ganghellor. Aeth Hitler ati'n syth i droi'r Almaen yn wladwriaeth un blaid. O dan reolaeth y Natsïaid, gwellodd economi'r Almaen, adenillwyd tiroedd a gollwyd yn Versailles, a daeth lluoedd milwrol yr Almaen yn gryf eto – ond roedd pris uchel i'w dalu. Gorfododd y Natsïaid eu credoau ar bobl yr Almaen ar draul eu rhyddid personol. Cafodd y rhai a oedd yn gwrthwynebu cyfundrefn y Natsïaid eu carcharu a'u dienyddio; cafodd pobl o hilion roedd y Natsïaid yn eu hystyried yn israddol – Iddewon, Slafiaid a sipsiwn – eu trin fel dinasyddion eilradd ac ar ôl 1942, lladdwyd nhw drwy gynllun yr Ateb Terfynol.

Oherwydd cynlluniau ymosodol Hitler i wneud yr Almaen yn 'fawr' eto, dechreuodd yr Ail Ryfel Byd ym 1939. Erbyn 1945 roedd y wlad wedi colli rhyfel arall, ac yn dioddef yn ariannol ac yn wleidyddol.

LLINELL AMSER DIGWYDDIADAU

1918	Y Kaiser yn ildio
1919	Cytundeb Versailles
1923	Milwyr Ffrainc a Gwlad Belg yn mynd i ardal y Ruhr *Putsch* München (Munich)
1926	Yr Almaen yn ymuno â Chynghrair y Cenhedloedd
1929	Stresemann yn marw a Chwymp Wall Street
1933	Ionawr: Penodi Hitler yn Ganghellor Chwefror: Tân y Reichstag Mawrth: Y Ddeddf Alluogi Gorffennaf: Creu gwladwriaeth un blaid
1934	Mehefin: Noson y Cyllyll Hirion Awst: Arlywydd Hindenburg yn marw; Hitler yn dod yn Führer
1935	Deddfau Nürnberg yn cymryd dinasyddiaeth Almaenig oddi ar Iddewon
1938	*Kristallnacht*
1939	Yr Almaen yn ymosod ar Wlad Pwyl
1941	Ymgyrch Barbarossa: Yr Almaen yn ymosod ar Rwsia
1942	Cynhadledd Wannsee yn trafod yr Ateb Terfynol
1945	Ebrill: Hunanladdiad Hitler Mai: Y Drydedd Reich yn cael ei threchu a hithau'n ildio

Pa mor llwyddiannus fu Gweriniaeth Weimar wrth fynd i'r afael â'i phroblemau yn ystod y cyfnod 1919-1929?

DIWEDD Y RHYFEL BYD CYNTAF A SEFYDLU GWERINIAETH WEIMAR

Ym 1917, ar ôl i'r Rwsiaid dynnu allan o'r rhyfel, symudodd yr Almaen y rhan fwyaf o'i lluoedd i'r gorllewin. Bwriad ymosodiad Ludendorff oedd torri drwy linellau'r Cynghreiriaid ar Ffrynt y Gorllewin ond methodd, ac wedi i luoedd UDA gyrraedd roedd yr Almaen yn fwy tebygol o gael ei threchu. Erbyn 1918 roedd pobl yr Almaen yn dioddef caledi a newyn. Cafwyd llawer o streiciau a phrotestiadau. Ar 3 Tachwedd meddiannodd morwyr a milwyr ganolfan llynges yn Kiel ac o fewn wythnos roedd cynghorau gweithwyr wedi cymryd rheolaeth dros nifer o ddinasoedd, gan gynnwys Hamburg, Hannover a Berlin. Roedd Kaiser Wilhelm yn colli rheolaeth ac aeth ef a'r cadfridogion ati'n gyfrwys iawn i honni mai'r llywodraeth oedd yn gyfrifol am golli'r rhyfel.

FFYNHONNELL A

Berlin, gyda'r nos, 9 Tachwedd 1918. Dyma ni yng nghanol terfysg chwyldro mawr. Y tu allan mae tyrfaoedd o bobl gynhyrfus yn mynd a dod o hyd. Mae lorïau mawr milwrol yn gwthio'u ffordd drwodd, yn llawn morwyr a milwyr yn chwifio baneri coch ac yn gweiddi'n groch, er mwyn ceisio annog y streicwyr i ddefnyddio trais.

Adroddiad llygad-dyst o'r trais ar strydoedd Berlin.

Ar 9 Tachwedd 1918 ildiodd y Kaiser ei goron a ffoi i'r Iseldiroedd. Sefydlwyd llywodraeth dros dro o dan arweiniad Friedrich Ebert a chyhoeddwyd gweriniaeth newydd. Ar 11 Tachwedd cytunodd y llywodraeth newydd i arwyddo cadoediad i ddod â'r Rhyfel Byd Cyntaf i ben.

Cyfansoddiad Weimar

Roedd cyfansoddiad Weimar yn un o'r rhai mwyaf democrataidd yn Ewrop. Etholwyd y Reichstag (senedd) newydd gan ddynion a menywod dros 20. Roedd y pleidiau gwleidyddol yn ennill seddi drwy ddefnyddio cynrychiolaeth gyfrannol. Felly roedd pleidiau'n ennill seddi yn ôl nifer y bobl a oedd wedi pleidleisio i'r blaid. Anfantais y system hon oedd mai llywodraethau clymblaid fyddai'n cael eu creu, gan nad oedd un blaid byth yn ennill mwyafrif dros bawb yn y Reichstag. Yn ystod 14 blynedd Gweriniaeth Weimar, bu naw etholiad, dau y flwyddyn yn ystod 1924 a 1932. Oherwydd hyn roedd y llywodraeth yn wan ac yn aml yn ansefydlog.

Roedd arlywydd yn ben ar y Weriniaeth, yn cael ei ethol am dymor o saith mlynedd. Roedd cryn gyfrifoldeb gan yr arlywydd. Os oedd argyfwng gallai ddefnyddio Erthygl 48 y cyfansoddiad i gyhoeddi 'stad o argyfwng' a rheoli drwy Ordinhad yr Arlywydd. Roedd hyn yn golygu bod yr Arlywydd yn gallu pasio deddfau heb sêl bendith y llywodraeth. Defnyddiwyd Erthygl 48 gan yr Arlywydd Hindenburg ar ôl 1930.

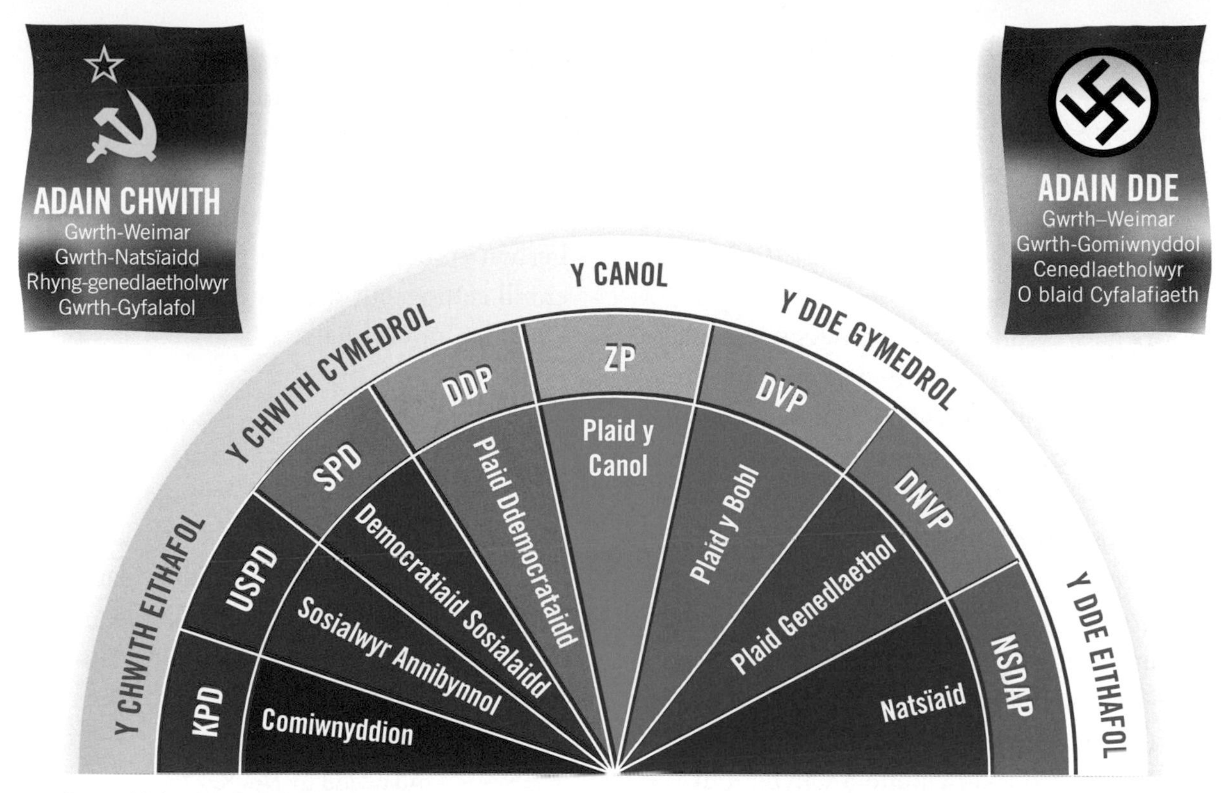

Cynrychiolaeth wleidyddol o fewn Gweriniaeth Weimar.

Canghellor wedi ei benodi gan yr Arlywydd oedd pennaeth y llywodraeth. Tan i Hitler gael ei benodi, roedd cangellorion Weimar yn dod o bleidiau cymedrol ar y cyfan, ond roedden nhw'n rheoli dros bleidiau eithafol y comiwnyddion a'r Natsïaid. Roedd y pleidiau eithafol hyn yn gwrthwynebu Weimar a'u bwriad oedd dinistrio'r weriniaeth. Yn ystod dechrau'r 1920au cawson nhw gefnogaeth ond yn ystod y blynyddoedd mwy sefydlog wedyn roedd hi'n anodd iddyn nhw ennill pleidleisiau. Daeth eu cyfle pan aeth pethau'n draed moch yn yr Almaen wedi Cwymp Wall Street ym 1929.

Roedd grwpiau ceidwadol fel y fyddin hefyd yn gwrthwynebu Gweriniaeth Weimar am ei bod yn well ganddyn nhw weld y Kaiser yn rheoli. Roedd y gwasanaeth sifil yn rhwystro pethau drwy arafu diwygiadau'r llywodraeth, ac roedd y farnwriaeth (y system gyfreithiol) yn dangos tuedd o blaid grwpiau adain dde.

C Cwestiynau

1 Pa wybodaeth y mae Ffynhonnell A yn ei rhoi ynglŷn ag amodau yn Berlin ym mis Tachwedd 1918?

2 Disgrifiwch gryfderau a gwendidau cyfansoddiad Weimar.

CYSYLLTIADAU RHYNGWLADOL

Gwrthwynebu Cytundeb Versailles

Nid oedd propaganda'r Almaen wedi paratoi ei phobl ar gyfer colli'r rhyfel ac ildio ym mis Tachwedd 1918. Felly roedd y gwleidyddion a gytunodd i'r cadoediad yn cael eu galw'n 'droseddwyr mis Tachwedd'.

Aeth y si ar led yn gyflym fod y llywodraeth sifil wedi rhoi 'cyllell yng nghefn' byddin yr Almaen pan allai fod wedi dal ati ac ennill y rhyfel, ac aeth pobl yn wyllt gacwn wedi i Gytundeb Versailles gael ei arwyddo ar 28 Mehefin 1919.

Roedd y cytundeb yn cynnwys 440 cymal. Roedd pobl yn arswydo o glywed telerau'r cytundeb. Roedd Cymal 231 yn arbennig o amhoblogaidd, sef cymal euogrwydd rhyfel, oherwydd bod rhaid i'r Almaen dderbyn cyfrifoldeb llawn dros achosi'r rhyfel a chytuno i dalu £6600 miliwn o iawndal am y difrod. Tynnwyd 13 y cant o dir y wlad oddi arni, a chollodd ei diogelwch oherwydd y cyfyngiadau milwrol. Ar ben hynny cafodd yr Almaen ei gwahardd rhag ymuno â Chynghrair y Cenhedloedd.

Felly roedd y cymalau anffafriol hyn yn ychwanegu at broblemau llywodraeth newydd Weimar. Roedd y cytundeb yn cryfhau achos gwrthwynebwyr Weimar. Yn ddiweddarach bu'r drwgdeimlad yn ei herbyn yn help i Hitler a'r Natsïaid ennill cefnogaeth wleidyddol drwy addo y bydden nhw'n dial.

FFYNHONNELL B

Yn union wedi ei arwyddo [y cytundeb heddwch] roedd ymateb ffyrnig yn y wasg Almaenig ac anobaith ymysg y bobl. Daeth teimlad o ddiflastod dros Berlin ... Roedd trais torfol difrifol yn amlwg, yn enwedig yn Berlin a Hamburg, gydol yr wythnos pan arwyddwyd y cytundeb heddwch.

Adroddiad o'r *New York Times* ym mis Gorffennaf 1919.

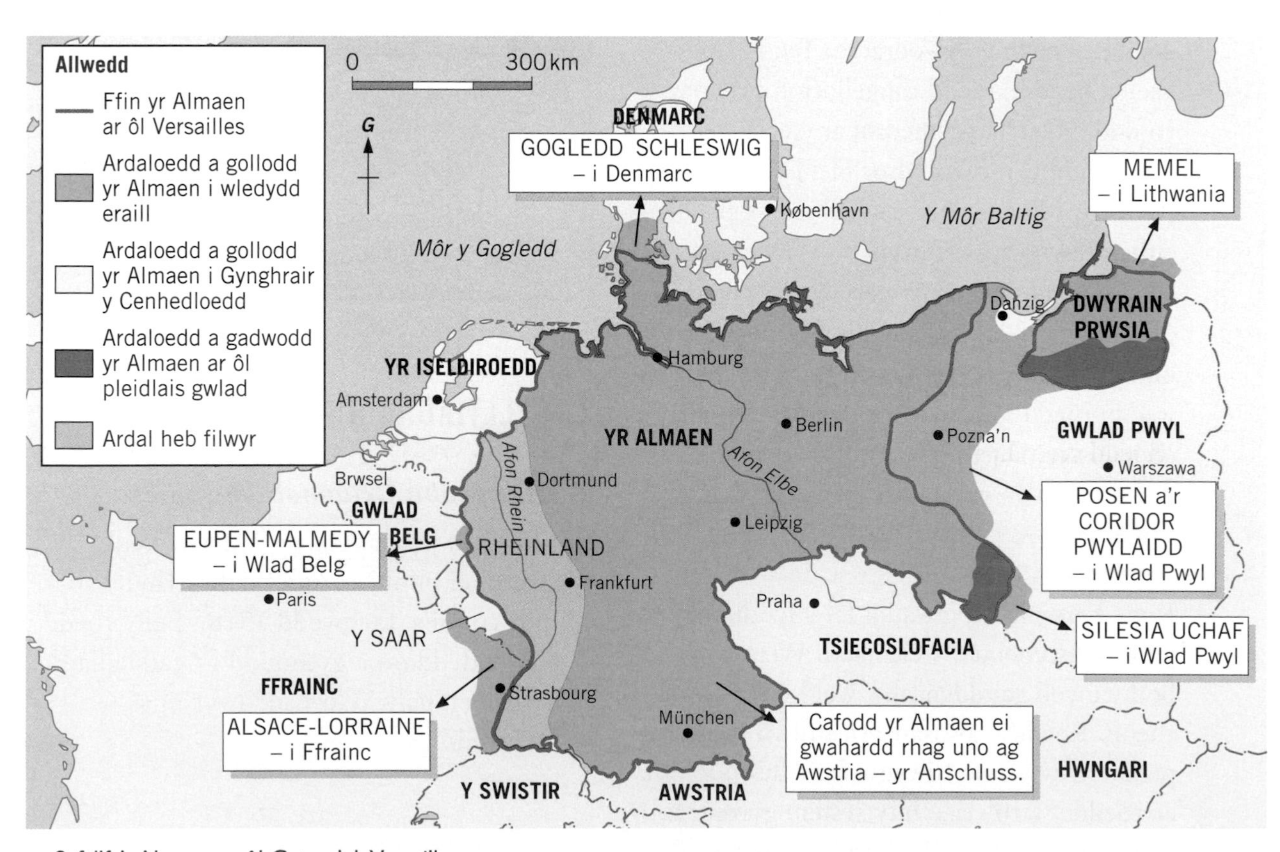

Sefyllfa'r Almaen ar ôl Cytundeb Versailles.

PROBLEMAU MEWNOL

Gwrthryfel y Spartacistiaid

Ar 5 Ionawr 1919 dechreuodd Cynghrair Spartacws (comiwnyddion) *putsch* (gwrthryfel) arfog yn Berlin, i geisio dwyn grym oddi wrth yr Arlywydd Ebert. Llwyddon nhw i gael rheolaeth ar rai swyddfeydd papur newydd ond galwodd Ebert ar y *Freikorps* (milwyr Ffasgaidd) i dawelu'r gwrthryfel, a gwnaethon nhw hynny'n ddidrugaredd. Erbyn 13 Ionawr roedd *putsch* y Spartacistiaid wedi ei chwalu a'r ddau arweinydd, Rosa Luxemburg a Karl Liebknecht, wedi cael eu llofruddio. Dangosodd y *putsch* pa mor ansefydlog oedd y sefyllfa wleidyddol roedd rhaid i'r weriniaeth newydd ei hwynebu.

Eithafwyr gwleidyddol yn herio

Ym mis Mawrth 1920 cafodd y *Freikorps*, a oedd newydd gael ei ffurfio, ei ddefnyddio gan eithafwyr asgell dde i ddechrau gwrthryfel arfog yn Berlin. Arweinydd y *putsch* oedd Dr Wolfgang Kapp a phan alwodd Ebert ar y fyddin i dawelu'r gwrthryfel, gwrthododd y milwyr saethu'r *Freikorps*. Yn y diwedd, daeth y gwrthryfel i ben ar ôl pedwar diwrnod yn unig, ar ôl i weithwyr Berlin arwain streic gyffredinol mewn ymateb i apêl y llywodraeth am gefnogaeth. Dyma Kapp, gyda'i gynorthwywr y Cadfridog von Luttwitz, yn ffoi i Sweden.

Roedd cryn dipyn o drais gwleidyddol yn ystod blynyddoedd cynnar y weriniaeth. Rhwng 1919 a 1923 digwyddodd 354 llofruddiaeth wleidyddol yn yr Almaen.

Putsch *München*

Roedd aelodau o blaid fechan asgell dde eithafol o'r enw Plaid y Natsïaid yn wyllt gandryll oherwydd effaith gorchwyddiant a'r ffaith fod ardal y Ruhr wedi ei meddiannu. Ym mis Tachwedd 1923 aethon nhw ati i geisio cipio grym ym mhrifddinas talaith Bayern (Bafaria), sef München (Munich).

Sefydlwyd Plaid y Natsïaid ym mis Ionawr 1919 gan Anton Drexler, gan roi'r enw Plaid Gweithwyr yr Almaen arni. Ar ddiwedd y rhyfel cafodd Adolf Hitler swydd fel asiant i'r llywodraeth a'i waith oedd darganfod pa mor deyrngar oedd y pleidiau niferus a ddaeth i'r amlwg wedi'r rhyfel. Ym mis Medi 1919 mynychodd un o gyfarfodydd plaid Drexler mewn seler gwrw yn München. Cafodd flas ar y cyfarfod a'i wahodd i ymuno. Sylwodd pobl yn fuan fod ganddo ddawn trefnu ac ym 1920 daeth yn gyfrifol am beiriant propaganda'r blaid.

Erbyn 1921 roedd Hitler wedi disodli Drexler fel arweinydd. Newidiodd enw'r blaid i Plaid Genedlaethol Sosialaidd Gweithwyr yr Almaen (NSDAP) a datblygodd symbol newydd, y swastica. Bu'n meithrin criw o gynfilwyr y *Freikorps* a'r dynion hyn oedd cnewyllyn y *Sturmabteilung* (SA). Enw arall arnyn nhw oedd 'stormfilwyr' neu 'crysau brown' a'u harweinydd oedd Ernst Röhm. Erbyn hydref 1923 teimlai Hitler fod ei blaid yn ddigon cryf i geisio cael grym.

Ar 8 Tachwedd 1923, gyda chefnogaeth 600 o stormfilwyr, torrodd Hitler ar draws cyfarfod cyhoeddus yn neuadd gwrw Bürgerbrau yn München, lle roedd Gustav von Kahr, prif weinidog Bayern yn annerch. Ei nod oedd amharu ar y cyfarfod a pherswadio Kahr i ymuno ag ef i gipio grym llywodraeth y dalaith. Gyda dryll yn pwyntio at ei ben, ni allai Kahr wneud dim ond cytuno i gymryd rhan; ond ar ôl i Hitler ymadael dywedodd wrth awdurdodau'r heddlu am y cynllun. Arestiwyd Ludendorff ond llwyddodd Hitler i ddianc, er iddo gael ei ddal ddau ddiwrnod yn ddiweddarach. Cawson nhw eu rhoi ar brawf. Cafwyd Ludendorff yn ddieuog ond cafwyd Hitler yn euog o frad a'i anfon i garchar am bum mlynedd, ond am naw mis yn unig y bu yno.

C Cwestiynau

1. Sut roedd telerau Cytundeb Versailles yn creu problemau i lywodraeth newydd Gweriniaeth Weimar?
2. Pa mor llwyddiannus oedd y Natsïaid wrth geisio cipio grym yn München ym mis Tachwedd 1923?
3. Pa mor llwyddiannus oedd ymgais y Spartacistiaid i ennill grym ym mis Ionawr 1919?

CWYMP AC ADFERIAD YR ECONOMI

Cwymp economaidd, 1923; iawndaliadau a gorchwyddiant

Ym 1921 penderfynwyd o'r diwedd mai £6600 miliwn fyddai iawndaliadau yr Almaen i'w talu'n ôl fesul £100 miliwn y flwyddyn. Llwyddodd y llywodraeth i dalu'r tro cyntaf ym 1921 ond methon nhw'r flwyddyn ganlynol. Roedd y Ffrancod yn ddig am fod angen yr arian arnyn nhw i helpu i dalu UDA am eu dyledion rhyfel. Erbyn Ionawr 1923 roedden nhw wedi colli amynedd. Gan gredu bod yr Almaenwyr yn osgoi talu'n fwriadol, dyma filwyr Ffrainc a Gwlad Belg yn martsio i ardal y Ruhr i gymryd y nwyddau roedd eu hangen yn iawndal. Ardal y Ruhr oedd prif ganolfan ddiwydiannol yr Almaen, ac ymateb gweithwyr ledled yr Almaen oedd mynd ar streic. Roedd yr Almaenwyr i gyd yn casáu'r Ffrancod a'r Belgiaid a galwodd y llywodraeth am bolisi 'gwrthsefyll di-drais' yn erbyn y milwyr. Ond, roedd rhaid i'r llywodraeth dalu'r streicwyr o hyd a'r cyfan a wnaethon nhw oedd argraffu mwy o arian. Achosodd hyn i chwyddiant godi ac erbyn mis Ebrill 1923 roedd y llywodraeth yn gwario saith gwaith yn fwy nag oedd yn ei dderbyn mewn incwm. Felly cafwyd gorchwyddiant: cwympodd gwerth y marc, arian yr Almaen, yn gyflym nes ei fod yn ddi-werth.

Roedd prisiau'n codi mor gyflym fel bod gweithwyr yn cael eu talu ddwywaith y dydd. Bydden nhw'n mynd â berfa neu gês dillad i'r gwaith i gario'r arian adref. Byddai siopwyr yn defnyddio cistiau te i ddal arian diwrnod. Roedd y sefyllfa'n arbennig o wael i'r rhai ar incwm sefydlog, fel pensiynwyr. Collwyd cynilion oes gyfan mewn diwrnod. Dechreuodd rhai Almaenwyr droi at y pleidiau gwrth-Weimar am ateb.

1918	0.63 marc
1922	163 marc
Ionawr 1923	250 marc
Gorffennaf 1923	3,465 marc
Hydref 1923	1,512,000 marc
Tachwedd 1923	201,000,000 marc

Pris bara'n codi 1918-23.

Adferiad yr economi o dan Stresemann

Erbyn hydref 1923 roedd economi'r Almaen mewn sefyllfa druenus. Gustav Stresemann a fu'n bennaf gyfrifol am ei adfer. Un o'r pethau cyntaf a wnaeth Stresemann oedd dod ag arian newydd, y Rentenmark, yn lle'r marc. Bu'n trafod Cynllun Dawes ag UDA ym 1924, ac er na chafodd cyfanswm yr iawndaliadau ei ostwng, cawson nhw eu haildrefnu fel bod yr Almaen yn talu'r hyn roedd hi'n gallu ei fforddio yn ôl. Er mwyn ailgynnau'r economi, roedd y cynllun yn cynnwys caniatáu ar gyfer cyfraniadau arian parod ar ffurf benthyciadau o UDA.

Erbyn 1930 roedd UDA wedi rhoi dros $3000 miliwn i'r Almaen. Roedd llai o ddiweithdra a dechreuodd pyllau glo, gweithfeydd dur a ffatrïoedd ffynnu unwaith eto. Ym 1925 bu Stresemann yn trafod i gael byddinoedd Ffrainc a Gwlad Belg i adael ardal y Ruhr.

Roedd llai o gefnogaeth i'r pleidiau eithafol. Yn etholiad mis Mai 1924 enillodd y Natsïaid 32 sedd ond cwympodd hyn i 14 yn etholiad mis Rhagfyr 1924, ac ym 1928 dim ond 12 sedd oedd ganddyn nhw. Roedd llai o gefnogaeth i'r comiwnyddion hefyd.

Wrth i'r sefyllfa wleidyddol sefydlogi, cafwyd adfywiad diwylliannol yn yr Almaen a datblygodd Berlin yn brifddinas pleser Ewrop. Heidiodd awduron, cerddorion ac artistiaid i Berlin, a daeth cymdeithasu mewn caffis a chlybiau'n agwedd bwysig ar fywyd yn y ddinas. Ychydig o sensoriaeth oedd yno ac roedd rhyddid i artistiaid eu mynegi eu hunain. Yn ddiweddarach honnodd y Natsïaid fod y rhyddid hwn wedi creu diwylliant a oedd yn 'dirywio'r wlad' ac yn 'an-Almaenig'.

Pa mor gadarn oedd yr adferiad ar ôl 1924? Cwymp Wall Street

Er bod economi'r Almaen yn ymddangos yn sefydlog yn ystod canol y 1920au, mae ysgolheigion wedi dod i'r casgliad fod problemau difrifol o dan yr wyneb a oedd yn bygwth dinistrio Gweriniaeth Weimar.

Yn y 1920au roedd economi'r Almaen yn dibynnu'n drwm ar fenthyciadau tymor byr o UDA gyda llog uchel. Yn ystod gaeaf 1928-9 cododd diweithdra'n sydyn i bron i 3 miliwn. Er bod busnesau mawr yn elwa ar fenthyciadau o UDA, roedd hi'n anodd i fusnesau bach. Oherwydd llai o alw ledled y byd am gynnyrch amaethyddol, cwympodd prisiau a dechreuodd nifer o ffermwyr fynd i ddyled. Er bod y pleidiau eithafol yn ei chael hi'n anodd i gael cefnogaeth wleidyddol, roedd Plaid y Natsïaid yn enwedig wedi defnyddio'r blynyddoedd hyn i ddatblygu rhwydwaith o ganghennau lleol lle roedd aelodau ffyddlon y blaid yn disgwyl i chwilio am gefnogwyr newydd pan fyddai pethau'n mynd yn anodd.

Ar ôl Cwymp Wall Street ym mis Hydref 1929 cwympodd prisiau cyfranddaliadau. Dros nos collodd pobl a banciau filiynau o ddoleri. Yn eu tro tynnodd banciau UDA eu buddsoddiadau yn ôl a mynnu bod eu benthyciadau'n cael eu talu'n syth. Dinistriodd hyn sail yr adferiad economaidd ers 1924 a chododd diweithdra'n sylweddol. Oherwydd yr argyfwng economaidd daeth argyfwng gwleidyddol ac erbyn dechrau'r 1930au roedd democratiaeth seneddol wedi dod i ben yn yr Almaen.

g GUSTAV STRESEMANN (1878–1929)

FFYNHONELL C

Gustav Stresemann.

Yn ystod yr 1920au roedd Stresemann yn arweinydd ar blaid asgell dde gymedrol Plaid Pobl yr Almaen (DVP). Bu'n Ganghellor o fis Awst i fis Tachwedd 1923 cyn mynd ymlaen i fod yn Weinidog Tramor rhwng 1924 a 1929. Stresemann, yn fwy nag unrhyw wleidydd arall, oedd yn gyfrifol am i'r Almaen gael ei derbyn yn un o'r Pwerau Mawr. Ym maes polisi tramor y cyflawnodd Stresemann fwyaf. Ym 1926 enillodd Wobr Heddwch Nobel am ei waith diplomyddol. Hefyd llwyddodd Stresemann i fynd i'r afael ag argyfyngau economaidd y 1920au, yn enwedig concro gorchwyddiant ym 1923.

GWELLA CYSYLLTIADAU TRAMOR

Roedd llwyddiant Stresemann i'w weld fwyaf ym maes polisi tramor. Oherwydd iddo geisio gwella delwedd yr Almaen dramor, llwyddodd i ailsefydlu'r wlad yn un o'r Pwerau Mawr. Ar ôl Cynllun Dawes, a thynnu milwyr o'r Ruhr, arwyddwyd Cytundeb Locarno ym mis Hydref 1925 gyda Phrydain, Ffrainc, Gwlad Belg a'r Eidal. Roedd y Pwerau hyn gyda'i gilydd yn sicrhau'r ffiniau presennol rhwng yr Almaen, Ffrainc a Gwlad Belg. Ym mis Medi 1926 cafodd yr Almaen ymuno â Chynghrair y Cenhedloedd a sedd barhaol ar y Cyngor Diogelwch, tipyn o gamp o gofio digwyddiadau 1914-18.

Ym 1928 roedd yr Almaen yn un o dros 60 gwlad a arwyddodd Gytundeb Kellogg-Briand yn datgan na fydden nhw byth yn mynd i ryfel yn erbyn ei gilydd. Un o lwyddiannau diwethaf Stresemann oedd Cynllun Young ym 1929, gan ostwng iawndaliadau yr Almaen o £6600 miliwn i £1850 miliwn ac ymestyn y cyfnod i'w talu'n ôl dros y 59 blynedd canlynol.

C Cwestiynau

1 Eglurwch sut effeithiodd gorchwyddiant ar economi'r Almaen.

2 Eglurwch pam roedd economi'r Almaen yn dioddef erbyn diwedd 1929.

3 Pa mor llwyddiannus fu Stresemann wrth adfer statws yr Almaen dramor?

5 YMARFER ARHOLIAD

Mae'r cwestiynau hyn yn profi Adran A y papur arholiad.

PROBLEMAU GWERINIAETH WEIMAR, 1919–29

Astudiwch Ffynonellau A – CH ac yna atebwch y cwestiynau sy'n dilyn.

Eitem	1919	Haf 1923	Tachwedd 1923
Torth o fara 1 kg	0.29	1,200	428,000 miliwn
1 wy	0.08	5,000	80,000 miliwn
1 kg o fenyn	2.70	26,000	6,000 biliwn
1 kg o gig eidion	1.75	18,800	5,600 biliwn
1 pâr o esgidiau	12.00	1 miliwn	32,000 biliwn

FFYNHONNELL A Pris nwyddau hanfodol yn siopau'r Almaen (mewn marciau). Allan o *The Great Inflation: Germany, 1919-23* (1975) gan William Guttman a Patricia Meecham.

FFYNHONNELL B

Heddiw yn Neuadd y Drychau mae'r cytundeb cywilyddus yn cael ei arwyddo. Peidiwch â'i anghofio. Bydd pobl yr Almaen yn dal ati'n gyson i adennill ein lle haeddiannol ymysg y cenhedloedd. Yna daw dial am gywilydd 1919.

Darn allan o'r papur newydd Almaeneg *Deutsche Zeitung*, Mehefin 1919.

FFYNHONNELL C

Ar yr wyneb yn unig mae'r sefyllfa economaidd yn ffynnu. Mewn gwirionedd y mae'r Almaen yn dawnsio ar losgfynydd. Pe bai America'n galw am dalu ei benthyciadau tymor byr, byddai rhan sylweddol o'n heconomi'n cwympo.

Gustav Stresemann yn gwneud sylwadau ar gyflwr economi yr Almaen ychydig cyn ei farwolaeth ym 1929.

FFYNHONNELL CH

Gwnaeth Gustav Stresemann gyfraniad mawr i sefydlogi Gweriniaeth Weimar. Bu'n gweithio i gael pob milwr tramor oddi ar dir yr Almaen yn gyflym, i gael gwared ar y cymal am euogrwydd rhyfel ac i'r Almaen gael ymuno â Chynghrair y Cenhedloedd. Erbyn 1930, roedd yr Almaen yn un o wledydd diwydiannol mawr y byd unwaith eto. Buddsoddiad enfawr gan yr Americanwyr a wnaeth yr adferiad rhyfeddol yma'n bosibl.

William Carr, *The History of Germany, 1815-1945*, arolwg cyffredinol o hanes yr Almaen, a gyhoeddwyd ym 1979.

CA Cwestiynau Arholiad

1 Pa wybodaeth mae Ffynhonnell A yn ei rhoi am economi'r Almaen ar ddechrau'r 1920au? [3]

2 Defnyddiwch yr wybodaeth yn Ffynhonnell B a'ch gwybodaeth eich hun i egluro ymateb pobl yr Almaen i arwyddo Cytundeb Versailles ym 1919. [4]

3 Pa mor ddefnyddiol yw Ffynhonnell C fel tystiolaeth i hanesydd sy'n astudio adferiad economi'r Almaen ar ôl argyfwng 1923? Eglurwch eich ateb gan ddefnyddio'r ffynhonnell a'ch gwybodaeth eich hun. [5]

4 Yn Ffynhonnell D mae'r awdur yn dweud bod Stresemann erbyn 1930 wedi llwyddo i ddatrys y problemau a oedd yn wynebu Gweriniaeth Weimar yn ystod y 1920au. A yw hyn yn ddehongliad dilys?
Yn eich ateb dylech ddefnyddio eich gwybodaeth eich hunan o'r pwnc, cyfeirio at y ffynonellau perthnasol eraill yn y cwestiwn hwn, ac ystyried sut daeth yr awdur i'r casgliad hwn. [8]

Pam cafodd Hitler ei benodi yn Ganghellor ym 1933 a sut llwyddodd y Natsïaid i gryfhau eu gafael ar rym yn y cyfnod 1933-4?

BLYNYDDOEDD YR ARGYFWNG, 1929-33

Dechrau Dirwasgiad

Oherwydd arian o UDA yr adfywiodd yr economi ar ddiwedd y 1920au i raddau helaeth. Wrth i fanciau UDA alw am dalu eu benthyciadau, roedd llai o alw am nwyddau traul a dechreuodd ffatrïoedd yr Almaen ddiswyddo gweithwyr. Effeithiodd hyn ar wledydd eraill, caeodd marchnadoedd tramor a dechreuodd ffigurau diweithdra godi a chyrraedd uchafbwynt o ychydig dros 6 miliwn erbyn misoedd cyntaf 1932. Felly roedd caledi mawr yn effeithio ar bobl o bob dosbarth.

FFYNHONNELL A Almaenwyr di-waith yn sefyll mewn rhes yn Hannover ym 1930 i gofrestru am y dôl. Roedd hon yn olygfa gyffredin ledled yr Almaen ar ddechrau'r 1930au.

Daeth nifer y digartref i fod yn broblem enfawr. Roedd streiciau a gwrthdystiadau'n gwaethygu'r sefyllfa i filiynau o bobl ac nid oedd yn ymddangos bod gwleidyddion Weimar yn cynnig atebion i'r problemau. Mewn anobaith llwyr, dechreuodd pobl droi fwyfwy at y pleidiau eithafol a bu cynnydd mawr yn y gefnogaeth i'r comiwnyddion a'r Natsïaid yn etholiad 1930.

Rôl Hitler a'i syniadau

Cafodd Hitler a Phlaid y Natsïaid gyhoeddusrwydd cenedlaethol mawr wedi methiant *putsch* München. Cyn 1923 nid oedd neb llawer yn gwybod am y Natsïaid neu wedi clywed am eu harweinydd, Adolf Hitler. Pan oedd yng ngharchar a'i blaid wedi cael ei gwahardd yn swyddogol, sylweddolodd Hitler y byddai'n rhaid newid strategaeth er mwyn ennill grym (gweler Ffynhonnell B). Yn lle gwrthryfel arfog byddai'n rhaid i'r blaid weithio i gael mwyafrif a chael ei hethol i reoli yn y ffordd arferol.

Ym 1925 dyfeisiodd Hitler a Drexler Raglen 25 Pwynt yn canolbwyntio ar themâu cenedlgarol fel hil, y fyddin ac ehangiad, yn ogystal â themâu sosialaidd fel rheoli bywyd o fewn y wladwriaeth a rheoleiddio rhai sectorau o'r economi. Datblygodd Hitler y syniadau hyn ymhellach ac ychwanegu eraill atyn nhw mewn llyfr o'r enw *Mein Kampf* (Fy Mrwydr) a ysgrifennodd yn y carchar.

Llwyddodd Hitler drwy bigo ar bobl a grwpiau yr oedd yn gallu eu targedu a'u beio am broblemau'r Almaen. Nid syniadau newydd oedd rhai Hitler ond addasiadau o hen gredoau a rhagfarnau. Roedd Gwrth-Semitiaeth (casáu'r Iddewon) wedi bod yn gyffredin yng nghanol Ewrop ers yr Oesoedd Canol a daeth yn obsesiwn i Hitler. Roedd hefyd yn credu mewn Darwiniaeth Sosialaidd, sef bod rhai hilion ac unigolion yn well na'r llcill. Roedd Hitler yn credu mai'r Iddewon oedd yr isaf o'r 'hilion israddol' gan gyfeirio atyn nhw fel 'llygrwyr hilion'. Datblygodd hyn yn ddamcaniaeth yr hil oruchaf, sef mai Almaenwyr pur neu Ariaid oedd yr hil oruchaf ac y dylen nhw felly reoli hilion israddol.

Syniadau allweddol eraill Hitler oedd ei fod yn ofni comiwnyddiaeth, yn casáu democratiaeth yn gyffredinol a thelerau Cytundeb Versailles yn arbennig.

FFYNHONNELL **B**

Yn lle gweithio i ennill grym drwy wrthryfel arfog, bydd rhaid i ni ddal ein trwynau a mynd i'r Reichstag yn erbyn aelodau Pabyddol a Marcsaidd. Os bydd ennill pleidlais yn eu herbyn yn cymryd mwy o amser na saethu yn eu herbyn, o leiaf bydd eu cyfansoddiad nhw eu hunain yn sicrhau'r canlyniad. Yn hwyr neu'n hwyrach fe gawn ni fwyafrif, ac wedi hynny, fe gawn ni'r Almaen!

Yn y llythyr yma o garchar Landsberg ym 1924, mae Hitler yn egluro sut mae ei strategaeth wedi newid.

Etholiadau a chynllwynio gwleidyddol, 1929–33

Daeth argyfwng gwleidyddol yn ogystal ag un economaidd o ganlyniad i'r Dirwasgiad Mawr. Nid oedd y llywodraethau clymblaid gwan yn gallu delio â'r problemau roedden nhw'n eu hwynebu a syrthio wnaethon nhw, fel bod tri etholiad cyffredinol rhwng 1930 a 1932. Ym mis Mawrth 1930 cafodd Heinrich Brüning ei benodi'n Ganghellor gan yr Arlywydd Hindenburg.

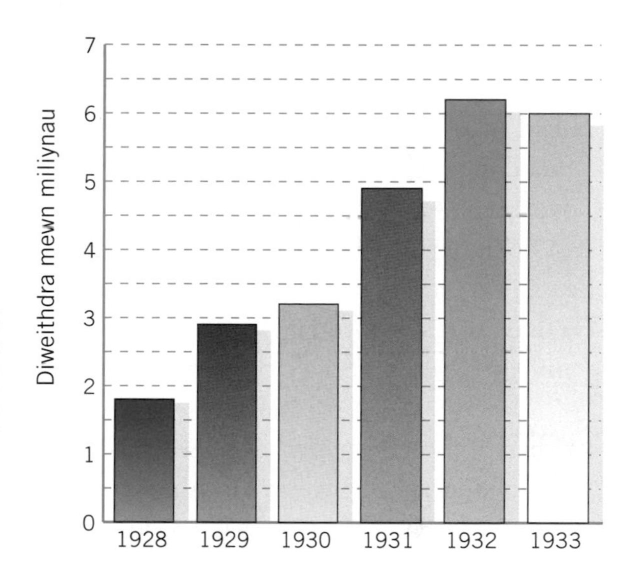

Cynnydd mewn diweithdra yn yr Almaen, 1928-33.

Etholiadau i'r Reichstag

Plaid	Mai 1924	Rhagfyr 1924	Mai 1928	Medi 1930	Gorffennaf 1932	Tachwedd 1932	Mawrth 1933
Democratiaid Rhyddf.	100	131	152	143	133	121	120
Plaid y Canol	65	69	61	68	75	70	73
Plaid y Bobl	44	51	45	30	7	11	2
Democratiaid	28	32	25	14	4	2	5
Comiwnyddion	62	45	54	77	89	100	81
Cenedlaetholwyr	106	103	79	41	40	51	53
Sosialwyr Cenedlaethol	32	14	12	107	230	196	288

Yr etholiadau a gynhaliwyd a'r seddi a enillwyd, 1924–33.

Roedd hi'n anodd i Brüning ffurfio clymblaid felly defnyddiodd Hindenburg ei bwerau o dan Erthygl 48 i'w alluogi i reoli drwy ddefnyddio Archddyfarniadau Arlywyddol. Heb fwyafrif yn y Reichstag, roedd Brüning yn defnyddio pwerau Erthyglau 48 ac felly daeth democratiaeth seneddol i ben yn yr Almaen.

Wrth i'r Dirwasgiad waethygu aeth llywodraeth Brüning yn fwy amhoblogaidd ac ymddiswyddodd ym mis Mai 1932. Yn yr etholiad canlynol ym mis Gorffennaf, cafodd y Natsïaid fwy o bleidleisiau nag erioed, gan ennill 230 sedd (37 y cant), y blaid fwyaf yn y Reichstag. Mynnodd Hitler gael dod yn Ganghellor, ond penodwyd y gwleidydd Cenedlaethol Franz von Papen yn lle hynny gan Hindenburg, a oedd yn casáu Hitler. Yn ystod yr argyfwng bu mwy o drais ar y strydoedd gyda brwydrau ac ymladd rhwng yr SA a'r comiwnyddion.

Erbyn hyn roedd Hitler yn berson adnabyddus yng ngwleidyddiaeth yr Almaen: ym mis Mawrth 1932 roedd wedi sefyll yn erbyn Hindenburg yn yr etholiadau arlywyddol, gan lwyddo i ennill 13.4 miliwn o bleidleisiau yn erbyn 19.3 miliwn Hindenburg. Gan nad oedd yn gallu cael mwyafrif bu rhaid i von Papen alw etholiad arall ym mis Tachwedd pan gwympodd pleidlais y Natsïaid - 196 sedd yn unig enillon nhw. Ond y Natsïaid oedd y blaid fwyaf yn y Reichstag o hyd, ac am fod Hindenburg yn ei anwybyddu, gwrthododd Hitler gydweithio â von Papen wrth iddo geisio ffurfio llywodraeth. Yn y diwedd daeth von Papen i gytundeb â Hitler a pherswadio Hindenburg i ganiatáu i lywodraeth Hitler-von Papen gael ei ffurfio. Honnodd y byddai modd rheoli Hitler yn Ganghellor, ac na fyddai gan Hitler lawer o le i symud gan mai dim ond tair o un swydd ar ddeg y cabinet oedd gan y Natsïaid a von Papen ei hun yn Is-Ganghellor. O'r diwedd cytunodd Hindenburg ac ar 30 Ionawr 1933 penodwyd Hitler yn Ganghellor yr Almaen ar ôl llawer o gynllwynio gwleidyddol.

FFYNHONNELL 

Ym 1930 methodd y banciau. Doedd dim arian gan neb. Popeth wedi mynd. Wyddoch chi beth yw ystyr hynny? Doedd gen i ddim byd. Dim arian, dim gwaith, dim bwyd. Saith marc yr wythnos i berson di-waith. Teuluoedd â dau o blant, deg plentyn a mwy, saith marc. Ac yna daeth 1932. Aeth Mam a 'Nhad i glywed Adolf Hitler. Y bore canlynol sonion nhw wrthon ni am ei nod, ei syniadau, sut roedd e o blaid y di-waith. Bu fy mam yn wylo o lawenydd. Gweddïodd fy rhieni ar i Dduw roi'r holl bleidleisiau i'r dyn yma fel na fydden ni mewn angen. Doedd neb arall yn addo'r pethau yma.

Almaenes, Frau Mundt, yn cofio caledi dechrau'r 1930au.

C Cwestiynau

1 Disgrifiwch syniadau Hitler am hil.

2 Cymharwch y siart ar dudalen 141 yn dangos y cynnydd mewn diweithdra yn yr Almaen â'r tabl yn dangos canlyniadau etholiadau'r Reichstag ar dudalen 141. Pa gasgliadau y gallwch chi ddod iddyn nhw o ran cefnogaeth i Blaid y Natsïaid yn ystod y cyfnod 1924 i 1933?

3 Pa mor ddefnyddiol yw Ffynhonnell C i hanesydd sy'n astudio'r rhesymau pam pleidleisiodd nifer fawr o Almaenwyr i Blaid y Natsïaid yn etholiadau 1932? Eglurwch eich ateb gan ddefnyddio'r ffynhonnell a'ch gwybodaeth eich hun.

Y RHESYMAU DROS LWYDDIANT Y NATSÏAID MEWN ETHOLIADAU

O ganlyniad i'r Dirwasgiad, crëwyd yr amgylchiadau gwleidyddol ac economaidd a achosodd i filiynau o Almaenwyr newid eu harferion pleidleisio a chefnogi Plaid y Natsïaid yn etholiadau'r 1930au cynnar. Roedd pobl yn poeni am yr amgylchiadau economaidd a oedd yn gwaethygu ac roedd llawer yn ofni chwyldro comiwnyddol.

Propaganda ac apêl Hitler

Roedd defnyddio propaganda'n hanfodol i lwyddiant y Natsïaid. Fel pennaeth ymgyrch bropaganda'r Natsïaid, defnyddiodd Dr Josef Goebbels amrywiaeth o dechnegau i gyflwyno neges y blaid, gan gynnwys y papurau newydd, posteri, y radio a ffilmiau newyddion yn y sinemâu. Roedd y Natsïaid yn addo adfer statws yr Almaen a chael llywodraeth gref ac undod cenedlaethol. Roedden nhw'n negeseuon pwerus i bobl a oedd yn dyheu am atebion.

Cafodd Hitler enw fel areithiwr cyhoeddus grymus a oedd yn dal sylw ei gynulleidfa. Aeth ar daith o gwmpas y wlad yn areithio i gynulleidfaoedd a dyfai o hyd ac o hyd mewn neuaddau a stadia chwaraeon. Cadwodd ei neges yn syml ac roedd ganddo rywbeth i'w gynnig i bob rhan o gymdeithas yr Almaen.

- **Y dosbarth canol (*Mittelstand*).** Addawodd Hitler eu gwarchod rhag y comiwnyddion, gwella'r sefyllfa economaidd, ac adfer cyfraith a threfn ar strydoedd y dinasoedd mawr
- **Y dosbarth uchaf.** Addawodd ddial am gytundeb Versailles, cynnig llywodraeth gref ac adfer statws yr Almaen.
- **Diwydianwyr mawr.** Drwy addo atal twf undebau llafur cryf, cafodd Hitler gefnogaeth pobl fusnes bwerus, ac aethant ati i roi arian i ymgyrchoedd etholiad y Natsïaid.
- **Y dosbarth gweithiol.** Addawodd Hitler fynd i'r afael â diweithdra ac amddiffyn hawliau gweithwyr.
- **Y werin yng nghefn gwlad.** Addawodd godi prisiau am gynnyrch amaethyddol.
- **Menywod.** Roedd y Natsïaid yn pwysleisio bywyd y teulu, lles plant a gwerthoedd moesol.

FFYNHONNELL CH 'Ein gobaith olaf: Hitler' – Poster propaganda'r Natsïaid, a ddefnyddiwyd yn etholiad cyffredinol 1932, sy'n targedu'r di-waith.

C Cwestiynau

1 Disgrifiwch apêl Hitler fel siaradwr cyhoeddus.

2 Eglurwch pam y bu mwy a mwy o Almaenwyr dosbarth canol yn pleidleisio i Blaid y Natsïaid yn etholiadau'r 1930au cynnar.

Y NATSÏAID YN CRYFHAU EU GAFAEL AR RYM, 1933–4

Rhwng 1933 a 1934 trodd Hitler yr Almaen yn unbennaeth. Erbyn diwedd Awst 1934 roedd Hitler wedi creu cyfundrefn dotalitaraidd lle bu'r Natsïaid yn rheoli am y 12 mlynedd nesaf, cyfnod sy'n cael ei alw Y Trydydd Reich. Sut llwyddodd Hitler i wneud hyn?

FFYNHONNELL **D** Llosgi'r Reichstag, 27 Chwefror 1933.

Tân y Reichstag, 27 Chwefror 1933

Er iddo gael ei wneud yn Ganghellor ym mis Ionawr 1933, cyfyng iawn oedd pwerau Hitler o hyd. Felly, ei nod gyntaf oedd cynyddu nifer y seddi a oedd gan ei blaid er mwyn gallu pasio'r deddfau yr oedd eu heisiau arno. Perswadiodd Hindenburg i ddiddymu'r Reichstag a galw etholiad, i'w gynnal ar 5 Mawrth. Rhoddwyd peiriant propaganda'r Natsïaid ar waith yn llawn, ac aeth yr SA i'r strydoedd i boeni grwpiau adain chwith.

Ar noson 27 Chwefror, bu tân yn adeilad y Reichstag. Arestiwyd comiwnydd ifanc o'r Iseldiroedd, Van der Lubbe, a'i gyhuddo o gynnau'r tân. Mae llawer o haneswyr yn credu i'r Natsïaid gynnau'r tân a beio'r comiwnyddion er mwyn rhoi enw drwg iddyn nhw cyn yr etholiad. Beth bynnag yw'r gwirionedd, defnyddiodd Hitler yr achlysur fel tystiolaeth i ddangos bod y comiwnyddion yn cynllunio chwyldro gan berswadio Hindenburg i basio deddf argyfwng yn rhoi pwerau arbennig iddo amddiffyn y wlad. Roedd yr Archddyfarniad i Amddiffyn y Bobl a'r Wladwriaeth yn cyfyngu ar ryddid barn a'r hawl i bobl gasglu ynghyd, yn cyfyngu ar ryddid y wasg ac yn caniatáu carcharu heb achos llys. Defnyddiodd Hitler yr Archddyfarniad hwn i arestio nifer o gomiwnyddion a sosialwyr.

Y Ddeddf Alluogi, 23 Mawrth 1933

Cynhaliwyd etholiad mis Mawrth mewn awyrgylch llawn bygythiad a phropaganda. Arestiwyd gwrthwynebwyr gwleidyddol ac ar ddiwrnod yr etholiad gwyliodd gwŷr yr SA bob pleidlais yn cael ei bwrw. O ganlyniad cafodd y Natsïaid eu canlyniad gorau erioed, er iddyn nhw fethu ennill mwyafrif dros bawb.

Bwriad Hitler nawr oedd newid y cyfansoddiad a phasio Deddf Alluogi, fel y gallai basio deddfau heb ymgynghori â'r Reichstag. Byddai angen dwy ran o dair o fwyafrif yn y Reichstag i basio'r mesur ond roedd hi'n annhebygol iawn y byddai'r gwrthbleidiau'n pleidleisio o blaid. Felly gwaharddodd Hitler y comiwnyddion rhag cymryd rhan. Ar ddiwrnod y bleidlais, bu gwŷr yr SA yn amgylchynu Tŷ Opera Kroll, cartref dros dro'r Reichstag, gan rwystro rhai cynrychiolwyr rhag mynd i mewn a phleidleisio. O ganlyniad pasiwyd y mesur gyda 444 i 94 pleidlais a daeth yn gonglfaen i'r Trydydd Reich.

Defnyddio'r Ddeddf Alluogi.

Ebrill 1933	Deddf yn diswyddo Iddewon a gwrthwynebwyr y Natsïaid o'u swyddi yn y gwasanaeth sifil.
Mai 1933	Gwahardd undebau llafur a streicio'n dod yn anghyfreithlon.
Gorffennaf 1933	Deddf yn Erbyn Creu Pleidiau'n creu gwladwr-iaeth un blaid.
Hydref 1933	Deddf Gwasg y Reich yn rheoli a sensora'r wasg yn llym.

Noson y Cyllyll Hirion, 30 Mehefin 1934

Roedd Hitler yn dibynnu'n drwm ar weithredoedd yr SA i weithredu ei bolisïau. Erbyn 1934 roedd yr SA'n bwerus iawn a'r arweinydd, Ernst Röhm, yn datblygu'n wrthwynebydd posibl i Hitler. Roedd Röhm yn teimlo bod Hitler yn cyflwyno newidiadau'n rhy araf ac roedd sïon ar led fod Röhm eisiau i'r SA reoli'r fyddin. Nawr roedd rhaid i Hitler ddewis rhwng yr SA a'r fyddin. Dewisodd y fyddin ac ar noson 30 Gorffennaf 1934 cafodd wared ar y rhai olaf a oedd yn herio ei rym. Cafodd 400 'gelyn i'r wladwriaeth', gan gynnwys Röhm, eu saethu gan yr SS. Galwyd y digwyddiad yma'n Noson y Cyllyll Hirion.

Marwolaeth Hindenburg: Hitler yn dod yn Führer

Ar 2 Awst 1934 bu'r Arlywydd Hindenburg farw. Manteisiodd Hitler ar y cyfle i gyfuno dwy swydd yr arlywydd a'r canghellor a rhoddodd y teitl newydd Führer iddo'i hun (sy'n golygu 'arweinydd'). Nawr ef oedd pennaeth y wladwriaeth a'r fyddin. Ar yr un diwrnod bu'n rhaid i swyddogion a milwyr byddin yr Almaen dyngu llw o ffyddlondeb i'r Führer. Roedd Hitler bellach yn unben llwyr ar yr Almaen, ac er mwyn i'w ddulliau o gipio grym ymddangos yn gyfreithlon, gofynnodd i bobl yr Almaen bleidleisio ynglŷn â hynny. Gwnaeth peiriant propaganda'r Natsïaid yn siŵr fod 90 y cant o'r bleidlais o'i blaid.

C Cwestiynau

1. Disgrifiwch hanes tân y Reichstag.
2. Eglurwch pam penderfynodd Hitler gael gwared ar Röhm ym mis Mehefin 1934.
3. Pa mor bwysig oedd y Ddeddf Alluogi o ran caniatáu i Hitler ddod yn unben ar yr Almaen? Eglurwch eich ateb.

g ERNST RÖHM (1887–1934)

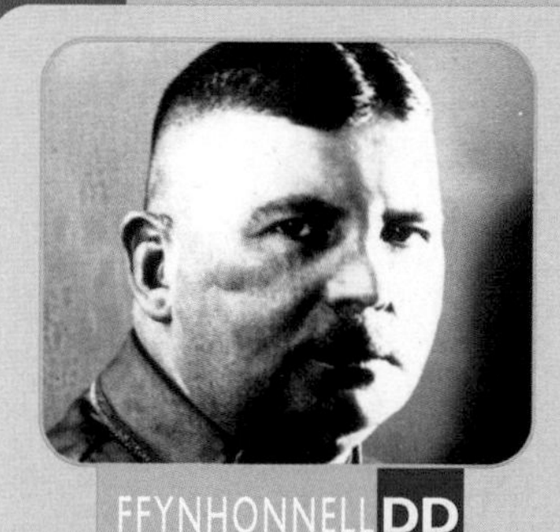

FFYNHONNELL DD

Ernst Röhm, arweinydd yr SA.

Ymunodd Röhm â'r *Freikorps* a daeth yn arweinydd yr SA cyn pen dim. Cymerodd ran yn *putsch* München ac yn ddiweddarach helpodd Hitler i ddod i rym drwy gael gwared ar wrthwynebiad gwleidyddol ar y strydoedd a gwarchod siaradwyr y Natsïaid. Ar ôl i Hitler gael ei benodi'n Ganghellor roedd yn teimlo y dylai fod wedi cael ei wobrwyo â mwy o rym, yn enwedig rheoli'r fyddin. Felly daeth Röhm yn fygythiad i Hitler. Saethodd dau swyddog o'r SS ef yn ei gell ar Noson y Cyllyll Hirion.

DULLIAU RHEOLI'R NATSÏAID

Rheoli'r llywodraeth ganolog

Hitler oedd ffynhonnell ganolog y grym i gyd o fewn y Trydydd Reich, a daeth yr Almaen i gael ei llywodraethu gan 'ewyllys y Führer'. Byddai gorchmynion y Führer yn cael eu dilyn yn ddigwestiwn ac roedd grym ganddo i wneud deddfau heb gael caniatâd eraill.

Roedd grŵp dethol o arweinwyr y Natsïaid yn gweithredu polisïau'r llywodraeth, gan gynnwys Hermann Göring, Josef Goebbels, Heinrich Himmler, Rudolph Hess, Martin Bormann, Joachim von Ribbentrop, Robert Ley ac Albert Speer. Yr allwedd i gael grym a dylanwad yn yr Almaen adeg y Natsïaid oedd cadw cysylltiad â'r Führer a'i gefnogi o hyd.

Rheoli llywodraeth ranbarthol a lleol

Ym mis Ionawr 1934 diddymodd Hitler holl daleithiau unigol yr Almaen a'u rhoi o dan reolaeth ganolog. Rhannwyd y wlad yn rhanbarthau, neu *Gau*, gyda llywodraethwr o'r Reich *(Gauleiter)* yn bennaeth ar bob un. Swyddogion ffyddlon y blaid oedden nhw yr oedd Hitler wedi eu penodi'n uniongyrchol a rhoi pwerau eang iddyn nhw. Yn lleol cafodd swyddogion y Natsïaid rym i benodi a diswyddo maer y dref a'r cynghorwyr lleol i gyd. Felly roedd gafael gref gan Hitler ar bopeth a ddigwyddai ar lefel ranbarthol a lleol.

Gwladwriaeth heddlu'r Natsïaid: defnyddio'r SS a'r Gestapo

Roedd y Natsïaid yn defnyddio cyfuniad o frawychu a bygwth i reoli pobl yr Almaen. Yr SS a'r Gestapo oedd y ddau gorff a oedd yn gyfrifol am ddiogelwch mewnol a sicrhau bod syniadau a pholisïau'r Natsïaid yn cael eu dilyn.

Ffurfiwyd yr SS *(Schutzstaffel)* ym 1925 i warchod Hitler ac roedden nhw'n rhan o'r SA. Roedd pawb yn adnabod eu lifrau duon. Ym 1929 daeth Heinrich Himmler yn bennaeth arnyn nhw. Ar ôl Noson y Cyllyll Hirion daeth yr SS i gymryd lle'r SA fel prif lu diogelwch yr Almaen. Ym 1936 cymerodd SS reolaeth dros luoedd yr heddlu a oedd yn cynnwys y Gestapo, sef heddlu cudd y wladwriaeth.

Göring oedd wedi sefydlu'r Gestapo ym 1933 ond dair blynedd yn ddiweddarach, daeth dirprwy Himmler, Reinhard Heydrich, yn gyfrifol amdanyn nhw. Swyddogaeth y Gestapo oedd chwilio am elynion i'r wladwriaeth, eu gwylio ac yna gael gwared arnyn nhw. Roedd mwyafrif yr Almaenwyr yn cydymffurfio â gorchmynion y Natsïaid oherwydd eu bod yn ofni cael eu lladd neu eu hanfon i wersyll crynhoi. Agorodd y gwersyll cyntaf o'r math yma yn Dachau ym mis Ebrill 1933.

Rhwng 1934 a 1939, dedfrydwyd 534 person i farwolaeth a'u dienyddio am wrthwynebu'n wleidyddol. Ym 1939 yn unig, arestiwyd dros 160,000 o bobl am droseddau gwleidyddol. Roedd y gwersylloedd crynhoi'n llawn pob math o 'bobl annymunol' gan gynnwys deallusion, comiwnyddion, hoywon ac Iddewon. Roedd bywyd yn y gwersylloedd hyn yn llym; yn ystod yr Ail Ryfel Byd cafodd llawer eu troi'n wersylloedd difodi (gweler tudalennau 160-1).

C Cwestiynau

1. Disgrifiwch beth oedd ystyr 'ewyllys y Führer'.
2. Eglurwch pam roedd Hitler eisiau rheoli llywodraeth ranbarthol a lleol.
3. Sut bu'r SS a'r Gestapo yn helpu Hitler i reoli pobl yr Almaen?

5 YMARFER ARHOLIAD

Mae'r cwestiynau hyn yn profi Adran B y papur arholiad.

TWF Y NATSÏAID, 1929-31

Astudiwch yr wybodaeth isod ac yna atebwch y cwestiynau sy'n dilyn.

GWYBODAETH

Natsïaid yn dathlu yn Berlin ym mis Ionawr 1933 pan ddaeth Adolf Hitler yn Ganghellor yr Almaen.

CA Cwestiynau Arholiad

1 a Eglurwch brif syniadau *Mein Kampf*. [2]
  b Eglurwch pam roedd yr SA mor bwysig i Blaid y Natsïaid. [4]
  c Pa mor bwysig oedd y Dirwasgiad i dwf Plaid y Natsïaid? [5]

2 a Disgrifiwch beth ddigwyddodd yn ystod Noson y Cyllyll Hirion. [3]
  b Eglurwch bwysigrwydd y Ddeddf Alluogi. [4]

3 A oedd Hitler yn rheoli'r Almaen yn llwyr erbyn diwedd 1934? Eglurwch eich ateb yn llawn. [7]

Sut effeithiodd y Natsïaid ar fywydau pobl yr Almaen?

POLISI ECONOMAIDD

Rheoli'r economi

Erbyn i Hitler gael ei benodi'n ganghellor ym mis Ionawr 1933 roedd economi'r Almaen yn dangos yr arwyddion cyntaf fod pethau'n gwella ers y Dirwasgiad. Gosododd Hitler dair nod iddo'i hun:

- lleihau diweithdra;
- dechrau ailarfogi i greu swyddi, dial am Gytundeb Versailles a pharatoi i ehangu'r Almaen;
- gwneud yn siŵr fod yr Almaen yn hunangynhaliol yn economaidd fel nad oedd yn dibynnu cymaint ar fewnforio nwyddau.

Dyma Hitler yn penodi Hjalmar Schacht, arbenigwr ariannol a Llywydd y Reichsbank, i roi ei syniadau ar waith ond collodd ei amynedd yn fuan am fod Schacht mor bwyllog. Ym 1936 penderfynodd Hitler benodi Hermann Göring yn lle Schacht a chyflwynodd Göring y Cynllun Pedair Blynedd (1936-40). Bwriad y cynllun oedd cyflymu'r broses o ailarfogi a pharatoi'r wlad ar gyfer rhyfel. Arweiniodd hyn at bolisi awtarchiaeth, i wneud yr Almaen yn hunangynhaliol.

Rheoli'r gweithlu

Roedd Hitler o'r farn fod undebau llafur yn fagwrfa i sosialaeth a chomiwnyddiaeth, a gwaharddodd nhw ym mis Mai 1933. Cymerwyd eu harian ac arestiwyd eu harweinwyr. Yn eu lle daeth Ffrynt Llafur yr Almaen (DAF) a oedd yn rheoli disgyblaeth gweithwyr, y lefelau cyflog a'r oriau gwaith. O dan y system newydd cynyddodd yr oriau gwaith, cafodd cyflogau eu rhewi ac aeth hi'n amhosibl cwyno am amodau gwaith.

Ochr yn ochr â'r DAF roedd y Gwasanaeth Llafur Cenedlaethol (RAD), wedi'i reoli'n uniongyrchol gan Blaid y Natsïaid. Rhoddwyd symiau enfawr o arian cyhoeddus i'r RAD a fyddai'n rhoi gwaith i ddynion ar gynlluniau gwaith cyhoeddus, fel adeiladu *Autobahnen* (traffyrdd), plannu coed ac adeiladu tai ac ysgolion. Daeth deddf ym mis Gorffennaf 1935 i'w gwneud hi'n orfodol i ddynion Almaenig rhwng 18-25 oed wneud chwe mis o hyfforddi yn y RAD. Roedd rhaid iddyn nhw wisgo lifrau militaraidd a byw mewn gwersylloedd.

Cwympodd diweithdra'n syfrdanol ac erbyn 1939 roedd llai na 350,000 yn ddi-waith. Ond roedd y ffigurau hyn yn cuddio'r darlun go iawn achos nid oedd menywod a grwpiau eraill fel yr Iddewon yn cael eu cyfrif yn yr ystadegau swyddogol bellach os oedden nhw'n ddi-waith, ac roedd consgripsiwn wedi cael ei gyflwyno.

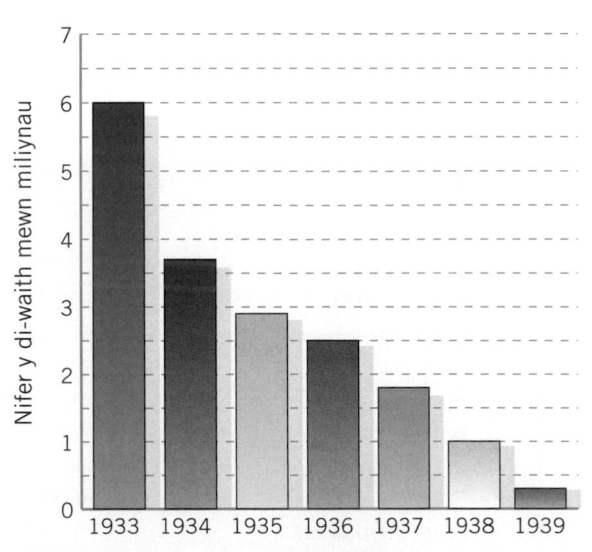

Diweithdra'n cwympo yn yr Almaen, 1933-9. (Ystadegau swyddogol y llywodraeth.)

g HERMAN GÖRING (1893–1946)

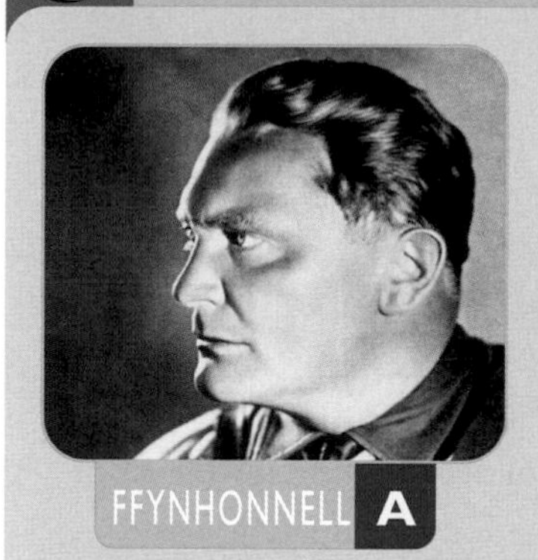

FFYNHONNELL A

Hermann Göring yn 1935.

Daeth Göring yn un o weinidogion mwyaf pwerus y Natsïaid heblaw am Hitler. Ym 1933 daeth yn Llywydd y Reichstag ac yn ddiweddarach cafodd ei benodi'n Weinidog yr Awyr, a sefydlu'r *Luftwaffe* (llu awyr). Hefyd sefydlodd y Gestapo ac agor gwersyll crynhoi cyntaf yr Almaen.

Er mai prin oedd ei arbenigedd ym myd arian, daeth yn gyfarwyddwr yr economi ar ôl Schacht ym 1936. Cafodd ei gipio gan luoedd y Cynghreiriaid ym 1945. Ar ôl cael ei ddedfrydu i farwolaeth drwy grogi gan lys Nürnberg, cymerodd syanid i osgoi ei ddedfryd.

Ailarfogi a'r ymgyrch tuag at awtarchiaeth

O achos penderfyniad Hitler i ailarfogi, cafodd diwydiant yr Almaen ei weddnewid a daeth cannoedd o swyddi newydd yn cynhyrchu arfau a chyflenwi defnyddiau crai hanfodol. Gwariwyd biliynau ar weithgynhyrchu offer milwrol fel tanciau, llongau ac awyrennau.

FFYNHONNELL B

'Dydyn ni ddim yn adeiladu ffyrdd [*Autobahnen*] er mwyn iddyn nhw gael eu gweld o'r awyr,' meddai un dyn. 'Wrth gwrs gallan nhw fynd â chyflenwadau milwrol a milwyr ar wib i'r ffrynt pan fydd angen.' Mae'n hawdd gweld pam. Maen nhw'n pwyntio fel saethau tuag at ganol Gwlad Pwyl. Mae dwy ffordd yn arwain i'r Iseldiroedd, dwy i Wlad Belg, dwy i Awstria a dwy i Wlad Pwyl.

Stephen Roberts, *The House that Hitler Built*, 1939.

Hefyd gorchmynnodd Hitler y dylai'r Almaen geisio dod yn hunangynhaliol yn economaidd (awtarchiaeth) am ei fod yn teimlo bod yr Almaen yn dibynnu gormod ar nwyddau wedi'u mewnforio. Chwiliwyd am gynnyrch artiffisial yn lle olew, rwber, tecstilau a bwyd fel coffi. Ond doedd y polisi ddim yn llwyddiant. Roedd amaethyddiaeth yn dioddef o ddiffyg peiriannau a gweithwyr, ac roedd yr Almaen yn dal i fewnforio nifer fawr o fwydydd fel menyn ac olew llysiau. Ym 1939 roedd yr Almaen yn dal i fewnforio 33 y cant o'i defnyddiau crai.

A elwodd yr Almaenwyr ar bolisïau economaidd y Natsïaid?

Roedd y rhan fwyaf o'r Almaenwyr yn falch o gael swyddi sefydlog a chymharol ddiogel. Roedd gweithwyr diwydiannol yn cael gwaith cyson ac er iddyn nhw golli eu hawl i gael undebau llafur roedden nhw'n manteisio ar gyflogau sefydlog a phrisiau wedi eu rheoli. Gwnaeth busnesau mawr yn dda, ond cafodd llawer o fusnesau bychain a oedd yn eiddo i'r dosbarth canol eu gwasgu o'r farchnad. Roedd ffermwyr yn cael help gan y llywodraeth ond y Natsïaid oedd yn penderfynu beth roedden nhw'n ei dyfu a faint oedd pris y cynnyrch.

Roedd y pris am sefydlogrwydd economaidd fel hyn yn uchel o ystyried rhyddid personol. Roedd pobl yr Almaen bellach yn byw mewn gwladwriaeth heddlu lle roedd pob agwedd ar eu bywydau'n cael eu rheoli a gwrthwynebiad yn cael ei wahardd. Roedd y twf economaidd yn canolbwyntio ar ailarfogi a pharatoi'r wlad am ryfel.

C Cwestiynau

1. Disgrifiwch weithgareddau'r RAD.
2. Pam cwympodd diweithdra yn yr Almaen cyn 1939?
3. Pam, yn ôl Ffynhonnell B, yr adeiladodd y Natsïaid yr *Autobahnen*?

POLISI CYMDEITHASOL

Agweddau'r Natsïaid tuag at fenywod

Yn ystod cyfnod Weimar cododd statws menywod yn sylweddol yng nghymdeithas yr Almaen. Roedden nhw wedi cael hawl i bleidleisio yr un fath â dynion, wedi cael eu hannog i gael addysg dda ac erbyn 1933 roedd nifer wedi dringo i swyddi uchel o fewn y proffesiynau. Cafodd y camau hyn eu dileu yn ystod y Trydydd Reich. Roedd y Natsïaid o'r farn mai dynion oedd y rhai i wneud penderfyniadau, tra roedd menywod yn gyfrifol am y cartref a magu plant.

Ym 1921 roedd y Natsïaid wedi gwahardd menywod rhag dal swyddi yn y blaid a sefyll fel ymgeiswyr mewn etholiadau. Nid oedd unrhyw fenywod yn rhengoedd uchaf y blaid a chafodd yr agwedd rywiaethol hon ei mabwysiadu yn holl gymdeithas yr Almaen ar ôl 1933. Yn fuan ar ôl 1933, dyma Hitler yn gwahardd menywod o swyddi proffesiynol fel meddygon, cyfreithwyr a gweision sifil uwch.

Roedd propaganda'r Natsïaid yn clodfori delwedd y fam ac yn pwysleisio pwysigrwydd yr uned deuluol. Roedd disgwyl i fenywod ganolbwyntio ar y tair K sef *Kinder*, *Kirche*, *Küche* (plant, yr Eglwys a'r gegin). Ym 1938 cyflwynwyd gwobr Croes y Fam: bob blwyddyn ar 12 Awst, dydd pen-blwydd mam Hitler, rhoddwyd medalau i fenywod â theuluoedd mawr. Cododd poblogaeth yr Almaen yn sydyn rhwng 1933 a 1939, a nifer y priodasau hefyd. Ond, ar yr un pryd roedd cael erthyliad yn anghyfreithlon a doedd hi ddim yn hawdd cael cyngor atal cenhedlu.

Roedd agweddau'r Natsïaid tuag at fenywod yn gysylltiedig â'u damcaniaeth am hil. Y nod oedd magu 'hil oruchaf' ac roedd hyn yn golygu osgoi priodasau cymysg â phobl o hilion roedd y Natsïaid yn eu hystyried yn amhur.

Ym 1936 sefydlwyd cartrefi mamolaeth i famau dibriod. Bwriad y rhain oedd bod yn ganolfannau magu plant. Byddai menywod Ariaidd yn cael eu paru â swyddogion SS a oedd yn 'bur eu hil' er mwyn cynhyrchu plant Ariaidd pur.

Roedd nifer o fenywod yn croesawu'r diogelwch roedd y wladwriaeth yn ei gynnig i deuluoedd Almaenig. Roedd menywod eraill yn gweld eu bod wedi colli eu rhyddid a'u dewis personol, a buon nhw'n protestio. Ymunodd rhai â grwpiau gwrthwynebu fel y comiwnyddion. Roedd rhai'n beirniadu polisïau'r Natsïaid tuag at fenywod ond yn dal yn driw i'r blaid fel arall. Byddai menywod a oedd yn protestio'n cael eu cosbi fel arfer.

FFYNHONNELL **C** Poster gan y Natsïaid ym 1937 yn dangos stereoteip o rôl menyw yn yr Almaen fel gwraig tŷ a mam.

Y Natsïaid a'r Eglwys

Roedd Hitler yn gweld yr Eglwys a'r ffydd Gristnogol yn fygythiad pwerus i bolisïau'r Natsïaid. Roedd rhyw draean o boblogaeth yr Almaen yn Babyddion a dau draean yn

Brotestaniaid, ac i ddechrau bu'r ddwy Eglwys yn cydweithio â'r Natsïaid. Roedd llawer yn gweld bod y Natsïaid yn eu gwarchod rhag comiwnyddiaeth ac yn cynnal gwerthoedd teuluol a moesau traddodiadol (gweler Ffynhonnell CH).

FFYNHONNELL 

> Rydyn ni i gyd yn gwybod petai'r Trydydd Reich yn syrthio heddiw, y byddai comiwnyddiaeth yn dod yn ei lle. Felly rhaid i ni ddangos teyrngarwch i'n Führer, sydd wedi ein hachub rhag comiwnyddiaeth a rhoi gwell dyfodol i ni.
>
> **Gweinidog Protestannaidd yn siarad ym 1937 ac yn cyfiawnhau pam roedd yn cefnogi'r Natsïaid.**

Rhoddodd Hitler yr argraff y byddai'n gwarchod yr Eglwys ac ym mis Gorffennaf 1933 arwyddodd Goncordat â'r Pab. Roedd hyn yn rhoi rhyddid crefyddol llawn i'r Eglwys Babyddol weithredu heb i'r wladwriaeth ymyrryd; yn ei dro addawodd y Pab gadw'r Eglwys o faes wleidyddiaeth.

Ym 1936 sefydlwyd Eglwys Genedlaethol y Reich i droi strwythur yr eglwys Gristnogol yn fwy Natsïaidd. Tynnwyd y Beibl, y groes a gwrthrychau crefyddol eraill o'r allor a rhoddwyd copi o *Mein Kampf* a chleddyf yn eu lle. Cafodd clybiau ieuenctid Pabyddol eu cau oherwydd bod y Natsïaid yn credu eu bod yn cystadlu â mudiad Ieuenctid Hitler a chymerwyd ysgolion Pabyddol o reolaeth yr eglwys. Bu pobl yn gwrthdystio yn erbyn hyn ac ym 1937 protestiodd y Pab Pius XI am nad oedd hawliau dynol yn cael eu parchu. Ond arestiwyd hyd at 400 o offeiriaid Pabyddol a'u hanfon i wersyll crynhoi Dachau.

Bu'r Protestaniaid hefyd yn protestio yn erbyn gweithgarwch y Natsïaid. Ym mis Ebrill 1934 ffurfiodd Martin Niemoller yr Eglwys Gyffesiadol a fu'n ymosod yn hollol agored ar gyfundrefn y Natsïaid. Ym 1937 cafodd ei arestio a'i anfon i wersylloedd crynhoi Dachau a Sachsenhausen lle arhosodd tan 1945. Ceisiodd arweinydd arall, Dietrich Bonhoeffer, drefnu gwrthwynebiad i'r Natsïaid. Cafodd ei garcharu ym 1943 a'i ddienyddio'n ddiweddarach gan y Gestapo. Gwrthododd Tystion Jehova ildio i'r Natsïaid hefyd ac yn ystod 1934-5 cafodd llawer eu harestio a'u hanfon i wersylloedd crynhoi.

Ni lwyddodd y Natsïaid i ddinistrio'r Eglwys yn yr Almaen. Roedd rhaid i offeiriaid a gweinidogion ddewis rhwng cadw'n dawel ac ymddangos fel petaen nhw'n cydymffurfio neu gael eu harestio gan y Gestapo. Penderfynodd y rhan fwyaf gefnogi Hitler.

Rheoli pobl ifanc

Sylweddolodd Hitler ei bod yn bwysig bwydo pobl ifanc â syniadau'r Natsïaid, gan obeithio eu troi yn gefnogwyr ffyddlon a brwd i'r Trydydd Reich. Er mwyn gwneud hyn roedd yn rheoli gweithgareddau y tu allan i'r ysgol ac yn annog pawb i ymaelodi â mudiad Ieuenctid Hitler a sefydlwyd ym 1925. Roedd y mudiad yn cynnig amrywiaeth o weithgareddau hamdden.

Rhoddodd Deddf Ieuenctid Hitler 1936 yr un statws i'r mudiad â'r cartref a'r ysgol ac roedd hi'n anodd osgoi ymaelodi. Os oedd rhieni'n gwrthod gadael i'w plant ymuno, ni fyddai gobaith cael dyrchafiad yn y gwaith ganddyn nhw. Daeth ymaelodi'n orfodol ar ôl i ail Ddeddf Ieuenctid Hitler ddod i rym. Tyfodd y mudiad yn gyflym, o 108,000 aelod ym 1932 i 8 miliwn ym 1939.

Roedd bechgyn yn cael eu hyfforddi mewn sgiliau milwrol fel saethu, darllen mapiau a drilio. Hefyd roedd rhaid astudio cyrsiau academaidd i'w paratoi ar gyfer gweithio fel gweinyddwyr neu aelodau o'r llu arfog yn y dyfodol.

Roedd merched yn cael hyfforddiant corfforol i'w paratoi i fod yn famau ac nid oedden nhw'n cael astudio cyrsiau academaidd. Gwrthododd rhai llanciau ymuno â Ieuenctid Hitler a dod yn aelodau o grwpiau gwrthwynebu, fel Ieuenctid Swing.

Oed	Bechgyn	Merched
6–10	*Pimpfen* (Llanciau ifanc)	
10–14	*Jungvolk* (Pobl ifanc)	*Jungmädel* (Merched ifanc)
14–18	*Hitlerjugend* (Ieuenctid Hitler)	*Der Bund Deutsche Mädchen* (Urdd Merched yr Almaen)

Trefniadaeth Mudiad Ieuenctid Hitler.

Rheoli amser hamdden

Sefydlwyd mudiad Cryfder drwy Lawenydd *(Kraft durch Freude* – KdF*)* i fod yn gyfrifol am reoli gweithgareddau amser hamdden gweithwyr yr Almaen. Roedd y KdF yn noddi amrywiaeth eang o weithgareddau hamdden a diwylliannol, fel cyngherddau, gweithgareddau chwaraeon a dosbarthiadau addysg oedolion. Adeiladwyd dwy long bleser fawr i gymryd gweithwyr ar fordeithiau am brisiau rhad, er bod y lleoedd yn cael eu cadw i aelodau ffyddlon a gweithgar y Blaid. Roedd beirniaid y gyfundrefn yn honni mai enghraifft arall oedd hon o'r ffordd roedd y wladwriaeth Natsïaidd yn ceisio rheoli'r unigolyn yn llwyr drwy wneud i bawb gydymffurfio, hyd yn oed ar eu gwyliau.

C Cwestiynau

1 Pa wybodaeth y mae Ffynhonnell C yn ei rhoi am agweddau'r Natsïaid tuag at fenywod?
2 Eglurwch pam roedd y Natsïaid yn teimlo bod rhaid rheoli gweithgareddau Almaenwyr ifainc.

RHEOLI GWLEIDYDDOL

Defnyddio propaganda a sensoriaeth

Yn ogystal â rheoli pobl yr Almaen drwy godi ofn a bygwth, roedd y Natsïaid hefyd yn cyflyru pobl. Diben hyn oedd perswadio pobl i dderbyn a chredu credoau, gwerthoedd a syniadau'r Natsïaid. Byddai'r negeseuon am burdeb yr hil, mawredd yr Almaen a chwlt arweinyddiaeth y Führer yn cael eu pwysleisio o hyd. Byddai tyrfaoedd enfawr yn dod i wrando ar Hitler yn annerch yn gyhoeddus ac yn mynd i rali flynyddol y blaid yn Nürnberg, a oedd yn gampwaith llawn propaganda. Byddai'r Natsïaid yn cadw eu syniadau'n syml ac yn eu hailadrodd dro ar ôl tro.

FFYNHONNELL D

5 Medi 1934
Roedd y neuadd yn fôr o faneri lliwgar. Roedd y ffordd y cyrhaeddodd Hitler hyd yn oed yn ddramatig . . . Dyma Hitler yn ymddangos yng nghefn yr awditoriwm, ac wrth i'w gynorthwywyr Göring, Goebbels, Hess, Himmler a'r lleill ei ddilyn, dyma fe'n camu'n araf ar hyd yr eil ganol a 30,000 llaw wedi eu codi i'w saliwtio . . . Yn y fath awyrgylch pa syndod fod pob gair o enau Hitler yn ymddangos fel Gair oddi uchod . . . a phob celwydd yn cael ei dderbyn fel gwirionedd o'r Nefoedd.

Roedd William L. Shirer, newyddiadurwr o America'n bresennol yn rali Nürnberg ym 1941 a chofnododd bopeth a welodd yn ei ddyddiadur, *Berlin Diary* (1941).

Ym mis Mawrth 1933 sefydlwyd Gweinyddiaeth Hysbysu'r Cyhoedd a Phropoganda o dan Josef Goebbels.
Yn fuan roedd popeth yn y papurau newydd yn cael ei sensro ac roedd newyddiadurwyr yn cael gwybod beth ddylen nhw ei argraffu. Roedd llyfrau gan awduron 'annibynadwy' yn cael eu difetha. Cafodd dros 2500 awdur eu gwahardd a llosgwyd eu gwaith yn gyhoeddus.

FFYNHONNELL DD Llosgi llenyddiaeth wedi ei gwahardd yn gyhoeddus gan sgwadiau'r SA ym mis Mai 1933.

Roedd Goebbels yn gweld bod y radio'n ffordd allweddol o helpu i ledaenu syniadau'r Natsïaid a threfnodd fod setiau radio rhad yn cael eu masgynhyrchu, fel bod gan 70 y cant o gartrefi'r Almaen radio. Byddai Hitler yn darlledu'n gyson, a Goebbels hefyd. Byddai'r rhaglenni radio'n cael eu rheoli a'r gerddoriaeth arnyn nhw'n cael eu sensro. Roedd mynd i'r sinema'n boblogaidd a chynyddodd y cynulleidfaoedd yn ystod cyfnod y Trydydd Reich. Cyn pob ffilm byddai ffilm newyddion yn cael ei dangos, yn clodfori llwyddiannau'r Natsïaid ac arweinyddiaeth Hitler. Oherwydd y sensoriaeth yma collodd yr Almaen nifer o awduron, cerddorion a gwneuthurwyr ffilmiau dawnus: dihangodd nifer ohonyn nhw dramor, fel Thomas Mann a Bertolt Brecht, i osgoi cael eu herlid a'u carcharu.

Addysg

Roedd addysg yn ffordd arall a ddefnyddiodd y Natsïaid i gyflyru pobl ifanc. Roedd gan y Natsïaid reolau caeth o ran beth allai gael ei addysgu yn holl ysgolion yr Almaen. Roedd rhaid i bob pwnc gael ei gyflwyno yn ôl safbwynt y Natsïaid: cafodd gwerslyfrau eu hailysgrifennu i adlewyrchu'r delfrydau hyn. Cafodd hanes ei reoli'n llym gyda phwyslais mawr ar lwyddiannau milwrol yr Almaen. Cafodd yr Iddewon a'r comiwnyddion eu beio am broblemau fel y Dirwasgiad. Cafodd gwersi bywydeg eu defnyddio i astudio damcaniaeth hil a phwysigrwydd yr 'hil oruchaf'. Doedd dim hawl i Iddewon, sosialwyr a phobl 'annymunol' fod yn athrawon bellach. Roedd rhaid i bob athro fod yn aelod o Gynghrair Athrawon y Natsïaid, a chafodd myfyrwyr eu hannog i roi gwybod am unrhyw athro nad oedd yn cyflwyno'r cwricwlwm newydd.

Rheoli'r system gyfreithiol

Nod y Natsïaid oedd rheoli'r llysoedd a'r system gyfreithiol. Roedd rhaid i lysoedd

g DR JOSEF GOEBBELS (1897–1945)

FFYNHONNELL E Josef Goebbels.

Roedd Goebbels yn siaradwr cyhoeddus dawnus ac ym 1929 daeth yn gyfrifol am redeg peiriant propaganda'r Blaid. Daeth y dasg o werthu neges y Natsïaid yn fwyfwy pwysig yn ystod blynyddoedd y rhyfel pan oedd cadw'r boblogaeth yn ffyddlon a chynnal ei hysbryd yn hanfodol.
Bu Goebbels yn ffyddlon i Hitler tan y diwedd gan gyflawni hunanladdiad yn y byncer yn Berlin ym 1945, ar ôl lladd ei wraig a'i blant.

fabwysiadu delfrydau newydd Sosialaeth Genedlaethol, ac os oedd barnwyr yn gwrthod, bydden nhw'n cael eu diswyddo.

Wrth ochr y system hon sefydlwyd Llys y Bobl ym 1934 i roi gelynion y wladwriaeth ar brawf: erbyn 1939 roedd wedi dedfrydu dros 500 o bobl i farwolaeth ac wedi anfon eraill i wersylloedd. Cododd nifer y troseddau a oedd yn haeddu'r gosb eithaf o dair ym 1933 i 46 ym 1943, ac roedden nhw'n cynnwys troseddau fel gwrando ar orsaf radio dramor a chyhoeddi taflenni'n beirniadu'r llywodraeth.

Nid oedd y gyfraith yn gwneud dim i warchod unigolion rhag yr SS a'r Gestapo a chafodd llawer o farnwyr eu penodi ar sail eu ffyddlondeb i Blaid y Natsïaid yn hytrach na'u gwybodaeth gyfreithiol. Roedd rhaid i farnwyr a chyfreithwyr fod yn aelodau o Gynghrair y Sosialwyr Cenedlaethol dros Gynnal Cyfraith a Threfn, a oedd yn eu gorfodi i dderbyn polisïau'r Natsïaid, ac ym mis Hydref 1933, tyngodd 10,000 o gyfreithwyr lw o ffyddlondeb i'r Führer.

Yr Iddewon yn yr Almaen cyn yr Ail Ryfel Byd

Cyflwynodd Hitler ei syniadau am hil yn ei lyfr *Mein Kampf*, lle bu'n dadlau mai'r Ariaid oedd yr hil oruchaf. Roedd Ariaid fel arfer yn dal, gyda gwallt golau a llygaid glas. Dadl Hitler oedd fod Ariaid wedi rhyngfridio â phobl eraill ar wahân i'r Ariaid dros gyfnod o amser felly roedd angen puro'r hil. Roedd hynny'n golygu bod rhaid atal rhai pobl rhag cael plant, ac, mewn achosion eithafol, cael gwared arnyn nhw. Targedwyd hoywon, y duon a sipsiwn ac ar ôl iddyn nhw gael grym dechreuodd y Natsïaid ddiffrwythloni pobl o'r grwpiau yma. Yna dechreuon nhw ddiffrwythloni pobl ag afiechyd meddyliol a rhai ag anabledd corfforol, ac ar ôl 1939, dechreuon nhw eu lladd.

g Y CAMAU A GYMERWYD YN ERBYN IDDEWON A OEDD YN BYW YN YR ALMAEN

1933

Ebrill Gwahardd siopau a busnesau Iddewig trwy'r wlad.

Ebrill Gwahardd Iddewon rhag gweithio yn y gwasanaeth sifil ac mewn swyddi fel athrawon, meddygon, deintyddion a barnwyr.

Medi Gwahardd Iddewon o bob gweithgaredd diwylliannol.

Hydref Gwahardd Iddewon rhag bod yn newyddiadurwyr.

1935

Gorffennaf Gwahardd Iddewon rhag bod yn aelodau o'r lluoedd arfog.

Medi Deddfau Nürenburg yn tynnu hawliau dinasyddion yr Almaen oddi wrth Iddewon ac yn ei gwneud hi'n anghyfreithlon iddyn nhw briodi neu gael perthynas rywiol ag Ariaid.

1936

Tachwedd Gwahardd Iddewon rhag defnyddio'r cyfarchiad 'Heil Hitler'.

1938

Gorffennaf Iddewon yn cael cardiau adnabod gwahanol.

Awst Gorfodi Iddewon i fabwysiadu enwau Iddewig cyntaf fel 'Israel' i ddynion a 'Sarah' i ferched.

Hydref Stampio 'J' fawr goch ar basport Iddewon.

Tachwedd Digwyddiadau *Kristallnacht* (Noson Dryllio'r Gwydr).

Rhagfyr Gorfodi Iddewon i werthu eu busnesau.

1939

Chwefror Gorfodi Iddewon i roi eu metelau a'u gemwaith gwerthfawr i'r Natsïaid.

Ebrill Troi Iddewon o'u cartrefi a'u hanfon i'r getos.

Dioddefodd Iddewon yr Almaen erledigaeth fawr. Roedd ymosodiadau gwrth-Semitig (ymosodiadau yn erbyn Iddewon) yn gyffredin yn Ewrop ar ddechrau'r ugeinfed ganrif, yn enwedig yn Rwsia, ac roedd nifer o Iddewon wedi dianc o Ewrop i chwilio am fywyd newydd yn UDA. Bu'r Natsïaid yn manteisio ar y casineb a fodolai eisoes gan gorddi tensiwn hiliol er mwyn ennill cefnogaeth wleidyddol. Ar ôl iddyn nhw ddod i rym daeth mwy o erledigaeth (gweler tudalen 154). Ym 1933 roedd 550,000 o Iddewon yn yr Almaen: erbyn 1939, roedd 280,000 ohonyn nhw wedi ymfudo, gan gynnwys Einstein a oedd wedi mynd i UDA ym 1933.

FFYNHONNELL F

Roedd fy mam-gu'n 90 mlwydd oed. Aeth i siop i brynu menyn. Yn nrws y siop roedd Stormfilwr gyda dryll. Meddai wrthi, 'Dydych chi ddim eisiau prynu oddi wrth Iddew'. Siglodd fy mam-gu ei ffon a dweud, 'Fe bryna i fenyn lle rwy'n arfer ei brynu bob dydd'. Ond hi oedd yr unig gwsmer y diwrnod hwnnw. Feiddiodd neb arall. Roedd gormod o ofn y dyn â'r dryll arnyn nhw.

Menyw o Berlin yn cofio beth wnaeth ei mam-gu pan oedd siopau'r Iddewon yn cael eu boicotio ym mis Ebrill 1933.

Ar ôl pasio Deddfau Nürnberg ym mis Medi 1935 aeth bywyd yn fwyfwy anodd i'r Iddewon. Collon nhw'r hawl i fod yn ddinasyddion yr Almaen felly nid oedd y gyfraith yn eu hamddiffyn. Gallai pobl ymosod arnyn nhw yn y strydoedd a dinistrio eu heiddo heb fod hawl gyfreithiol ganddyn nhw i gael eu gwarchod. Dechreuwyd gosod arwyddion yn dweud nad oedd croeso i Iddewon mewn mannau cyhoeddus fel tai bwyta a sinemâu.

Dechreuodd cyfnod o erlid mwy dwys ym 1938 ar ôl i swyddog gyda'r Natsïaid gael ei lofruddio ym Mharis gan Iddew ifanc o Wlad Pwyl. Ymatebodd Goebbels drwy drefnu *pogrom*, ymosodiad ledled yr Almaen ar eiddo Iddewon gan aelodau'r SA. Galwyd digwyddiadau 9-10 Tachwedd yn *Kristallnacht* (Noson Dryllio'r Gwydr) oherwydd nifer y ffenestri a dorrwyd yn deilchion. Dinistriwyd dros 7,500 siop Iddewig, llosgwyd 400 synagog a lladdwyd nifer o Iddewon. Arestiwyd dros 30,000 o Iddewon a'u cymryd i wersylloedd crynhoi. Wedi i'r rhyfel ddechrau aeth agwedd y Natsïaid tuag at yr Iddewon yn fwy eithafol a chawson nhw eu gorfodi i fyw mewn mannau penodedig o'r enw getos, cyn cael eu cludo i'r gwersylloedd difodi yn nwyrain Ewrop.

FFYNHONNELL FF

Dau Iddew ifanc yn cael eu cywilyddio o flaen eu dosbarth ym 1935. Roedd yr ysgrifen ar y bwrdd yn dweud 'Yr Iddewon yw ein gelyn pennaf! Gochelwch rhag yr Iddewon!'

C Cwestiynau

1 Eglurwch sut bu'r Natsïaid yn rheoli addysg.

2 Pam aeth bywyd yn fwyfwy anodd i Iddewon yn yr Almaen rhwng 1933 a 1939?

5 YMARFER ARHOLIAD

Mae'r cwestiynau hyn yn profi Adran B y papur arholiad.

BYWYD YN NEWID YN YR ALMAEN, 1933-9

Astudiwch yr wybodaeth isod ac yna atebwch y cwestiynau sy'n dilyn.

GWYBODAETH Tyrfaoedd brwd yn cyfarch eu Führer yn ystod ymweliad â Nürnberg ym 1936.

CA Cwestiynau Arholiad

1 a Disgrifiwch nod y Cynllun Pedair Blynedd. [2]
  b Eglurwch sut llwyddodd yr Almaenwyr i ostwng lefelau diweithdra rhwng 1933 a 1939. [4]
  c Pa mor bwysig oedd propaganda a sensoriaeth o ran perswadio pobl i dderbyn syniadau a pholisïau'r Natsïaid? [5]

2 a Disgrifiwch agwedd y Natsïaid tuag at rôl menywod. [3]
  b Eglurwch pam roedd disgwyl i Almaenwyr ifanc ymuno â Mudiad Ieuenctid Hitler. [4]

3 A wellodd bywyd i bawb a oedd yn byw yn yr Almaen rhwng 1933 a 1939? [7]

Pa effaith a gafodd yr Ail Ryfel Byd ar fywydau pobl yr Almaen?

YR ALMAEN YN YSTOD Y RHYFEL: GOROLWG

Gallwn rannu astudiaeth o'r Almaen yn ystod y rhyfel yn ddau gyfnod. Roedd y cyntaf, hyd at 1942, yn gyfnod pan gafodd yr Almaenwyr lwyddiant milwrol a'r rhyfel heb fod yn effeithio'n fawr ar y boblogaeth sifil. Dechreuodd yr ail gyfnod ar ôl i'r Almaenwyr golli nifer o frwydrau allweddol ym 1942 ac yn sgil hyn daeth trychinebau milwrol, caledi economaidd ac anobaith ar y ffrynt cartref.

Nid oedd pawb yn yr Almaen yn croesawu dechrau'r rhyfel ym mis Medi 1939, wedi i luoedd Hitler ymosod ar Wlad Pwyl. Roedd pobl yn dal i gofio am erchyllterau'r Rhyfel Byd Cyntaf. Ond cododd calonnau'r Almaenwyr wedi iddyn nhw gael llwyddiant yn defnyddio tactegau *Blitzkrieg* (rhyfel cyrchoedd bomio). Prin oedd y gwrthwynebiad i fyddin yr Almaen, ac aeth yn ei blaen drwy orllewin Gwlad Pwyl ym 1939 a'r Iseldiroedd, Gwlad Belg, Luxembourg, Denmarc, Norwy a Ffrainc ym 1940.

Ond cafodd yr Almaenwyr eu maeddu o 1942 ymlaen wrth geisio ennill rhyfel yn erbyn gormod o elynion. Ar y ffrynt cartref, bu mwy o sifiliaid nag erioed farw mewn cyrchoedd bomio ar ddinasoedd yr Almaen. Roedd y wlad o dan bwysau mawr wrth gael ei gorfodi i addasu i ofynion rhyfel diarbed ac erbyn 1945 roedd ar fin mynd i'r wal yn ariannol.

BYWYD YN YR ALMAEN, 1939–41

Ailarfogi

Ym 1934, gorchmynnodd Hitler y dylai maint lluoedd arfog yr Almaen gynyddu'n fawr, rhywbeth a oedd yn hollol groes i delerau Cytundeb Versailles.

FFYNHONNELL A Sifiliaid a milwyr yn cymdeithasu mewn café ar stryd Unter den Linden yn Berlin. Roedd golygfeydd fel hyn yn gyffredin yn ystod blynyddoedd cynnar y rhyfel.

Cafodd gwasanaeth milwrol gorfodol ei gyflwyno'r flwyddyn ganlynol ac erbyn 1938 roedd gan yr Almaen 900,000 o ddynion yn y *Wehrmacht* (y fyddin). Crëwyd y *Luftwaffe* (y llu awyr) a bu ehangu ar y *Kriegsmarine* (y llynges). Erbyn 1939 roedd y peiriannau ymladd mwyaf modern gyda'r dechnoleg ddiweddaraf yn y byd gan yr Almaen.

Yr economi

Bu'r rhaglen ailarfogi yn help i adfywio economi'r Almaen. Cyflwynodd Göring y Cynllun Pedair Blynedd ym 1936 i oruchwylio'r twf yma (gweler tudalen 148). Awtarchiaeth oedd y nod – bod yr Almaen yn hunangynhaliol o ran bwyd a defnyddiau crai. Yn ystod rhan gyntaf y rhyfel roedd yr Almaenwyr yn gallu cymryd adnoddau o'r tiroedd a gafodd eu goresgyn. Cafodd bwyd a nwyddau moeth eu hanfon 'nôl i'r Almaen o Wlad Pwyl, Denmarc, Norwy, yr Iseldiroedd, Gwlad Belg a Ffrainc ar ôl eu goresgyn. Daeth gweithwyr tramor i weithio yn ffatrïoedd yr Almaen.

Dogni

Dechreuodd dogni yn yr Almaen pan gychwynnodd y rhyfel. Cafodd cardiau dogni eu dosbarthu fel bod pawb yn bwyta diet cytbwys. Roedd nwyddau artiffisial yn lle rhai bwydydd bob dydd, fel coffi ersatz, wedi ei wneud o hadau haidd a mes. Cafodd dillad eu dogni o fis Tachwedd 1939 ymlaen. Ar ddau ddiwrnod yr wythnos yn unig roedd hawl i gael dŵr twym er mwyn arbed tanwydd, a chafodd sebon ei ddogni. Aeth hi'n amhosibl dod o hyd i bapur tŷ bach. Er bod dogni, roedd marchnad ddu lewyrchus a dechreuodd pobl ffeirio i gael nwyddau prin.

Gwagio'r dinasoedd

Er mwyn osgoi perygl y cyrchoedd bomio roedd pawb yn eu disgwyl, gwnaed trefniadau i symud plant o Berlin ym mis Medi 1940, ond arhosodd llawer ar ôl. Ym 1943 y digwyddodd y gwagio mawr, gyda phlant yn cael eu symud yn bennaf i Awstria a Bayern.

C Cwestiynau

1 Pa wybodaeth y mae Ffynhonnell A yn ei rhoi am amodau ar ffrynt cartref yr Almaen yn ystod blynyddoedd y rhyfel?

2 Eglurwch sut effeithiodd dogni ar fywyd ar y ffrynt cartref.

BYWYD YN YR ALMAEN, 1942–5

Rhyfel diarbed

Erbyn diwedd 1942 roedd hi'n amlwg nad oedd y rhyfel bellach yn mynd o blaid yr Almaen felly cyflwynodd y Natsïaid bolisi rhyfel diarbed, sef cyfeirio pob adran o'r economi a'r gymdeithas at yr ymdrech ryfel.

Prinder llafur

Oherwydd prinder llafur yn y ffatrïoedd bu'n rhaid i'r Natsïaid newid eu polisi o ran menywod a gwaith. Cafodd menywod eu hannog i fynd i'r gweithle ond ni fu hyn yn llwyddiannus. Ym 1943 ceisiodd y Natsïaid orfodi 3 miliwn o fenywod rhwng 17 a 45 oed i weithio. Ceisiodd nifer osgoi hyn, a 1 miliwn yn unig a gymerodd swyddi. Roedd y ffaith na fu niferoedd mawr o fenywod yn gweithio yn un o'r rhesymau pam cafodd yr Almaen ei threchu ym 1945. Yn lle'r menywod, bu'n rhaid tynnu llawer o weithwyr tramor i'r ffatrïoedd, ac erbyn 1944, roedden nhw'n cynrychioli 21 y cant o'r gweithlu. Hefyd defnyddiwyd carcharorion o'r gwersylloedd i weithio ac erbyn 1944 roedd nifer y carcharorion a oedd yn gweithio mewn diwydiant wedi codi o 30,000 i dros 300,000.

Y Volkssturm

Wrth i luoedd y Cynghreiriaid ddechrau gwthio tuag at ffiniau'r Almaen yn ystod 1944, ffurfiwyd y *Volkssturm*, sef gwarchodlu cartref y bobl. Ond propaganda'n unig oedd hyn i godi ysbryd y bobl. Roedd ei aelodau'n ddibrofiad a heb gael eu hyfforddi'n iawn. Dynion a oedd yn rhy hen neu'n rhy ifanc i ymuno â'r *Wehrmacht* oedd yr aelodau, neu'r rhai sâl a'r rhai a anafwyd.

FFYNHONNELL **B** Poster propaganda'n dangos y *Volkssturm* yn amddiffyn y Famwlad.

Y rhyfel propaganda

Oherwydd bod y lluoedd milwrol yn cael eu trechu ar holl ffryntiau'r rhyfel, aeth bywyd yn galed ar y ffrynt cartref, gyda phrinder bwyd a thanwydd. I godi ysbryd pobl, lansiodd Goebbels ymgyrch bropaganda ddwys. Roedd posteri'n chwarae ar ofn comiwnyddiaeth ac yn cynnig dewis clir i'r Almaenwyr rhwng 'Buddugoliaeth neu Folsieficiaeth'; roedd eraill yn dweud wrthyn nhw am arbed tanwydd a nwyddau angenrheidiol. Roedd hi'n ymddangos i'r propaganda lwyddo. Ymladdodd yr Almaenwyr dros Hitler i'r diwedd yn deg a chafodd unrhyw wrthwynebiad ei sathru.

FFYNHONNELL **C**

Mae'r Prydeinwyr yn honni bod y genedl hon wedi colli ffydd mewn buddugoliaeth. Rwy'n gofyn i chi: Ydych chi'n credu, gyda'r Führer a gyda ni, ym muddugoliaeth derfynol a llwyr pobl yr Almaen? Rwy'n gofyn i chi: Ydych chi'n benderfynol o ddilyn y Führer doed a ddelo i gael buddugoliaeth, hyd yn oed os yw hynny'n golygu aberth fawr ar eich rhan chi?

'Ydych chi eisiau rhyfel diarbed?' Araith gan Goebbels ar 18 Chwefror 1943.

Effaith ymgyrch fomio'r Cynghreiriaid

Roedd y Llu Awyr wedi bomio targedau milwrol a diwydiannol yn yr Almaen ers 1939. Newidiodd pethau ym mis Mai 1943 wrth i raglen fomio ddwys ddechrau yn erbyn dinasoedd yr Almaen. Y nod oedd lladd ysbryd pobl a gorfodi diwedd i'r rhyfel. Cafodd Berlin, Köln (Cwlen), Hamburg a Dresden eu bomio'n ddifrifol. Roedd Hamburg yn darged amlwg gan fod yno borthladd a diwydiannau. Achosodd un cyrch storm o dân a losgodd rannau helaeth o'r ddinas. Ym mis Chwefror 1945 dinistriodd cyrchoedd ar Dresden 70 y cant o'r adeiladau yn y ddinas a lladdwyd mwy na 150,000 o sifiliaid mewn dwy noson o ymosodiadau'n unig.

FFYNHONNELL CH Effaith bomio'r Cynghreiriaid ar Dresden. Cafodd y llun ei dynnu ym 1944.

Erbyn 1944 roedd y bomio di-baid yn effeithio ar weithgynhyrchu. Ond oherwydd y bomio, aeth y bobl hefyd yn fwy penderfynol fyth o wrthsefyll. Doedd bomio'r Cynghreiriaid ddim yn gywir iawn: cwympodd hyd at 50 y cant o'r bomiau ar ardaloedd preswyl a dim ond 12 y cant ar ffatrïoedd a diwydiannau rhyfel. Yn ôl un amcangyfrif, cafodd 800,000 o sifiliaid eu lladd yn ystod ymgyrch fomio'r Cynghreiriaid.

C Cwestiynau

1. Disgrifiwch bolisi rhyfel diarbed.
2. Eglurwch sut aeth y Natsïaid ati i ddatrys problem diffyg llafur yn ystod blynyddoedd y rhyfel.
3. Pa mor llwyddiannus fu ymgyrch fomio'r Cynghreiriaid yn erbyn yr Almaen rhwng 1943 a 1945?

YR ATEB TERFYNOL

Wedi i'r rhyfel ddechrau ym 1939, bu'r Natsïaid yn erlid yr Iddewon yn ddidrugaredd. Canlyniad hyn oedd yr Holocost, sef llofruddio torfol neu hil-laddiad yr Iddewon. Ar ôl i'r Natsïaid oresgyn Gwlad Pwyl ym 1939 daeth 3 miliwn o Iddewon o dan reolaeth y Natsïaid. Ar y dechrau cafodd yr Iddewon eu hanfon i getos, fel a ddigwyddai yn yr Almaen. Cawson nhw eu gorfodi i fyw o dan amodau caled a'u carcharu fwy neu lai, oherwydd nid oedd hawl gan neb symud i mewn ac allan heb drwydded arbennig. Roedd y getos yn orlawn: bu dros 500,000 o bobl farw o newyn neu afiechyd o achos yr amodau byw dychrynllyd.

Ym mis Mehefin 1941 goresgynnodd y Natsïaid yr Undeb Sofietaidd. Felly daeth mwy o Iddewon o dan eu rheolaeth. Dechreuodd unedau arbennig o'r enw *Einsatzgruppen* (sgwadiau lladd) gasglu Iddewon at ei gilydd a'u saethu, gan eu claddu mewn beddau mawr. Ond roedd y Natsïaid o'r farn fod y dull hwn yn rhy araf i ymdopi â chynifer o Iddewon. Ym mis Gorffennaf 1941 rhoddodd Göring orchymyn i Heydrich lunio cynllun i gael 'Ateb Terfynol i fater yr Iddewon'. Canlyniad hyn oedd adeiladu gwersylloedd crynhoi a chludo'r Iddewon yn eu miloedd i'r gwersylloedd hyn.

Ar 20 Ionawr 1942 cafodd cynhadledd arbennig o arweinwyr y Natsïaid ei chynnal yn Wannsee yn Berlin i ystyried yr 'Ateb Terfynol i fater yr Iddewon'. Cafodd Himmler y dasg o ehangu'r gwersylloedd crynhoi a datblygu dulliau mwy effeithiol o ladd gan ddefnyddio nwy. Cafodd siambrau nwy arbennig eu hadeiladu mewn

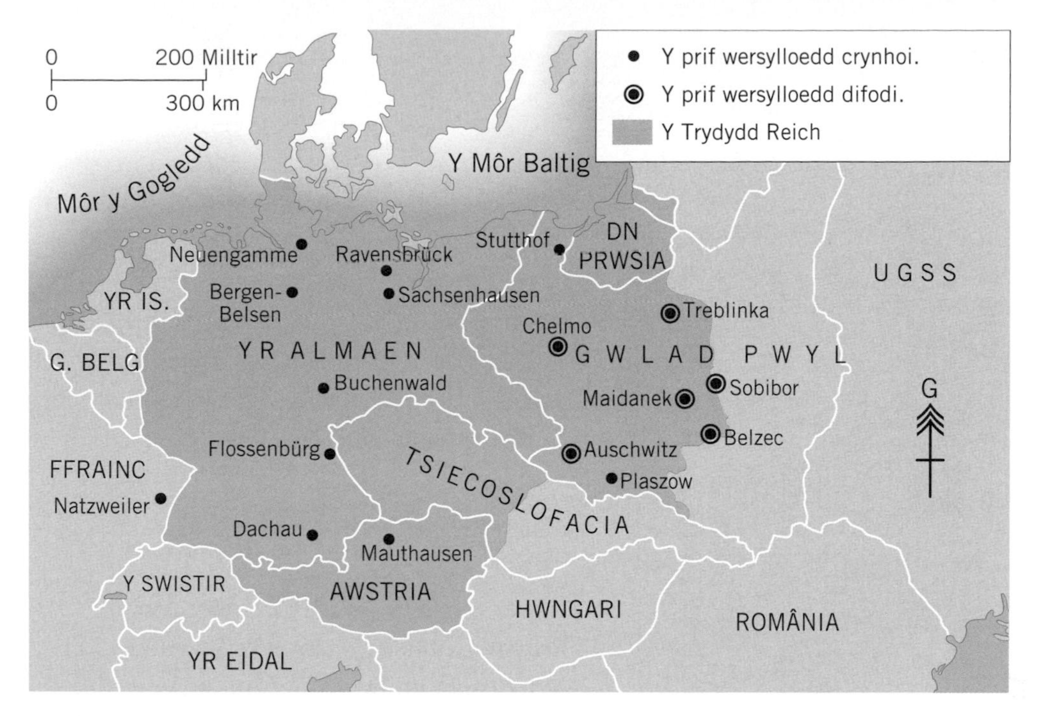

Y prif wersylloedd crynhoi yn yr Almaen a Dwyrain Ewrop o dan reolaeth y Natsïaid.

gwersylloedd fel Sobibor, Treblinka, Maidanek ac Auschwitz yng Ngwlad Pwyl. Ar ôl cyrraedd y gwersylloedd, byddai'r Iddewon yn cael eu rhannu'n ddau grŵp. Byddai'r rhai ffit yn cael eu gorfodi i weithio; roedd y rhai nad oedden nhw'n ddigon ffit yn cael eu harwain i'r 'cawodydd'. Roedd hyd at 2000 o bobl yn gallu cael eu gwasgu i mewn i un siambr nwy yn Auschwitz lle roedd cawodydd ffug. Mae haneswyr wedi amcangyfrif i hyd at 6 miliwn o Iddewon gael eu llofruddio yn ystod yr Holocost.

FFYNHONNELL D

Pan sefydlais yr adeilad difodi yn Auschwitz, defnyddiais Zyklon B, a fyddai'n cael ei ollwng i'r siambr marwolaeth drwy dwll bychan. Fe fyddai'n cymryd rhwng tair a phymtheg munud i ladd y bobl yn y siambr . . . Fe fydden ni'n gwybod pan fyddai'r bobl wedi marw achos bod eu sgrechian wedi tawelu . . .

Rudolf Hess, pennaeth Auschwitz 1940-3 yn disgrifio sut roedd y siambrau nwy'n gweithio.

g REINHARD HEYDRICH (1904–42)

FFYNHONNELL DD Reinhard Heydrich.

Roedd Heydrich, a oedd yn cael ei alw'n 'Fwystfil Gwallt Golau' yn edrych fel Ariad nodweddiadol. Roedd yn fab i gerddor a oedd efallai'n Iddew, ond byddai'n ceisio cadw hynny'n gyfrinach. Chwaraeodd Heydrich ran amlwg yn y cynllun i ddifa'r Iddewon. Ar ôl Noson y Cyllyll Hirion, daeth yn Ddirprwy Bennaeth yr SS ac yna'n Bennaeth y Gestapo ym 1936. Cafodd ei ladd yn Praha ym mis Mai 1942 gan ymladdwyr Tsiecaidd dros ryddid.

g HEINRICH HIMMLER (1900–45)

FFYNHONNELL **E** Heinrich Himmler.

Daeth Himmler yn un o'r dynion roedd pobl yn eu hofni fwyaf yn y Trydydd Reich. Erbyn 1936 roedd yn Bennaeth Heddlu'r Almaen ac Arweinydd SS y Reich ac yn rheoli'r peirianwaith i greu arswyd a braw. Ar ôl i'r rhyfel ddechrau daeth yn gyfrifol am drefnu'r gwersylloedd crynhoi yn y tiroedd a oedd wedi'u goresgyn yn y dwyrain. Cafodd ei ddal gan luoedd Prydain ar ddiwedd y rhyfel a chyflawnodd hunanladdiad ar 23 Mai 1945.

C Cwestiynau

1 Disgrifiwch beth yw ystyr y term 'Holocost'.

2 Eglurwch pam roedd Hitler eisiau 'Ateb Terfynol i fater yr Iddewon' ym 1942.

GWRTHWYNEBU RHEOLAETH Y NATSÏAID

Roedd rhai Almaenwyr wedi gwrthwynebu cyfundrefn y Natsïaid ond gan fod yr SS a'r Gestapo mor effeithiol, chawson nhw ddim llawer o effaith. Wrth i'r rhyfel droi yn erbyn yr Almaen daeth gwrthwynebiad i'r gyfundrefn yn fwy cyffredin, yn enwedig mewn rhai rhannau o'r gymdeithas.

Pobl ifanc yn gwrthwynebu

→ **Môr-ladron Edelweiss,** grŵp o bobl ifanc a oedd yn gwrthwynebu'r ffordd roedd y Natsïaid yn ceisio rheoli pob agwedd ar fywydau pobl ifanc. Cafodd Barthel Schink, arweinydd Môr-ladron Köln (Cwlen), ei grogi ym mis Tachwedd 1944 yn 16 oed.

FFYNHONNELL **F** Dienyddio deuddeg o Fôr-ladron Edelweiss yn Köln ym 1944. Cafwyd nhw yn euog o weithgarwch gwrth-Natsïaidd.

- **Ieuenctid Swing,** pobl ifanc dosbarth canol ar y cyfan wedi eu hysbrydoli gan gerddoriaeth Prydain ac America, yn enwedig *jazz*. Agorodd clybiau swing mewn nifer o ddinasoedd yr Almaen, a byddai pobl ifanc yn dawnsio'r *jitterbug* yno ac yn gwrando ar gerddoriaeth wedi'i gwahardd. Roedden nhw'n gwrthod y ffordd o fyw roedd cyfundrefn y Natsïaid yn ei gorfodi arnyn nhw.

Myfyrwyr yn gwrthwynebu

Ar ôl y brwydrau a gollwyd ym 1942, ffurfiodd myfyrwyr ym Mhrifysgol München, gan gynnwys Hans a Sophie Scholl, grŵp y Rhosyn Gwyn a galw am ymgyrch o wrthwynebiad di-drais yn erbyn cyfundrefn y Natsïaid. Ar 18 Chwefror 1943 cawson nhw eu harestio gan y Gestapo am ddosbarthu taflenni gwrth-Natsïaidd, eu poenydio a'u crogi.

Grwpiau Cristnogol yn gwrthwynebu

Ar ôl i wir natur cyfundrefn y Natsïaid ddod i'r amlwg, datblygodd gwrthwynebiad gan rai pobl o fewn yr Eglwys. Sefydlodd Martin Niemoller yr Eglwys Gyffesiadol yn ddewis arall ar wahân i Eglwys y Reich (gweler tudalen 151). Bu Archesgob Pabyddol Münster, von Galen, yn beirniadu polisi ewthanasia'r Natsïaid, sef dienyddio pobl â salwch meddwl. Roedd Dietrich Bonhoeffer, gweinidog Protestanaidd, yn gwrthwynebu polisïau'r Natsïaid tuag at hiliaeth ac yn helpu Iddewon i ddianc.

Y lluoedd milwrol yn gwrthwynebu

Bu'r Cadfridog Ludwig Beck, a oedd wedi ymddiswyddo o'r fyddin ym 1938 ar ôl i'r Almaen oresgyn Awstria, yn arwain y gwrthwynebiad o fewn y lluoedd milwrol, gyda Karl Goerdeler, swyddog gyda'r Natsïaid. Roedd y criw yma'n barod i ddefnyddio dulliau treisgar i gael gwared ar Hitler, a nhw oedd yn gyfrifol am y ddwy ymgais aflwyddiannus i'w lofruddio ym mis Mawrth a mis Tachwedd 1943, yn ogystal â Chynllwyn Bom mis Gorffennaf 1944.

Cynllwyn Bom Mis Gorffennaf 1944

Cafodd yr enw côd Ymgyrch Valkyrie ei roi ar y cynllwyn hwn i ladd Hitler a chipio grym yn Berlin drwy ddefnyddio'r fyddin. Ar 20 Gorffennaf 1944, dyma'r Cyrnol Claus von Stauffenberg, uwch swyddog yn y fyddin, yn gadael bom mewn bag lledr o dan y ford mewn ystafell gynadleddau ym mhencadlys Hitler yn nwyrain Prwsia. Roedd Hitler newydd gyrraedd pan wnaeth Stauffenberg esgus i adael yr ystafell. O fewn munudau roedd y bom wedi ffrwydro gan ladd pedwar person, ond dim ond mân anafiadau a gafodd Hitler. Cafodd y rhai a fu'n rhan o'r cynllwyn eu dal cyn pen dim. O fewn misoedd, cafodd dros 5000 o bobl roedd amheuaeth eu bod yn rhan o'r cynllwyn eu dienyddio, gan gynnwys 19 cadfridog a 26 cyrnol.

C Cwestiynau

1 Pa wybodaeth mae Ffynhonnell F yn ei rhoi am sut roedd y Natsïaid yn delio â phobl a oedd yn gwrthwynebu?

2 Disgrifiwch sut roedd pobl ifanc yn gwrthwynebu cyfundrefn y Natsïaid.

YR ALMAEN YN COLLI'R RHYFEL YM 1945

Erbyn 1945 roedd hi'n amlwg fod yr Almaen wedi colli'r rhyfel. Yn ystod misoedd olaf y rhyfel gwrthododd Hitler adael Berlin a bu'n rheoli'r ymdrech ryfel o'i fyncer o dan adeilad swyddfeydd Canghellor y Reich. Ar 24 Mawrth 1945 croesodd y Cynghreiriad afon Rhein o'r gorllewin ac ar 22 Ebrill daeth Byddin Goch yr Undeb Sofietaidd i mewn i Berlin o'r dwyrain. Roedd miliynau o ffoaduriaid Almaenig wrthi'n ffoi i osgoi'r bomio yn y dinasoedd, neu i osgoi milwyr Rwsia. Bu dros 2 filiwn o ffoaduriaid farw o oerfel, newyn, afiechyd a blinder llwyr.

FFYNHONNELL FF

Gaeaf 1945. Pan gyrhaeddais y Gedächtnisplatz [yn Berlin], roedd môr o adfeilion o'm cwmpas . . . Yn y Budapesterstrasse roedd y naill dŷ ar ôl y llall yn gragen wag, nid oedd un adeilad ar ei draed . . . Dyma ganol Berlin – prifddinas ymerodraeth fawr Hitler, a fyddai, yn ôl ei ymffrost ef, yn parhau am fil o flynyddoedd, a dyma'r lle roeddwn innau ar fy mhen fy hun mewn tref ysbrydion.

Rhan o ddyddiadur Christabel Bielenberg, allan o'i llyfr *The Past is Myself*, 1968.

Gan nad oedd eisiau cael ei ddal gan y Rwsiaid, cyflawnodd Hitler hunanladdiad ar 30 Ebrill 1945, ar ôl priodi ei gariad, Eva Braun. Rhoddodd yr awdurdod dros y wlad i'r Llyngesydd Karl Doenitz, a gytunodd fod yr Almaen yn ildio'n ddiamod i'r Cynghreiriaid ar 7 Mai 1945. Daeth Reich mil o flynyddoedd Hitler i ben ar ôl 12 mlynedd yn unig.

Cafodd 21 o brif arweinwyr Plaid y Natsïaid eu rhoi ar brawf yn Nürnberg rhwng 1945 a 1947. Cafodd deg eu crogi; cafodd eraill fel Speer eu carcharu am 'droseddau yn erbyn heddwch a dynoliaeth'; cyflawnodd Göring hunanladdiad. Ar ôl i'r Almaen gael ei rhannu'n rhanbarthau dan ofal pedwar pŵer y Cynghreiriaid, cafodd polisi cadarn ei roi ar waith i ddadnatsïeiddio'r wlad, er mwyn cael gwared ar unrhyw olion o'r Trydydd Reich.

5 YMARFER ARHOLIAD

Mae'r cwestiynau hyn yn profi Adran A y papur arholiad.

YR ALMAEN YN YSTOD YR AIL RYFEL BYD, 1939–45

Astudiwch Ffynonellau A-CH ac yna atebwch y cwestiynau sy'n dilyn.

FFYNHONNELL A Ffotograff yn dangos yr ystafell gynadleddau lle llwyddodd Hitler i osgoi cael ei ladd yn ystod Cynllwyn Mis Gorffennaf 1944.

FFYNHONNELL **B**

Mae pobl fan hyn wedi hen flino ar y rhyfel. Mae anobaith ar eu hwynebau, ac mae ymdeimlad o ddiflastod llwyr a dicter ym mhobman. Mor wahanol yw hi o'i chymharu â blwyddyn gyntaf y rhyfel pan oedd baneri coch yn Natsïaid yn cyhwfan a'r drymiau'n taro pan fyddai buddugoliaeth arall yn cael ei chyhoeddi ar y radio. Ers Stalingrad a'r rhyfel diarbed mae popeth yn llwyd a llonydd. Mae'r naill siop ar ôl y llall wedi cau. Mae rhywun yn dioddef bod yn anghyfforddus, gan anghofio i fywyd fod yn wahanol unwaith.

Mathilde Volff-Monckeberg, gwraig tŷ o Hamburg yn cofnodi ei phrofiadau yn yr Ail Ryfel Byd yn ei dyddiadur ym 1943.

FFYNHONNELL **C**

Mae dydd y farn wedi cyrraedd. Dyma'r diwrnod pan fydd ieuenctid yr Almaen yn dial ar Hitler. Yn enw ieuenctid yr Almaen rydym yn mynnu bod Adolf Hitler yn rhoi ein rhyddid personol a gipiodd oddi wrthym yn ôl i ni. Un dewis yn unig sydd: Ymladdwn y Natsïaid. Rhaid i bob un ohonom ymuno â'r frwydr dros ein dyfodol. Fyfyrwyr, mae pawb yn yr Almaen yn edrych arnom. Mae meirw Stalingrad yn ymbil arnom i weithredu.

Taflen a gyhoeddwyd gan 15 aelod o grŵp y Rhosyn Gwyn ym Mhrifysgol München ar 18 Chwefror 1943.

FFYNHONNELL **CH**

Am y rhan fwyaf o'i gyfnod fel arweinydd roedd Hitler yn boblogaidd iawn, felly nid oedd gwrthwynebu'r Führer neu'r Natsïaid yn ystyriaeth i'r rhan fwyaf o'r bobl. Gan fod pob plaid wleidyddol arall wedi ei gwahardd roedd hi'n anodd trefnu gwrthwynebiad. Roedd y Gestapo'n gwbl ddidostur wrth ymdrin ag unrhyw berson a oedd yn ceisio gwrthwynebu awdurdod y Natsïaid.

Addasiad o werslyfr hanes gan Richard Radway, *Germany 1918–45* (1998).

CA Cwestiynau Arholiad

1 Pa wybodaeth mae Ffynhonnell A yn ei rhoi am y gwrthwynebiad i Hitler yn yr Almaen adeg y rhyfel? [3]

2 Defnyddiwch yr wybodaeth yn Ffynhonnell B a'ch gwybodaeth eich hun i egluro ymateb pobl yr Almaen i'r rhyfel. [4]

3 Pa mor ddefnyddiol yw Ffynhonnell C fel tystiolaeth i hanesydd sy'n astudio'r gwrthwynebiad i Hitler yn ystod yr Ail Ryfel Byd? Eglurwch eich ateb gan ddefnyddio'r ffynhonnell a'ch gwybodaeth eich hunan. [5]

4 Yn Ffynhonnell CH mae'r awdur yn dweud mai ychydig o bobl a fu'n gwrthwynebu Hitler a'r Natsïaid o fewn yr Almaen. Ydy hynny'n ddehongliad dilys?
Yn eich ateb dylech ddefnyddio eich gwybodaeth eich hun am y pwnc, cyfeirio at ffynonellau perthnasol eraill yn y cwestiwn hwn, ac ystyried sut daeth yr awdur i'r casgliad hwn. [8]

6 DE AFFRICA, 1960–94

Yn yr ail ganrif ar bymtheg, cafodd trefedigaeth ei sefydlu yng ngwaelod pellaf Affrica gan gyfaneddwyr a aeth draw yno o'r Iseldiroedd, sy'n cael eu galw'n 'Boeriaid'. Ar ôl 1815 daeth y tir hwn yn un o drefedigaethau Prydain, a symudodd y Boeriaid i'r gogledd a'r dwyrain gan ymladd cyfres o ryfeloedd yn erbyn y llwythau lleol i gael tir newydd. Pan gafodd diemwntau eu darganfod yn nhrefedigaethau'r Boeriaid, ymosododd y Saeson ac arweiniodd hyn at Ryfel y Boer rhwng 1899-1902. Enillodd y Prydeinwyr y rhyfel hwn a daeth trefedigaethau'r Boeriaid yn rhan o Ymerodraeth Prydain. Cafodd y trefedigaethau hyn eu huno'n ffurfiol gan Undeb De Affrica ym 1910.

Er bod enw'n eu huno nhw, roedd pobloedd De Affrica'n rhanedig iawn. Ym 1926 rhoddodd Prydain hunanlywodraeth i Dde Affrica. Yn ystod y cyfnod rhwng y Rhyfel Byd Cyntaf a'r Ail Ryfel Byd collodd pobl dduon De Affrica a chyfaneddwyr o India fwy o'u hawliau gwleidyddol. Daeth Afrikaans, iaith y Boeriaid, yn iaith swyddogol.

Ym 1948 daeth y Blaid Genedlaethol i rym o dan Daniel Malan. Yn syth cyflwynodd y llywodraeth newydd gyfres o ddeddfau hiliol o'r enw apartheid, er mwyn cadw'r holl rym gwleidyddol ac economaidd yn nwylo'r lleiafrif gwyn. Roedd y deddfau hil yn effeithio ar bob agwedd ar fywyd ac yn creu system greulon o arwahanu a rheoli. Byddai gwrthwynebiad i apartheid o fewn De Affrica'n cael ei drechu drwy ddefnyddio trais.

Erbyn y 1970au, roedd y gwrthwynebiad i apartheid oddi fewn i Dde Affrica a'r tu allan, felly roedd pwysau am newid. Dechreuodd gwaharddiad rhyngwladol ar gysylltiadau economaidd a chwaraeon â De Affrica niweidio economi'r wlad. Yn yr 1980au daeth rhai newidiadau bychain i system apartheid. Daeth newidiadau ysgubol o dan Arlywydd de Klerk wedi i Nelson Mandela gael ei ryddhau ym 1990. Ym 1994, cafodd etholiad democrataidd cyntaf y wlad ei gynnal a daeth y system apartheid yn Ne Affrica i ben.

LLINELL AMSER DIGWYDDIADAU

(ANC) yn cael ei ffurfio

1948 Plaid Genedlaethol yr Affricaneriaid yn dod i rym

1949-56 Pasio Deddfau Apartheid

1961 De Affrica'n dod yn weriniaeth ac yn gadael y Gymanwlad

1962 Y Cenhedloedd Unedig yn pleidleisio i roi sancsiynau ar Dde Affrica

1964 Nelson Mandela'n cael ei ddedfrydu i garchar am oes

1976 Terfysg a llofruddio yn Soweto

1985 Y Gymuned Ewropeaidd yn gosod sancsiynau economaidd

'Petty apartheid' yn cael ei ddiddymu; diddymu Deddf Priodasau Cymysg

1986 Deddfau Trwyddedau'n cael eu diddymu

1989 F.W. de Klerk yn dod yn Arlywydd

1990 ANC a PAC yn dod yn gyfreithlon. Nelson Mandela'n cael ei ryddhau o garchar

1991 Deddfau Apartheid yn cael eu diddymu

1994 De Affrica'n cynnal ei hetholiadau democrataidd cyntaf

Nelson Mandela'n dod yn Arlywydd

Beth oedd prif nodweddion y system apartheid a sut roedd yn effeithio ar bobl De Affrica?

Map o dde a chanolbarth Affrica.

Y GWYNION YN RHEOLI YN NE AFFRICA

Ym 1652 ymsefydlodd yr Iseldirwyr yn Cape Town a dechrau trefedigaethu'r rhanbarth. Datblygodd y cyfaneddwyr eu hiaith eu hunain, Afrikaans, a'r enw arnyn nhw oedd Boeriaid (ffermwyr). Roedden nhw'n deyrngar i Eglwys Ddiwygiedig yr Iseldiroedd, a oedd yn dysgu bod Duw wedi creu'r dyn gwyn i fod yn drech na 'hilion is'. Cafodd caethwasiaeth ei mabwysiadu a ffynnodd yr Iseldirwyr ar draul y gweithlu du.

Concrodd Prydain y drefedigaeth ym 1814 achos ei fod yn fan pwysig ar y llwybr masnach i India. Pan gafodd caethwasiaeth ei diddymu yn yr Ymerodraeth Brydeinig ym 1833, gadawodd rhyw 10,000 o Foeriaid Cape Colony a chreu dwy weriniaeth annibynnol – Orange Free State a Transvaal. Bu'r Prydeinwyr a'r Iseldirwyr yn byw fwy neu lai mewn heddwch tan i aur a diemwntau gael eu darganfod yn nhiriogaeth y Boeriaid. Wedyn bu brwydr i reoli'r diriogaeth a arweiniodd at Ryfel y Boer 1899-1902. Cafodd y Boeriaid eu trechu gan y Prydeinwyr ym 1902. Ym 1910 cafodd y pedair trefedigaeth, sef Transvaal, Orange Free State, Natal a Cape Colony eu huno yn Undeb De Affrica. Cafodd yr undeb newydd yma hawl i sefydlu ei llywodraeth ei hunan ac ym 1931 cafodd y drefedigaeth o dan arweiniad yr Affricaneriaid hawl i fod yn annibynnol.

Y BLAID GENEDLAETHOL AC APARTHEID

Ym 1948 daeth y Blaid Genedlaethol o dan arweiniad yr Affricaneriaid i rym o dan Dr Daniel Malan. Roedd yr Affricaneriaid yn cynrychioli 55 y cant o boblogaeth y gwynion ond 13 y cant yn unig o gyfanswm poblogaeth De Affrica. Ond penododd Malan gabinet a oedd yn cynnwys Affricaneriaid yn unig ac aeth ati i weithredu eu damcaniaethau am oruchafiaeth y gwynion. Mae'r gair Afrikaans apartheid yn golygu 'arwahanrwydd'. Roedd y Blaid Genedlaethol yn dadlau bod apartheid yn golygu 'datblygu ar wahân' – y syniad y dylai pobl dduon, pobl wynion a lliw (hil gymysg) fyw eu bywydau ar wahân, ac y dylai pob grŵp ddatblygu yn ei ffordd ei hun. Ond daeth 'ar wahân' i olygu 'rheolaeth gan y gwynion' a daeth 'apartheid' yn set o fesurau i gynnal goruchafiaeth y gwynion a chadw pobl nad oedd yn wynion rhag cael unrhyw fantais wleidyddol, gymdeithasol ac economaidd. Roedd system apartheid i'w chael i raddau pan ddaeth y Blaid Genedlaethol i rym ym 1948. Ond, yn ystod y blynyddoedd wedi 1948, cafodd system apartheid ei hestyn a'i gorfodi'n ddidrugaredd.

FFYNHONNELL A

Mae'n bolisi sy'n rhoi tasg iddo'i hun, sef gwarchod a diogelu hunaniaeth hil poblogaeth y gwynion yn y wlad; hefyd diogelu hunaniaeth pobl frodorol yn grwpiau hil ar wahân gyda chyfleoedd i ddatblygu'n unedau cenedlaethol sy'n llywodraethu eu hunain.

Y Blaid Genedlaethol yn diffinio ei pholisi mewn taflen a gyhoeddwyd ym 1947.

DEDDFAU APARTHEID (HYD AT 1960)

Cafodd system apartheid ei chyflwyno gan gyfres o gyfreithiau.

- **Deddf Gwahardd Priodasau Cymysg, 1949** yn gwahardd priodasau rhwng duon a gwynion.
- **Deddf Cofrestru'r Boblogaeth, 1950** yn dosbarthu pobl yn dri grŵp – Gwynion, Brodorion (Affricaniaid duon) a Lliw (hilion cymysg).
- **Deddf Ardaloedd Grwpiau, 1950** yn cyfyngu pob grŵp i'w ardal breswyl a masnach ei hun mewn trefi a dinasoedd. Roedd pobl a oedd yn byw yn yr ardaloedd 'anghywir' yn gorfod symud.
- **Deddf Atal Comiwnyddiaeth, 1950**, er mwyn gorfodi deddfau apartheid, roedd hon yn galluogi'r llywodraeth i ddiffinio pob ffurf ar wrthwynebiad i apartheid yn 'gomiwnyddiaeth'.
- **Deddf Diwygio Deddfau Brodorol, 1952** er mwyn rheoli symudiad Affricanwyr duon drwy rhoi'r hawl i'r heddlu arestio fel y mynnen nhw.
- **Deddf Diddymu Trwyddedau, 1952**, er gwaethaf ei henw, cyflwyno llyfr cyfair neu *dompass* (trwydded felltigedig) wnaeth hon. Roedd rhaid i bob Affricanwr du gario un a'i gyflwyno pan oedd gofyn. Roedd yn cynnwys ffotograff, cyfeiriad, teitl swydd ac olion bysedd y person.
- **Deddf Neilltuo Cyfleusterau Ar Wahân, 1953** yn neilltuo cyfleusterau ar wahân mewn mannau cyhoeddus, fel swyddfeydd a pharciau i'r duon a'r gwynion.
- **Deddf Addysg Bantw, 1953** a oedd yn dweud bod y duon yn mynd i dderbyn addysg fwy sylfaenol, i'w paratoi ar gyfer gwaith llai medrus.
- **Deddf Ailsefydlu Brodorion, 1954** oherwydd hon bu'n rhaid i 100,000 o Affricanwyr symud.
- **Deddf y Senedd, 1956** yn diddymu hawl pobl ddu i bleidleisio.

C Cwestiynau

1 Eglurwch y term 'apartheid'.

2 Sut rhoddodd y Blaid Genedlaethol ei damcaniaethau ar waith?

NEWIDIADAU I SYSTEM APARTHEID O DAN VERWOERD

Ym 1958 daeth Dr Hendrik Verwoerd yn brif weinidog. Aeth ati i roi ffurf ar annibyniaeth i ardaloedd y Bantŵaid (roedd Affricanwyr duon yn cael eu galw'n Bantŵaid). Roedd Bantwstan yn famwlad i'r duon ac roedd ganddi hunanlywodraeth. Roedd Verwoerd yn credu na ddylai Affricanwyr du gael hawliau gwleidyddol achos nad oedden nhw wir yn Dde Affricanwyr. Roedd yn credu mewn rhoi hawliau gwleidyddol i wahanol 'genhedloedd' Affricanaidd yn eu mamwledydd eu hunain. Disgrifiodd Verwoerd apartheid fel 'polisi cymdogion da'.

FFYNHONNELL **B** Cartŵn yn gwneud sylw ar 'bolisi cymdogion da' Verwoerd, *Daily Mail*, 6 Mawrth 1961

'Bantwstanau'

Cafodd saith ardal – Bantwstanau – eu neilltuo i Affricanwyr du fyw ynddyn nhw a'u ffermio. Cafodd y gyntaf, Transkei, ei sefydlu ym 1962. Y ddamcaniaeth oedd y byddai pob un yn annibynnol gyda'i llywodraeth ei hun. Mewn gwirionedd roedd llywodraeth y gwynion yn Ne Affrica'n rheoli'r Bantwstanau yn economaidd a gwleidyddol, a gallai wrthod unrhyw benderfyniad gan y Bantwstanau. Felly atgyfnerthu apartheid yn unig a wnâi'r system hon. Er bod bron i 70 y cant o'r boblogaeth yn Affricanwyr du, roedd y Bantwstanau'n cynnwys 13 y cant o'r tir yn unig.

Gorfodi Affricanwyr du i symud

Nid oedd y llywodraeth wedi sylweddoli y byddai poblogaeth yr Affricanwyr yn tyfu cymaint. Pan sylweddolodd y byddai 37 miliwn o Affricanwyr ac nid 21 miliwn erbyn diwedd yr ugeinfed ganrif, cyflymodd y broses o symud y duon oedd 'dros ben' o ardaloedd y gwynion. Roedd y broses hon wedi dechrau'n barod ar ôl Deddf Ardaloedd Grwpiau, 1950. Roedd pedwar categori o Affricanwyr du'n gorfod symud:

1. yr henoed a'r rhai nad oedd yn iach, nad oedd yn cael byw mewn trefi
2. llafurwyr diangen mewn ffermydd yn berchen i'r gwynion
3. trigolion ardaloedd duon mewn ardaloedd i'r gwynion
4. gweithwyr medrus roedd eu hangen nhw yn y mamwledydd.

Mae'n debyg i ryw 3.5 miliwn o bobl orfod gadael eu cartrefi, gyda pheiriannau dymchwel yn dynn wrth eu sodlau er mwyn clirio ardaloedd a oedd wedi eu neilltuo i'r gwynion. Cafodd Sophiatown yn Pretoria ei dymchwel a'i chodi'n faestref dwt o'r enw Triumph; ac yn wir roedd yn fuddugoliaeth i nifer o'r gwynion.

FFYNHONNELL **C**

Daethon nhw i'n nôl ni am hanner awr wedi pump y bore. Roedd pum dyn gwyn yn siglo'r giât ac yn gweiddi 'maak julle oop' ('Agorwch'). Dim ond gwylio mewn arswyd y gallai fy ngŵr wrth i ddwy lori aros o flaen y tŷ. Cawsom orchymyn i gymryd popeth a'i daflu y tu allan. Roedd fy ngŵr wedi adeiladu'r tŷ â'i ddwylo ei hun, hon oedd ein teyrnas ni, a nawr dyma ni'n cael ein rhoi ar lorïau a'n symud i Meadowlands.

Jane Dakile, athrawes yn Ysgol Anglicanaidd St Cyprian, Sophiatown, 10 Tachwedd 1958, yn disgrifio sut roedd pobl yn gorfod symud.

Cafodd llawer o Affricanwyr duon eu gorfodi i fyw mewn trefgorddau ar gyrion y dinasoedd, fel Soweto – trefgordd y de orllewin – yn Johannesburg.

C Cwestiynau

1 Sut mae Ffynhonnell B yn croes-ddweud syniad Verwoerd mai polisi cymdogion da oedd apartheid?

2 Pa mor annibynnol oedd y mamwledydd?

BYWYD DIWYLLIANNOL O DAN APARTHEID

Cafodd apartheid diwylliannol ei ehangu gan Ddeddf Sefydliadau sy'n Derbyn Cymorth y Wladwriaeth, 1957. Roedd hon yn gorfodi arwahanu mewn llyfrgelloedd a mannau adloniant cyhoeddus os mai'r awdurdodau cyhoeddus oedd yn eu rheoli.

Llenyddiaeth, cerddoriaeth a chelf

Mae llawer o lenyddiaeth De Affrica'n adlewyrchu tensiynau gwleidyddol a chymdeithasol y wlad. Mae'r awdur du Ezekiel Mphahle, y nofelydd lliw Peter Abrahms a'r awdur gwyn Alan Paton i gyd yn disgrifio sut mae apartheid wedi effeithio ar Dde Affrica. Ym 1991 enillodd yr awdures wen Nadine Gordimer Wobr Llenyddiaeth Nobel am ei nofelau'n beirniadu hiliaeth.

O gymysgu jeif Efrog Newydd â chamau dawns Affricanaidd draddodiadol cafodd y *tsabe-tsabe* ei chreu, dawns egnïol a ysbrydolodd cherddorion duon. Ym 1954, aeth tôn August Musururgwa 'Skokiaan' i frig siartiau UDA gyda'r enw 'Happy Africa'. Roedd Deddf Cyfleusterau Ar Wahân a Deddf Ardaloedd Grwpiau y 1950au cynnar yn gyfrifol am gau llawer o'r mannau roedd Affricanwyr du'n eu defnyddio ar gyfer cerddoriaeth a chelf, gan fygu eu creadigrwydd a gorfodi llawer o gerddorion i ffoi dramor. Penderfynodd y pianydd Dollar Brand (Abdullah Ibrahim yn ddiweddarach), y trwmpedwr byd-enwog Hugh Masekela a'r gantores Miriam Makeba i gyd adael De Affrica. Nawr bwriodd cerddoriaeth Affricanaidd ddu ei gwreiddyn mewn trefgorddau fel Soweto.

Cafodd yr arlunydd Gerard Sekoto ei ysbrydoli i baentio *Woman Ironing* (1941) ar ôl aros yn Sophiatown. Mae awyrgylch tywyll, aneglur y paentiad yn dangos ei farn ef am fywyd y duon o dan oruchafiaeth y gwynion. Y gannwyll yw'r unig olau ac mae'n symbol o obaith i Affricanwyr duon.

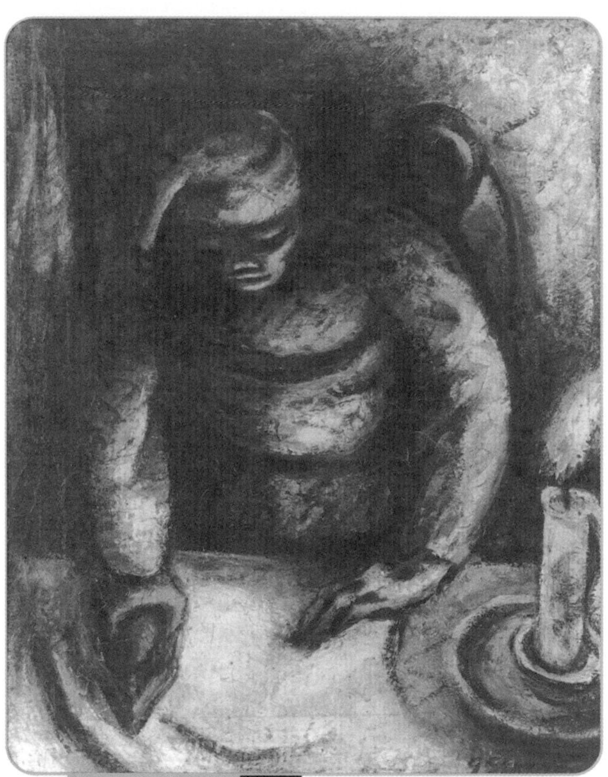

FFYNHONNELL CH *Woman Ironing* gan Gerard Sekoto, 1941.

C Cwestiynau

1 Disgrifiwch effeithiau deddfwriaeth y llywodraeth ar y celfyddydau yn Ne Affrica.

2 Sut aeth awduron ac arlunwyr ati i fynegi eu gwrthwynebiad i apartheid?

BYWYD A GWAITH O DAN APARTHEID

Cyflogaeth

Roedd y ffermydd yn y mamwledydd yn llawer llai o faint a llai cynhyrchiol na ffermydd y gwynion. Roedd y pridd yn aml yn ddiffrwyth gan fod cymaint o bobl yn gorfod byw mewn ardal gymharol fach, a chafodd llawer o bobl eu gorfodi i chwilio am waith yn y dinasoedd. Ond, roedd hawl gan bobl ddu i fyw mewn dinasoedd fel trigolion dros dro dim ond os oedd swyddi ganddyn nhw gyda chyflogwyr gwynion yn unig. Roedd y gwahaniaethu i'w weld fwyaf amlwg yn y cyflogau fyddai'n cael eu talu i bob rhan o'r gymdeithas (gweler y siart isod).

Roedd diweithdra mawr ymhlith Affricanwyr duon, ac er y gallen nhw ymuno ag undebau llafur, prin oedd eu hawl i streicio ac roedd gweithwyr mewn diwydiannau hanfodol (gan gynnwys mwyngloddio) wedi'u gwahardd rhag streicio. Roedd hyn yn golygu mai ychydig o gyfle oedd ganddyn nhw i wella eu sefyllfa.

Addysg

Roedd aelodau'r Blaid Genedlaethol yn credu bod yr Affricanwr du'n wahanol i'r dyn gwyn ac felly bod rhaid ei addysgu'n wahanol. Roedd addysg yn ceisio dysgu Affricanwyr i 'wybod eu lle' ac felly roedden nhw'n disgwyl ac yn derbyn ychydig. Roedd y gyfraith yn mynnu bod disgyblion rhwng 7 ac 16 mlwydd oed o bob grŵp hiliol yn mynychu ysgolion cyhoeddus ar wahân, ond nid oedd y gyfraith yn gorfodi plant duon i fynychu'r ysgol tan 1981.

Prin oedd yr adnoddau yn ysgolion yr Affricanwyr duon ac roedd y cyfleusterau'n wael. Ym 1972, roedd £9.50 yn cael ei wario ar bob disgybl du tra oedd £129 yn cael ei wario ar bob myfyriwr gwyn. Nid oedd myfyrwyr du'n cael dysgu Saesneg neu Afrikans (yr ieithoedd mwyaf cyffredin ym myd busnes a gwleidyddiaeth), ac addysg sylfaenol iawn fydden nhw'n ei chael. Roedd yr Adran Materion Brodorol yn rheoli hyfforddi a phenodi athrawon ac, yng ngeiriau Verwoerd, 'Mae'r athro Bantw'n gwasanaethu'r gymuned Bantw, a rhaid i'w gyflog fod yn unol â hynny.'

FFYNHONNELL D

Rhaid i'r brodor gael addysg alwedigaethol. Ei dynged yw bod yn löwr, gweithiwr amaethyddol neu weithiwr ffatri yn ei warchodfeydd ei hun. Bydd ychydig o'r sgiliau sylfaenol [darllen, ysgrifennu a rhifyddeg] yn gwneud mwy o les iddo na thunnell o ddiwylliant. Gall y gallu i ysgrifennu gael ei ddefnyddio i ffugio trwyddedau.

Rhan o erthygl yn y papur newydd *White African*, Awst 1954.

Roedd cyrff gwleidyddol y duon fel Cyngres Genedlaethol yr Affricanwyr (gweler tudalen 175) yn dadlau mai addysg oedd yr allwedd i gynnydd gwleidyddol ac economaidd a thynnodd llawer o rieni eu plant o'r ysgol i brotestio yn erbyn polisi'r llywodraeth.

1966	Affrican Du	Lliw	Asiaid	Gwyn
Poblogaeth (mewn miliynau)	12.47	1.8	0.5	3.48
Incwm blynyddol y pen (mewn Rand)	87	109	147	952
Cyfartaledd cyflog:				
Mwyngloddio	152	458	458	2562
Gweithgynhyrchu	422	660	660	2058

Ffigurau gan UNESCO.

FFYNHONNELL DD Trefgordd yn Ne Affrica: Sophiatown, tref shanti Johannesburg, ym mis Chwefror 1955.

Ond cafodd mwyafrif y plant eu gorfodi'n ôl i addysg Bantw gan gyrchoedd yr heddlu ac erlyniadau erbyn canol y 1950au. Cafodd apartheid ei gyflwyno i addysg brifysgol gan ddeddf ym 1959. Cafodd prifysgolion 'heb fod yn wyn' eu sefydlu gyda'r hawl i dderbyn aelodau o rai grwpiau Bantw penodol yn unig. Roedd rheolaeth gaeth ar y cyrsiau a oedd yn cael eu cynnig a hefyd ar fywyd myfyrwyr.

FFYNHONNELL E

Roedd Soweto, tref noswylio i weithwyr du Johannesburg, yn gartref i 600,000 o bobl mewn 100,000 o 'unedau cartref'. Mewn gwirionedd, roedd nifer y trigolion yn nes at 1.5 miliwn gyda channoedd o filoedd o bobl yn chwilio'n daer am waith yn gwasgu fesul 6 i 25 i flychau o dai gyda thair neu bedair ystafell wely. Mae rhyw 86 y cant heb drydan a 97 y cant heb ddŵr tap. Un ysbyty sydd. Mae dros hanner y boblogaeth o dan 20 ac mae mwyafrif y plant yn dioddef o ddiffyg maeth. Roedd nifer fawr o droseddau'n digwydd o hyd yn y drefgordd.

Darn o *How Long Will South Africa Survive?* gan R. W. Johnson, 1982.

Tai

Gan fod y rhan fwyaf o bobl dduon wedi'u rhwystro rhag byw yn y dinasoedd, roedd Affricanwyr du'n cael eu gorfodi i fyw mewn trefgorddau ar gyrion dinasoedd De Affrica. Yr enwocaf oedd Trefgordd De Orllewin Johannesburg, neu Soweto (gweler Ffynhonnell E). Roedd gwasgu cymaint o bobl dduon i ardaloedd mor fach yn golygu bod y trefgorddau'n anodd eu rheoli. Daethon nhw hefyd yn fagwrfa i aelodau grwpiau gwrth-apartheid fel Cyngres Genedlaethol Affrica (ANC) a Chyngres Affrica Gyfan (PAC).

C Cwestiynau

1. Disgrifiwch sut roedd y system apartheid yn effeithio ar fywydau Affricanwyr duon.
2. Pa mor ddefnyddiol a dibynadwy yw'r tabl o ffigurau gan UNESCO (tudalen 171) i rywun sy'n astudio gwahaniaethu yn y gweithle? Eglurwch eich ateb.
3. Beth mae Ffynhonnell D yn ei ddweud am bolisi'r llywodraeth ynglŷn ag addysgu Affricanwyr duon? Eglurwch eich ateb gan ddefnyddio'r ffynhonnell a'r hyn rydych chi'n ei wybod.

GWAHARDD, ARESTIO A SENSORA

Roedd Deddf Atal Comiwnyddiaeth 1950 yn gwahardd y Blaid Gomiwnyddol yn ogystal ag unrhyw gorff arall roedd y llywodraeth yn ei ystyried yn anaddas, hynny yw unrhyw grŵp gwrth-apartheid. Roedd Deddf Diwygio Cyfraith Trosedd 1953 yn ei gwneud hi'n drosedd i brotestio yn erbyn unrhyw ddeddf ac roedd Deddf Cynulliadau Terfysgol (newidiwyd 1956) yn gwneud bygwth pobl yn ystod streiciau'n anghyfreithlon. Roedd y ddeddfwriaeth wedi ei hanelu at Gyngres Genedlaethol Affrica (ANC), undebau llafur, ac, yn enwedig, aelodau o'r Ymgyrch Herio *(Defiance Campaign)* mudiad milwriaethus o fewn yr ANC.

Gwahardd ac arestio

Ar 26 Mehefin 1952, lansiwyd yr Ymgyrch Herio (gweler tudalen 176 hefyd). Protest ddi-drais oedd yr ymgyrch yn erbyn apartheid lle roedd grwpiau o brotestwyr mewn cyfaneddau duon ledled De Affrica'n mynd ati'n fwriadol i dorri cyfreithiau roedden nhw'n eu hystyried yn anghyfiawn. Cafodd cannoedd eu harestio wrth i'r awdurdodau ddial yn gyflym. Erbyn mis Hydref roedd dros 8000 o Affricanwyr duon wedi'u harestio. Yn ystod yr un cyfnod cododd nifer aelodau'r ANC o 7000 i 100,000.

Daeth nifer enfawr o heddlu adeg cyfarfod ar 26 Mehefin 1955 i fabwysiadu Siarter Rhyddid (gweler tudalen 176). Cafodd pawb yn y cyfarfod ei arestio ar sail amheuaeth eu bod yn fradwyr a chafodd rhai eu 'gwahardd'. Roedd 'gwahardd' yn golygu bod pobl yr oedd yr awdurdodau'n eu drwgdybio yn cael eu rhwystro rhag ysgrifennu, darlledu, mynychu cyfarfodydd neu adael cartref hyd yn oed.

Ar y diwrnod y cafodd llywydd yr ANC Albert Luthuli wybod ei fod wedi ennill Gwobr Heddwch Nobel, dyma John Vorster, Gweinidog y Gyfraith, yn cyhoeddi deddfwriaeth i 'gyfyngu ar ryddid barn a symudiad cynhyrfwyr'. Roedd Deddf Difrodi 1962 yn rhoi'r gosb eithaf i wrthwynebwyr gwleidyddol ac roedd Deddf Dim Treial 1963 yn rhoi hawl i'r heddlu arestio unrhyw un a'u dal yn y carchar am hyd at 90 diwrnod (cafodd hyn ei godi i 180 diwrnod ym 1965). Roedd De Affrica wedi cael ei throi'n wladwriaeth yr heddlu. Ar ôl olynu Verwoerd, dyma Vorster yn tynhau diogelwch y wladwriaeth drwy sefydlu Biwro Diogelwch y Wladwriaeth (BOSS) ym 1969. Llu o heddlu cudd oedd hwn a oedd yn rhoi cymorth i'r heddlu arferol ac yn helpu i orfodi deddfau apartheid.

Sensora

Roedd Cwmni Darlledu De Affrica'n gryf o blaid y gwynion ac nid oedd yn darlledu deunydd a oedd yn erbyn apartheid. Roedd y Ddeddf Difrodi'n gorfodi papurau newydd i roi symiau mawr o arian yn ernes a hwnnw'n cael ei golli petai'r papur yn cael ei wahardd gan y llywodraeth yn ddiweddarach. Ym 1967 cafodd golygydd *Rand Daily Mail* ei roi ar brawf am gyhoeddi erthygl am amodau mewn carchardai. Cafodd y Bwrdd Rheoli Cyhoeddiadau bwerau eang i wahardd mewnforio gweithiau a ffilmiau a oedd yn cael eu hystyried yn fygythiad i ddiogelwch y wladwriaeth. Ym 1974 aeth y llywodraeth cyn belled â gwahardd llyfr wedi'i ysgrifennu yn Afrikaans – *Kennis Van die Aand* (Adnabod y Nos) gan Andre Brink.

C Cwestiynau

1 Disgrifiwch sut roedd De Affrica wedi troi'n wladwriaeth yr heddlu erbyn diwedd y 1960au.

2 Eglurwch pam roedd y llywodraeth yn sensora papurau newydd a chyhoeddiadau eraill.

6 YMARFER ARHOLIAD

Mae'r cwestiynau hyn yn profi Adran B y papur arholiad.

NODWEDDION APARTHEID

Astudiwch yr wybodaeth isod ac yna atebwch y cwestiynau sy'n dilyn.

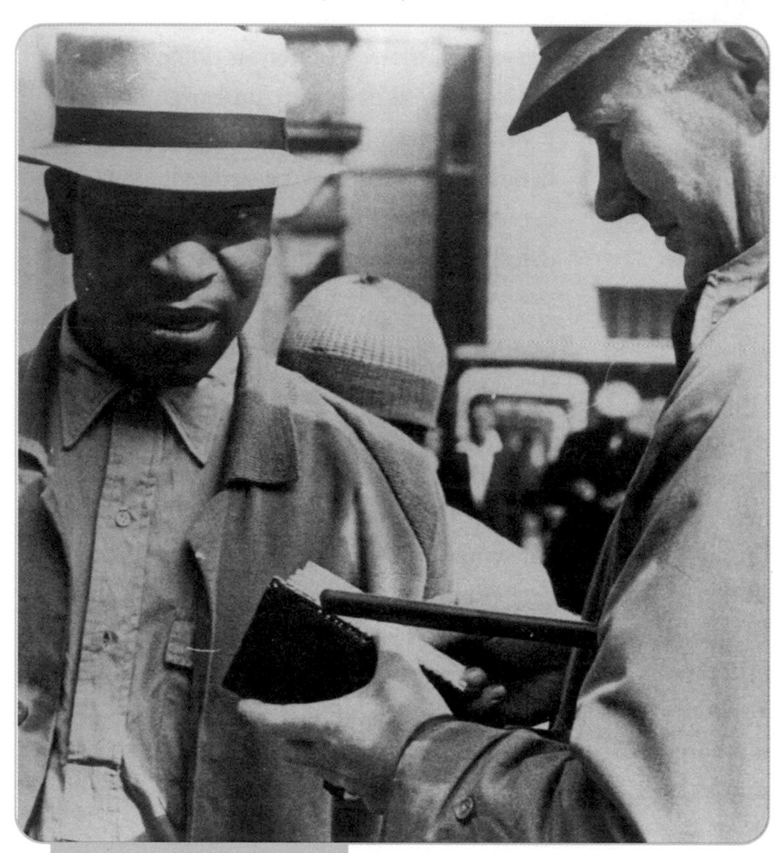

GWYBODAETH Mae'r llun yma'n dangos golygfa gyffredin lle mae'r heddlu'n gwirio trwyddedau De Affricanwyr duon.

CA Cwestiynau Arholiad

1 **a** Disgrifiwch brif nodweddion datblygu ar wahân. [2]
b Eglurwch pam cafodd Deddf Addysgol Bantw ei phasio. [4]
c Pa mor llwyddiannus fu'r Ddeddf Ardaloedd Grwpiau? [5]

2 **a** Disgrifiwch sut roedd y deddfau apartheid yn effeithio ar bobl liw De Affrica. [3]
b Eglurwch pam roedd y llywodraeth yn awyddus i rwystro pobl liw rhag pleidleisio. [4]

3 A oedd pobl wynion De Affrica i gyd yn cefnogi apartheid yn llwyr yn y 1960au? Eglurwch eich ateb yn llawn. [7]

Beth oedd prif nodweddion y gwrthwynebiad i apartheid yn Ne Affrica?

GWRTHWYNEBIAD GAN Y DUON: YMGYRCHOEDD YR ANC A PAC

Pan gipiodd y Blaid Genedlaethol rym ym 1948, daeth Cyngres Genedlaethol Affrica (ANC) i fod y prif lais dros newid gwleidyddol ac economaidd i Affricanwyr duon. Roedd wedi cael ei sefydlu ym 1912 i ymgyrchu dros hawliau De Affricanwyr duon, ond o dan arweiniad dynion fel Albert Luthuli, Nelson Mandela, Walter Sisulu ac Oliver Tambo, cafodd ei threfnu'n well.

Y nod oedd ymladd dros ryddid o ormes y gwynion a bod Affricanwyr du yn cael eu cynrychioli ym mhob sefydliad swyddogol. Y bwriad oedd cyflawni hyn drwy brotestio heddychlon, ond oherwydd bod angen dulliau mwy milwriaethus a threisgar, cafodd Cyngres Affrica Gyfan (PAC) ei ffurfio ym 1959 gan Robert Sobukwe. Roedd y PAC yn gwrthod cydweithredu â De Affricanwyr Asiaidd a lliw.

FFYNHONNELL **A**

Rydym ni'n hawlio Affrica i'r Affricanwyr, mae'r ANC yn hawlio Affrica i bawb.

Robert Sobukwe o Gyngres Affrica Gyfan (PAC) yn siarad ym 1983.

g NELSON MANDELA (ganwyd 1918)

FFYNHONNELL **B**

Nelson Mandela.

Cafodd Mandela ei eni yn Umtata, talaith Eastern Cape, a'i ddiarddel o Brifysgol Fort Hare ym 1940 am drefnu gwrthdystiad gan fyfyrwyr. Cwblhaodd ei radd yn y gyfraith drwy'r post ac yna ym Mhrifysgol Witwatersrand. Dechreuodd ymwneud â'r ANC, gan helpu i sefydlu'r Gynghrair Ieuenctid ym 1944, cyn dod yn llywydd ym 1951.

Ym 1956 cafodd ei gyhuddo o frad ond ei gael yn ddieuog ar ôl achos llys pum mlynedd o hyd. Ar ôl Sharpeville cafodd yr ANC a PAC eu gwahardd a helpodd Mandela i sefydlu cangen filitaraidd yr ANC, Umkhonto We Sizwe (Gwaywffon y Genedl), ym 1961. Sleifiodd dramor i Algeria lle cafodd ei hyfforddi mewn rhyfela gerila ond cafodd ei arestio'n ôl yn Ne Affrica ym mis Awst 1962 am ysgogi gweithredu ac am adael y wlad yn anghyfreithlon. Cafodd ei ddedfrydu i bum mlynedd o garchar ond cynyddwyd hyn i garchar am oes yn nhreialon Rivonia ym 1964. Daeth Mandela'n symbol o'r gwrthwynebiad yn erbyn apartheid pan oedd yng ngharchar yn Ynys Robben. Cafodd ei ryddhau o garchar ym 1990.

Diwrnod yr Herio a'r Treialon Brad

Roedd Cynghrair Ieuenctid yr ANC yn dadlau na fyddai deisebau a dirprwyaethau'n arwain at newid ac roedd o blaid rhaglen o anufudd-dod sifil. Ar 26 Mehefin 1952 – Diwrnod yr Herio – cerddodd miloedd o Affricanwyr duon drwy 'ardaloedd gwaharddedig' heb eu trwyddedau. Cafodd dros 8000 o bobl eu harestio a'u dedfrydu bron i gyd. Ar 26 Mehefin 1955 cynhaliwyd cyfarfod o Gyngres y Bobl i gymeradwyo Siarter Rhyddid a oedd yn mynnu'r hawl i bleidleisio a chydraddoldeb dan y gyfraith, ym myd addysg, ac yn y gweithle. Arestiodd heddlu arfog y cynrychiolwyr a'u cyhuddo o frad. Yn ystod y misoedd canlynol cafodd cannoedd yn rhagor eu cyhuddo yn y Treialon Brad a lusgodd yn eu blaenau am ddwy flynedd.

Sharpeville

A hithau newydd gael ei ffurfio, dyma'r PAC yn lansio ei ymosodiad cyntaf ar apartheid drwy drefnu protest dros y wlad yn erbyn y deddfau trwyddedau. Roedd Sharpeville yn y Transvaal yn drefgordd fodel lle roedd 21,000 o bobl yn byw. Roedd diweithdra mawr yn enwedig ymhlith yr ifanc, roedd rhenti wedi codi'n sydyn a'r rhai nad oedd yn gallu talu wedi cael eu hanfon yn ôl i'r mamwledydd. Dyma dyrfa o rhwng tair a phum mil (tyfodd i 20,000 wedyn) yn ymgynnull yn Sharpeville ar 21 Mawrth 1960. Dywedodd llygaid-dystion wedyn fod y dyrfa'n swnllyd ond heb fod yn gas. Ond, pan gafodd ffens o amgylch gorsaf yr heddlu ei sathru a swyddog yn cael ei fwrw i lawr, dechreuodd yr heddlu saethu gyda gynnau llonyddu. Pan ddaeth y saethu i ben, roedd 69 o Affricanwyr wedi cael eu lladd: roedd dros hanner ohonyn nhw wedi cael eu saethu yn eu cefnau (yn ceisio ffoi rhag bwledi'r heddlu). Roedd 186 arall wedi'u hanafu.

FFYNHONNELL **C**

Yna dechreuodd y saethu. Clywsom sŵn dryll peiriant yn clecian, yna un arall, ac un arall . . . Cafodd un fenyw ei tharo ryw ddeg llath o'n car ni. Roedd y person gyda hi'n meddwl mai baglu wnaeth hi, ond pan drodd e hi drosodd, gwelodd bod ei brest wedi cael ei saethu i ffwrdd.

Cyn y saethu, chlywais i ddim rhybudd i'r dyrfa wasgaru. Doedd dim saethu i'n rhybuddio ni. Ddaeth y saethu ddim i ben nes bod dim byd byw yn y clos enfawr o flaen gorsaf yr heddlu.

Llygad-dyst yn dweud beth ddigwyddodd adeg cyflafan Sharpeville ym 1960.

Ar ôl Sharpeville

Ar ôl y gyflafan, galwodd Albert Luthuli am ddiwrnod o alaru ac arhosodd nifer o Affricanwyr gartref o'r gwaith mewn protest. Gwerthodd siopau gynnau yn y Transvaal a Cape Province eu nwyddau i gyd wrth i'r gwynion ruthro i gael arfau.

Cafodd Comisiwn Ymchwilio ei gynnal ond ni ddaeth i gasgliadau pendant. Ni chafwyd gorchymyn i saethu ac ni ddigwyddodd saethu i rybuddio. Roedd llawer o'r swyddogion ar ddyletswydd yn ddibrofiad ac yn annisgybledig ac wedi dal ati i saethu ar ôl cael gorchymyn i stopio.

Canlyniad Sharpeville

Roedd llywodraeth De Affrica'n herfeiddiol: cafodd cynulliadau cyhoeddus eu gwahardd a chafodd yr ANC a'r PAC eu gwahardd. Cafodd tua 18,000 o bobl eu harestio a chafodd stâd o argyfwng ei gyhoeddi. Cafodd Sobukwe ei ddedfrydu i dair blynedd o garchar ond cafodd ei ddal yn gaeth am chwe blynedd arall.

Cynhaliwyd gorymdeithiau protest yn Durban a Cape Town lle gorymdeithiodd 30,000 at y senedd, gan fynnu bod arweinwyr yr Affricanwyr duon yn cael eu rhyddhau. Cyhoeddodd y llywodraeth stâd o argyfwng arall, a bu gwahardd, cadw o dan gyrffiw ac arestio.

Dyma'r ANC a'r PAC, wedi eu gorfodi i fynd yn gudd, yn sylweddoli nad oedd protestio di-drais wedi cyflawni dim. Sefydlodd yr ANC asgell filitaraidd, Umkhonto We Sizwe (Gwaywffon y Genedl, neu MK), a sefydlodd y PAC Poqo (Pur) i weithredu'n dreisgar. Dechreuodd yr MK ymgyrch ddifrodi yn erbyn gorsafoedd post, gorsafoedd trydan a rheilffordd. Dechreuodd Poqo ymgyrch fwy treisgar ac ym 1962 cafodd un ar ddeg o swyddogion yr heddlu a rhai'n cario gwybodaeth iddyn nhw eu lladd.

FFYNHONNELL CH

We are starting again Africans … we die once. Africa will be free on 1 January. The white people shall suffer, the black people will rule. Freedom comes after bloodshed. Poqo has started.

From a pamphlet distributed in the Cape Town township of Nyanga, December 1961.

Achos llys Rivonia

Daeth MK i ben ar ôl i Nelson Mandela ac eraill gael eu harestio ym mis Awst 1962 ar gyhuddiadau o ddifrodi. Cynhaliodd y llywodraeth achos llys mawr yn Rivonia er mwyn ceisio gwneud drwg i ddelwedd yr ANC a'r Blaid Gomiwnyddol. Cafodd y rhai a gafwyd yn euog eu dedfrydu i garchar am oes. Ar ôl Rivonia, daeth yr achos llys gwleidyddol yn nodwedd ar bolisi'r llywodraeth a phob blwyddyn tan 1987 bu o leiaf un achos llys mawr.

C Cwestiynau

1. Beth oedd nodau'r ANC cyn 1960 a sut roedd ei aelodau'n gobeithio eu cyflawni?
2. Disgrifiwch y digwyddiadau yn Sharpeville.
3. Eglurwch pam roedd Sharpeville yn drobwynt yn hanes yr ANC a'r PAC.

g BANTU STEVE BIKO (1946–77)

FFYNHONNELL D

Steve Biko.

Roedd Biko wedi cael ei gyflwyno i wleidyddiaeth yn ei arddegau gan ei frawd a oedd yn aelod gweithgar o Poqo. Yn adran feddygol ddu Prifysgol Natal dechreuodd ymuno â gweithgareddau Undeb Cenedlaethol Myfyrwyr De Affrica (NUSAS). Dechreuodd ymgyrchu dros fudiad i gael prifysgol i'r duon yn unig ac ym 1969 sefydlwyd Corff Myfyrwyr De Affrica (SASO) a Biko'n llywydd arno. Galwodd am ryddhau meddyliau wedi i'r duon gael eu cyflyru i fod yn israddol dros y blynyddoedd. Ymwybyddiaeth y duon *(Black consciousness)* oedd yr alwad i'r gad i bob Affricanwr. Cafodd y mudiad niwed mawr ym 1977 pan fu farw Biko ar ôl cael ei gadw am 26 diwrnod gan yr heddlu. Dangosodd yr awtopsi mai ergyd (neu ergydion) nerthol i'w ben oedd achos ei farwolaeth.

TWF YMWYBYDDIAETH Y DUON

Soweto: 'terfysg yn barod i ddigwydd'

Ym 1976, fel rhan o raglen i 'ddiwygio' addysg, gorchmynnodd y llywodraeth y dylai hanner yr addysgu mewn ysgolion duon gael ei gyflwyno mewn Afrikaans, iaith nad oedd Affricanwyr duon yn ei deall ac un roedden nhw'n ei chasáu. Daeth hyn ar adeg pan oedd diweithdra mawr ymhlith pobl ifainc a phan oedd camau ar y gweill i wneud Transkei'n annibynnol. I'r rhai'n byw yn Transkei, byddai hyn yn golygu colli eu hawl i fod yn ddinasyddion De Affrica a mynediad i'r farchnad swyddi.

Cafodd gorymdaith ei threfnu gan fyfyrwyr ar 16 Mehefin 1976 yn Soweto. Anerchodd disgybl hŷn dyrfa o nifer o filoedd gan ofyn i bobl beidio â chynhyrfu. Roedd heddlu'n amgylchynu'r dyrfa a thaflwyd tun o nwy dagrau i'r dyrfa. Arweiniodd un ergyd o wn at fwy o saethu gan ladd dau ac anafu deuddeg. Lledodd y sôn am y saethu ymysg y boblogaeth ddu a chafodd baricedau eu codi. Daeth cannoedd yn rhagor o heddlu a ffrwydrodd y trais yn Soweto. Cafwyd llu o gyrchoedd ac arestio; plant oedd llawer o'r rhai a arestiwyd.

Nifer swyddogol y rhai a fu farw oedd 176 hyd at 25 Mehefin 1976 ac ychwanegodd Comisiwn Ymchwilio 575 arall o farwolaethau o ganlyniad i'r terfysg. Roedd y rhestr yn cynnwys 104 o blant o dan 17 oed. Gwaharddodd y llywodraeth bob mudiad yn gysylltiedig ag ymwybyddiaeth y duon, gan gynnwys y SASO.

FFYNHONNELL **DD** Plentyn 13 oed wedi cael anafiadau angheuol, Soweto, 1976.

Soweto oedd canolbwynt y sylw eto ym 1980 pan gafwyd boicotio a llosgi adeiladau yn dilyn cam i gyflogi milwyr cenedlaethol gwyn yn athrawon mewn ysgolion du.
Bu aflonyddwch yn y gweithle hefyd ar ddechrau'r 1980au wrth i nifer aelodau'r undebau llafur gynyddu. Gadawodd miloedd o Affricanwyr ifanc y wlad i ymuno â'r ANC yn alltud. Tyfodd y gefnogaeth i'r ANC yn y trefgorddau a byddai'r faner i'w gweld yn aml wedi'i rhoi ar eirch pobl a oedd wedi'u lladd yn y trafferthion. Ar 21 Mawrth 1985 (chwarter canrif union wedi Sharpeville), cafodd 20 o Affricanwyr eu saethu'n farw gan heddlu yn ystod gorymdaith angladdol (gweler Ffynhonnell E). Lledodd y protestio ac yn y pen draw digwyddodd ymgyrch fomio yn Durban a Port Elizabeth.

C Cwestiynau

1. Pa mor bwysig oedd Steve Biko i fudiad ymwybyddiaeth y duon? Eglurwch eich ateb.
2. Disgrifiwch y terfysgoedd yn Soweto.

FFYNHONNELL **E** Galarwyr du yn cario eirch 20 o bobl a laddwyd yn Uitenhage, 21 Mawrth 1985.

GWRTHWYNEBIAD I APARTHEID GAN ERAILL

Grwpiau gwrthwynebu gwyn

Roedd cefnogwyr apartheid bron i gyd yn wyn ond nid oedd hynny'n golygu bod pob person gwyn yn Ne Affrica o blaid apartheid.

- Daeth y **Blaid Unedig** *(United Party)* yn brif wrthblaid ym 1948. Ond er ei bod yn gwrthod y system apartheid roedd yn dal i gefnogi arwahanu ac yn credu bod y gwynion yn drech na'r duon.
- Ym 1959 dyma grŵp o ddeuddeg AS a oedd wedi gadael y Blaid Unedig yn ffurfio'r **Blaid Flaengar** *(Progressive Party)* er mai un aelod yn unig, Helen Suzman, ymgyrchwraig ddiflino yn erbyn apartheid, a lwyddodd i gadw ei sedd. Roedd y Blaid Flaengar o blaid gwarchod hawliau dynol a hawl pob grŵp hiliol i gael ei gynrychioli yn senedd De Affrica.
- Roedd y **Blaid Ryddfrydol** *(Liberal Party)* yn siarad yn erbyn apartheid ond daeth i ben ym 1969 yn hytrach nag ildio i ddeddf a oedd yn gwahardd pob plaid rhag caniatáu i wahanol hilion ddod at ei gilydd yn un corff.
- Roedd **Plaid y Gyngres** *(Congress Party)* y gwynion yn gwrthod bod y gwynion yn drech na'r duon ond gan fod llawer o'i aelodau'n dod o'r Blaid Gomiwnyddol a oedd yn anghyfreithlon, cafodd ei gwahardd.
- Mudiad hawliau dynol oedd ***Black Sash*** wedi'i redeg gan fenywod gwyn a oedd yn ymgyrchu yn erbyn apartheid ac yn ymgymryd ag achosion cyfreithiol ar ran pobl dduon.

Inkatha ya KwaZulu *a'r UDF*

Cafodd y mudiad gwrthwynebu du *Inkatha ya KwaZulu* ei sefydlu gan y Pennaeth Buthelezi, prif weinidog y famwlad KwaZulu, ym 1975. Nod y blaid oedd bod cenedl y Zulu'n dod yn annibynnol ar Dde Affrica. Roedd y nod yma'n groes i ddymuniad yr ANC am weld De Affrica Unedig, gwahaniaeth y bu'r llywodraeth yn ceisio manteisio arno drwy ysgogi, ac o bosibl achosi, i gefnogwyr ANC a Inkatha gael eu lladd.

Cafodd y Ffrynt Democrataidd Unedig (UDF) ei ffurfio ym 1983. Roedd 565 grŵp gwahanol, gan gynnwys pob hil, lliw, rhyw a chrefydd, yn unedig o ran eu penderfyniad i weld diwedd apartheid. Roedd yr UDF yn fygythiad enfawr i afael y Blaid Genedlaethol ar Dde Affrica.

Gwrthwynebiad gan unigolion

Bu unigolion hefyd yn lleisio'u gwrthwynebiad i apartheid. Y Tad Trevor Huddleston a'r Esgob Ambrose Reeves o'r Eglwys Anglicanaidd yw dau o'r gwynion mwyaf adnabyddus a oedd yn gwrthwynebu apartheid. Un o'r duon mwyaf adnabyddus a oedd yn gwrthwynebu apartheid yw'r Archesgob Desmod Tutu, a enillodd Wobr Heddwch Nobel ym 1984 i gydnabod ei ymgyrch ddi-drais yn erbyn apartheid.

Ond o'r tu allan i Dde Affrica y daeth y gwrthwynebiad cryfaf i apartheid. Mae hyn yn cael ei egluro ymhellach yn yr adran ganlynol.

6 YMARFER ARHOLIAD

Mae'r cwestiynau hyn yn profi Adran B y papur arholiad.

GWRTHWYNEBIAD O FEWN DE AFFRICA

Astudiwch yr wybodaeth isod ac yna atebwch y cwestiynau sy'n dilyn.

GWYBODAETH

De Affricanwyr wedi'u hanafu'n gorwedd ar y llawr wrth i heddlu gwyn De Affrica sefyll gerllaw ar ôl atal y brotest drwy ddefnyddio trais, 1961. Ym 1961, gan fod pobl yn ddig ynglŷn â'r ffordd roedd y duon yn cael eu trin, dyma Nelson Mandela'n ffurfio Umkhonto We Sizwe, sy'n cael ei alw'n MK fel arfer.

CA Cwestiynau Arholiad

1. a Disgrifiwch weithgareddau'r MK (Gwaywffon y Genedl). [2]
   b Eglurwch pam digwyddodd cyflafan yn Sharpeville ym 1960. [4]
   c Pa mor bwysig oedd Cyngres Genedlaethol Affrica (ANC) yn yr ymgyrch i ddod ag apartheid i ben yn Ne Affrica? [5]
2. a Eglurwch beth ddigwyddodd yn Soweto ym 1976. [3]
   b Eglurwch bwysigrwydd Nelson Mandela yn y cyfnod 1960-90. [4]
3. Ai trais oedd yr unig ffordd i wrthwynebu apartheid yn llwyddiannus o fewn De Affrica yn ystod y 1970au a'r 1980au? Eglurwch eich ateb yn llawn. [7]

Ym mha ffordd cyfrannodd pwysau rhyngwladol i ddod ag apartheid i ben yn Ne Affrica?

GWRTHWYNEBIAD Y GYMANWLAD BRYDEINIG

Cafodd y term 'Cymanwlad' ei ddefnyddio gyntaf ar ôl y Rhyfel Byd Cyntaf i ddisgrifio'r berthynas arbennig rhwng Prydain a'i dominiynau (cyn-drefedigaethau). Ym 1931 cyhoeddodd Statud San Steffan fod y dominiynau hyn yn gwbl annibynnol ond roedd yn eu galluogi i aros yn deyrngar i goron Prydain fel aelodau o'r Gymanwlad Brydeinig. Dewisodd llywodraeth De Affrica ei hanner canfed pen-blwydd i gyhoeddi refferendwm i newid o statws dominiwn i fod yn weriniaeth ar wahân i'r Gymanwlad.

Bu'r berthynas rhwng De Affrica a'r Gymanwlad yn dal yn anodd gydol y 1950au. Roedd Verwoerd yn dadlau bod y Gymanwlad yn cael ei dylanwadu gan nifer o wladwriaethau Affricanaidd a oedd newydd ddod yn annibynnol ac yn gwrthwynebu De Affrica. Ym 1960 daeth prif weinidog Prydain, Harold Macmillan, â thaith o amgylch dominiynau Prydain yn Affrica i ben yn Ne Affrica lle traddododd ei araith 'Newid yn y Gwynt' *(Wind of Change)* a oedd wedi ei hanelu at reolaeth y gwynion a system apartheid.

Ym mis Hydref 1960, pleidleisiodd 52 y cant o'r gwynion i sefydlu gweriniaeth. Roedd Verwoerd wedi bwriadu aros yn y Gymanwlad ond gan fod aelodau eraill y Gymanwlad yn beirniadu polisi apartheid ei lywodraeth yn hallt, gadawodd De Affrica hi ar 31 Mai 1961.

GWRTHWYNEBIAD Y CENHEDLOEDD UNEDIG

Nod siartr y Cenhedloedd Unedig hefyd oedd ceisio cadarnhau ffydd mewn hawliau dynol sylfaenol ac ym 1948 pasiodd benderfyniad a oedd yn cydnabod bod pobl o bob hil yn gyfartal (gweler Ffynhonnell A).

FFYNHONNELL 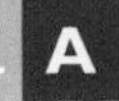

Urddas cynhenid a hawliau cyfartal pob aelod o'r teulu dynol ar sail rhyddid, cyfiawnder a heddwch . . . mae pob un wedi'i eni'n rhydd beth bynnag yw ei hil, lliw, rhyw, iaith, crefydd, gwleidyddiaeth neu farn arall.

Rhan o benderfyniad y Cenhedloedd Unedig ynglŷn â hawliau dynol, 1948.

Y Cenhedloedd Unedig yn gweithredu yn erbyn De Affrica

Ar ôl 1945 roedd De Affrica'n bwnc trafod cyson yn y Cenhedloedd Unedig oherwydd dau beth:

1. polisi apartheid
2. rheolaeth De Affrica ar Dde Orllewin Affrica (Namibia).

Bu llawer o feirniadu ar lywodraeth De Affrica wedi'r saethu yn Sharpeville ym mis Mawrth 1960 a phasiodd Cyngor Diogelwch y Cenhedloedd Unedig benderfyniad yn datgan bod polisïau De Affrica'n arwain at 'raniadau rhyngwladol a hynny'n peryglu heddwch a diogelwch'. Wrth i wledydd yn Affrica a oedd newydd ddod yn annibynnol gymryd eu lle yn y Cenhedloedd Unedig yn y 1960au a'r 1970au, cafodd llywodraeth De Affrica ei chollfarnu fwyfwy.

FFYNHONNELL B Poster o blaid apartheid yn Ne Affrica ar ddiwedd y 1950au.

Ymwneud De Affrica yn Ne Orllewin Affrica (Namibia)

Roedd De Orllewin Affrica wedi bod yn diriogaeth Almaenig, ac ar ôl 1919 daeth yn fandad i Dde Affrica (roedd gwledydd eraill i fod i 'ofalu am' fandadau wrth iddyn nhw baratoi am annibyniaeth). Cymerodd De Affrica fantais ar yr ardal yn gwbl ddigywilydd ac erbyn 1945 roedd wedi gosod rhaglen apartheid yn ei lle. Pan fynnodd y Cenhedloedd Unedig y dylai ildio'r mandad, gwrthododd De Affrica gan gymryd camau i integreiddio De Orllewin Affrica.

Ym 1960 cafodd grŵp gwrthwynebu, Mudiad Pobl De Orllewin Affrica (SWAPO) ei sefydlu i annog gwrthwynebu presenoldeb De Affrica drwy ddulliau gerila. Ym 1971 cyhoeddodd y Cenhedloedd Unedig fod presenoldeb De Affrica'n anghyfreithlon, ac ym 1973 cydnabu SWAPO fel gwir gynrychiolwyr Namibia. Roedd De Affrica'n dal i anwybyddu gorchmynion y Cenhedloedd Unedig. Ychydig a gyflawnodd 30 mlynedd o ymladd dygn rhwng SWAPO a byddin De Affrica tan 1989 pan lwyddodd pwysau rhyngwladol i gael etholiadau poblogaidd yn Namibia. Ar 21 Mawrth 1990, Namibia oedd y drefedigaeth olaf yn Affrica i gael ei hannibyniaeth.

GWRTHWYNEBIAD YR OAU

Gan eu bod wedi eu gwahardd yn Ne Affrica, lledaenodd yr ANC a PAC eu gweithgarwch y tu allan i Dde Affrica drwy sefydlu swyddfeydd yn Dar-es-Salaam, Llundain, El Qâhira (Cairo), Al Jaza'ir (Alger) a mannau eraill. Ynghyd â grwpiau gwleidyddol Affricanaidd eraill wedi'u gwahardd o Namibia a De Rhodesia dyma nhw'n sefydlu Cyfundrefn Undod Affrica (OAU) ym mis Mai 1963. Diben y mudiad oedd rhoi pwysau ar y Cenhedloedd Unedig er mwyn ceisio ynysu De Affrica drwy sancsiynau fel cam cyntaf tuag at ddymchwel llywodraeth y gwynion. Ond roedd cynnal gwrthwynebiad parhaus ymysg gwledydd OAU yn anodd gan fod De Affrica'n dilyn polisi clyfar, sef datblygu masnach â gwledydd ifanc Affrica, yr oedd economi llawer ohonyn nhw'n dibynnu ar ei chyfoeth. Felly nid oedden nhw'n gallu gorfodi sancsiynau.

C Cwestiynau

1 Pam a sut bu'r Gymanwlad, y Cenhedloedd Unedig a'r OAU yn gwrthwynebu De Affrica?

2 Beth oedd ymateb De Affrica i'r gwrthwynebiad?

SANCSIYNAU ECONOMAIDD

Ym 1962 pleidleisiodd y Cenhedloedd Unedig i orfodi sancsiynau economaidd (cyfyngiadau masnachu) ar Dde Affrica gan annog ei haelodau i dorri cysylltiadau diplomyddol a chau meysydd awyr a phorthladdoedd i awyrennau a llongau De Affrica. Ym 1963 penderfynodd Cyngor Diogelwch y Cenhedloedd Unedig wahardd gwerthu arfau i Dde Affrica. Penderfynodd Cyfundrefn y Gwledydd sy'n Allforio Petroliwm (OPEC) wahardd gwerthu olew i Dde Affrica ym 1973. Y gobaith oedd y byddai hyn yn rhoi pwysau ar Dde Affrica i newid ei pholisïau tuag at y De Affricanwyr duon.

Yn sgil Soweto, dyma weithiwr hawliau sifil yn UDA, y Parchedig Leon Sullivan, yn annog cwmnïau UDA i dynnu allan o Dde Affrica. Dechreuodd Côd Sullivan don o weithredu rhyngwladol a aeth yn ddwysach yn y 1980au pan welodd y byd luniau o luoedd diogelwch De Affrica wrth eu gwaith:

- Gosododd y Gymuned Ewropeaidd sancsiynau economaidd ym 1985.
- Ym 1986 penderfynodd Senedd UDA wahardd buddsoddiadau a benthyciadau newydd yn Ne Affrica a gwahardd mewnforio wraniwm, glo, haearn a dur.
- Caeodd cwmnïau mawr fel General Motors, IBM a Coca-Cola eu busnesau yn Ne Affrica.
- Penderfynodd gwledydd Sgandinafia wahardd nwyddau De Affrica i gyd.
- Ym mis Hydref 1989 cynigiodd pob gwlad yn y Gymanwlad heblaw am Brydain gynllun tri cham i ddwysáu'r sancsiynau. Byddai'r cam cyntaf yn rhwystro mewnforio cynnyrch amaethyddol a nwyddau wedi'u gweithgynhyrchu o Dde Affrica; byddai'r ail gam yn sefydlu gwaharddiadau ar olew ac arfau a gwahardd allforio offer cyfrifiadur ac electronig; byddai'r trydydd cam yn gosod sancsiynau ar allforion aur De Affrica.

Pa mor effeithiol oedd y sancsiynau economaidd?

Roedd hi'n annhebygol y byddai sancsiynau'n gwneud niwed difrifol i wlad mor gyfoethog ac ni chawson nhw eu gosod yn gyson ac effeithiol. Roedd hi'n anodd i nifer o wledydd a oedd yn datblygu yn Affrica dorri cysylltiadau masnachu â De Affrica. Roedd De Affrica hefyd yn rhy werthfawr i'r Gorllewin fel prif gyflenwad manganîs, platinwm a chrôm yn ogystal ag aur a diemwntau, felly roedd busnesau a oedd eisiau gwneud elw'n ceisio osgoi sancsiynau. Ond cafodd economi De Affrica ergyd ddifrifol pan stopiodd banciau'r gorllewin roi benthyciadau i Dde Affrica ym 1985.

Y pwnc mwyaf llosg oedd cyflenwi arfau i Dde Affrica. Roedd gwrthwynebwyr apartheid yn dadlau y bydden nhw'n cael eu defnyddio gan lywodraeth y gwynion yn Ne Affrica yn erbyn Affricanwyr duon, ond roedd Prydain a gwledydd eraill yn gweld De Affrica wedi'i harfogi'n rhwystr i uchelgais Sofietaidd (comiwnyddol) yn Affrica.

C Cwestiynau

1. Eglurwch pam cafodd sancsiynau eu gosod ar Dde Affrica.
2. Pa mor effeithiol oedd y sancsiynau economaidd?

BOICOTIO YM MYD CHWARAEON

Tra gosododd rhai gwledydd sancsiynau economaidd, defnyddiodd eraill foicotiau i brotestio yn erbyn system apartheid. Er enghraifft, ym 1969 cafodd Basil d'Oliviera ei ddewis i fynd ar daith yn Ne Affrica gyda thîm criced cenedlaethol Lloegr. Gan ei fod yn berson 'lliw' cafodd ei wahardd rhag chwarae mewn tîm o chwaraewyr gwyn Lloegr yn erbyn De Affricanwyr gwyn.

FFYNHONNELL C Cartŵn Kenyon o'r *Daily Despatch* yn chwerthin am ben anghysonderau polisi apartheid chwaraeon newydd a ddyfeisiwyd gan Dr Koornhof.

Cafodd y daith ei chanslo, gan ddechrau symudiad rhyngwladol i wahardd De Affrica'n gyfangwbl o fyd y campau.

Ym 1968 roedd gwledydd Affrica wedi bygwth boicotio Gemau Olympaidd Mexico ac ym 1970 cafodd De Affrica ei diarddel o'r mudiad Olympaidd. Ym 1976 cafodd unrhyw wlad a oedd yn cynnal cysylltiadau chwaraeon â De Affrica ei diarddel. Ym 1977 penderfynodd holl wledydd y Gymanwlad dorri cysylltiadau chwaraeon. Yn yr un flwyddyn pasiodd y Cenhedloedd Unedig y 'Datganiad rhyngwladol yn erbyn apartheid ym myd chwaraeon'.

FFYNHONNELL CH

Nid ydym yn barod i dderbyn tîm wedi eu gwthio arnom ni gan bobl nad yw eu diddordeb yn y gêm, ond mewn cyrraedd amcanion gwleidyddol. Nid tîm pwyllgor dewis yr MCC yw hwn, ond tîm gwrthwynebwyr gwleidyddol De Affrica.

John Vorster, Prif Weinidog De Affrica, yn siarad ym 1969.

Pa mor effeithiol oedd boicotio ym myd chwaraeon?

Er bod datganiadau am foicotio, aeth rhai teithiau tramor yn eu blaenau, yn enwedig rhai rygbi. Ym 1980 aeth timoedd o Brydain ar daith i Dde Affrica ac ym 1981 aeth y Springboks (tîm rygbi De Affrica) i Seland Newydd ar daith a achosodd nifer o wrthdystiadau a phrotestiadau. Roedd gwrthryfelwyr yn parhau i drefnu teithiau criced answyddogol, ac ym 1982 cafodd cricedwyr Lloegr eu gwahardd am dair blynedd am dorri'r boicot. Penderfynodd eraill barchu'r boicot, y rhai amlycaf oedd Ian Botham a wrthododd chwarae yn Ne Affrica er parch i'w ffrind, Viv Richards, a'r pêl-droediwr Kevin Keegan, a wrthododd gynnig o £250,000 i chwarae yno.

C Cwestiynau

1 Pa mor effeithiol oedd y boicotio ym maes chwaraeon?

2 Pa mor ddefnyddiol yw Ffynhonnell CH i rywun sy'n astudio apartheid yn Ne Affrica? Eglurwch eich ateb gan ddefnyddio'r ffynhonnell a'r hyn rydych chi'n ei wybod.

POBL GYFFREDIN YN GWRTHWYNEBU APARTHEID

Ymddangosodd y Mudiad Gwrth-Apartheid (AMM) ar ddiwedd y 1950au a bu'n bwysig yn y frwydr yn erbyn apartheid drwy annog pobl gyffredin i brotestio. Erbyn canol y 1970au roedd canghennau wedi'u sefydlu yn y rhan fwyaf o wledydd Ewrop ac roedd y mudiad yn arbennig o gryf yng ngwledydd Llychlyn a ddefnyddiodd eu safleoedd yn y Cenhedloedd Unedig i leisio eu safbwynt gwrth-apartheid. Roedd y Mudiad yn cynnwys cyrff rhyngwladol, cenedlaethol a lleol a datblygodd amrywiaeth o weithgarwch o foicotio cyhoeddus i sancsiynau'r Cenhedloedd Unedig, rhoi cymorth dyngarol i ffoaduriaid a chymorth milwrol i fudiadau rhyddid. Roedd y Mudiad hefyd yn allweddol o ran hyrwyddo barn y cyhoedd a gweithredu gan y cyhoedd yn erbyn apartheid, yn enwedig mewn gwledydd a oedd yn cyd-weithio â De Affrica. Roedd nifer o benderfyniadau'r Cenhedloedd Unedig yn deillio o'r Mudiad. Er enghraifft, ym mis Tachwedd 1972 pasiodd y Cenhedloedd Unedig benderfyniad 2923E (gweler Ffynhonnell D).

FFYNHONNELL  D

[Mae'r Cenhedloedd Unedig] yn cymeradwyo gweithgareddau mudiadau gwrth-apartheid, undebau llafur, mudiadau myfyrwyr, eglwysi a grwpiau eraill sydd wedi hyrwyddo gweithredu cenedlaethol a rhyngwladol yn erbyn apartheid.

Rhan o benderfyniad 2923E Cyfundrefn y Cenhedloedd Unedig.

6 YMARFER ARHOLIAD

Mae'r cwestiynau hyn yn profi Adran A y papur arholiad.

GWRTHWYNEBIAD RHYNGWLADOL I APARTHEID

Astudiwch Ffynonellau A-CH ac yna atebwch y cwestiynau sy'n dilyn.

FFYNHONNELL A

Cartŵn o bapur newydd yn Ne Affrica. Verwoerd yw'r dyn bach yn y cartŵn, yr Arlywydd Kennedy o UDA yw'r cymeriad arall. Mae'r pennawd yn dweud *'Aw gee Sheriff, I feel kinda silly being a bastion of the West without no shooting irons.'*

FFYNHONNELL B

Ym 1968 roedd nifer o wledydd Affrica'n bygwth boicotio Gemau Olympaidd México petai De Affrica'n cymryd rhan. Roedd y canlyniad yn anochel. Cafodd De Affrica ei diarddel ac yn ddiweddarach ei gwahardd o'r mudiad Olympaidd ym 1970. Llwyddodd bloc Affrica i orfodi De Affrica o nifer o gystadlaethau drwy ddweud y byddai'n tynnu'n ôl petai De Affrica'n cael ei chynnwys. Ym 1976 boicotiodd 21 o wledydd Gemau Olympaidd Montréal i brotestio yn erbyn taith yn Ne Affrica gan dîm rygbi Seland Newydd – yr oedd ei hathletwyr wedi cymryd rhan yn y gemau.

O werslyfr, *The Readers Digest Illustrated History of South Africa.*

FFYNHONNELL C

Yn y mudiad cydlynu *(solidarity movement)* yma, gellir honni heb or-ddweud i'r Mudiad Gwrth-Apartheid ym Mhrydain a'i arweinwyr chwarae rôl sylweddol iawn ar lefel genedlaethol a rhyngwladol, a chafodd fwy o effaith nag y mae ei aelodau'n sylweddoli. Dyma pam y daeth y Mudiad yn darged i wasanaeth cudd a brawychu De Affrica'n fwy nag unrhyw grŵp arall heblaw am y mudiad rhyddid.

Barn E.S.Reddy, aelod o'r Mudiad Gwrth-Apartheid, wedi'i mynegi yn y papur 'The Anti-Apartheid Movement: a 40-year Perspective', a gyhoeddwyd yn Llundain ym 1999.

FFYNHONNELL CH

Digwyddodd y gweithredu tramor a wnaeth y niwed mwyaf i Dde Affrica ym 1985 pan wrthododd banciau'r gorllewin roi benthyciadau newydd a galw am dalu'r rhai presennol. Bu'n rhaid i Dde Affrica dalu $ UDA 13,000 miliwn erbyn mis Rhagfyr 1985. O ganlyniad collodd y Rand, arian cyfred De Affrica, 35 y cant o'i werth mewn 13 diwrnod. O 1989 hyd at 1992 aeth De Affrica drwy ddirwasgiad difrifol, pan gwympodd ei hincwm cenedlaethol 3 y cant bob blwyddyn.

O werslyfr ysgol modern.

CA Cwestiynau Arholiad

1. Pa wybodaeth y mae Ffynhonnell A yn ei rhoi am y cyflenwad arfau i Dde Affrica? [3]
2. Defnyddiwch yr wybodaeth yn Ffynhonnell B a'r hyn rydych chi'n ei wybod i egluro pam cafodd boicotio ym myd chwaraeon ei ddefnyddio yn erbyn De Affrica [4]
3. Pa mor ddefnyddiol yw Ffynhonnell C fel tystiolaeth i hanesydd sy'n astudio rôl y Mudiad Gwrth-Apartheid yn y frwydr yn erbyn apartheid yn Ne Affrica? Eglurwch eich ateb gan ddefnyddio'r ffynhonnell a'r hyn rydych chi'n ei wybod. [5]
4. Yn Ffynhonnell CH mae'r awdur yn dweud mai pwysau economaidd oedd y ffordd fwyaf effeithiol i wledydd eraill wrthwynebu De Affrica. Ydy hwn yn ddehongliad dilys? *Yn eich ateb dylech ddefnyddio'r hyn rydych yn ei wybod am y testun, cyfeirio at y ffynonellau eraill sy'n berthnasol yn y cwestiwn hwn, ac ystyried sut y daeth yr awdur i'r dehongliad hwn.* [8]

Sut a pham daeth apartheid i ben yn Ne Affrica?

P.W. BOTHA A 'REALAETH NEWYDD'

Ym 1978 daeth P.W. Botha'n Brif Weinidog a llywodraethu gwlad â phroblemau difrifol:

- Roedd dirwasgiad yn yr economi, doedd dim buddsoddi gan wledydd tramor ac roedden nhw'n gosod sancsiynau a boicotiau.
- Roedd y boblogaeth wedi tyfu ac felly roedd mwy o ddiweithdra, a byddai'n anodd dod o hyd i waith i gymaint o bobl ddi-ddysg a di-grefft.
- Oherwydd bod rheolaeth drefedigaethol (y gwynion) wedi dymchwel yn Mozambique a Zimbabwe roedd De Affrica'n agored i ymosodiadau gerila.

Roedd Botha'n gweld bod angen newid, ond nid oedd eisiau rhoi'r gorau i apartheid a rheolaeth gan y gwynion. Fel rhan o'i 'Strategaeth Lwyr' *(Total Strategy)* ei nod oedd:

- Creu dosbarth canol o Affricanwyr duon er mwyn cael mwy o gystadleuaeth rhwng rhai nad oedden nhw'n wyn – De Affricanwyr lliw yn erbyn rhai duon, a duon dosbarth canol yn erbyn duon dosbarth gweithiol. Byddai dosbarth canol du newydd gyda hawliau, addysg a sgiliau ychwanegol hefyd yn gwrthsefyll y gweithredwyr duon yn y trefgorddau.
- Atal ymosodiadau'r ANC o wledydd cyfagos a'r mamwledydd drwy wneud y gwledydd hyn yn ddibynnol yn economaidd ar Dde Affrica.
- Gadael i bobl dduon gymryd rhan mewn gwleidyddiaeth a chael dweud eu barn am y ffordd roedd trethi'n cael eu codi a'u gwario yn y trefgorddau.

Hefyd, roedd Botha'n bwriadu cael gwared ar nifer o agweddau ar *petty apartheid.* Roedd hyn yn golygu codi llawer o'r cyfyngiadau ar Dde Affricanwyr duon:

- cafodd arwyddion a oedd yn gwahaniaethu rhwng y duon a'r gwynion eu tynnu o fannau cyhoeddus
- roedd hawl i ddadwahanu ond nid oedd yn orfodol
- roedd cyflogwyr yn gallu cyflogi gweithwyr duon medrus a daeth undebau'n gyfreithlon
- ym 1985 cafodd y Ddeddf Priodasau Cymysg a deddfau'n rhwystro perthynas rywiol rhwng duon a gwynion eu diddymu
- ym 1986 cafodd y Deddfau Trwyddedau eu dileu.

SOURCE A P.W. Botha (yn y canol), gyda seneddwyr eraill De Affrica, wedi dod yn Brif Weinidog ym 1978.

Bwriad y mesurau hyn oedd cadw at bolisi apartheid ond gwneud rhai consesiynau gan obeithio aros mewn grym.

Newidiadau i'r cyfansoddiad

Ym 1984 cafodd senedd gyda thair siambr – gwyn, Asiaidd a lliw – ei chreu. Roedd rhaid i ASau eistedd mewn siamberi ar wahân ond roedd rhaid i ddeddfau roedd y tai Asiaidd neu liw wedi'u pasio gael eu cymeradwyo gan siambr y gwynion. Roedd y newid hwn yn helaethu apartheid, drwy rannu'r senedd ar sail hil a chadw Affricanwyr duon allan.

Bu cefnogwyr gwrth-apartheid yn ymosod ar 'ddiwygiadau' Botha, gan ddadlau nad oedden nhw wedi mynd yn ddigon pell, ond roedd cefnogwyr gwyn asgell dde'n credu i'r diwygiadau fynd yn rhy bell.

C Cwestiynau

1 Eglurwch pam cyflwynodd Botha newidiadau i'r system apartheid ar ôl 1978.

2 Mae newidiadau Botha wedi cael eu beirniadu am 'chwarae â manion apartheid'. I ba raddau rydych chi'n cytuno â'r gosodiad hwn?

GWRTHWYNEBIAD Y DUON YN TYFU

Yn sgil cynllun Botha i gadw Affricanwyr duon allan o'r senedd cafodd y Ffrynt Democrataidd Unedig (UDF) ei sefydlu ym mis Awst 1983 o dan lywyddiaeth Dr Allan Boesak. Denodd yr UDF dros 2 filiwn o aelodau o bob hil a dosbarth gan fabwysiadu Siarter Rhyddid (1955) yn sail i'w gredoau. Ato daeth y Fforwm Cenedlaethol a oedd yn fwy radical a'r ANC a alwodd ar ei ddilynwyr i weithredu fel ei bod yn amhosibl llywodraethu De Affrica.

Dechreuodd aflonyddwch difrifol yn nhrefgorddau Transvaal o ganlyniad i benderfyniad y llywodraeth i sefydlu cynghorau Affricanaidd duon yno'n rhan o'r polisi Strategaeth Lwyr. Roedd y cynghorau'n amhoblogaidd a sefydlodd y trefgorddau eu mudiadau cymunedol eu hunain. Trodd protestio heddychlon yn drais chwerw.

Aeth saith mil o filwyr i drefgordd Sebokeng a dechrau chwilio 20,000 o dai. Ar ôl i 20 o Affricanwyr gael eu lladd yn Uitenhage, cyhoeddodd y llywodraeth stâd o argyfwng wrth i rannau o'r wlad ddioddef rhyfel cartref fwy neu lai. Erbyn mis Mawrth 1986 roedd dros 750 o bobl wedi cael eu lladd, 20,000 wedi eu hanafu a 14,000 wedi eu harestio. Digwyddodd cryn dipyn o'r trais oherwydd y gwrthdaro rhwng aelodau'r ANC a dilynwyr Inkatha ya KwaZulu, mudiad cenedlaethol llwyth y Zulu o dan arweiniad y Pennaeth Mangosuthu Buthelezi. Roedd arweinwyr yr ANC yn wyllt gandryll oherwydd bod Buthelezi wedi derbyn mamwlad Zulu (KwaZulu) ac yn ei gyhuddo o gydweithredu â'r Blaid Genedlaethol.

Araith 'Rubicon' Botha

Ym mis Awst 1985, er mwyn ceisio atal y trais, traddododd Botha ei araith 'Rubicon'. Roedd disgwyl i Botha gyhoeddi diwygiadau mawr i'r system apartheid, 'croesi'r Rubicon' (cam di-droi'n ôl yw Rubicon), a daeth cyfryngau'r byd i wrando arno. Ond, yn lle'r newid roedden nhw wedi disgwyl ei glywed, gwelson nhw nad oedd Botha'n bwriadu gwneud newidiadau mawr a'i fod hefyd yn diystyrru'r syniad o reolaeth gan y mwyafrif. Ond bu araith Botha'n amhoblogaidd ledled y byd; tynnodd nifer o fanciau allan o Dde Affrica, a chafodd Deddf Gwrth-Apartheid ei phasio yn UDA.

Ymosodiad Llwyr

Roedd Botha'n argyhoeddedig bod De Affrica o dan fygythiad 'Cyrch Diarbed' neu fygythiad comiwnyddol wedi'i drefnu gan Moskva (Moscow) ac o fewn y wlad gan yr ANC. Tynhaodd gafael gwasanaethau cudd y wladwriaeth a buon nhw'n casglu gwybodaeth am weithredwyr duon. Ond erbyn diwedd 1990, roedd y Rhyfel Oer ar ben ac nid oedd De Affrica'n gweld bod yr Undeb Sofietaidd yn fygythiad iddi.

C Cwestiwn

1 Beth oedd achosion yr aflonyddwch sifil wedi 1983?

NEWIDIADAU O DAN F.W. DE KLERK

Ym 1988 roedd De Affrica mewn sefyllfa nad oedd modd ei datrys. Roedd sancsiynau'n achosi anawsterau economaidd ac roedd y prif bleidiau gwleidyddol Affricanaidd wedi'u gwahardd. Felly roedd hi'n ymddangos nad oedd llawer o obaith symud ymlaen. Daeth y cyfle o fan annisgwyl – y Blaid Genedlaethol ei hun. Ym 1989 cafodd Botha strôc ac ymddiswyddodd fel arweinydd y blaid, felly daeth F.W. de Klerk yn arweinydd.

Chwalu apartheid

Roedd de Klerk yn derbyn na allai apartheid barhau ac y byddai'n rhaid gwneud consesiynau er mwyn, ar y gorau, rhannu grym rhwng pobl dduon a gwynion.

g RHAN ARWEINWYR EGLWYSIG DU

FFYNHONNELL B

Allan Boesak.

Roedd **Allan Boesak**, gweinidog wedi'i ordeinio yn yr Eglwys Ddiwygiedig Iseldiraidd, yn feirniadol o'r Eglwys am ei bod yn cefnogi apartheid. Roedd yn credu mai heresi oedd apartheid (barn neu athrawiaeth yn groes i ddysgeidiaeth yr Eglwys). Ym 1983 daeth Boesak yn Llywydd yr UDF (gweler tudalen 188) a bu'n Is-Lywydd Cyngor Eglwysi De Affrica o 1984 i 1987. Ym mis Awst 1985 galwodd am orymdaith at Garchar Rollsmoor i fynnu bod Nelson Mandela'n cael ei ryddhau, ond cafodd ei garcharu gan luoedd diogelwch. Cafodd ei arestio sylw rhyngwladol a phan geisiodd pobl ddechrau'r orymdaith, ymyrrodd yr heddlu. Mewn dau ddiwrnod o wrthdaro, cafodd 30 o bobl eu lladd a 300 eu hanafu.

Desmond Mpilo Tutu, offeiriad Anglicanaidd, oedd Ysgrifennydd du cyntaf Cyngor Eglwysi De Affrica. Ym 1986 daeth yn Archesgob du cyntaf Cape Town a phennaeth teitlog yr Eglwys Anglicanaidd yn Ne Affrica. Roedd Tutu'n feirniadol iawn o apartheid, ac enillodd Wobr Heddwch Nobel ym 1984. Roedd Tutu'n dadlau bod apartheid yn erbyn ewyllys Duw gan fod Duw wedi dweud bod pob Affricanwr yn gydradd. Anogodd arweinwyr y byd i osod sancsiynau llym ar Dde Affrica. Roedd ei ymgyrchu brwd yn llwyddiannus yn ystod arlywyddiaeth de Klerk.

FFYNHONNELL C

Yr Archesgob Desmond Tutu.

Yn ei anerchiad cyntaf i'r senedd ar 2 Chwefror 1990 cyfreithlonodd yr ANC, PAC a'r Blaid Gomiwnyddol, gorchmynnodd i nifer o garcharorion gwleidyddol gael eu rhyddhau; aeth ati i leihau carchariad brys i chwe mis a hefyd i ddiddymu'r gosb eithaf.

Rhyddhau Nelson Mandela

Yn sgil rhyddhau Nelson Mandela naw diwrnod yn ddiweddarach dechreuodd rhes o ddigwyddiadau nad oedd llawer wedi'u rhag-weld.

- Dechreuodd y llywodraeth a'r ANC drafod ym mis Mai 1990; erbyn mis Mehefin roedd y stâd o argyfwng wedi ei godi ac roedd yr ANC wedi cytuno i gael cadoediad.
- Ym 1991 cafodd y Deddfau a oedd yn cyfyngu ar berchen tiroedd, nodi ardaloedd byw ar wahân a dosbarthu pobl yn ôl eu hil i gyd eu diddymu. Roedd De Affrica wedi cymryd ei chamau cyntaf go iawn tuag at ddod yn gymdeithas amlhiliol.

Ymateb Anffaffiol

Oherwydd diwygiadau de Klerk penderfynodd nifer o gefnogwyr o blaid apartheid adael y Blaid Genedlaethol ac ymuno â'r Blaid Geidwadol, a oedd yn erbyn nifer o'r diwygiadau. Hefyd cododd gwrthwynebiad eto gan Fudiad Gwrthwynebu'r Affricaneriaid, mudiad gwyn asgell dde eithafol.

Parhaodd y trais hefyd rhwng Inkatha a'r ANC wedi iddi ddod i'r amlwg fod y llywodraeth wedi rhoi cymorth economaidd a militaraidd i Inkatha.

DECHRAU CYMODI

Roedd gonestrwydd de Klerk wedi cael ei herio, roedd Mandela'n cael ei feirniadu gan ei ddilynwyr mwy radical, ac roedd Buthelezi'n cael ei ystyried yn fradwr a fu'n cydweithio ag apartheid. Daeth mwy a mwy o drais â nhw at ei gilydd o'r diwedd ym mis Medi 1991 pan arwyddon nhw Gytundeb Heddwch Cenedlaethol.

CODESA

Ym mis Rhagfyr 1991, daeth 19 o bleidiau gwleidyddol at ei gilydd yn y Cytundeb ar gyfer De Affrica Ddemocrataidd (CODESA) i drafod cyfansoddiad newydd. Cytunon nhw ar gynnig i 'ffurfio De Affrica unedig gydag un genedl yn rhannu'r un ddinasyddiaeth, yn rhydd o unrhyw ffurf ar wahaniaethu neu dra-awdurod o dan gyfansoddiad democrataidd rhyddfrydol'.

Refferendwm dros heddwch i'r gwynion yn unig

Penderfynodd de Klerk gamblo ar gynnal refferendwm i'r gwynion yn unig ynglŷn â'r broses heddwch, er mwyn ceisio achub y blaen ar y gwrthwynebiad asgell dde. Dyma Mandela, a oedd yn benderfynol o barhau'r broses, yn annog ei gefnogwyr i beidio â tharfu ar y digwyddiadau. Gyda nifer uchel yn pleidleisio, rhoddodd 68 y cant o'r gwynion eu cefnogaeth: roedd y rhwystr mwyaf difrifol i'r diwygio wedi'i fwrw o'r neilltu.

Dechrau cydweithredu

Ym mis Mehefin 1992 dyma weithwyr hostel yn torri, trywanu a saethu 45 o bobl i farwolaeth mewn gweithred dreisgar a chreulon yn Boipatong, Transvaal. Ar y pryd roedd y llofruddiaethau'n cael eu hystyried yn rhan o'r gwrthdaro rhwng Cyngres Genedlaethol Affrica a Phlaid Rhyddid Inkatha.

Yna, ym mis Medi 1992, gorymdeithiodd degau o filoedd o bobl i Bisho, Ciskei, er mwyn ceisio disodli'r llywodraeth filwrol yno. Ymateb y milwyr oedd saethu at y gorymdeithwyr. Bu farw tri deg o bobl a chafodd tua 200 eu hanafu.

Wedi trychineb ddwbl Boipatong a Bisho, ynghyd â dirwasgiad economaidd, sylweddolodd gwleidyddion fod angen cydweithredu. Addawodd de Klerk i archwilio i ran y lluoedd diogelwch yn y ddwy gyflafan yn Boipatong a Bisho. Ym mis Ebrill 1993 ailddechreuodd y trafodaethau, gyda'r PAC a'r 'gwynion ar y dde' yn ymuno, er i Inkatha wrthod cymryd rhan.

Ar 10 Ebrill 1993, lladdodd gweithredwyr gwyn asgell dde aelod ifanc poblogaidd o'r ANC, Chris Hani. Apeliodd Mandela ar bobl i beidio â chynhyrfu a sianelodd ei ddicter a'i egni i gynlluniau am etholiad cyffredinol.

C Cwestiynau

1 Disgrifiwch y rhan a chwaraeodd de Klerk a Mandela wrth chwalu apartheid.

2 Pa ddigwyddiadau a arweiniodd at gyflymu'r broses heddwch?

Y FFORDD I DDEMOCRATIAETH GYFANSODDIADOL

Yr etholiad cyntaf gyda phleidlais i bawb

O dan y cyfansoddiad dros dro, cynhaliwyd etholiad a ddarparai senedd â dwy siambr iddi a fyddai'n dal grym, gyda naw corff deddfu rhanbarthol. Byddai ymgeiswyr yn cael eu hethol drwy gynrychiolaeth gyfrannol, a'r wlad yn cael ei rheoli gan arlywydd wedi'i ethol gan y cynulliad cenedlaethol yn arwain llywodraeth a fyddai'n ennill 200 neu fwy o seddi.

Roedd y Comisiwn Etholiadol yn wynebu tasg enfawr wrth drefnu pleidlais ddeg gwaith yn fwy nag erioed o'r blaen. Ar 27 Ebrill 1994 roedd etholiadau cyntaf De Affrica gyda phleidlais i bawb yn eiliad nodedig yn hanes y wlad.

➜ Enillodd yr ANC fuddugoliaeth lwyr gyda 62.6 y cant o'r bleidlais a 252 o'r 400 sedd yn y cynulliad cenedlaethol. Ond nid enillodd fwyafrif o ddau draean a fyddai wedi galluogi'r blaid i ysgrifennu ei chyfansoddiad ei hun; roedd hyn yn gysur i rai o'r gwynion a lleiafrifoedd eraill.

FFYNHONNELL CH Degau o filoedd o gefnogwyr yr ANC yn gorymdeithio i Bisho, Ciskei, er mwyn ceisio disodli'r unben milwrol, mis Medi 1992.

- Enillodd y Blaid Genedlaethol 20.4 y cant o'r bleidlais a 82 sedd.
- Enillodd Inkatha 10.5 y cant o'r bleidlais a 43 sedd.

Nelson Mandela'n Arlywydd

Ar 10 Mai 1994 cafodd Mandela ei urddo'n arlywydd De Affrica gyda Thabo Mbeki (cadeirydd yr ANC) a de Klerk yn ddirprwy arlywyddion. Cafodd Buthelezi ei wneud yn weinidog dros faterion cartref. Mewn seremoni liwgar yn Pretoria bu'r llywodraeth yn cymryd y llw. Roedd yr achlysur yn un o'r gweithredoedd cymodi cenedlaethol mwyaf erioed.

Y gymuned ryngwladol yn derbyn De Affrica

Wrth i system apartheid gael ei chwalu, dechreuodd De Affrica gael ei derbyn gan y gymuned ryngwladol:

- Cafodd sancsiynau eu codi ym mis Hydref 1993.
- Ailddechreuodd cysylltiadau ym myd chwaraeon a diwylliant.
- Dechreuodd teithiau masnach rhyngwladol archwilio posibiliadau buddsoddi.
- Dechreuodd trafodaethau ynghylch y berthynas â'r Undeb Ewropeaidd a'r posibilrwydd o ailymuno â'r Gymanwlad.

6 YMARFER ARHOLIAD

Mae'r cwestiynau hyn yn profi Adran A y papur arholiad.

APARTHEID YN DOD I BEN

Astudiwch Ffynonellau A-CH ac yna atebwch y cwestiynau sy'n dilyn.

FFYNHONNELL A

Cartŵn o bapur newydd Prydeinig, 1988. P.W. Botha yw'r dyn gwyn yn y cartŵn.

FFYNHONNELL B

Gaf i eich atgoffa chi o dri gair bach. Y gair cyntaf yw 'holl'. Rydyn ni eisiau ein holl hawliau. Yr ail air yw 'yma'. Rydyn eisiau ein holl hawliau yma mewn De Affrica unedig heb ei rhannu. Dydyn ni ddim eisiau nhw mewn mamwledydd tlawd. Y trydydd gair yw 'nawr'. Rydyn ni eisiau ein holl hawliau, rydyn ni eu heisiau nhw yma ac rydyn ni eu heisiau nhw nawr. Rydyn ni wedi cael ein carcharu, ein halltudio a'n lladd am ormod o amser.

Y Parchedig Allan Boesak yn siarad adeg lansio'r Ffrynt Democrataidd Unedig (UDF), 20 Awst 1983.

FFYNHONNELL C

Mae'r ANC yn annog lladd duon sy'n gynghorwyr tref, heddlu, aelodau o'r llu amddiffyn ac unrhyw unigolyn arall sy'n anghytuno â nhw. Rhan o'u rhaglen yw dileu Inkatha a grwpiau eraill o dduon sy'n eu gwrthwynebu. Mae'r rheiny wedi cael eu torri i farwolaeth, maen nhw wedi cael eu lladd drwy roi teiar yn llawn petrol wedi'i danio o amgylch eu gyddfau, ac mae eu tai wedi'u llosgi'n ulw. Ymatebion treisgar yn unig a all fod i'r fath ymosodiadau treisgar.

Y Pennaeth Buthelezi, arweinydd Zulu, mewn llythyr i'r papur Prydeinig y *Guardian*, 15 Tachwedd, 1986.

FFYNHONNELL CH

Yn y Senedd ar 2 Chwefror 1990 gwnaeth de Klerk rywbeth dramatig. Cyhoeddodd fod y gwaharddiad ar yr ANC wedi'i ddileu ac yn yr wythnosau canlynol cafodd Nelson Mandela ei ryddhau. Digwyddodd hyn yn rhannol drwy brotestio gan y bobl a beirniadaeth ryngwladol er mai'r prif ffactor oedd yr argyfwng economaidd a oedd yn wynebu'r wlad.

Darn allan o *The Making of Modern South Africa*, gan Nigel Worden, 1994.

CA Cwestiynau Arholiad

1 Pa wybodaeth mae Ffynhonnell A yn ei rhoi am wrthwynebiad i apartheid yn Ne Affrica ym 1988? [3]

2 Defnyddiwch yr wybodaeth yn Ffynhonnell B a'r hyn rydych chi'n ei wybod i egluro nodau'r UDF. [4]

3 Pa mor ddefnyddiol yw tystiolaeth Ffynhonnell C i hanesydd sy'n astudio apartheid yn Ne Affrica? Eglurwch eich ateb gan ddefnyddio'r ffynhonnell a'r hyn rydych chi'n ei wybod. [5]

4 Yn Ffynhonnell CH mae'r awdur yn dweud i apartheid ddod i ben yn bennaf oherwydd y problemau economaidd a oedd yn wynebu De Affrica. A yw hynny'n ddehongliad dilys?
Yn eich ateb dylech ddefnyddio'r hyn rydych yn ei wybod am y testun, cyfeirio at y ffynonellau eraill sy'n berthnasol yn y cwestiwn hwn, ac ystyried sut y daeth yr awdur i'r dehongliad hwn. [8]

7 YR ALMAEN, 1919–91

Ym 1900, roedd yr Almaen yn un o wledydd mwyaf pwerus Ewrop. Aeth i ryfel yn hyderus ym 1914 ond ar ôl iddi gael ei threchu ym 1918 roedd y wlad mewn llanast llwyr.

Ym 1918, cafodd llywodraeth newydd yr Almaen, Gweriniaeth Weimar, ei chysylltu â gwendid colli'r rhyfel. Bu'n rhaid iddi dderbyn telerau Cytundeb Versailles a oedd yn bychanu'r wlad. Roedd llawer o wrthwynebiad i'r weriniaeth, ac er iddi gael peth llwyddiant yng nghanol y 1920au, llwyddodd Hitler a Phlaid y Natsïaid i ddod yn boblogaidd yn dilyn dirwasgiad economaidd.

Daeth newid syfrdanol i gymdeithas yr Almaen yn y 1930au ar ôl Cwymp Wall Street ym mis Hydref 1929, ac arweiniodd polisi tramor ymosodol Hitler at ryfel ym 1939. Ar ôl iddi gael ei threchu ym 1945, daeth lluoedd Prydain, UDA, Ffrainc a'r Undeb Sofietaidd i feddiannu'r Almaen ond oherwydd problemau rhwng pwerau'r Cynghreiriaid, cafodd y wlad ei rhannu'n ddwy – Dwyrain yr Almaen a Gorllewin yr Almaen.

O dan arweiniad Konrad Adenauer, profodd Gorllewin yr Almaen 'wyrth economaidd' a lwyddodd i'w thrawsnewid i fod yn wlad ddiwydiannol lewyrchus. Wrth i Orllewin yr Almaen ffynnu, roedd caledi o hyd yn Nwyrain yr Almaen o dan reolaeth y Comiwnyddion. Gyda'r Rhyfel Oer yn ei anterth, daeth Berlin yn ganolbwynt y tensiwn. Rhoddodd yr Undeb Sofietaidd y ddinas o dan warchae ym 1948 a chafodd ei rhannu ym 1961 pan gafodd mur ei adeiladu drwyddi.

Gwellodd y berthynas rhwng Dwyrain a Gorllewin yr Almaen yn yr 1980au a phan gwympodd comiwnyddiaeth yn Nwyrain Ewrop, tynnwyd Mur Berlin i lawr a chafodd yr Almaen ei hailuno ym 1990.

LLINELL AMSER DIGWYDDIADAU

1919 Cytundeb Versailles
1929 Cwymp Wall Street
1933 Ionawr: Hitler yn dod yn Ganghellor
1934 Hitler yn rhoi'r enw Führer i'w hunan
1936 Yr Almaen yn meddiannu'r Rheinland
1938 *Anschluss*
1939 Goresgyn Tsiecoslofacia a Gwlad Pwyl
1941 Ymgyrch Barbarossa
1945 Cynadleddau Yalta a Potsdam
1947 Athrawiaeth Truman a Chynllun Marshall
1948 Gwarchae Berlin a'r cludiad awyr
1949 Medi: Rhanbarthau'r Gorllewin yn cyfuno i greu Gweriniaeth Ffederal yr Almaen (GFfA)
Hydref: Dwyrain yr Almaen yn dod yn Weriniaeth Ddemocrataidd yr Almaen (GDdA)
1955 Gorllewin yr Almaen yn ymuno â NATO
Dwyrain yr Almaen yn dod yn aelod o Gytundeb Warsaw
1957 Cytundeb Rhufain: Gorllewin yr Almaen yn un o'r aelodau a sefydlodd y Gymuned Economaidd Ewropeaidd (EEC)
1961 Codi Mur Berlin
1968 Terfysg gan fyfyrwyr yng Ngorllewin Berlin
1972 Cytundeb Sylfaenol rhwng Dwyrain yr Almaen a Gorllewin yr Almaen
1989 Agor y ffin rhwng GFfA a GDdA; Mur Berlin yn cael ei dynnu i lawr
1990 3 Hydref: Ailuno Dwyrain yr Almaen a Gorllewin yr Almaen yn swyddogol

Beth oedd y prif ffactorau a fu'n gyfrifol am ddod â newidiadau gwleidyddol ac economaidd rhwng 1919 ac 1991?

YR ALMAEN A'R RHYFEL BYD CYNTAF

Ym 1900, yr Almaen oedd prif wlad ddiwydiannol Ewrop. Roedd y Kaiser (ymerawdwr) yn rheoli ymerodraeth a oedd yn ymestyn ar draws Ewrop gyda threfedigaethau yn Affrica a'r Cefnfor Tawel. Erbyn 1914 roedd dros hanner poblogaeth yr Almaen yn gweithio mewn ffatrïoedd ond gan ddioddef cyflogau isel ac amodau gwael. Trodd llawer at bleidiau sosialaidd i geisio gwella pethau. Roedden nhw'n dadlau bod gormod o rym gan y Kaiser ac y dylai'r Reichstag (y senedd) gael mwy o rym.

Pan aeth yr Almaen i ryfel ym 1914 roedd y rhan fwyaf o bobl yn hyderus y bydden nhw'n ennill. Ond erbyn mis Tachwedd 1918 roedd yr Almaen wedi cael ei threchu, roedd y Kaiser wedi ildio'r goron ac roedd llywodraeth newydd wedi ei sefydlu.

Effaith y rhyfel ar yr Almaen

Bu farw 2.4 miliwn o bobl yr Almaen yn y rhyfel. Roedd benthyciadau wedi talu am y rhyfel a phrisiau wedi codi'n syfrdanol. Roedd newyn mawr ledled yr Almaen.

GWERINIAETH WEIMAR

Ar 9 Tachwedd 1918, dyma Friedrich Ebert, arweinydd y Blaid Ddemocrataidd Sosialaidd, yn cyhoeddi gweriniaeth Almaenig newydd. Cafodd y 'troseddwyr dieflig' neu 'droseddwyr Tachwedd', yn ôl Hitler, eu cysylltu ag ildio'r rhyfel. Roedd yr Almaen wedi cael ei 'thrywanu yn ei chefn' gan ei harweinwyr.

FFYNHONNELL A

Felly roedd y cyfan wedi bod yn ofer . . . yr aberth . . . yr oriau pan wnaethon ni ein dyletswydd ac arnom ofn am ein bywydau. Bu farw dwy filiwn yn ofer. A fuon nhw farw fel y gallai ciwed o droseddwyr dieflig gael gafael ar y Famwlad?

Adolf Hitler, *Mein Kampf*, 1924.

Cyfansoddiad Weimar

Roedd y cyfansoddiad newydd yn arbrawf dewr mewn democratiaeth.

- Cafodd dynion a menywod dros 20 oed hawl i bleidleisio (cyn hynny dynion dros 25 yn unig a oedd yn pleidleisio) ac roedd rhyddid gan bob dinesydd i fynegi barn a dilyn eu credoau gwleidyddol a chrefyddol.
- Roedd y pleidleiswyr yn dewis aelodau i ddau dŷ'r senedd.
- Roedd y Canghellor yn cael ei benodi gan yr Arlywydd ac roedd rhaid i hwnnw gael cefnogaeth mwyafrif yn y Reichstag.
- Roedd yr Arlywydd fel pennaeth y wladwriaeth yn cael ei ethol gan y bobl. Ef oedd yn rheoli'r lluoedd arfog a gallai ddiddymu'r senedd.

Roedd pleidleisio'n digwydd drwy gynrychiolaeth gyfrannol: roedd pob plaid yn ennill seddi yn ôl nifer y bobl a oedd wedi pleidleisio i'r blaid honno. Oherwydd y system hon roedd nifer fawr o bleidiau bychain, heb fod mwyafrif gan un blaid. Felly roedd rhaid i bleidiau ddod at ei gilydd i gael mwyafrif gwleidyddol: bu naw llywodraeth glymblaid yn ystod pedair blynedd gyntaf y weriniaeth.

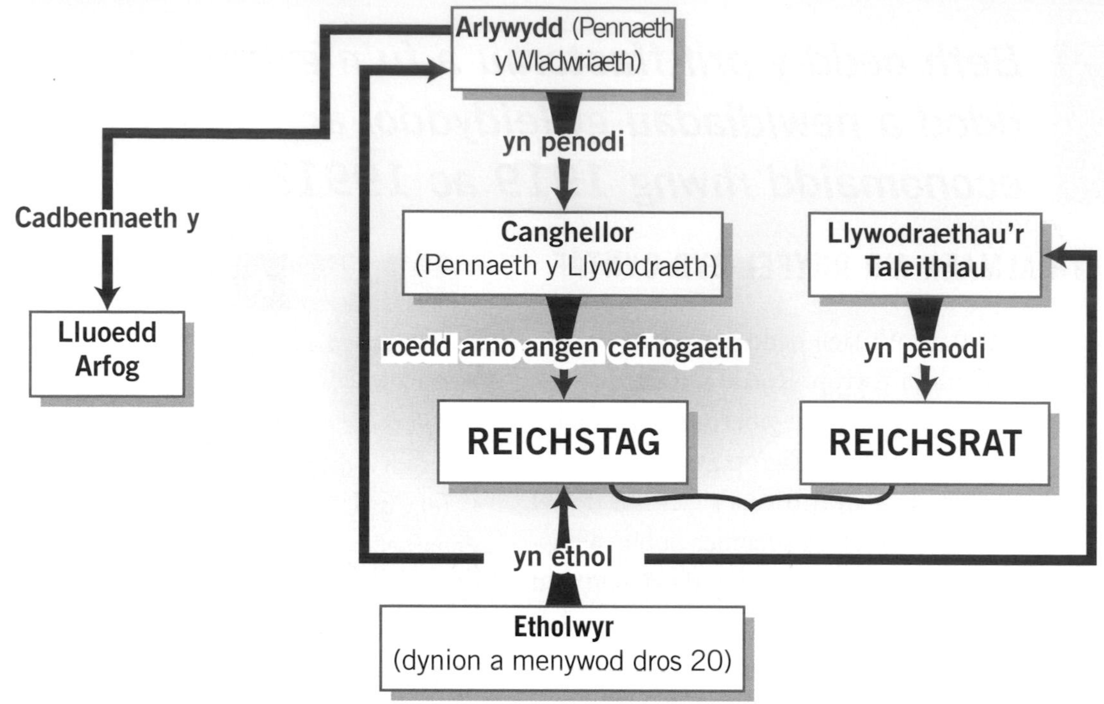

Trefniadaeth Gweriniaeth Weimar.

Pan oedd problemau gwleidyddol difrifol yn eu hwynebu, roedd amryw o aelodau'r clymbleidiau'n anghytuno'n gyson, felly roedd y llywodraeth yn wan. Hefyd, pan oedd argyfwng, gallai'r clymbleidiau gael eu herio gan grwpiau asgell chwith eithafol (comiwnyddion) neu grwpiau asgell dde (cenedlaetholwyr). Byddai Erthygl 48 y cyfansoddiad yn cael ei ddefnyddio pan oedd argyfwng i ohirio democratiaeth a llywodraethu drwy ordinhad.

Nid oedd yr Almaen wedi cael llawer o brofiad o ddemocratiaeth. Roedd llawer yn gweld eisiau llywodraeth gadarn y Kaiser ac yn credu mai'r fyddin a'r dosbarthiadau uwch oedd â'r hawl i reoli.

C Cwestiynau

1. Pam roedd y Rhyfel Byd Cyntaf yn drobwynt yn hanes yr Almaen?
2. Beth oedd gwendidau cyfansoddiad Weimar?

PA BROBLEMAU OEDD YN WYNEBU GWERINIAETH WEIMAR?

Bygythiadau o'r chwith

Nod Cynghrair Spartacus (Plaid Gomiwnyddol yr Almaen yn ddiweddarach) o dan arweinyddiaeth Rosa Luxemburg a Karl Liebknecht oedd sefydlu gwladwriaeth gomiwnyddol yn yr Almaen. Roedden nhw'n gwrthwynebu llywodraeth Weimar ac ym mis Ionawr 1919 buon nhw'n gwrthryfela yn Berlin; ond cawson nhw eu trechu gan Ebert, gyda help grwpiau o Freikorps (milwyr yn dychwelyd o'r rhyfel). Lladdwyd miloedd a saethwyd Luxemburg a Liebknecht.

Bygythiadau o'r dde

Bu cenedlaetholwyr a oedd yn protestio yn erbyn telerau Cytundeb Versailles yn gorymdeithio yn Berlin ym mis Mawrth 1920 gan gyhoeddi Dr Wolfgang Kapp yn arweinydd yr Almaen. Sefydlodd ef lywodraeth asgell dde, ond dyma'r llywodraeth a gafodd ei disodli yn galw streic gyffredinol gan weithwyr yn y diwydiannau nwy, dŵr, trydan a chludiant. A nhwythau'n methu llywodraethu, methodd *putsch* (gwrthryfel) Kapp a ffodd Kapp dramor.

Cytundeb Versailles

Ym mis Mehefin 1919 cafodd y weriniaeth ergyd fawr arall pan orfododd y Cynghreiriaid gytundeb heddwch. Pan arwyddodd yr Almaenwyr y cadoediad i ddod â'r Rhyfel Byd Cyntaf i ben, roeddent yn gobeithio am delerau heddwch teg. Ond ni chafodd llywodraeth yr Almaen gymryd rhan yn y trafodaethau yn Versailles a chawson nhw eu harswydo o weld telerau'r cytundeb. Cafodd yr Almaen y bai am ddechrau'r Rhyfel Byd Cyntaf, rhywbeth a oedd yn codi cywilydd ar boblogaeth yr Almaen ac yn ei digio'n fawr. Defnyddiodd y Cynghreiriaid y Cymal Euogrwydd Rhyfel yma i fynnu iawndaliadau economaidd enfawr gan yr Almaen i dalu am gostau'r rhyfel. Roedd hyn yn ergyd i economi'r Almaen a oedd yn wan yn barod. Oherwydd telerau'r cytundeb, collodd yr Almaen diroedd a'i threfedigaethau hefyd, a chafodd ei lluoedd milwrol eu cyfyngu'n fawr.

Bu storm o brotest oherwydd y cytundeb a chafodd gwrthdystiadau enfawr eu cynnal yn yr Almaen. Mynnodd llywodraeth yr Almaen nad oedd dewis ganddi ond derbyn telerau'r cytundeb. Ond galwodd y wasg boblogaidd am ddial. Roedd Gweriniaeth Weimar wedi cael dechrau gwael ac roedd llawer o Almaenwyr o'r farn mai bradwyr oedd y llywodraeth newydd. Roedd llawer yn methu maddau i'r llywodraeth am arwyddo Cytundeb Versailles.

Roedd effaith Cytundeb Versailles ar yr Almaen yn enfawr, a bu'n taflu cysgod ar hanes yr Almaen tan yr Ail Ryfel Byd. Mae'n bosib gosod telerau'r cytundeb o dan bedwar pennawd:

1 Euogrwydd rhyfel

O dan Erthygl 231 y cytundeb, roedd rhaid i'r Almaen dderbyn y bai'n llwyr am y rhyfel.

2 Telerau economaidd

Roedd rhaid i'r Almaen dderbyn cyfrifoldeb am y rhyfel a chafodd ei gorfodi i dalu am y difrod. Roedd cyfanswm y taliadau (neu'r iawndaliadau) yn £6600 miliwn.

3 Colli tiroedd (gweler y map ar dudalen 134).

- Cafodd Alsace-Lorraine ei dychwelyd i Ffrainc.
- Rhoddwyd Y Saar, ardal â llawer o lo, i Ffrainc am 15 mlynedd; yna roedd pobl Y Saar i bleidleisio i ba wlad roedden nhw eisiau perthyn iddi.
- Cafodd Gwlad Pwyl, a oedd newydd ei chreu, goridor i'r môr. Roedd y 'Coridor Pwylaidd' yn gwahanu Dwyrain Prwsia o'r Almaen.
- Cafodd yr Almaen ei gwahardd rhag uno ag Awstria (*Anschluss*).
- Cafodd Gwlad Belg ardaloedd Eupen a Malmedy.
- Cafodd Denmarc ardal Gogledd Schleswig.
- Cafodd Gogledd Silesia ei rhoi i Wlad Pwyl.
- Collodd yr Almaen ei threfedigaethau.

4 Telerau milwrol

- Cafodd y fyddin ei lleihau i 100,000 o wirfoddolwyr.
- Cafodd y llynges ei lleihau i chwe llong ryfel, chwe llong ryfel gyflym a rhai llongau bach. Nid oedd hawl i gael llongau tanfor.
- Nid oedd hawl i gael llu awyr milwrol.
- Roedd rhaid cael gwared ar holl arfau'r rhyfel.
- Cafodd ardal Rheinland ei dadmilwrio. Nid oedd hawl gan filwyr yr Almaen i fynd o fewn 50 cilometr o lan dde afon Rhein. Byddai'r Cynghreiriaid yn meddiannu'r rhanbarth am 15 mlynedd.

Problemau economaidd, 1921–3

O ganlyniad i'r cytundeb, collodd yr Almaen 10 y cant o'i glo, 48 y cant o'i haearn, 15 y cant o'i chynnyrch amaethyddol a 10 y cant o'i diwydiannau gweithgynhyrchu. Aeth diweithdra'n waeth wrth i filwyr ddychwelyd o'r rhyfel. Peidiodd yr Almaen dalu'r iawndaliadau ac ym mis Ionawr 1923 dyma Ffrainc yn ymateb drwy feddiannu dyffryn afon Ruhr, ardal â llawer o ddiwydiant. Gorchmynnodd llywodraeth yr Almaen i'r gweithwyr fynd ar streic. I'w talu nhw, cafodd mwy o arian ei argraffu. Roedd yr effaith yn syfrdanol – aeth arian yn ddiwerth mewn cyfnod o orchwyddiant.

'OES AUR STRESEMANN'

Sefydlogrwydd economaidd

Ym 1923 roedd economi'r Almaen yn llanast llwyr, ond gwellodd mewn dim o dro a dechreuodd cyfnod o sefydlogrwydd a ffyniant. Gustav Stresemann oedd yn gyfrifol am lawer o'r llwyddiant. Y peth cyntaf a wnaeth oedd cyflwyno arian newydd, y Rentenmark. Dechreuodd yr economi sefydlogi a theimlai pobl yn ddigon hyderus i roi arian mewn banciau. Cafodd chwyddiant ei reoli, cafodd diweithdra ei leihau a chafodd diwydiant ei adfywio gan ddefnyddio dulliau cynhyrchu newydd o UDA. I rwystro cwymp economaidd yn y dyfodol, trodd Stresemann at fater iawndaliadau. Bu'n dadlau bod angen dechrau eu talu eto, felly gadawodd milwyr Ffrainc Y Ruhr. Aeth yn amhoblogaidd oherwydd hyn a bu'n rhaid iddo ymddiswyddo o fod yn Ganghellor.

Ym 1924 cytunodd Stresemann ar Gynllun Dawes â UDA, Prydain a Ffrainc, i lacio system yr iawndaliadau a'i seilio ar allu'r Almaen i dalu. Yn rhan o'r cytundeb, cytunodd UDA i fenthyg 800 miliwn marc aur i'r Almaen. Ym 1929, gwellodd Cynllun Young system yr iawndaliadau ymhellach drwy roi tan 1988 i'r Almaen dalu (er i'r taliadau orffen ym 1930 mewn gwirionedd). Erbyn 1929 roedd diwydiant yr Almaen yn cynhyrchu mwy na Phrydain a Ffrainc, a hynny er gwaethaf telerau niweidiol Cytundeb Versailles.

Sefydlogrwydd gwleidyddol

Roedd gallu diplomyddol gwleidyddol Stresemann yn ffactor bwysig wrth gadw'r llywodraethau clymblaid at ei gilydd. Roedd y Weriniaeth yn fwy sefydlog bellach a phobl yr Almaen yn fwy bodlon yn ystod y cyfnod hwn, gan bleidleisio dros bleidiau cymedrol fel y Democratiaid Sosialaidd. Felly nid oedd Plaid y Natsïaid mor llwyddiannus; gwnaethon nhw'n wael yn etholiadau'r Reichstag, gan ennill 14 sedd yn unig ym mis Rhagfyr 1924 a 12 sedd ym 1928.

Cysylltiadau rhyngwladol

Pan oedd yn Ysgrifennydd Tramor, gwnaeth Stresemann fwy na neb i wneud yr Almaen yn fwy derbyniol eto i wledydd mawr Ewrop.

- Ym 1925, arwyddodd yr Almaen Gytundeb Locarno gyda Phrydain, Ffrainc, Gwlad Belg a'r Eidal lle cytunon nhw na fydden nhw byth yn ceisio newid y ffiniau rhyngddyn nhw.
- Ym 1926 cafodd yr Almaen ymuno â Chynghrair y Cenhedloedd.
- Ym 1928 arwyddodd yr Almaen Gytundeb Kellogg-Briand gyda dros chwe deg o wledydd eraill. Cyhoeddiad oedd hwn na fyddai'r gwledydd yn mynd i ryfel yn erbyn ei gilydd.

Ym 1926 cafodd Stresemann Wobr Heddwch Nobel am ei waith diplomyddol.

C Cwestiynau

1 Sut byddai Almaenwr balch yn dadlau'r achos dros wrthod Cytundeb Versailles?
2 Disgrifiwch y problemau a oedd yn wynebu llywodraeth Weimar. Pa un oedd y broblem fwyaf difrifol?
3 Pa ran a chwaraeodd Stresemann yn adfywiad 1923-9?

HITLER A THWF Y NATSÏAID

FFYNHONNELL B Adolf Hitler, wedi ei baentio gan Heinrich Knirr ym 1937.

Dechrau Plaid y Natsïaid

Ar ôl y Rhyfel Byd Cyntaf, cafodd Hitler swydd gan y fyddin fel asiant propaganda. Ei waith oedd ymweld â chyfarfodydd gwleidyddol. Newidiodd hyn ei fywyd wrth iddo ddigwydd mynd i gyfarfod o Blaid Gweithwyr yr Almaen (DAP). Ymunodd Hitler â'r blaid ac ym 1920, dyma fe ac arweinydd y blaid, Anton Drexler, yn llunio'r Rhaglen 25 Pwynt. Cafodd enw'r blaid ei newid yn Blaid Genedlaethol Sosialaidd Gweithwyr yr Almaen (Plaid y Natsïaid yn fyr) ac erbyn 1921 roedd Hitler yn arweinydd arni. Aeth y blaid yn llawer mwy ymosodol gyda phwyslais ar ddisgyblaeth a theyrngarwch i'r arweinydd.

FFYNHONNELL C

1 Rydym yn mynnu bod pob Almaenwr yn uno mewn Almaen fawr.
2 Rydym yn mynnu bod hawliau cyfartal gan bobl yr Almaen wrth ymwneud â chenhedloedd eraill.
3 Rydym yn mynnu tir a threfedigaethau i fwydo ein pobl a sefydlu'r boblogaeth sydd gennym dros ben.
4 Rhai sydd â gwaed Almaenig yn unig ... a all fod yn aelodau o'r genedl. Ni all unrhyw Iddew fod yn aelod o'r genedl ...
8 Rhaid rhwystro mewnfudo gan bobl nad ydyn nhw'n Almaenwyr ...
17 Rydym yn mynnu diwygio tirddaliadaeth sy'n addas i'n hanghenion cenedlaethol ...
22 Rydym yn mynnu ... bod byddin y bobl yn cael ei ffurfio.
25 Rydym yn mynnu bod grym gwladwriaethol canolog cryf yn cael ei greu i'r Reich.

Rhai o'r pwyntiau a gafodd eu nodi yn Rhaglen 25 Pwynt Plaid y Natsïaid.

Ffurfiodd Hitler y Sturmabteilung (Stormfilwyr neu SA), corff paramilwrol yn gwisgo crysau brown. Roedd yr SA'n denu cyn-filwyr ac aelodau'r Freikorps a oedd yn dychryn gwrthwynebwyr y Natsïaid, yn enwedig y comiwnyddion. Daeth y swastica'n symbol i'r blaid.

Ymdrechion Hitler i gipio grym: Putsch *München (Munich), 1923*

Ym 1920 dyma grŵp asgell dde'n cipio grym yn München. Llwyddodd y Natsïaid i ffynnu yn yr awyrgylch asgell dde ac erbyn 1923 roedd nifer yr aelodau wedi codi i 35,000. Oherwydd bod pobl yn anfodlon ar ôl i Ffrainc feddiannu'r Ruhr, teimlai Hitler ei bod hi'n amser da i gipio grym. Ar 8 Tachwedd 1923 torrodd yr SA ar draws cyfarfod o lywodraeth Bayern (Bafaria) a chyhoeddodd Hitler ei hun yn arweinydd.

Bwriad Hitler oedd gorymdeithio i Berlin y diwrnod canlynol a meddiannu llywodraeth yr Almaen. Aeth heddlu arfog i gwrdd â'r gorymdeithwyr a lladd 16 ohonynt. Arestiwyd Hitler a'i anfon i sefyll ei brawf am frad. Defnyddiodd Hitler ei achos llys yn gyfle i gyflwyno ei syniadau. Dangosodd ei fod yn wladgarwr a oedd eisiau'r gorau i'r Almaen. Roedd Hitler yn wynebu'r gosb eithaf ond cafodd y ddedfryd leiaf, sef pum mlynedd, ac am naw mis yn unig y bu yn y carchar.

Tra oedd yng ngharchar, bu Hitler yn arddweud rhan gyntaf ei lyfr *Mein Kampf* (Fy Mrwydr) a eglurodd nifer o'i syniadau ac a ddaeth yn feibl i fudiad y Natsïaid. Yng ngharchar y sylweddolodd y byddai'n rhaid iddo gipio grym yn gyfreithiol gan ddefnyddio'r 'bleidlais ac nid y bwled'.

FFYNHONNELL CH

Yn lle gweithio i ennill grym drwy wrthryfel arfog, bydd rhaid i ni ddal ein trwynau a mynd i'r Reichstag yn erbyn aelodau Pabyddol a Marcsaidd. Os bydd ennill pleidlais yn eu herbyn yn cymryd mwy o amser na saethu yn eu herbyn, o leiaf bydd eu Cyfansoddiad nhw eu hunain yn sicrhau'r canlyniad. Yn hwyr neu'n hwyrach fe gawn ni fwyafrif, ac wedi hynny – yr Almaen!

Rhan o lythyr a ysgrifennodd Hitler pan oedd yng Ngharchar Landsberg ym 1924.

Natur apêl Hitler

Roedd Hitler yn apelio at y genedl yn ei chyfanrwydd. Cyhoeddodd fod Almaenwyr yn haeddu byw'n falch mewn cenedl newydd yn rhydd o'r beichiau a orfododd Cytundeb Versailles ac yn rhydd o bobl roedd e'n eu hystyried yn israddol fel yr Iddewon. Roedd e hefyd yn apelio at wahanol adrannau o'r gymdeithas. Addawodd waith i'r dosbarth gweithiol a chymorth gan y wladwriaeth i ffermwyr. Byddai busnesau'r Almaen yn cael eu hamddiffyn rhag drygioni comiwnyddiaeth. Gan fod dros hanner y boblogaeth yn fenywod, roedd Hitler yn awyddus i bwysleisio'r rôl y byddai menywod yn ei chwarae yn Almaen y Natsïaid. Roedd y Natsïaid yn eu cyflwyno eu hunain fel plaid gwerthoedd teuluol.

Pa mor llwyddiannus oedd y Natsïaid yn y cyfnod 1923–9?

Wedi cael ei ryddhau o'r carchar ym 1924, aeth Hitler ati i aildrefnu'r blaid. Cafodd canghennau rhanbarthol eu sefydlu ledled yr Almaen. Byddai pob cangen, neu *Gau*, yn dod o dan reolaeth arweinydd, neu *Gauleiter*. Roedd cyfarfodydd torfol yn ddigwyddiadau mawreddog a nifer dda'n eu mynychu. Byddai'r SA yn gorymdeithio yn y strydoedd gan ymddangos fel petaen nhw'n cynrychioli trefn a disgyblaeth.

Ond er gwaethaf hyn, ni ddaeth llwyddiant mewn etholiadau. Tri deg a dwy sedd yn unig a enillodd y Natsïaid yn etholiad mis Mai 1924, a chwympodd y ffigur hwn i 14 sedd yn unig ym mis Rhagfyr 1924. Ar ôl 1927 gallai'r Natsïaid weld peth gobaith wrth i ddiweithdra ddechrau codi. Eto byddai angen rhywbeth llawer mwy syfrdanol i newid ffawd y Natsïaid.

C Cwestiynau

1 A oedd *Putsch* München yn fethiant llwyr? Eglurwch eich ateb.
2 Edrychwch eto ar Ffynhonnell C. At bwy yn eich barn chi y byddai'r rhaglen yn apelio?

DIRWASGIAD YN YR ALMAEN, 1929–33

Ym mis Hydref 1929 achosodd Cwymp Wall Street anhrefn yn UDA ac yn ei dro achosodd hynny ddirwasgiad yn Ewrop. Galwodd UDA ei benthyciadau'n ôl, a gan fod ganddi lai o arian i fuddsoddi, torrodd ffatrïoedd yr Almaen eu cynhyrchiant a diswyddo gweithwyr. Aeth llawer o fusnesau i'r wal ac ym 1932 cyrhaeddodd diweithdra yn yr Almaen uchafbwynt o dros 6 miliwn.

Yn yr Almaen arweiniodd y Dirwasgiad at gwymp democratiaeth. Erbyn mis Ionawr 1933 roedd Hitler yn Ganghellor; erbyn mis Awst 1934 roedd yn unben a'r grym i gyd yn ei ddwylo.

Argyfwng gwleidyddol

Roedd yr argyfwng ariannol yn gofyn am wleidydd medrus â gweledigaeth. Roedd Stresemann wedi marw dair wythnos cyn Cwymp Wall Street. Roedd y pleidiau yn y llywodraeth yn ei chael hi'n anodd cydweithio, a heb gefnogaeth mwyafrif, trodd y Canghellor Brüning at Erthygl 48 (gweler tudalen 196). Bu'r Reichstag yn cyfarfod yn llai aml: mewn gwirionedd roedd democratiaeth wedi dod i ben fwy neu lai erbyn 1930. Heb swyddi na bwyd, tyfodd y gefnogaeth i bleidiau'r chwith a'r dde eithafol – y Comiwnyddion a'r Natsïaid.

Aeth peiriant etholiadol Hitler ar waith. Rhedodd Goebbels (gweler tudalen 153) ymgyrch 'Hitler dros yr Almaen' ac roedd posteri propaganda'n chwarae ar gyflwr truenus y bobl, gan addo y byddai Hitler yn gwella bywydau pobl. Bu'r SA yn tarfu ar gyfarfodydd gwrthwynebwyr y Natsïaid. Daeth Iddewon a chomiwnyddion yn dargedau cyfleus i'w beio am gyflwr truenus yr Almaen. Erbyn 1930 roedd y Natsïaid wedi ennill 107 sedd yn y Reichstag a nhw oedd yr ail blaid fwyaf.

Hitler yn dod yn Ganghellor

Ym mis Mawrth 1932 heriodd Hitler Hindenburg am y llywyddiaeth. Daeth Hitler yn ail gyda 13.4 miliwn o bleidleisiau o'u cymharu â 19.4 miliwn Hindenburg. Yn etholiadau'r Reichstag yn yr un flwyddyn enillodd y Natsïaid 230 sedd, sef y blaid fwyaf ond heb fwyafrif dros bawb. Nid oedd Hindenburg yn hoffi Hitler ond ym mis Ionawr 1933 gwahoddodd ef i ddod yn Ganghellor gyda von Papen yn Is-Ganghellor. Nid oedd gan Hindenburg a von Papen lawer o ffydd yng ngallu Hitler.

Roedd hynny'n gamgymeriad. Dyma Hitler nawr yn galw etholiad ym mis Mawrth 1933, gan obeithio ennill y mwyafrif roedd ei angen i reoli'r Reichstag.

FFYNHONNELL D Cartŵn o *Punch* yn dangos Hitler gyda Hindenburg a von Papen.

C Cwestiynau

1. Sut effeithiodd Dirwasgiad 1929 ar economi'r Almaen?
2. Pam roedd llai o gefnogaeth i lywodraeth Weimar ar ôl 1929?
3. Sut defnyddiodd Hitler yr argyfwng ariannol i gynyddu'r gefnogaeth i Blaid y Natsïaid?
4. Pa ffactorau arweiniodd at Hitler yn dod yn Ganghellor ym 1933?

CANGHELLOR YN DOD YN UNBEN

Cafodd Hitler ei benodi'n Ganghellor gan yr Arlywydd Hindenburg ym mis Ionawr 1933. Llwyddodd i ennill grym yn rhannol oherwydd yr argyfwng a effeithiodd ar Weriniaeth Weimar ar ôl 1929. Ond digwyddodd hyn hefyd oherwydd i Hitler lwyddo'n fedrus i newid Plaid y Natsïaid o fod yn blaid fach a di-nod ym 1919 i'r blaid fwyaf yn y Reichstag erbyn 1932.

Trais

Roedd trais yn nodwedd arwyddocaol ar lwyddiant y Natsïaid. Y prif lu diogelwch oedd yr SS, o dan arweiniad Heinrich Himmler. Sefydlodd Herman Göring (gweler tudalen 149) y Gestapo ym 1933 gan ymdrin ag unrhyw wrthwynebwyr yn ddidostur. Roedd yn rheoli dau draean o luoedd yr heddlu ledled yr Almaen a derbyniodd 50,000 o aelodau'r SA i'r heddlu. Byddai gwrthwynebwyr yn cael eu bygwth a phwysau'n cael ei roi ar 'wir' Almaenwyr i bleidleisio i Blaid y Natsïaid.

Tân y Reichstag, 27 Chwefror 1933

Wythnos cyn etholiad 1933 llosgodd adeiladau'r Reichstag. Rhoddodd Hitler y bai ar y comiwnyddion yn syth.

FFYNHONNELL DD

Arwydd oddi wrth Dduw yw hwn. Os gwelwn mai gwaith y comiwnyddion oedd y tân yma, yna fydd dim a all ein rhwystro rhag gwasgu'r pla mileinig â dwrn dur.

Ymateb Hitler i dân y Reichstag.

Daeth yr heddlu o hyd i Marinus Van der Lubbe o'r Iseldiroedd yn y fan lle cyflawnwyd y drosedd. Roedd ganddo broblemau meddyliol ac efallai iddo gael ei orfodi i gyffesu iddo ddechrau'r tân, ond roedd wedi bod yn gomiwnydd ac roedd hynny'n ddigon i'r Natsïaid. Dadleuodd Hitler mai arwydd o wrthryfel oedd y tân gan y comiwnyddion; roedden hwythau'n dadlau mai Hitler ddechreuodd y tân i roi enw drwg iddyn nhw.

Dyma Hitler yn perswadio Hindenburg i arwyddo archddyfarniad brys o dan Erthygl 48 y cyfansoddiad. Nawr gallai'r heddlu arestio a charcharu pobl heb achos llys. Cafodd papurau newydd asgell chwith eu gwahardd a bu cyfyngu ar gyfarfodydd gwleidyddol.

Y Ddeddf Alluogi, 1933

Enillodd y Natsïaid etholiad 1933 ond methon nhw ennill mwyafrif. Felly ym mis Mawrth 1933 cyflwynodd Hitler y Ddeddf Alluogi a oedd yn rhoi'r hawl i'r llywodraeth gyflwyno ei deddfau ei hunan heb ymgynghori â'r Reichstag. Gwnaeth un ddeddf arall yr Almaen yn wladwriaeth un blaid – drwy ddulliau cyfreithiol.

Noson y Cyllyll Hirion

Roedd yr SA o dan arweiniad Ernst Röhm wedi cyflawni ei waith drwy gael Hitler i rym a chadw'n ffyddlon i Hitler. Ond roedd Röhm yn sosialydd ymroddedig a oedd eisiau'r ail chwyldro sosialaidd yr oedd Hitler wedi ei addo. Yn ogystal, roedd Hitler bellach eisiau uno'r SA â'r fyddin, ond roedd y fyddin yn gwrthwynebu hyn ac roedd ar Hitler angen ei chefnogaeth. Ar 29-30 Mehefin 1934 dechreuodd yr SS gasglu aelodau o'r SA yr oedd 'amheuaeth' eu bod yn fradwyr, a gwrthwynebwyr i Hitler. Lladdwyd cannoedd lawer, gan gynnwys Röhm, ar noson a gafodd yr enw Noson y Cyllyll Hirion.

Hitler yn dod yn Führer

Ym mis Awst 1934 bu farw Hindenburg a daeth Hitler yn Arlywydd a Changhellor yr Almaen. Ychwanegodd swydd Pencadlywydd y Lluoedd Arfog a'i alw ei hunan yn 'Führer' (arweinydd). Roedd wedi dod yn unben ar yr Almaen, a'r grym i gyd y ei ddwylo.

FFYNHONNELL E Cartŵn Prydeinig am Noson y Cyllyll Hirion, o'r enw *'They salute with both hands now!'*

C Cwestiynau

1 Edrychwch ar Ffynhonnell E.
   a Pwy yw ffurfiau A, B a C?
   b Eglurwch arwyddocâd y rhwymyn am fraich ffurf A.
   c Pwy yw lluoedd CH, D a DD?
   ch At beth mae'r papur sydd ar y llawr yn cyfeirio?
   d Eglurwch arwyddocâd y teitl.

2 Sut llwyddodd Hitler i gael y grym i gyd erbyn mis Awst 1934?

NATUR RHEOLAETH WLEIDYDDOL

Roedd Hitler yn defnyddio dau ddull i reoli'r boblogaeth. Byddai propaganda – lledaenu syniadau – yn cael ei ddefnyddio'n effeithiol iawn. Os byddai pobl yn gwrthwynebu, byddai'r Natsïaid yn defnyddio tactegau i'w brawychu.

Propaganda

Roedd propaganda'n cael ei ddefnyddio i wthio syniadau ar bobl yr Almaen. Byddai amryw o dechnegau'n cael eu defnyddio:

- Roedd y Natsïaid yn rheoli'r gorsafoedd radio a llifodd setiau radio rhad i'r farchnad. Erbyn 1939 roedd radio gan 70 y cant o deuluoedd y wlad.
- Cynhyrchodd diwydiant ffilmiau'r Natsïaid ffilmiau antur a chomedi a oedd yn cynnwys neges Natsïaidd. Roedd y ffilm fwyaf ysblennydd, *Buddugoliaeth yr Ewyllys*, yn pwysleisio mawredd llwyddiant y Natsïaid.
- Roedd y newyddion i gyd yn dod o asiantaeth newyddiadurol y Natsïaid a chafodd papurau newydd a oedd yn beirniadu Hitler eu cau.
- Byddai llyfrau'n cael eu sensro. Byddai llyfrgelloedd yn cael eu hysbeilio a llyfrau wedi'u gwahardd yn cael eu llosgi'n gyhoeddus.

- Roedd pob agwedd ar fywyd diwylliannol yn cael ei reoli gan Siambr Diwylliant y Reich.
- Roedd ralïau'n nodwedd ar lwyddiant Hitler i ennill grym. Bob blwyddyn byddai rali fawr yn cael ei chynnal yn Nürnberg i bwysleisio gorchest y Natsïaid.

FFYNHONNELL F

Tasg propaganda'r wladwriaeth yw symlhau ffyrdd cymhleth o feddwl fel bod y dyn lleiaf yn y stryd hyd yn oed yn gallu ei ddeall . . . Egwyddor sylfaenol pob propaganda yw ailadrodd dadleuon effeithiol.

Barn llywodraeth y Natsïaid am bropaganda.

Gwladwriaeth yr heddlu

Os byddai perswâd yn methu, yna byddai grym yn cael ei ddefnyddio. Bu'r SS yn rhedeg ymgyrch frawychu hynod drefnus a chafodd bwerau diderfyn i ddelio â'r gwrthwynebwyr. Roedd gan y Gestapo bwerau i arestio pobl ar sail amheuaeth yn unig a heb eu cyhuddo. Byddai pobl yn 'cyffesu' yn aml wrth gael eu poenydio. Roedd pobl yn ofni'r Gestapo'n fwy nag unrhyw gorff arall yn yr Almaen.

Y llysoedd

Os byddai achos yn cyrraedd llys, roedd hi'n annhebygol y byddai'r diffynnydd yn cael cyfiawnder. Ym 1934 sefydlwyd Llys y Bobl i brofi gwrthwynebwyr am droseddau yn erbyn y wladwriaeth. Roedd rhaid i bob barnwr dyngu llw o ffyddlondeb i Hitler.

Gwersylloedd crynhoi

Byddai 'troseddwyr y wladwriaeth' yn cael eu hanfon i wersylloedd crynhoi i'w 'cosbi'. Cafodd y gwersyll cyntaf ei sefydlu yn Dachau ym 1933 a sefydlwyd eraill ar hyd a lled yr Almaen. Byddai 'pobl annymunol' – comiwnyddion, deallusion, hoywon, sipsiwn, alcoholigion, Tystion Jehova ac Iddewon – yn cael eu trin yn ffiaidd. Aeth rhai gwersylloedd crynhoi yn wersylloedd difodi yn ystod yr Ail Ryfel Byd.

POLISI ECONOMAIDD YN ALMAEN Y NATSÏAID

Gan fod y Natsïaid mewn grym roedd rhaid mynd i'r afael â'r problemau economaidd.

'Brot und Arbeit' (bara a gwaith)

Cyfarwyddwr y polisi economaidd o 1934 i 1937 oedd Dr Hjalmar Schacht. Ei dasg gyntaf oedd gostwng diweithdra:

- Sefydlwyd y Gwasanaeth Llafur Cenedlaethol i roi swyddi i ddynion rhwng 18 a 25 mewn cynlluniau gwaith cyhoeddus.
- Cafodd lawer waith drwy raglen ailarfogi Hitler a gwasanaeth milwrol gorfodol.
- Cafodd pobl eu hanfon i wersylloedd llafur gorfodol, a'u tynnu o'r farchnad waith.
- Cafodd menywod eu gorfodi i adael eu swyddi a rhedeg eu cartrefi.
- Ym mis Hydref 1934 cafodd y Ffrynt Llafur ei sefydlu, yn lle'r undebau llafur. Gorfododd ddisgyblaeth ar weithwyr.

Awtarchiaeth (bod yn hunangynhaliol)

Roedd rhaid i'r Almaen fod yn hunan-gynhaliol ac nid yn ddibynnol ar fasnach dramor. Ym 1936 cyflwynodd Göring Gynllun Pedair Blynedd. Ond daeth hi'n amlwg yn fuan na fyddai modd dod yn hunangynhaliol. Roedd rhaid i'r Almaen helpu ei hunan i ddefnyddiau a nwyddau gwledydd 'llai'. Felly, daeth polisi economaidd yr Almaen ynghlwm wrth bolisi tramor ymosodol (gweler tudalennau 221–3).

EFFAITH YR AIL RYFEL BYD AR YR ALMAEN

Cafodd tacteg *Blitzkrieg* (rhyfel cyrchoedd bomio) ei defnyddio'n arswydus o effeithiol yn rhan gyntaf y rhyfel (gweler tudalennau 223-4). Wrth i'r Almaen goncro'r naill wlad ar ôl y llall dechreuodd pobl deimlo'n optimistig a disgwylgar. Ond, erbyn 1942 trodd y rhyfel yn erbyn yr Almaen wrth iddi golli brwydrau yng Ngogledd Affrica a Stalingrad yn yr Undeb Sofietaidd. Dechreuodd Albert Speer y gweinidog arfau drefnu'r economi ar gyfer 'rhyfel diarbed'. Cafodd gweithwyr eu gorfodi i weithio mwy o oriau am lai o ddognau. Gwaethygodd y caledi roedd y sifiliaid yn ei ddioddef pan ddechreuodd ymgyrch fomio helaeth y Cynghreiriaid (gweler tudalen 217). Erbyn 1945 roedd y rhan fwyaf o'r Almaenwyr wedi hen flino ar y rhyfel. Ym mis Ebrill dyma'r Fyddin Goch yn cyfarfod â'r Cynghreiriaid yn Berlin ac ym mis Mai 1945, ar ôl hunanladdiad Hitler, ildiodd yr Almaen.

Sut effeithiodd y rhyfel ar yr Iddewon?

Wrth symud yn eu blaenau drwy'r Almaen bu milwyr y Cynghreiriaid yn rhyddhau'r gwersylloedd difodi (gweler y map ar dudalen 161), gan ddatgelu stori erchyll yr Holocost. Roedd yr Ail Ryfel Byd wedi rhoi cyfle i Hitler weithredu ei gynllun i ddifodi hil gyfan o bobl. Yng Nghynhadledd Wannsee yn Berlin ym mis Ionawr 1942 roedd cynlluniau ar gyfer yr 'Ateb Terfynol' wedi eu cyflwyno i lofruddio 13 miliwn o Iddewon yn systematig. Erbyn mis Ebrill 1945 roedd 6 miliwn wedi marw. Wrth ddod i wybod am yr Holocost roedd trallod ac effaith seicolegol colli'r rhyfel yn waeth i bobl yr Almaen.

C Cwestiynau

1 Sut aeth Hitler ati i reoli'r Almaen yn wleidyddol ac yn economaidd?

2 Pa effaith gafodd y rhyfel ar yr Almaen?

PROBLEMAU AR ÔL Y RHYFEL

Roedd dros 8 miliwn o bobl wedi marw yn y rhyfel ac roedd 7.5 miliwn o Almaenwyr yn ddigartref. Roedd ffatrïoedd a dulliau cyfathrebu wedi eu dinistrio ac roedd y siopau'n wag. Erbyn 1946, 25 y cant yn unig o gynnyrch 1936 roedd yr Almaen yn ei gynhyrchu. Roedd rhaid i bwerau'r Cynghreiriaid benderfynu beth i'w wneud â'r Almaen wedi iddi golli'r rhyfel.

Cynhadledd Yalta

Ym mis Chwefror 1945, cyn i'r Almaen ildio, bu arweinwyr y Cynghreiriaid yn cwrdd yn Yalta i benderfynu sut byddai Ewrop yn cael ei threfnu wedi'r rhyfel. Penderfynwyd bod rhaid:

- cosbi'r rhai a oedd yn gyfrifol am droseddau rhyfel;
- cael gwared ar Natsïaeth o'r Almaen (dadnatsïeiddio) ac adfer democratiaeth;
- diarfogi'r Almaen yn llwyr a'i dadfilwrio;
- i'r Almaen dalu iawndal am y difrod a achoswyd gan y rhyfel;
- rhannu'r Almaen yn rhanbarthau ar wahân i'r Cynghreiriaid eu meddiannu.

Cynhadledd Potsdam

Ym mis Mai 1945 ildiodd yr Almaen a chafodd arweinwyr y Cynghreiriaid gyfarfod arall yn Potsdam ger Berlin. Ar 2 Awst 1945 cafodd cynigion Yalta eu cadarnhau. Ym 1919 roedd y Cynghreiriaid wedi gorfodi cytundeb llym ar yr Almaen, gan hau hadau dicter. Ym 1945 nid dial oedd y nod. Rhoddodd cyhoeddiad Potsdam y bai ar lywodraeth y Natsïaid ac nid ar genedl yr Almaen.

Y berthynas rhwng y Cynghreiriaid yn gwaethygu

Ym mis Ebrill 1945 roedd Arlywydd UDA, Roosevelt, wedi marw. Truman ddaeth yn ei le ac roedd yn amau Stalin. Yn y gynhadledd dywedodd Truman wrth Churchill a Stalin fod UDA wedi gwneud arbrawf llwyddiannus gyda bom atomig. Pan glywodd Stalin hyn dechreuodd amau'r Gorllewin yn fwy.

Roedd UDA'n poeni oherwydd bod Rwsia wedi ehangu i'r gorllewin ar ddiwedd y rhyfel. Yn hytrach na sefydlu etholiadau rhydd am lywodraethau democrataidd yn y gwledydd roedden nhw wedi eu rhyddhau o reolaeth y Natsïaid, arhosodd milwyr y Sofietiaid. Roedd UDA, Prydain a Ffrainc wedi bwriadu gwanhau'r Almaen ond dyma nhw'n sylweddoli y gallai Almaen gref fod yn rhwystr yn erbyn comiwnyddiaeth. Dechreuon nhw helpu'r Almaen i adfer yr economi. Byddai iawndaliadau'n dod i ben ac arian cyfred newydd yn cael ei gyflwyno. Byddai democratiaeth yn cael ei sefydlu yn y rhanbarthau eto. O 1945 ymlaen cafodd rhanbarthau'r Gorllewin a rhanbarth y Sofietiaid eu rhedeg mewn dwy ffordd wahanol. O'r rhanbarthau hyn daeth dwy wlad, Gorllewin yr Almaen a Dwyrain yr Almaen.

Achosion llys Nürnberg, 1945–6

Bu un enghraifft bwysig o gydweithio rhwng y pedwar pŵer – ymdrin â throseddwyr rhyfel. Cafodd dau ddeg un o arweinwyr y Natsïaid eu rhoi ar brawf am: gynllunio rhyfel ymosodol; troseddau rhyfel; a throseddau yn erbyn y ddynoliaeth.

Cafwyd tri – Schacht, von Papen a Fritzsche (Cadlywydd y fyddin) – yn ddieuog. Cafodd saith eu carcharu a chafodd y lleill y gosb eithaf. Cyflawnodd Göring hunanladdiad, felly hefyd Goebbels, ond cafodd y lleill eu crogi.

C Cwestiynau

1 Sut a pham roedd cytundeb heddwch Yalta a Potsdam yn wahanol i Gytundeb Versailles?
2 Pam roedd hi'n bwysig i'r Gorllewin fod economi'r Almaen yn cael ei hadfer?
3 Beth achosodd i'r Cynghreiriaid amau ei gilydd ar ôl 1945?

GORLLEWIN YR ALMAEN A DWYRAIN YR ALMAEN

Gweriniaeth Ffederal yr Almaen

Roedd Stalin o'r farn fod y syniad o greu Gorllewin yr Almaen yn wladwriaeth ar wahân yn torri cytundeb Potsdam, a allai arwain at yr Almaen yn ailarfogi. Ei ymateb oedd rhoi gwarchae ar bob cyswllt rhwng Gorllewin Berlin a rhan orllewinol yr Almaen (gweler tudalen 227). Prin oedd y gobaith am uno'r Almaen a threfnodd y Cynghreiriaid i'r gweinidogion – llywyddion y *Länder* (taleithiau) – lunio cyfansoddiad newydd ar ffurf ffederal, ddemocrataidd.

Ar 21 Medi 1949 cyfunodd rhanbarthau'r Gorllewin yn swyddogol i ffurfio Gweriniaeth Ffederal yr Almaen (GFfA):

- Daeth y meddiannu milwrol i ben a daeth asiantaeth sifil, Uwch Gomisiwn y Cynghreiriaid yn lle'r llywodraethwyr milwrol (roedd Gorllewin Berlin wedi'i meddiannu o hyd).
- Byddai'r Senedd Ffederal (yn cynnwys siambr uchaf, Bundesrat, a siambr isaf, Bundestag) yn cyfarfod yn y brifddinas newydd, Bonn.
- Byddai'r arlywydd yn cael ei ethol am bum mlynedd ac unwaith yn unig y gallai sefyll. Nid oedd ef neu hi'n rheoli'r lluoedd arfog ac nid oedd ganddo bwerau i gyhoeddi stad o argyfwng neu benodi neu ddiswyddo cangellorion.
- Y prif berson gwleidyddol oedd y canghellor wedi'i ethol gan y Bundestag.

Gweriniaeth Ddemocrataidd yr Almaen

Yn Nwyrain yr Almaen cafodd comiwnyddion eu penodi i swyddi lleol a chafodd system Sofietaidd ei sefydlu. Cafodd banciau, ffatrïoedd a ffermydd eu meddiannu a'u haildrefnu. Cafodd pobl a oedd yn gwrthwynebu'r comiwnyddion eu harestio a'u carcharu. Ym 1946 gorfododd y comiwnyddion y Democratiaid Sosialaidd i ymuno â nhw i greu Plaid Unedig Sosialaidd a daeth Walter Ulbricht yn brif ysgrifennydd (ysgrifennydd cyffredinol yn ddiweddarach). Yn yr etholiadau cyntaf y Blaid Unedig oedd yr unig blaid â'r hawl i gynnig ymgeiswyr. Ar 7 Hydref 1949 cafodd Gweriniaeth Ddemocrataidd yr Almaen (GDdA) ei chreu gyda Dwyrain Berlin yn brifddinas.

DATBLYGIADAU YNG NGORLLEWIN YR ALMAEN

Ehangu economaidd

Konrad Adenauer oedd Canghellor cyntaf Gorllewin yr Almaen. Roedd yn dod o ardal Rheinland, yn Babydd ac yn wrth-gomiwnydd pybyr, a daeth i ymgorffori'r genedl. Bu'n Ganghellor o 1949 i 1963, mwy o amser na phob un o 21 canghellor Gweriniaeth Weimar. Ei nodau oedd:

- trwsio difrod corfforol a gafodd ei wneud
- gweddnewid yr Almaen o fod yn rhanbarth wedi'i meddiannu ar ôl y rhyfel yn genedl annibynnol
- peri i ddadeni moesol ddigwydd ar ôl creulondeb y Natsïaid.

FFYNHONNELL **FF** Konrad Adenauer.

Yn y 1950au digwyddodd mwy o ehangu diwydiannol yng Ngorllewin yr Almaen nag yn unman arall yn Ewrop. Roedd nifer o resymau:

- Roedd Gorllewin yr Almaen wedi etifeddu traddodiad diwydiannol cadarn ac wrth ailadeiladu wedi difrod y rhyfel gallai'r dechnoleg ddiweddaraf gael ei gosod yn y ffatrïoedd.
- Roedd gweinidog Adenauer dros faterion economaidd, Ludwig Erhard, yn hyrwyddo datblygiad economaidd.
- Derbyniodd Gorllewin yr Almaen $1300 miliwn o Gymorth Marshall (gweler tudalen 226).
- Cafodd yr economi hwb enfawr oherwydd y galw am offer diwydiannol yn sgil Rhyfel Korea (1950–3).
- Bu'r undebau llafur yn annog pobl i beidio â streicio felly helpodd hyn i sefydlogi'r economi.

Problemau economaidd a gwleidyddol

Serch hynny, cwympodd cynhyrchu diwydiannol yn y 1960au a chododd diweithdra. Yng nghanol y 1970au cododd diweithdra i 1 miliwn, cwympodd galw gan ddefnyddwyr, cododd chwyddiant a daeth streiciau'n fwy cyffredin.

Dechreuodd craciau ymddangos ar y ffrynt gwleidyddol wrth i'r Blaid Ddemocrataidd Genedlaethol (NDP) ddechrau ennill mewn etholiadau llywodraeth leol. Roedd y Blaid neo-Natsïaidd yma a sefydlwyd ym 1964 yn wrth-Americanaidd, yn wrth-Rwsiaidd ac yn elyniaethus tuag at 'weithwyr gwadd' tramor (gweithwyr wedi mewnfudo).

Daeth bygythiad mwy gan grwpiau protest myfyrwyr yn ymgyrchu yn erbyn Rhyfel Viet Nam ac adeiladu gorsafoedd pwer niwclear. Ym 1968 dechreuodd terfysgoedd yng Ngorllewin Berlin. Roedd giang Baader-Meinhof a'u hymgyrch frawychu'n fygythiad gwirioneddol i'r wladwriaeth.

Bu'r giang yn ymosod gyda bomiau ac yn herwgipio a llofruddio gwleidyddion a dynion busnes amlwg. Llwyddodd mesurau gwrth-derfysgaeth llywodraeth Willy Brandt (Canghellor 1969-74) i atal y trais ond bu rhai Almaenwyr yn amau dulliau'r heddlu o ymdrin â'r broblem.

DWYRAIN YR ALMAEN AR ÔL 1949

Aflonyddwch diwydiannol

Roedd problemau enfawr yn wynebu Dwyrain yr Almaen ar ôl 1949:

- 30 y cant yn unig o allu diwydiannol yr hen Almaen a oedd ganddi ac roedd prinder dychrynllyd o ddefnyddiau crai.
- Roedd gwell amodau byw yng Ngorllewin yr Almaen yn denu llawer o weithwyr medrus i adael. Roedd prinder nwyddau traul gan fod y pwyslais ar ailadeiladu diwydiant trwm. Gwaethygodd y sefyllfa economaidd wrth i'r Undeb Sofietaidd barhau i fynnu iawndaliadau.
- Bu aflonyddwch diwydiannol oherwydd cyflogau gwael ac ymateb y llywodraeth oedd codi cwotâu gweithio.

Ar 16 Mehefin 1953 gorymdeithiodd gweithwyr mewn protest yn Nwyrain Berlin gan fynnu bod amodau byw'n gwella, hawl i fynegi barn ac etholiadau rhydd. Y diwrnod canlynol ymatebodd 300,000 o weithwyr i'r alwad am streic gyffredinol. Rhoddodd y fyddin Sofietaidd derfyn ar y trafferthion gan ladd 21 person, a beio pobl o'r Gorllewin am godi stŵr.

Mur Berlin

Roedd llawer iawn o dir a diwydiant yn Nwyrain yr Almaen wedi cael ei drosglwyddo o ddwylo preifat i reolaeth y wladwriaeth ac, erbyn 1955, roedd 82 y cant o'r cynhyrchiant yn dod o ddiwydiannau a oedd yn eiddo i'r wladwriaeth. Cwympodd lefelau diweithdra ac erbyn y 1970au roedd gan Ddwyrain yr Almaen amodau byw gwell na neb ym mloc y Dwyrain (Dwyrain Ewrop o dan reolaeth y Sofietiaid). Ond nid oedd hyn yn atal y llif gyson o ffoaduriaid i'r Gorllewin. Ymateb y llywodraeth oedd cryfhau ei ffiniau â Gorllewin yr Almaen ac ym 1961 cafodd mur ei adeiladu drwy Berlin (gweler tudalennau 218-9). Daeth y gorchymyn i godi'r mur gan Erich Honecker a ddaeth yn ysgrifennydd cyffredinol ar ôl Ulbricht ym 1971. Cadwodd y llywodraeth reolaeth ar ddiwydiant ac erbyn 1972 y wladwriaeth oedd yr unig gyflogwr fwy neu lai.

Llwyddodd Dwyrain yr Almaen i ddatblygu'n gymdeithasol ac yn economaidd ar ôl yr Ail Ryfel Byd ond ni newidiodd un agwedd. Mae'n debyg fod gafael y Blaid Unedig ar bob agwedd ar fywyd yn dynnach a gwasanaethau diogelwch y wladwriaeth yn fwy grymus nag mewn unrhyw wlad arall ym mloc y Dwyrain.

FFYNHONNELL G

Gwladwriaeth hyll a brawychus yr heddlu. Mae'n gwasgu arian cyfred tramor o'i phlant anhapus ac yn cloi'r rhai sy'n ei beirniadu naill ai i mewn neu allan, gwladwriaeth y mae ei harfbais yn cynnwys nid morthwyl a chwmpawd ond pastwn a mwsel.

GDdA yn cael ei disgrifio gan y canwr Wolf Biermann. Cafodd ei hawl i fod yn ddinesydd Dwyrain yr Almaen ei dynnu oddi arno am iddo feirniadu'r wladwriaeth.

C Cwestiynau

1. Pam roedd dwy Almaen ym 1949?
2. Beth oedd nodau Adenauer pan oedd yn Ganghellor Gorllewin yr Almaen?
3. A wellodd bywyd i bobl yn Nwyrain yr Almaen ar ôl 1949?

GORLLEWIN YR ALMAEN YN EWROP

Wrth i'r hollt rhwng Dwyrain a Gorllewin yr Almaen ddod yn fwy amlwg, gwelodd Adenauer pa mor bwysig oedd cydweithio gwleidyddol, economaidd a milwrol â'r Cynghreiriaid. Roedd Adenauer yn gweld dyfodol Gorllewin yr Almaen mewn Ewrop unedig. Cafodd y cam cyntaf ei wneud ym 1947 pan gafodd y Gyfundrefn dros Gydweithredu Economaidd Ewropeaidd (OEEC) ei sefydlu i weinyddu Cymorth Marshall. Ym mis Mai 1949 cafodd Cyngor Ewrop ei sefydlu yn Strasbourg; roedd Adenauer yn ei weld fel senedd Ewrop.

Cymuned Glo a Dur Ewrop (ECSC)

Ym 1950 dyma Robert Schuman, Gweinidog Tramor Ffrainc, yn cyflwyno cynllun a ddisgrifiwyd fel 'y mwyaf mentrus ac adeiladol ers y rhyfel'. Mae angen glo a mwyn haearn i wneud dur. Mae llawer o lo yn Y Saar yn yr Almaen, ac mae gan Ffrainc lawer o fwyn haearn. Cynllun Schuman oedd dod â'r ddau at ei gilydd heb ffwdanu â thollau. Ym 1953 cafodd y Gymuned Glo a Dur (ECSC) ei ffurfio gan Ffrainc, Gwlad Belg, yr Eidal, Luxembourg, yr Iseldiroedd a Gorllewin yr Almaen.

FFYNHONNELL **NG** Cartŵn o Brydain yn gwneud sylw am Gynllun Schuman, 1950.

Cymuned Economaidd Ewropeaidd (EEC)

Roedd y Gymuned Glo a Dur yn llwyddiant mawr: yn ystod ei degawd cyntaf gwelodd y gwledydd a oedd yn aelodau eu masnach yn cynyddu 170 y cant yn yr awyrgylch o fasnach rydd. Roedd hi'n ymddangos yn rhesymegol i ehangu'r gweithgarwch ac ym 1957 arwyddodd y gwledydd Gytundeb Rhufain, gan sefydlu'r Gymuned Economaidd Ewropeaidd (EEC), neu'r Farchnad Gyffredin. Ei phrif nod oedd dileu rhwystrau masnachu rhwng gwledydd Ewrop.

HELMUT KOHL AC AILUNO'R ALMAEN

Ym 1982 daeth Helmut Kohl yn Ganghellor ar Orllewin yr Almaen. Wrth i Orllewin yr Almaen ddod yn bŵer economaidd amlwg yn yr 1980au bu'n ysgwyddo mwy o gyfrifoldeb hefyd ar y ffrynt rhyngwladol. Newidiodd cwymp llywodraeth Dwyrain yr Almaen ym 1989 y berthynas rhwng y ddwy Almaen yn sylweddol. Gwthiodd Kohl yn galed i ailuno'r Almaen ac ar 3 Hydref 1990 cafodd Dwyrain a Gorllewin yr Almaen eu hailuno'n swyddogol. Ar 2 Rhagfyr cafodd yr etholiadau Almaen-gyfan eu cynnal am y tro cyntaf ers 1933. Cafodd Kohl fuddugoliaeth fawr a daeth yn Ganghellor yr Almaen unedig.

C Cwestiynau

1 Pam ymunodd yr Almaen â'r Gymuned Glo a Dur a'r Gymuned Economaidd Ewropeaidd?

2 Beth oedd y prif ddatblygiadau gwleidyddol ac economaidd ar ôl 1949:
- **a** yng Ngorllewin yr Almaen
- **b** yn Nwyrain yr Almaen?

Sut newidiodd bywydau pobl yr Almaen rhwng 1919 a 1991?

EFFAITH PROBLEMAU ECONOMAIDD GWERINIAETH WEIMAR

Ym mis Ionawr 1919 gallai naw marc Almaenig gael eu cyfnewid am un ddoler UDA; erbyn mis Tachwedd 1923 y gyfradd oedd 4.2 miliwn marc i'r ddoler. Roedd yr Almaen yn dioddef o orchwyddiant (prisiau'n codi'n gyflym).

Dechreuodd y chwyddiant pan feddiannodd Ffrainc Y Ruhr ym 1923 ond daeth problemau enfawr wrth i'r llywodraeth fenthyg i dalu am y Rhyfel Byd Cyntaf (roedd yr Almaen wedi credu'n siŵr y byddai'n cael yr arian o'r gwledydd a gafodd eu trechu). Dros dro, argraffodd y llywodraeth fwy o arian, gan orfodi prisiau i godi. Dechreuodd y ciwiau am fwyd dyfu.

FFYNHONNELL A Plant o'r Almaen yn chwarae â phentyrrau o arian diwerth, 1923

Meddiannu'r Ruhr

Penderfynodd y Cynghreiriaid ym 1921 mai £6600 miliwn i'w dalu dros 66 mlynedd fyddai cyfanswm yr iawndaliadau. Crafodd yr Almaenwyr yr arian ynghyd am y taliad cyntaf, ond pan fethon nhw'r taliad nesaf, dyma brif weinidog Ffrainc, Raymond Poincaré, yn perswadio'r Belgiaid i ymuno â Ffrainc i feddiannu'r Ruhr. Yr ardal yma oedd calon diwydiant yr Almaen: roedd yn cynhyrchu 80 y cant o lo, haearn a dur y wlad. Ym mis Ionawr 1923, symudodd 60,000 o filwyr Ffrainc a Gwlad Belg i mewn, gan feddiannu'r pyllau glo, y ffatrïoedd a'r rheilffyrdd yn yr ardal.

Gorchmynnodd llywodraeth yr Almaen i'r gweithwyr wrthwynebu hyn drwy brotestio goddefol. Roedd rhaid iddyn nhw fynd ar streic, gwrthod cydweithio â'r Ffrancod a difrodi peiriannau. Ymatebodd y Ffrancod drwy ddefnyddio grym: cafodd 150,000 o bobl eu diarddel a saethwyd 132.

Gorchwyddiant

Roedd angen talu'r gweithwyr o hyd ac roedd rhaid mewnforio glo tramor. Unwaith eto, argraffu mwy o arian wnaeth llywodraeth yr Almaen, felly aeth chwyddiant y tu hwnt i reolaeth. Collodd arian ei werth a byddai gweithwyr yn mynd â'u cyflog adref mewn berfa. Dechreuodd pobl gyfnewid nwyddau.

Collwyr

- Y rhai a gafodd eu heffeithio waethaf oedd pobl ar incwm isel, sefydlog fel pensiynwyr.
- Gwelodd pobl y dosbarth canol eu cynilion yn diflannu wrth i fanciau fynd i'r wal.

FFYNHONNELL B Poster o'r Almaen ym 1932. Mae'n dweud *Gadewch lonydd i'r Ruhr!*

Enillwyr

- O'r dechrau roedd dynion busnes wedi cyfrifo a gwerthu eu nwyddau mewn aur (mae gwerth aur yn aml yn fwy sefydlog) ond roedden nhw'n talu eu gweithwyr mewn marciau chwyddedig. Roedd dyledion busnesau wedi diflannu wrth i werth arian fynd yn llai.
- Llwyddodd ffermwyr i oroesi gan fod chwyddiant wedi codi prisiau bwyd.
- Manteisiodd tramorwyr ar y gyfradd gyfnewid. Gallai ychydig bach o arian cyfred tramor gael eu cyfnewid am filiynau o farciau.

ADFERIAD ECONOMAIDD

Llwyddodd y Canghellor Stresemann i sefydlogi'r economi (gweler tudalen 198). Galwodd am ddiwedd i'r streic yn Y Ruhr a chyflwyno arian cyfred newydd. Gwellodd y sefyllfa eto oherwydd Cynllun Dawes ym 1924 a Chynllun Young ym 1929.

Dechreuodd amodau wella ac erbyn diwedd y 1920au roedd pobl yr Almaen yn prynu cymaint o nwyddau moeth ag oedden nhw ym 1913. Roedd perchnogaeth ceir wedi cynyddu dros 400 y cant erbyn 1927. Digwyddodd cryn dipyn o lwyddiant yr Almaen yn y cyfnod 1924-29 oherwydd buddsoddi enfawr gan UDA a dibyniaeth fawr ar fenthyciadau. Ond cafodd cwymp marchnad stoc Wall Street ym mis Hydref 1929 effaith ddychrynllyd ar yr Almaen.

C Cwestiynau

1 Pam digwyddodd gorchwyddiant yn yr Almaen a beth oedd ei effeithiau?

2 I ba raddau roedd economi'r Almaen wedi cael adferiad erbyn 1929?

ARGYFWNG ETO: EFFAITH Y DIRWASGIAD AR BOBL YR ALMAEN

Ar ôl Cwymp Wall Street nid oedd UDA yn buddsoddi a galwyd am dalu benthyciadau. Wrth i'r cwymp effeithio ar wledydd o gwmpas y byd, nid oedd hi'n bosibl gwerthu allforion yr Almaen, felly caeodd busnesau a chynyddodd diweithdra'n fawr. Aeth pobl a oedd yn methu talu eu morgeisi neu eu rhent i fyw i drefi shanti gan ddibynnu ar geginau cawl. Cafodd budd-daliadau eu cwtogi i arbed arian y llywodraeth. Collodd pobl y dosbarth canol eu cynilion wrth i fanciau fynd i'r wal. Cafodd trethi eu codi, a rhoddodd hyn fwy o bwysau ar fusnesau. Erbyn 1932 roedd diweithdra wedi codi i 6 miliwn ac roedd pobl yr Almaen yn anfodlon unwaith eto.

PA NEWIDIADAU ECONOMAIDD A DDIGWYDDODD YN YR ALMAEN RHWNG 1933–9?

Daeth Hitler â chyflogaeth lawn i'r Almaen drwy sefydlu Gwasanaeth Llafur Cenedlaethol (*Reichsarbeitsdienst* neu RAD) a thrwy ailarfogi a chyflwyno consgripsiwn (gweler hefyd tudalen 204). Erbyn dechrau'r rhyfel ym 1939 roedd prinder llafur.

Blaenoriaeth Hitler oedd cynhyrchu mwy o nwyddau diwydiannol, milwrol yn bennaf, yn hytrach na nwyddau traul. Ond roedd pris i'w dalu am hyn.

- Roedd incwm cenedlaethol yr Almaen, cyfanswm gwerth yr holl nwyddau a gynhyrchwyd, yn uwch ym 1938. Nid oedd mwy o gynhyrchu yn golygu cyflogau uwch. Roedd cyfartaledd yr wythnos waith wedi cynyddu o 45 awr yr wythnos ym 1928 i 50 awr yr wythnos ym 1938, ac i dros 60 awr yr wythnos erbyn diwedd y rhyfel ym 1945. Roedd pobl yn gweithio mwy o oriau am lai o arian.
- Gan mai'r flaenoriaeth oedd cynhyrchu nwyddau diwydiannol ac nid nwyddau traul, roedd llai o arian gan bobl i'w wario a llai i'w wario arno. Erbyn 1936 roedd pris bwyd wedi codi a threthi wedi cynyddu.

Blwyddyn	Nifer y di-waith (miliynau)
1928	1.8
1932	6.0
1933	4.8
1934	2.7
1935	2.2
1936	1.6
1937	0.9
1938	0.5

Ffigurau diweithdra'r Almaen, 1928–38.

Blwyddyn	Indecs cyflogau	Cyflogau (% o'r incwm cenedlaethol)
1928	125	62
1933	88	63
1934	94	62
1936	100	59
1938	106	57

Indecs cyflogau a chyflogau'n ganran o'r incwm cenedlaethol yn yr Almaen, 1928–38.

Ffrynt Llafur yr Almaen

Un rheswm am fod mwy o gynhyrchu oedd na fu unrhyw streiciau o gwbl. Roedd undebau llafur wedi cael eu dileu ym mis Mai 1933 ac yn eu lle daeth y Ffrynt Llafur gyda Dr Robert Ley yn bennaeth. Ei swyddogaeth oedd rheoli gweithwyr: nid oedd hawl trafod am well cyflogau neu adael eu swyddi heb ganiatâd y Ffrynt Llafur.

Os nad oedd gweithwyr yr Almaen yn well eu byd, roedd rhaid gwneud iddyn nhw feddwl eu bod nhw. Sefydlodd y Ffrynt Llafur ddau fudiad er lles y gweithwyr:

- Roedd Harddwch Gwaith (*Schönheit der Arbeit*, neu SdA) yn hyrwyddo gwell amodau yn y gweithle, gan wella safonau iechyd a diogelwch a darparu prydau bwyd twym.
- Cafodd Cryfder drwy Lawenydd (*Kraft durch Freude*, neu KdF) ei sefydlu i gadw'r gweithlu'n hapus drwy drefnu gweithgareddau hamdden. Cafodd gweithwyr gynnig gwyliau rhad. Roedd y KdF yn rheoli adloniant ac roedd cymorthdaliadau i chwaraeon a thripiau i'r theatr a'r opera.

Roedd hysbysebu clyfar yn perswadio gweithwyr bod bywyd yn well. Gallai pobl ddiwyd a gweithgar ddyheu am fod yn berchen car fel y Volkswagen, 'car y bobl' (gweler Ffynhonnell C).

C Cwestiynau

1. Sut effeithiodd y Dirwasgiad ar bobl yr Almaen?
2. Pa mor llwyddiannus oedd mesurau Hitler i leihau diweithdra a chael mwy o gynhyrchu rhwng 1933 a 1939?
3. A oedd pobl yr Almaen yn well eu byd o dan y Natsïaid? Eglurwch eich ateb.

FFYNHONNELL **C**

Mae'r hysbyseb yn awgrymu y gallech chi brynu car drwy gynilo 5 marc yr wythnos (roedd gweithiwr yn ennill rhyw 30 marc yr wythnos). Talwyd miliynau o farciau i'r cynllun ond ni chafodd un car ei wneud i gwsmer. Pan ddaeth y rhyfel cafodd ffatri Volkswagen yn Wolfsburg ei throi'n ffatri arfau.

NEWIDIADAU DIWYLLIANNOL, 1919–39

Wrth i bethau wella eto yng nghanol y 1920au, dechreuodd llawer o Almaenwyr edrych ymlaen yn obeithiol at oes newydd. Mae'r 1920au wedi cael eu disgrifio'n un o'r cyfnodau gorau o ran mynegiant ac arbrofi ym myd celf. Ffynnodd awduron ac arlunwyr yn yr awyrgylch creadigol yma.

Celf, dylunio, pensaernïaeth a llenyddiaeth

Cafodd arlunwyr fel Paul Klee, Otto Dix a George Grosz eu hannog i edrych ar y byd mewn ffordd wahanol yn sgil digwyddiadau'r Rhyfel Byd Cyntaf. Roedd Grosz yn defnyddio'i gelf i wawdio'r pynciau a'r personoliaethau roedd e'n eu casáu, fel llywodraeth yr Almaen a'i gorffennol milwrol. Ym 1929 ysgrifennodd Erich Remarque *Im Westen nichts Neues*, a gyfieithwyd i *All Quiet on the Western Front*, nofel wrth-ryfel a oedd yn bortread byw o erchyllderau'r rhyfel.

Ym 1919 sefydlwyd ysgol bensaernïaeth a dylunio Bauhaus yn Weimar gan Walter Gropius ac mae ei dylanwad i'w weld hyd heddiw mewn nifer o agweddau ar ddylunio modern. Denodd yr ysgol ddylunwyr blaengar a oedd yn cynhyrchu gwrthrychau hardd i'w masgynhyrchu gan ddefnyddio metel tiwbaidd a phlastig. Ym 1925 symudodd i Dessau ond cafodd ei chau ym 1933 gan y Natsïaid oherwydd eu bod o'r farn ei bod yn dirywio safonau. Ymfudodd Gropius a llawer o athrawon amlwg Bauhaus.

Roedd y Natsïaid yn beirniadu'r gweithiau hyn am eu bod yn anwlatgarol ac anfoesol. Roedd llawer o Almaenwyr yn ystyried bod gweithiau o'r fath yn rhan o'r dirywiad mewn safonau. Roedd Berlin, canolfan yr ysbryd creadigol artistig, yn cael ei hystyried yn fagwrfa anfoesoldeb gyda'i chlybiau amheus yn llawn o'r 'mathau anghywir o bobl'.

FFYNHONNELL **CH** *Y Parti* gan George Grosz. Mae'n dangos bywyd di-hid clybiau nos Gweriniaeth Weimar.

'Diwylliant' yr Almaen, 1933–9

Gosododd Siambr Celfyddyd Greadigol y Natsïaid ganllawiau i arlunwyr, cerflunwyr, awduron a cherddorion. Er mwyn i gelfyddyd gael ei gweld neu i gerddoriaeth gael ei pherfformio roedd rhaid iddi gydymffurfio â chredoau'r Natsïaid. Cafodd llawer o awduron eu gwahardd a chafodd llenyddiaeth 'annerbyniol' ei llosgi'n gyhoeddus. Drwy reoli'r celfyddydau roedd y Natsïaid yn mygu unigoliaeth a'i wthio i lefel ddiflas a syml.

C Cwestiynau

1 Pa Almaenwyr oedd yn well eu byd o dan y Natsïaid.

2 Pam dywedodd y Natsïaid bod rhai ffurfiau ar gelf yn dirywio safonau?

MENYWOD YNG NGHYMDEITHAS Y NATSÏAID

Yn ystod blynyddoedd y Weimar cafwyd camau sylweddol tuag at hawliau cyfartal i fenywod. Ond roedd gan Hitler syniadau pendant am le menywod mewn cymdeithas – eu diben oedd cynhyrchu plant a chadw tŷ.

Deddf Hyrwyddo Priodasau, 1933

O dan y ddeddf hon roedd pob pâr a oedd newydd briodi'n gallu derbyn benthyciad o 1000 marc (cyflog tua naw mis), a phan fyddai plentyn yn cael ei eni, byddai'r addaliad 250 marc yn llai bob tro. Ar ôl cael y pedwerydd plentyn byddai'r benthyciad yn cael ei glirio a'r term 'teulu' yn cael ei ddefnyddio'n swyddogol. Roedd menywod yn cael eu gwobrwyo â Chroes Mamolaeth aur am wyth o blant, croes arian am chwech a chroes efydd am bedwar. Cafodd atal cenhedlu ei wahardd ac roedd rhaid i deuluoedd anffrwythlon ysgaru.

Yn fuan ar ôl i Hitler ddod i rym, gorchmynnodd i rai menywod adael y gweithle a chafodd menywod a oedd yn feddygon, gweision sifil, darlithwyr ac athrawon eu diswyddo. Ym 1936 cafodd menywod eu gwahardd rhag eistedd fel barnwyr ar y sail eu bod yn methu meddwl yn rhesymegol. Nid oedd rhyddid barn ganddyn nhw chwaith. Roedd rheolau am eu pryd a'u gwedd hyd yn oed. Roedd rhaid gwisgo gwallt mewn torch neu blethau. Cafodd trowsus, esgidiau sodlau uchel a cholur eu gwahardd.

Gwrthwynebu polisïau'r Natsïaid

Roedd y rhan fwyaf o fenywod yn derbyn hyn, gan gredu bod y wladwriaeth yn eu gwerthfawrogi ond hefyd oherwydd nad oedd dewis ganddyn nhw. Ymunodd eraill mewn protest â chyrff gwleidyddol anghyfreithlon fel y comiwnyddion a'r democratiaid cymdeithasol. Ond erbyn 1939 roedd menywod yn cael eu cyflogi mewn ffatrïoedd achos bod dynion yn cael eu hymrestru i'r lluoedd arfog.

FFYNHONNELL D *The Family*, darlun gan yr arlunydd Natsïaidd, Walter Willrich.

Plant yng nghymdeithas y Natsïaid

Nod polisi addysgol y Natsïaid oedd trwytho'r ifanc a'u hyfforddi i fod yn ffyddlon i'r wladwriaeth.

- Cafodd athrawon eu gorfodi i ymuno â Chynghrair Athrawon yr Almaen; cafodd plant eu hannog i roi gwybod am athrawon 'anniogel' nad oedd yn dilyn rheolau'r Natsïaid.
- Byddai pob gwers yn dechrau a gorffen gyda chyfarchiad y Natsïaid a phob pwnc yn cael ei addysgu gyda gogwydd Natsïaidd. Roedd gwersi daearyddiaeth yn addysgu am y cam a ddioddefodd yr Almaen wrth golli cymaint o dir drwy Versailles. Roedd bioleg yn pwysleisio'r angen i buro'r 'hil oruchaf'. Roedd gwerslyfrau hanes yn clodfori gorffennol chwedlonol a gwych yr Almaen.
- Roedd pwyslais yn cael ei roi ar gymeriad yn hytrach na deallusrwydd. Roedd hyfforddiant milwrol i fechgyn a gwyddor cartref i ferched a pharatoi at fod yn famau. Roedd y bechgyn mwyaf addawol yn cael eu dethol a'u hanfon i Ysgolion Adolf Hitler arbennig i'w hyfforddi'n arweinwyr y dyfodol.

FFYNHONNELL DD

Rydym ni'n dechrau ar ein gwaith pan fydd y plentyn yn dair. Cyn gynted ag y mae'n dechrau meddwl caiff baner fechan ei rhoi yn ei law. Yna daw'r Ysgol, Mudiad Ieuenctid Hitler a'r Stormfilwyr yn eu tro. Wedyn, daw'r Ffrynt Llafur.

Disgrifiad o'r ffordd roedd y Natsïaid yn hyfforddi plant.

Ieuenctid Hitler

Cafodd mudiad Ieuenctid Hitler neu *Hitler Jugend* ei sefydlu ym 1925 ond erbyn 1936 roedd rhaid ymaelodi. Roedd dros 2 filiwn o aelodau ym 1933, gan godi i ychydig dros 7 miliwn ym 1939. Byddai ffilmiau newyddion propaganda'n dangos cyffro bywyd mewn gwersylloedd ieuenctid, ond roedd disgyblu llym a hyfforddi corfforol galed yno. Byddai bechgyn yn cael eu hyfforddi i orymdeithio am 80 cilometr (50 milltir) ar ddognau bach.

Oed	Bechgyn	Merched
6–10	*Pimpfen* (Llanciau ifanc)	
10–14	*Deutsche Jungvolk* (Pobl ifanc yr Almaen)	*Jungmädel* (Merched ifanc)
14–18	*Hitler Jugend* (Ieuenctid Hitler)	*Bund Deutsche Mädel* (Urdd Merched yr Almaen)

Gwahanol grwpiau Mudiad Ieuenctid Hitler.

Grwpiau gwrthwynebu

Er bod nifer o bobl ifanc yn mwynhau'r gweithgareddau a oedd ar gael, roedd eraill yn gwrthwynebu'r drefn a'r ddisgyblaeth. Er mwyn eu mynegi eu hunain roedd rhai pobl ifanc yn torri eu gwallt yn rhyfedd ac yn gwrando ar gerddoriaeth *jazz* o UDA. (Roedd Hitler wedi gwahardd *jazz* am mai pobl ddu ddechreuodd ei chwarae, a nhwythau'n cael eu gweld yn bobl annymunol.)

Bu giangiau trefnus yn gwrthwynebu mewn ffordd fwy difrifol. Bu Giang y Navajos, Môr-ladron y Kittelbach a Môr-ladron Edelweiss yn ymosod ar aelodau Ieuenctid Hitler ac yn ystod y rhyfel buon nhw'n ymwneud â mudiadau gwrthwynebu. Wedi eu dal, byddai'r Gestapo'n eu trin yn greulon.

C Cwestiynau

1 A newidiodd bywydau menywod er gwell neu er gwaeth o dan y Natsïaid?

2 Sut effeithiodd y Natsïaid ar fywydau pobl ifanc yn yr Almaen?

YR EGLWYS YNG NGHYMDEITHAS YR ALMAEN

Roedd Hitler yn honni bod yn Babydd ond nid oedd yn ymddiried yn yr Eglwys am fod ei hathrawiaeth yn groes i gredoau'r Natsïaid. Yn y 1930au ceisiodd y Natsïaid ddod â Mudiad Ffydd yn lle Cristnogaeth, a hwnnw wedi ei seilio ar syniadau paganaidd, ond heb lwyddiant mawr. Mae gweledigaeth Hitler i grefydd yn yr Almaen i'w gweld yn rheolau Eglwys Genedlaethol y Reich, a sefydlodd ym 1933.

FFYNHONNELL E

Yn Eglwys Genedlaethol y Reich . . . Areithwyr cenedlaethol y Reich yn unig a gaiff siarad . . . Mae Eglwys Genedlaethol y Reich yn mynnu bod argraffu a gwerthu'r Beibl yn dod i ben yn syth yn yr Almaen . . . Bydd Eglwys Genedlaethol y Reich yn symud y Beibl, y groes a gwrthrychau crefyddol o allorau pob eglwys. Ar yr allorau ni ddylid rhoi dim ond *Mein Kampf*, a chleddyf i'r chwith iddo.

O reolau Eglwys Genedlaethol y Reich.

Y berthynas â'r Eglwys Babyddol

Roedd yr Eglwys Babyddol yn barod i gefnogi Hitler yn ystod y blynyddoedd cynnar am ei fod yn ymddangos fel petai'n cefnogi gwerthoedd teuluol a moesoldeb ar ôl cyfnod di-foes Gweriniaeth Weimar. Roedd Natsïaeth hefyd yn rhwystr rhag comiwnyddiaeth, a oedd yn dadlau nad oedd lle i grefydd gyfundrefnol yn y wladwriaeth. Ym 1933 arwyddodd Hitler Gytundeb â'r Eglwys Babyddol, lle cytunodd yr eglwys i beidio ag ymyrryd â gwleidyddiaeth os nad oedd y Natsïaid yn ymyrryd â materion yr eglwys.

Yr Eglwys Brotestannaidd

Roedd yr Eglwys Brotestannaidd yn cefnogi Hitler ar y dechrau, ond pan ddaeth manylion Eglwys Genedlaethol y Reich i'r amlwg, bu nifer o ddynion amlwg yr eglwys yn siarad yn ei herbyn. Cafodd Dietrich Bonhoeffer ei arestio oherwydd ei farn a'i grogi ym mis Ebrill 1945.

YR IDDEWON YNG NGHYMDEITHAS Y NATSÏAID

Dywedodd Hitler yn *Mein Kampf* fod rhaid i hil yr Almaenwyr gael ei chadw'n bur a'i gwarchod rhag llygrwyr hil fel yr Iddewon. Fe ddaeth yn hawdd gosod y bai ar yr Iddewon am holl broblemau'r Almaen ac, ar ôl dod i rym, dechreuodd Hitler eu herlid.

Erlid yr Iddewon

Ym mis Ebrill 1933 gorchmynnodd Hitler i'r SA wneud yn siŵr fod pobl yn boicotio siopau'r Iddewon. Roedd rhaid i ffenestri siopau a oedd yn berchen i Iddewon ddangos Seren Dafydd, ac felly roedden nhw'n darged i fandaliaid. Cafodd gweision sifil a meddygon Iddewig eu diswyddo ac nid oedd hawl i feddygon Iddewig drin Almaenwyr Ariaidd. Ym 1935 cafodd Iddewon eu gwahardd o barciau, tai bwyta, trenau a bysiau. Ond roedd Deddfau Nürnberg yr un flwyddyn yn llawer mwy difrifol. Nid oedd hawl i Iddewon fod yn aelodau o wladwriaeth yr Almaen. Nid oedd hawl ganddyn nhw i bleidleisio ac nid oedd y gyfraith yn eu hamddiffyn. Roedd priodasau rhwng Iddewon a rhai nad oedd yn Iddewon yn anghyfreithlon.

Ar 7 Tachwedd 1938 saethodd myfyriwr ifanc Iddewig un o swyddogion llywodraeth yr Almaen yn y llysgenhadaeth ym Mharis. Cafodd yr Iddewon ddirwy o 1 biliwn marc am y llofruddiaeth a gorchmynnodd Hitler i'r SS ddechrau ymgyrch i frawychu'r Iddewon. Cafodd noson 9 Tachwedd 1938 ei galw'n *Kristallnacht* (Noson Torri'r Gwydr) achos yr holl ffenestri a chwalwyd. Cafodd synagogau eu llosgi'n ulw a bu dwyn o 8000 o siopau a chartrefi. Cafodd dros 100 o Iddewon eu lladd a 30,000 eu harestio a'u hanfon i wersylloedd crynhoi.

FFYNHONNELL F

Mae'r arwydd yn dweud 'Almaenwyr! Diogelwch eich hunain! Peidiwch â phrynu oddi wrth Iddewon!' Mae giard yr SA'n gwneud yn siŵr nad oes neb yn mynd i'r siop sy'n berchen i Iddewon.

Yr Holocost

O 1941 ymlaen datblygodd y Natsïaid gynlluniau i ddelio â 'phroblem yr Iddewon'. Byddai Iddewon a 'phobl annymunol' eraill yn cael eu saethu gan unedau llofruddio symudol neu eu hanfon i wersylloedd crynhoi i'w difodi. Cafodd tua 6 miliwn o Iddewon eu lladd yn ystod yr Holocost.

C Cwestiynau

1 Beth wnaeth Hitler i geisio disodli crefydd gyfundrefnol yn yr Almaen?
2 Sut newidiodd y ffordd roedd y Natsïaid yn trin yr Iddewon rhwng 1933 a 1939?

Y FFRYNT CARTREF YN YR AIL RYFEL BYD

Roedd yr Almaenwyr yn frwd iawn wrth ennill brwydrau cynnar ym 1940. Roedd ffilmiau propaganda'r Natsïaid yn dathlu buddugoliaeth dros y Ffrancod ac yn llawenhau am iddyn nhw ddial am delerau llym Cytundeb Versailles. Roedd ysbail rhyfel – defnyddiau crai, tir, carcharorion fel gweithwyr – yn golygu y byddai'r Almaen yn dod yn wlad gyfoethog a phwerus iawn. Ond trodd y rhyfel yn erbyn yr Almaen ar ôl colli brwydrau ym 1942. Dywedodd y Natsïaid wrth y boblogaeth bod rhaid iddyn nhw baratoi ar gyfer rhyfel diarbed – byddai'n rhaid aberthu a dioddef caledi.

Nawr dechreuodd pobl yr Almaen sylweddoli pa mor galed oedd rhyfel pan nad oedden nhw'n ennill. Roedd angen cyflenwadau i'r lluoedd arfog ac roedd rhaid gwneud heb bethau gartref. Aeth Goebbels ati gyda'i ymgyrch bropaganda i godi ysbryd pobl a gofyn iddyn nhw aberthu. Pan aeth apêl am ddillad cynnes ar gyfer milwyr yn yr Undeb Sofietaidd, rhoddodd pobl yr Almaen 1.5 miliwn o gotiau ffwr. Roedd rhaid i ffatrïoedd yr Almaen weithio mwy o oriau a chafodd dognau eu torri. Bu'n rhaid i fwy a mwy o fenywod fynd i weithio i'r ffatrïoedd i gynnal y cynhyrchu.

O 1942 ymlaen, dechreuodd y Cynghreiriaid gyrchoedd bomio ar ddinasoedd yr Almaen. Y bwriad oedd dinistrio ffatrïoedd pwysig a rhwystro cynhyrchu nwyddau rhyfel. Cafodd sifiliaid eu targedu hefyd, i geisio gwanhau ysbryd pobl. Wedi'r 'bomio carped' ddydd a nos roedd dinasoedd a threfi'n adfeilion. Digwyddodd y cyrch mwyaf adnabyddus a dadleuol ym mis Chwefror 1945 pan gafodd Dresden ei dinistrio fwy neu lai. Yr amcangyfrif yw fod o leiaf 150,000 o ddynion, menywod a phlant wedi eu lladd yn ystod dau ddiwrnod y cyrchoedd bomio.

Erbyn diwedd y rhyfel roedd mwy na thair miliwn o sifiliaid wedi eu lladd. Oherwydd hyn, ac am fod prinder bwyd a'r fyddin yn ffoi, roedd nifer o Almaenwyr yn falch o weld diwedd y rhyfel.

FFYNHONNELL FF

Bore Mercher, 28 Gorffennaf 1943
Doedd dim nwy, dim trydan, dim diferyn o ddŵr, doedd y lifft na'r ffôn ddim yn gweithio. Mae'n anodd dychmygu'r panig a'r anhrefn. Doedd dim tramiau, dim trenau tanddaearol, dim trenau i'r maestrefi.

Adroddiad llygad-dyst o'r Almaen am y bore wedi cyrch fomio ddwys ar Hamburg.

C Cwestiwn

1 Sut effeithiodd yr Ail Ryfel Byd ar fywyd sifiliaid yr Almaen?

'GWYRTH ECONOMAIDD' ADENAUER

Y wyrth economaidd oedd y ffordd y cafodd Gorllewin yr Almaen ei gweddnewid o fod yn wlad wedi'i dinistrio a'i digalonni wedi'r rhyfel i fod yn wlad ddiwydiannol lewyrchus. Yn y dryswch wedi'r rhyfel yn yr Almaen, llifodd arian diwerth i'r economi ac roedd marchnad ddu fywiog. Ar 20 Mehefin 1948 cafodd Deutschmark newydd ei gyflwyno a dechreuodd y *Wirtschaftswunder* (gwyrth economaidd) bryd hynny.

Tasg gyntaf Adenauer oedd ailadeiladu strwythur yr Almaen. Cafodd Ludwig Erhard ei benodi'n Weinidog Economaidd Ffederal ac iddo ef mae llawer o'r clod am y wyrth economaidd. Byddai economi marchnad rydd gan yr Almaen newydd gyda mwy o gyfrifoldeb cymdeithasol dros y di-waith, y claf, yr ifanc a'r hen. Byddai llwyddiant y wladwriaeth les yma'n dibynnu ar adferiad diwydiannol.

Bu Ehrard yn defnyddio Cymorth Marshall yn effeithiol iawn, gan droi hen ddiwydiannau 'simneau mwg' yn rhai modern gyda pheiriannau uwch-dechnoleg. Roedd trethi trwm ar gwmnïau ond roedd ad-daliadau os bydden nhw'n buddsoddi arian mewn ymchwil a datblygu. Ym 1952 cafodd treth o 50 y cant ei chodi ar Almaenwyr cyfoethog. Cafodd yr arian ei ddefnyddio i adeiladu 2 filiwn o gartrefi ac, ar ddiwedd cyfnod cyntaf Adenauer yn Ganghellor, roedd safonau byw wedi gwella a diweithdra wedi gostwng.

Roedd llawer o alw am nwyddau moethus fel camerâu Leica a cheir Mercedes-Benz. Aeth y ffatri Volkswagen enfawr yn Wolfsburg yn ôl i gynhyrchu 'Car y Werin' ac erbyn canol y 1950au roedd y *VW Käfer* (*VW Beetle*) yn cael ei gynhyrchu am bris roedd Almaenwyr a gwledydd eraill yn gallu ei fforddio. Erbyn hyn roedd yr Almaen yn cynhyrchu mwy o geir na neb heblaw am UDA. Erbyn 1960 roedd yn ail i'r Undeb Sofietaidd o ran cynhyrchu dur a rhwng 1948 a 1964 cododd cynhyrchiant diwydiannol 600 y cant. Cwympodd diweithdra o 9 y cant i 0.4 y cant rhwng 1952 a 1965 a chafodd gweithwyr gwadd tramor (*Gastarbeiter*) eu denu o Dwrci, yr Eidal a Groeg i helpu i ailadeiladu economi'r Almaen.

Roedd Adenauer wedi sôn am ddadeni moesol i'r wlad. Roedd angen sylw arbennig ar un pwnc – Iddewon a oedd wedi goroesi'r Holocost. Er na allai unrhyw swm o arian fod yn iawndal am greulondeb polisi'r Natsïaid, roedd Adenauer yn ei ystyried yn symbol o benderfyniad yr Almaen i beidio byth ag anghofio am yr erchyllterau. Daeth cytundeb iawndal i rym ym 1953 a oedd yn rhoi cefnogaeth i Iddewon Almaenig ddechrau ailadeiladu eu bywydau.

BYWYD YN YR ALMAEN YN YSTOD Y RHYFEL OER

Ar ôl 1945 daeth Gorllewin Berlin yn 'ffenest siop y Gorllewin' wrth i'r Cynghreiriaid gydweithio a buddsoddi i'w hailadeiladu. Ar y dechrau gallai pobl symud yn rhwydd rhwng y ddwy ran, ond pan ddaeth gwarchae Berlin (gweler tudalen 227) i ben ym mis Mai 1949, gadawodd rhyw 3.5 miliwn o bobl Dwyrain yr Almaen i gael bywyd gwell yng Ngorllewin yr Almaen. Roedd bywyd yn dal yn anodd yn Nwyrain yr Almaen. Oherwydd cyflogau gwael a chwotâu gwaith uwch cododd gwrthryfel yn Berlin ym mis Mehefin 1953 (gweler tudalen 208).

Wedi codi Mur Berlin ar 13 Awst 1961, roedd hi'n fwy anodd dianc i'r Gorllewin. Roedd y ffin rhwng y ddwy Almaen wedi'i hamddiffyn yn gadarn. Cafodd nifer o ddinasyddion Berlin eu gwahanu oddi wrth eu teuluoedd, eu ffrindiau a'u gwaith.

Roedd hi'n beryglus ceisio dianc i'r Gorllewin oherwydd gosodwyd milwyr i wylio'r ffin a sefydlwyd safleoedd gynnau peiriant: rhwng 1961 a 1989, cafodd 86 o bobl eu saethu wrth geisio croesi i'r Gorllewin. Roedd Peter Fechter yn un o'r rhain. Ar 17 Awst 1962 ceisiodd groesi i Orllewin Berlin i ymuno â'i chwaer. Cafodd ei saethu gan heddlu'r ffin wrth iddo ddringo'r weiren bigog ar ochr y dwyrain a chwympodd yn ôl i'r darn tir cul rhwng y Dwyrain a'r Gorllewin (gweler Ffynhonnell G). Gallai pobl ei glywed yn galw am help ac yn gweiddi enw ei chwaer wrth iddo waedu'n araf i farwolaeth. 300 medr yn unig o safle gwarchodlu Gorllewin Berlin roedd Fechter, ac wrth i dyrfaoedd ar ochr y gorllewin wylio'r olygfa erchyll, dyma nhw'n ymbil ar yr Americanwyr i'w achub. Ond cafodd y milwyr orchymyn gan eu swyddogion i beidio ag ymyrryd. Awr yn ddiweddarach, casglodd gwarchodlu Dwyrain yr Almaen gorff Fechter. Roedd bywyd yn Nwyrain yr Almaen ac yn Nwyrain Berlin yn dal yn anodd.

FFYNHONNELL G Corff Peter Fechter, gosodwr brics 18 oed o Ddwyrain yr Almaen a gafodd ei saethu wrth geisio croesi Mur Berlin ym 1962.

FFYNHONNELL NG

Wrth ichi adael, mae'r chwilio weithiau'n cynnwys rhoi archwiliad pelydr-X i'r bagiau. Gall pren hir gael ei wthio i'r tanc tanwydd i wneud yn siŵr nad oes neb yn cuddio ynddo fe. Mae'r seddi cefn yn cael eu plygu i lawr i'w harchwilio ac mae drychau ar wyneb y ffordd yn archwilio o dan y car. Gall archwiliad fel hwn gymryd 20 munud, aros am 20 munud ac 20 munud i wirio'r pasport.

Sylwadau rhywun o'r Gorllewin yn ymweld â Dwyrain yr Almaen yn y 1970au.

FFYNHONNELL H

Roedd hi fel mynd 'nôl ugain mlynedd. Doedd dim llawer o geir ar y ffyrdd. Roedd llawer o'r adeiladau'n edrych fel petai neb wedi eu cyffwrdd ers y rhyfel. Roedd sloganau gwleidyddol a baneri coch ar lawer o adeiladau. Roedd nifer o bobl ifanc yn gwisgo jîns, ond roedd golwg ryfedd o hen ffasiwn ar y dillad.

Sylwadau Prydeiniwr yn ymweld â Dwyrain yr Almaen.

C *Cwestiynau*

1 Pa effaith gafodd polisi economaidd Adenauer ar bobl Gorllewin yr Almaen o 1949 i 1963?

2 Pam roedd pobl eisiau gadael Dwyrain yr Almaen i fynd i fyw i'r Gorllewin?

3 Pam daeth Berlin yn ganolbwynt yn y Rhyfel Oer?

Sut newidiodd rôl yr Almaen ym materion y byd rhwng 1919 a 1991?

EFFAITH CYTUNDEB VERSAILLES AR YR ALMAEN

Edrychwch ar y map ar dudalen 134 a darllenwch delerau Cytundeb Versailles ar dudalen 197.

Roedd gobaith yr Almaen o gael cytundeb heddwch cymedrol a theg yn nwylo'r Arlywydd Woodrow Wilson o UDA. Ei nod oedd sicrhau na allai rhyfel byth ddigwydd eto ac edrychodd am 'drefn newydd' lle byddai cenhedloedd y byd yn cydweithio ac yn byw mewn heddwch. Roedd yn credu y byddai cosbi'r Almaen yn hallt yn creu awydd am ddial yn y dyfodol. Roedd Prif Weinidog Ffrainc, Georges Clemenceau eisiau dial a sicrwydd na fyddai'r Almaen yn ymosod eto. Roedd Prif Weinidog Prydain, David Lloyd-George, yn cytuno â Wilson yn breifat, ond roedd newydd gael ei ethol i 'wneud i'r Almaen dalu'.

Cafodd pobl yr Almaen sioc o weld telerau'r cytundeb. Nid oedd yr Almaen wedi bod yn rhan o'r trafodaethau ac roedd rhaid iddi gymryd cyfrifoldeb llawn am y rhyfel. Roedd pobl yn ystyried mai *Diktat* neu heddwch gorfodol oedd y cytundeb, er mwyn cywilyddio a gwanhau'r Almaen.

Collodd yr Almaen 65,000 cilometr sgwâr o diroedd, 6.5 miliwn o bobl a llawer iawn o ddefnyddiau crai. Cafodd grym yr Almaen yn y byd ei wanhau'n fawr oherwydd y colli tir a'r cymalau milwrol ac economaidd. Ond y peth mwyaf cywilyddus oedd y cymal euogrwydd rhyfel yn rhoi'r bai ar yr Almaen am ddechrau'r Rhyfel Byd Cyntaf ac yn ei gorfodi i dalu cyfanswm o £6600 miliwn o iawndal.

FFYNHONNELL A Cartŵn o drefn newydd Wilson, tua 1919.

Cytundeb Rapallo

Un canlyniad i'r cytundeb heddwch oedd fod gwledydd 'gwrthodedig' wedi dod at ei gilydd. Ym 1922 arwyddodd yr Almaen a Rwsia Gytundeb Rapallo lle roedd yr Almaen yn cydnabod y llywodraeth Sofietaidd newydd.

Meddiannu'r Ruhr, 1923

Tua diwedd 1922, methodd yr Almaen dalu'r iawndal. Felly, ym 1923 aeth milwyr Ffrainc a Gwlad Belg i feddiannu ardal ddiwydiannol bwysicaf yr Almaen – Y Ruhr – i gymryd gwerth y taliadau coll mewn nwyddau. Gorchmynnodd llywodraeth yr Almaen i'r gweithwyr wrthwynebu drwy brotestio goddefol ac aethon nhw ar streic. Er bod hyn yn golygu na allai'r Ffrancod a'r Belgiaid gymryd y nwyddau roedden nhw eu heisiau, achosodd i economi'r Almaen gwympo hefyd. Daeth marc yr Almaen yn ddiwerth a chollodd lawer o bobl eu cynilion neu eu pensiynau.

POLISI TRAMOR STRESEMANN

Rhwng 1924 a 1929 dechreuodd yr Almaen adennill parch rhyngwladol a'i statws fel pŵer mawr, yn bennaf o achos Gustav Stresemann. Ei nod oedd codi'r Almaen yn ei hôl unwaith eto drwy ei rhyddhau o delerau Cytundeb Versailles: byddai hyn yn cael ei wneud drwy gydweithredu a diplomyddiaeth. Roedd eisiau cael tiroedd yr Almaen yn ôl a dileu'r cymal euogrwydd rhyfel. Wrth ymaelodi â Chynghrair y Cenhedloedd byddai'r Almaen yn ymwneud mwy ag Ewrop. Roedd o blaid ailarfogi yn y dirgel, nid er mwyn dilyn polisi tramor ymosodol ond er mwyn dod yn gyfartal â phwerau eraill Ewrop.

Llwyddiant Stresemann fel diplomydd

Roedd arwyddo Cytundeb Locarno ym 1925 yn fuddugoliaeth ddiplomyddol fawr i Stresemann. Cytunodd yr Almaen, Ffrainc a Gwlad Belg i beidio ag ymosod ar ei gilydd neu newid ffiniau ei gilydd. Derbyniodd yr Almaen fod ei ffiniau gorllewinol yn barhaol; derbyniodd hefyd statws dadfilwredig Rheinland.

Cam nesaf Stresemann oedd tywys yr Almaen i Gynghrair y Cenhedloedd ym 1926, a derbyniodd Wobr Heddwch Nobel am hyn. Daeth yr Almaen yn aelod parhaol ar Gyngor y Gynghrair gan awgrymu ei bod yn cael ei chydnabod yn bŵer mawr. Ym 1928 arwyddodd yr Almaen a 60 o wledydd eraill Gytundeb Kellogg-Briand, a oedd yn gwrthod rhyfel fel dull o ddatrys anghydfod.

Daeth llwyddiant olaf Stresemann ym 1929 pan dynnodd y Cynghreiriaid eu lluoedd olaf o Rheinland a chytunodd yr Almaen i ddatrys mater yr iawndaliadau'n rhan o Gynllun Young. Cyn i'r telerau gael eu cwblhau, bu Stresemann farw.

C Cwestiynau

1. Sut cafodd yr Almaen ei gwanhau fel un o'r pwerau mawr gan Gytundeb Versailles?
2. Beth oedd ymateb yr Almaen i feddiannu'r Ruhr ym 1923?
3. I ba raddau llwyddodd Stresemann i wella cysylltiadau rhyngwladol yr Almaen ar ôl 1919?

YR ALMAEN A'R RHESYMAU DROS YR AIL RYFEL BYD

A arweiniodd polisi tramor Hitler yn uniongyrchol ac yn fwriadol at ryfel ym 1939? Mewn sawl ffordd roedd polisi tramor Hitler yn debyg i un Stresemann. Ond, tra oedd Stresemann yn gobeithio cyrraedd ei nod drwy drafod diplomyddol, dewisodd Hitler bolisi tramor ymosodol. Addawodd i uno pawb a oedd yn siarad Almaeneg mewn un Reich ac i ehangu tua'r dwyrain i gael *Lebensraum* (lle i fyw).

Mae haneswyr yn anghytuno ynglŷn â nodau Hitler:

- Mae A.J.P. Taylor wedi dadlau nad aeth Hitler ati'n fwriadol i gael rhyfel i ddod â gwareiddiad i ben. Roedd yn ddyn a welodd ei gyfle a llwyddodd drwy fod yn dwyllodrus ac eofn.
- Mae Hugh Trevor-Roper wedi dadlau i Hitler gynllunio rhaglen i goloneiddio'r dwyrain a rhyfel i goncro'r gorllewin. Arweiniodd y *Stufenplan* yma (polisi gam wrth gam) at ryfel.

  Cam 1: polisi cymedrol hyd at 1935
  Cam 2: mwy o weithgarwch ym 1935–7
  Cam 3: polisi tramor mwy hyderus yn seiliedig ar y syniad na fyddai llawer o wrthwynebiad wedi 1937.

HITLER YN CHWALU'R CYTUNDEB

Yr Almaen yn gadael Cynghrair y Cenhedloedd

Roedd ailarfogi wedi dechrau cyn i Hitler ddod i rym. Roedd teimlad cyffredinol ledled Ewrop fod yr Almaen wedi cael ei thrin yn annheg yn Versailles a cheisiodd Hitler fanteisio ar hyn. Yng Nghynhadledd Diarfogi Cynghrair y Cenhedloedd dadleuodd y byddai'r Almaen yn diarfogi petai gwledydd eraill yn gwneud hefyd. Gwrthododd Ffrainc a gadawodd Hitler y gynhadledd a'r Gynghrair.

Yr Almaen yn ailarfogi

Ym mis Mawrth 1935 cyhoeddodd Hitler fod llu awyr (*Luftwaffe*) gan yr Almaen a chyflwynodd gonsgripsiwn. Cafodd y llynges ei hehangu drwy adeiladu llongau rhyfel a llongau tanfor. Gan fod hyn yn amlwg yn groes i Gytundeb Versailles, arwyddodd Prydain, Ffrainc a'r Eidal gytundeb (Ffrynt Stresa) yn condemnio'r ailarfogi, ond ni chafwyd camau milwrol.

Y Saar yn ailymuno â'r Almaen

Ym 1935 pleidleisiodd pobl Y Saar gyda mwyafrif llethol dros ddychwelyd i'r Almaen. Addawodd Hitler na fyddai'n hawlio mwy o diroedd Ffrainc, gan gynnwys Alsace a Lorraine.

Yr Almaen yn ailfeddiannu Rheinland

Ar 7 Mawrth 1936 aeth milwyr yr Almaen i ardal Rheinland gan dorri Cytundeb Versailles yn fwriadol. Yn ddiweddarach cyfaddefodd Hitler nad oedd adnoddau milwrol ganddo i wrthsefyll gwrthwynebiad. Gallai Ffrainc fod wedi ei yrru'n ôl ond ni fyddai'n gwneud dim heb Brydain. Agwedd llywodraeth Prydain oedd mai 'dim ond gorymdeithio i'w ardd gefn ei hunan' roedd Hitler.

Hitler yn ymuno â chynghreiriaid

Er bod neb wedi sefyll yn ei ffordd hyd yma, roedd Hitler yn gweld bod eisiau ffurfio cynghreiriau.

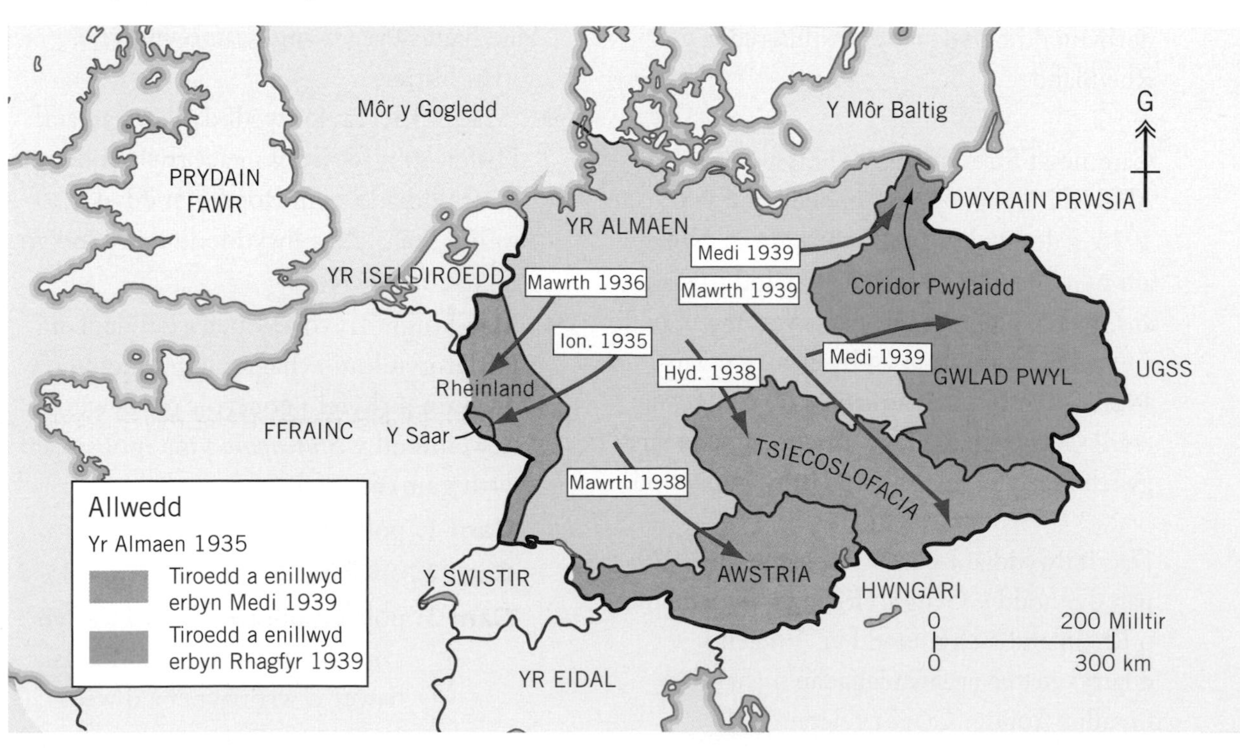

Hitler yn ennill tiroedd, 1935–9.

- **Sbaen**: pan ddechreuodd rhyfel cartref yn Sbaen ym 1936 anfonodd Hitler adran orau ei lu awyr i ymladd wrth ochr y Cadfridog Franco, arweinydd y cenedlaetholwyr.
- **Yr Eidal**: ym 1936 cytunodd ar Echel Rhufain-Berlin gyda Mussolini, unben yr Eidal.
- **Japan**: daeth Cytundeb Gwrth-Comintern 1936 â'r Almaen a Japan at ei gilydd i wrthwynebu'r Undeb Sofietaidd. Ymunodd yr Eidal ym 1937. Cafodd cynghrair filwrol lawn rhwng yr Almaen a'r Eidal – y Cytundeb Dur – ei arwyddo ym 1939. Ymunodd Japan ym 1940.

Hitler yn goresgyn Awstria: yr Anschluss

Nawr dyma Hitler yn troi ei sylw at Awstria, gan dorri Cytundeb Versailles eto. Ym 1938 gorchmynnodd i Blaid y Natsïaid yn Awstria ddechrau rhaglen i darfu a thanseilio llywodraeth y Canghellor Schuschnigg, a mynnodd Hitler ei fod yn ymddiswyddo. Daeth Seyss Inquart, cefnogwr i'r Natsïaid yn lle Schnuschnigg, ac ymosododd milwyr yr Almaen ar 12 Mawrth 1938. Cafodd pleidlais gwlad ei chynnal ar 10 Ebrill a phleidleisiodd 99.75 y cant o bobl Awstria o blaid yr *Anschluss*, neu'r undeb â'r Almaen.

Hitler yn troi at Tsiecoslofacia

Mae llawer o lo a lignit yn Tsiecoslofacia ac roedd ganddi ffatri arfau Skoda enfawr. Hefyd roedd 3.5 miliwn o Almaenwyr yn byw yn ardal Sudetenland yn Tsiecoslofacia ar y ffin â'r Almaen ac Awstria. Roedd mwyafrif Almaenwyr Sudetenland yn cefnogi plaid debyg i Blaid y Natsïaid o dan arweiniad Konrad Henlein. Trefnodd Henlein wrthdystiadau a therfysgoedd, ac ym mis Ebrill 1938 ymgasglodd milwyr yr Almaen ar y ffin â Tsiecoslofacia.

Cynhaliwyd cyfarfod rhwng prif weinidog Prydain, Neville Chamberlain, a Hitler i drafod yr argyfwng. Gwnaeth Hitler yn glir pe na châi feddiannu Sudetenland erbyn 1 Hydref 1938, y byddai'n goresgyn Tsiecoslofacia. Roedd Chamberlain yn barod i aberthu Sudetenland i osgoi rhyfel. Cytunodd pedwar pŵer ar y polisi dyhuddo yma mewn cynhadledd yn München lle mynychodd Chamberlain, Hitler, Mussolini a Daladier, prif weinidog Ffrainc. Ond ym mis Mawrth 1939 gorymdeithiodd Hitler i Tsiecoslofacia gan hawlio'r hanner gorllewinol. Meddiannodd Hwngari a Gwlad Pwyl y gweddill.

Hitler yng Ngwlad Pwyl

Nawr dyma Hitler yn mynnu cael Danzig a'r Coridor Pwylaidd yn ôl. Sylweddololodd Prydain a Ffrainc nawr nad oedd modd dyhuddo Hitler gan gytuno i amddiffyn Gwlad Pwyl. Ym mis Awst, arwyddodd Almaen y Natsïaid a'r Undeb Sofietaidd gytundeb i beidio ag ymosod ar ei gilydd. Nawr gallai Hitler oresgyn Gwlad Pwyl heb boeni am yr Undeb Sofietaidd. Ar 1 Medi 1939 croesodd tanciau'r Almaen ffiniau Gwlad Pwyl. Felly cyhoeddodd Prydain ryfel yn erbyn yr Almaen ar 3 Medi 1939, a gwnaeth Ffrainc yr un fath yn fuan wedyn. Roedd Ewrop yn rhyfela eto.

C Cwestiynau

1. Beth oedd nodau Hitler i'r Almaen?
2. Pa mor llwyddiannus oedd Hitler wrth geisio chwalu telerau Cytundeb Versailles?
3. Beth oedd ymateb gwledydd eraill Ewrop i bolisi tramor Hitler rhwng 1935 a 1939?

YR ALMAEN A PHRIF DDIGWYDDIADAU'R AIL RYFEL BYD

Nid oedd modd atal tacteg y *Blitzkrieg* yn ystod blynyddoedd cyntaf y rhyfel. Cwympodd Gwlad Pwyl o fewn tair wythnos a dyma Hitler yn troi ei luoedd tuag at Orllewin Ewrop. Cwympodd Denmarc, Norwy, yr Iseldiroedd a Gwlad Belg yn fuan; Ffrainc oedd targed nesaf Hitler.

Cwymp Ffrainc, mis Mai 1940

Roedd y Ffrancod wedi adeiladu amddiffynfeydd cadarn – Llinell Maginot – ar hyd eu ffin gan obeithio rhwystro ymosodiad gan yr Almaen. Ond y cyfan wnaeth yr Almaenwyr oedd mynd o'i gwmpas a symud yn gyflym tuag at yr arfordir.

Wrth i'r Almaenwyr symud ymlaen ymgiliodd lluoedd Prydain a Ffrainc i borthladd Dunkirk wrth y Sianel a chael eu hamgylchynu. O 27 Mai i 4 Mehefin 1940 ymosododd y *Luftwaffe* ar draethau gogledd Ffrainc a dechreuodd llynges Prydain symud y milwyr oddi yno. Dyma longau bychain yn berchen i bobl breifat yn croesi'r Sianel gan gario'r milwyr i longau mwy. At ei gilydd, cafodd 340,000 o ddynion eu hachub a galwodd Churchill hyn yn 'wyrth Dunkirk'.

O fewn mis roedd Paris wedi ei chipio ac, o dan delerau'r cytundeb heddwch ar 22 Mehefin 1940, meddiannodd yr Almaen rannau gogleddol a gorllewinol Ffrainc tra oedd llywodraeth gefnogol i'r Almaen yn rheoli'r de.

Brwydr Prydain, 1940

Roedd Hitler yn hyderus y byddai'r Almaen yn goresgyn Prydain ond nid oedd wedi gwerthfawrogi ysbryd y bobl, ysbrydoliaeth yr arweinydd a dewrder y llu awyr. Roedd angen i Hitler reoli'r awyr os oedd yn mynd i ymosod yn llwyddiannus. Roedd y brwydrau a ddigwyddodd o fis Gorffennaf 1940 ym Mrwydr Prydain yn allweddol o ran hynt y rhyfel i gyd. Roedd gan Brydain fanteision, sef awyren ymladd well (*y Spitfire*) a radar. Yng nghanol mis Medi 1940 gohiriodd Hitler yr ymosodiad, ond ymosododd o hyd o'r awyr ar Brydain yn y *Blitz*.

Ymosod ar Rwsia, 1941

Er ei fod wedi arwyddo'r Cytundeb Natsi-Sofietaidd ym 1939, roedd Hitler wedi bwriadu ymosod ar yr Undeb Sofietaidd erioed. Roedd eisiau dinistrio comiwnyddiaeth, ond yn y tymor byr roedd Hitler eisiau'r gwenith a'r olew i helpu'r ymgyrch ryfel. Cafodd ei gynllun i ymosod ym mis Ebrill 1941 ei ohirio wrth iddo helpu Mussolini, a oedd wedi ymuno â'r rhyfel a cholli brwydrau yng Ngogledd Affrica a Groeg. Yn y cyfamser, concrodd byddinoedd yr Almaen Iwgoslafia, Groeg ac Ynys Creta.

Ar 22 Mehefin 1941 dechreuodd Ymgyrch Barbarossa. Erbyn mis Tachwedd roedd yr Almaenwyr wedi cyrraedd Moskva (Moscow), Leningrad a Kiev.

Ymgiliodd y Sofietiaid a gweithredu polisi tir llosg, gan ddinistrio popeth a allai gael ei ddefnyddio gan yr Almaenwyr a oedd yn ymosod. Yna daeth y tywydd i helpu'r Undeb Sofietaidd. Daeth un o'r gaeafau gwaethaf yn gynnar gan ddal yr Almaenwyr mewn lifrau haf a rhwystro'r ymosodiad. Yng ngwanwyn 1942 aeth byddinoedd Hitler i'r de i gipio meysydd olew'r Cawcasws ac ymosod ar Stalingrad. Roedd y rhyfel wedi cyrraedd cyfnod allweddol. Ym Mrwydr Stalingrad (1942) roedd gwrthwynebiad chwyrn i luoedd yr Almaen. Gofynnodd y Cadfridog von Paulus a allai dynnu ei filwyr yn ôl, ond gwrthododd Hitler. Heb ddigon o gyflenwadau, dyma von Paulus yn anufuddhau ac yn ildio ym mis Ionawr 1943. Dechreuodd y Fyddin Goch wthio lluoedd yr Almaen yn ôl i Wlad Pwyl.

C Cwestiynau

1 Pa mor llwyddiannus oedd tacteg *Blitzkrieg* yr Almaen?
2 Pam ymosododd Hitler ar yr Undeb Sofietaidd?
3 Pam collodd Hitler frwydrau yn yr Undeb Sofietaidd?

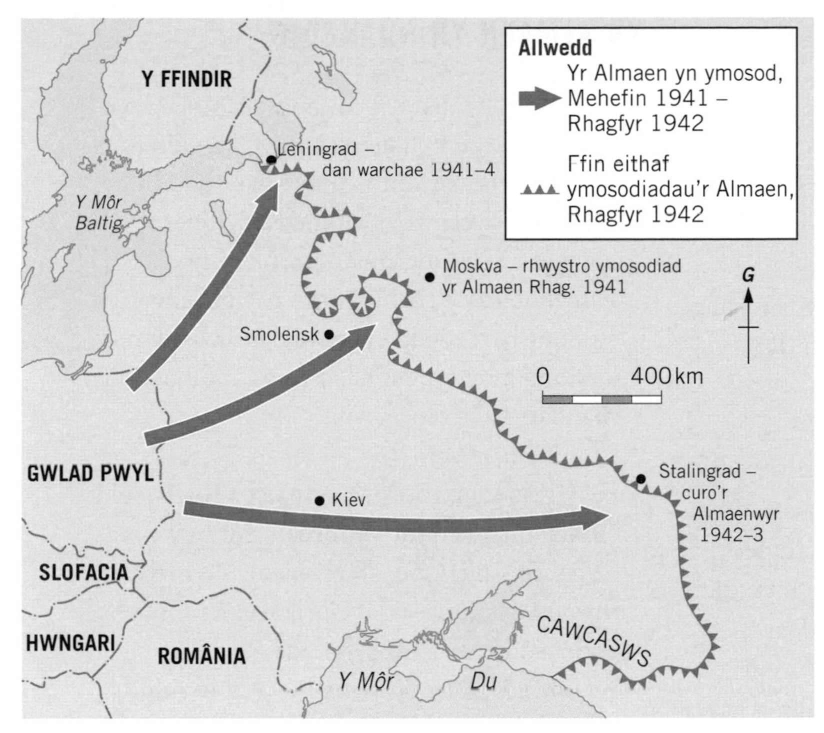

Yr Almaen yn ymosod ar yr Undeb Sofietaidd, 1941–2.

El Alamein, mis Hydref 1942

Roedd Camlas Suez yn llwybr allweddol bwysig i longau Prydain wrth reoli mynediad i feysydd olew'r Dwyrain Canol. O fis Medi 1940 i fis Mehefin 1942 bu byddinoedd Prydain a'r Echel (yr Almaen a'r Eidal) yn brwydro i reoli y Môr Canoldir. Digwyddodd y frwydr allweddol yn El Alamein yn yr Aifft ym mis Hydref 1942. Llwyddodd Wythfed Byddin Prydain o dan arweiniad y Cadfridog Montgomery i oresgyn lluoedd yr Echel. Pan gyrhaeddodd milwyr UDA, gofynnodd y Cadfridog Rommel a allai dynnu ei filwyr yn ôl, ond gwrthododd Hitler. Erbyn mis Mai 1943, roedd 130,000 o filwyr yr Echel wedi ildio. Croesodd y Cynghreiriad i mewn i'r Eidal a dechrau symud tuag at yr Almaen.

Glaniadau Dydd D, 6 Mehefin 1944

Roedd Hitler yn dadlau, beth bynnag fyddai'n digwydd mewn mannau eraill, nad oedd hi'n bosibl goresgyn byddinoedd yr Almaen yn *Festung Europa* (caer Ewrop).

Ond digwyddodd y methiant cyntaf pan laniodd y Cynghreiriad ar Ynys Sicilia ar 9 Gorffennaf 1943. Nawr roedd Hitler yn wynebu rhyfel ar dri ffrynt. Collodd fwy o frwydrau wrth i'r Cynghreiriaid lanio yn Ffrainc fel rhan o ymosodiad Dydd D ar 6 Mehefin 1944.

Roedd Hitler wedi disgwyl i'r ymosodiad ar ei ffrynt gorllewinol ddigwydd yn Calais, ond roedd hi'n syndod i'r Almaenwyr pan laniodd y Cynghreiriaid yn Normandie. Erbyn diwedd y diwrnod cyntaf, roedd 156,000 o filwyr UDA, Prydain a'r Gymanwlad wedi glanio gan ddechrau gwthio byddin yr Almaen yn ôl i afon Seine.

Ar 25 Awst 1944, aeth y Cadfridog Charles de Gaulle i mewn i Baris a'i wneud yn Brif Weinidog.

Trefnodd Hitler gyrch arall ac ym mis Rhagfyr 1942 ymosododd ar filwyr UDA yn Ardennes ym Mrwydr y Bulge. Ar ôl llwyddo ar y dechrau, bu'n rhaid iddo gilio.

Erbyn dechrau 1945 roedd milwyr y Sofietiaid wedi cyrraedd tir yr Almaen ac roedd y Cynghreiriaid wedi croesi afon Rhein. Ymgiliodd Hitler i'w fyncer tan-ddaearol yn Berlin, lle cyflawnodd hunanladdiad ar 30 Ebrill 1945. Ar 7 Mai ildiodd yr Almaen yn ddiamod a daeth pedwar pŵer y Cynghreiriaid i reoli'r Almaen. Roedd y Reich, yr oedd Hitler wedi honni y byddai'n parhau am fil o flynyddoedd, wedi dod i ben ar ôl deuddeng mlynedd yn unig.

C Cwestiynau

1 Pa ddigwyddiadau a arweiniodd at yr Almaen yn colli'r rhyfel ym 1945?
2 Pam methodd 'rhyfel ar bob ffrynt' Hitler?

YR ALMAEN A'R RHYFEL OER

Mewn gwledydd cyfalafol fel UDA a Phrydain mae busnesau a diwydiannau'n cael eu rhedeg i wneud elw i'r perchnogion. Y syniad yw fod hyn yn creu cystadleuaeth ac effeithlonrwydd. Mewn gwledydd comiwnyddol mae busnesau a diwydiannau'n cael eu rhedeg gan y wladwriaeth er lles pawb a heb wneud elw.

Roedd UDA cyfalafol a Rwsia gomiwnyddol wedi ffurfio cynghrair yn erbyn Natsïaeth yn ystod yr Ail Ryfel Byd, ond ar ôl y rhyfel daeth yr hen amheuaeth a gelyniaeth yn ôl. Yn y gorffennol, mae'n bosib y byddai'r gwahaniaethau rhwng y ddwy ochr wedi arwain at ryfel, ond ar ôl i arfau atomig gael eu dyfeisio, roedd y ddwy ochr yn osgoi 'rhyfel poeth' a fyddai'n dinistrio ar raddfa enfawr. Yn lle hynny, dechreuodd 'rhyfel oer', rhyfel heb i ymladd ddigwydd.

YR ALMAEN YN RHANEDIG

Roedd rhyfel diatal wedi bwrw'r Almaen yn llwyr, ac ar ben effaith seicolegol colli'r rhyfel, roedd rhaid i'r Almaenwyr ddod i delerau â chwmwl yr Holocost (gweler tudalen 217). Ond roedd problem fwy sylfaenol gan y rhan fwyaf o'r Almaenwyr yn y tymor byr: roedd cyflenwadau bwyd yn diflannu a digon am ddau fis yn unig oedd yn rhanbarthau'r Gorllewin.

Fel y gwelsom, roedd yr Almaen a Berlin wedi eu rhannu'n bedwar rhanbarth rhwng y Cynghreiriaid. Cododd problemau'n gyflym rhwng Cynghreiriaid y Gorllewin a'r Undeb Sofietaidd. Ym 1947 cytunodd Prydain, Ffrainc a UDA y bydden nhw'n cydweithio i roi hwb i economi'r Almaen. Unodd Prydain a UDA eu rhanbarthau i greu 'Bizonia' ac ymunodd Ffrainc, gan greu rhanbarth triphlyg. Roedd Stalin yn teimlo bod hyn yn fygythiad.

Athrawiaeth Truman a Chymorth Marshall

Mewn anerchiad ym mis Mawrth 1947 dyma Arlywydd UDA, Truman, yn cynnig cymorth i unrhyw lywodraeth a oedd yn teimlo bygythiad gan 'luoedd mewnol neu allanol'. Roedd yn credu bod gwledydd wedi'u hanrheithio gan ryfel yn fagwrfa i gomiwnyddiaeth, felly cynigiodd gymorth i roi hwb economaidd iddyn nhw.
Bu Cymorth Marshall yn rhoi Athrawiaeth Truman ar waith. Cynigiodd Ysgrifennydd Gwladol UDA, George C. Marshall dros $13 biliwn o gymorth ac ymgeisiodd 16 gwlad. Cafodd gwledydd fel Prydain, Ffrainc, yr Almaen a'r Eidal gymorth. Roedd Stalin yn meddwl mai

FFYNHONNELL B Cartŵn o bapur newydd Prydeinig, wedi'i gyhoeddi ym mis Gorffennaf 1946. Mae gweinidogion tramor cynghreiriaid y rhyfel yn dadlau beth ddylai ddigwydd i'r Almaen gan fod y rhyfel bellach ar ben.

cynllwyn oedd y cynllun i dra-arglwyddiaethu ar Ddwyrain Ewrop a mynnodd na ddylai gwledydd comiwnyddol dderbyn cymorth.

FFYNHONNELL C

Nid mynd yn erbyn unrhyw wlad neu athrawiaeth yw bwriad ein polisi, ond mynd yn erbyn newyn, tlodi, anobaith ac anhrefn. Bydd unrhyw wlad sy'n barod i helpu yn y dasg o adfer yn cael cydweithrediad llawn llywodraeth yr Unol Daleithiau.

O araith lle mae George C. Marshall, Ysgrifennydd Gwladol UDA, yn egluro Cymorth Marshall.

Rhanbarth y Sofieitiaid

Roedd mwy o brinder bwyd yn rhanbarth y Sofieitiaid na'r rhanbarthau Gorllewinol. Roedd y Sofietiaid wedi tynnu'r holl offer cyfalaf a'i anfon i'r Undeb Sofietaidd i ailgodi'r economi wedi dinistr y rhyfel. Rhannwyd tiroedd y Natsïaid a stadau ffermydd mawr a'u rhoi i weithwyr. Roedd gwladwriaeth gomiwnyddol yn codi.

Gwarchae Berlin

Er mwyn ceisio ymladd chwyddiant, cyflwynodd Cynghreiriaid y Gorllewin arian cyfred newydd i'w rhanbarthau ym mis Mehefin 1948. Roedd Stalin yn poeni y byddai Almaen ffyniannus yn fygythiad. Roedd Berlin yn rhanbarth y Sofietiaid ac roedd yn ei gweld yn ganolfan gyfalafol yn Nwyrain Ewrop. Ar 24 Mehefin 1948 torrodd milwyr Sofietaidd holl gysylltiadau ffyrdd, rheilffyrdd a chamlesi rhwng y Gorllewin a Berlin.

Bwriad Stalin oedd llwgu pobl Berlin a phwerau'r Gorllewin fel eu bod yn ildio. Bu'r Americanwyr yn ystyried defnyddio eu byddin ond gallai hyn fod wedi troi'n rhyfel, felly yn lle hynny penderfynon nhw ddod â chyflenwadau mewn awyrennau. Defnyddiodd y Cynghreiriaid dri choridor awyr dros ranbarth y Sofietiaid a dechreuodd yr awyrgludiad. Erbyn mis Medi 1948 roedd awyrennau'n glanio bob tri munud. Ni allai Stalin wneud dim: byddai saethu awyrennau'n dechrau rhyfel. O fis Mehefin 1948 i fis Mai 1949 gwnaeth awyrennau dros 27,000 o deithiau gan gludo 2 filiwn o dunelli o gyflenwadau.

FFYNHONNELL CH 'Y Gwyliwr Adar'/'*The Bird Watcher*', cartŵn am warchae Berlin yn *Punch* ym mis Gorffennaf 1948.

Ildiodd Stalin yn y pen draw a chodi'r gwarchae ar 12 Mai 1949. Gwaethygodd yr elyniaeth rhwng y Dwyrain a'r Gorllewin wedi gwarchae Berlin. Nid oedd gobaith uno'r Almaen bellach; cafodd dwy wlad eu creu, sef Gorllewin yr Almaen (GFfA) a Dwyrain yr Almaen (GDdA) (gweler tudalen 206). Dangosodd yr argyfwng hefyd bod angen i bwerau'r Gorllewin gyfuno eu cryfderau milwrol er mwyn ymladd comiwnyddiaeth yn Ewrop.

C Cwestiynau

1 Pam gwrthododd Stalin Gymorth Marshall?
2 Pam roedd gwarchae Berlin yn ddigwyddiad arwyddocaol yn y Rhyfel Oer?
3 Beth mae gwarchae Berlin yn ei ddweud am bwysigrwydd yr Almaen fel un o bwerau'r byd?

NATO a Chytundeb Warszawa (Warsaw)

Ym mis Mai 1955 daeth Gorllewin yr Almaen yn aelod o Gyfundrefn Cytundeb Gogledd Iwerydd (NATO) a oedd wedi ei sefydlu ym 1949. Roedd NATO wedi ei ffurfio'n gynghrair o 12 o bwerau'r Gorllewin a fyddai'n dod i amddiffyn y lleill petai ymosodiad ar un. Digwyddodd hyn oherwydd bod y Sofietiaid wedi cael y bom atomig. Yn syth wedi i'r Almaen ymuno â NATO, ym 1955 hefyd, sefydlwyd Cytundeb Warszawa, cynghrair filwrol yn cynnwys yr Undeb Sofietaidd a'i chynghreiriaid.

Mur Berlin

Roedd presenoldeb y Gorllewin yn Berlin yn embaras mawr i UGSS. Bu cymorth economaidd UDA yn help i weddnewid y ddinas yn siop ffenest i gyfalafiaeth. Tra oedd pobl yng ngorllewin y ddinas yn gallu prynu nwyddau moeth, roedd pobl Dwyrain Berlin yn gweithio oriau hir ac yn brin o fwyd. Roedd y niferoedd enfawr o bobl Dwyrain Berlin a ddihangodd i'r Gorllewin yn fwy o embaras i UGSS. Ar 13 Awst 1961 dechreuodd awdurdodau GDdA godi mur i wahanu Dwyrain Berlin yn gorfforol oddi wrth Orllewin Berlin i rwystro 'sbïwyr a chynllwynwyr' rhag dod i'w prifddinas. Mewn gwirionedd y bwriad oedd atal y llif gyson o bobl broffesiynol fedrus rhag ffoi i'r Gorllewin.

Gwahanodd y Mur deuluoedd a ffrindiau. Byddai unrhyw un a fyddai'n ceisio croesi'r Mur yn cael ei ladd. Er hynny, roedd llawer o bobl yn anobeithio cymaint fel eu bod yn dal i fentro, ac ym mlwyddyn gyntaf y Mur, cafodd 41 o bobl Berlin eu saethu wrth geisio ei groesi. Yn ddiweddarach yn y flwyddyn dechreuodd llywodraeth Dwyrain yr Almaen greu problemau mewn mannau croesi yn y ddinas. Am gyfnod roedd tanciau Sofietaidd ac UDA yn wynebu ei gilydd.

BRANDT A PHOLISI *OSTPOLITIK*

Nid oedd y berthynas rhwng y ddwy Almaen yn dda gydol y 1950au. Roedd polisi 'cynnal tensiwn' Adenauer yn rhwystro cysylltu ag Almaenwyr y Dwyrain.

Pan ddaeth Argyfwng Taflegrau Cuba â'r byd at drothwy rhyfel ym 1962, gwelodd nifer o Almaenwyr y Gorllewin bod angen cyd-fyw'n heddychlon. Cynigiodd y Canghellor Erhard ostwng nifer yr arfau niwclear a daeth i gytundeb â Dwyrain yr Almaen i beidio â defnyddio grym i ddatrys anghydfod. Roedd Willy Brandt yn faer Gorllewin Berlin ac wedi gweld Mur Berlin yn cael ei adeiladu, ond fel Democrat Sosialaidd roedd yn argyhoeddedig bod modd cymodi Dwyrain a Gorllewin yr Almaen. Gwnaeth *Ostpolitik* (creu cysylltiadau â bloc y Dwyrain) yn brif bwnc etholiad 1969. Wedi cael ei ethol daeth Brandt i sawl cytundeb â Dwyrain yr Almaen.

Ar 21 Rhagfyr 1972 arwyddodd y ddwy Almaen y Cytundeb Sylfaenol, lle cytunon nhw i ddod i ddeall ei gilydd fel cymdogion arferol ac i barchu annibyniaeth y naill a'r llall. Felly cawson nhw eu derbyn i'r Cenhedloedd Unedig ym 1973 a daeth cyfnod o ddadmer yn y Rhyfel Oer. Daeth hi'n haws teithio rhwng y ddwy Almaen ac o fewn Berlin a daeth gwell cysylltiadau. Treblodd y masnachu gydol y 1970au.

C Cwestiynau

1 Pam cafodd Mur Berlin ei godi?
2 Sut gwellodd y berthynas rhwng Dwyrain a Gorllewin Berlin ar ôl 1962?

YR ALMAEN WEDI EI HAILUNO

Ond bu'r berthynas dan straen wedi i'r Undeb Sofietaidd oresgyn Afghanistan ym 1979, a gwaethygodd y Rhyfel Oer. Erbyn 1985 roedd economi'r Undeb Sofietaidd mewn argyfwng. Bu Mikhail Gorbachev, Ysgrifennydd Cyffredinol newydd y Blaid Gomiwnyddol yn dadlau bod gormod o arian yn cael ei wario ar y ras arfau a'r rhyfel yn Afghanistan. Llwyddodd ei bolisïau *perestroika* (ailstrwythuro'r economi) a *glasnost* (gweithredu'n agored) i lacio'r tensiynau rhwng y Dwyrain a'r Gorllewin.

Erbyn 1989 roedd y Rhyfel Oer wedi dod i ben ac roedd rheolaeth Sofietaidd ar Ddwyrain Ewrop yn dechrau chwalu. Ym mis Mawrth 1989 dywedodd Gorbachev wrth arweinwyr comiwnyddol Dwyrain Ewrop na fyddai'r Fyddin Goch yn gallu parhau i'w hamddiffyn a'u helpu i sathru ar wrthwynebwyr mewnol. Cyn hir dechreuodd pobl wrthdystio yn erbyn y drefn gomiwnyddol. Ym mis Mai 1989 tynnodd Hwngari'r rhwystrau ar y ffin ag Awstria a dyma gannoedd o Almaenwyr y Dwyrain yn ffoi i'r Gorllewin. Erbyn canol Medi 1989 roedd nifer y ffoaduriaid o Ddwyrain yr Almaen wedi chwyddo i 50,000 ac wrth i Almaenwyr y Dwyrain wrthdystio am fwy o ryddid, cafodd yr arweinydd di-ildio Erich Honecker ei orfodi i adael. Ar 9 Tachwedd 1989 cyhoeddodd llywodraeth Dwyrain yr Almaen y byddai'n agor y ffiniau a chaniatáu rhyddid i deithio. Y diwrnod canlynol gorymdeithiodd Almaenwyr y Dwyrain at Fur Berlin a'i dynnu i lawr (gweler Ffynhonnell D).

Ar ôl mis Tachwedd 1989 rhoddodd Gorllewin yr Almaen symiau enfawr o arian i helpu i gynnal economi Dwyrain yr Almaen ac ym mis Gorffennaf 1990 unodd y ddau economi. Cafodd trafodaethau eu cynnal rhwng gweinidogion tramor y ddwy Almaen ynghyd â phwerau Cynghreiriaid yr Ail Ryfel Byd, a oedd â'r hawl i'w meddiannu o hyd. Ar 21 Awst arwyddodd cynrychiolwyr o Ddwyrain a Gorllewin yr Almaen gytundeb ailuno a digwyddodd hynny yn y pen draw ym mis Hydref 1990. Cafodd Berlin ei huno a daeth yn brifddinas yr Almaen newydd. Enillodd Clymblaid y Democratiaid Cristnogol, o dan arweiniad Helmut Kohl, fuddugoliaeth bendant yn yr etholiad am lywodraeth newydd i'r Almaen a daeth Kohl yn Ganghellor yr Almaen wedi ei hailuno.

FFYNHONNELL **DD** Ym mis Tachwedd 1989 cafodd Mur Berlin ei dorri ac ailunwyd pobl Dwyrain a Gorllewin yr Almaen.

C Cwestiynau

1 Pam roedd Berlin yn ganolbwynt y Rhyfel Oer?

2 Sut gwellodd y berthynas rhwng Dwyrain a Gorllewin yr Almaen yn y cyfnod 1949-90?

7 YMARFER ARHOLIAD

DATBLYGIAD YR ALMAEN, 1919–91

Astudiwch yr wybodaeth isod ac atebwch y cwestiynau sy'n dilyn.

GWYBODAETH

Mae'r poster hwn yn dangos ffurf sy'n cynrychioli Gweriniaeth Weimar ym 1924 yn tynnu'r Almaen o'r blynyddoedd tywyll ar ddiwedd y Rhyfel Byd Cyntaf.

CA Cwestiynau Arholiad

1 **a** Beth oedd Gweriniaeth Weimar? [2]

b Disgrifiwch waith Gustav Stresemann rhwng 1924 a 1929. [4]

2 Eglurwch pam daeth y Natsïaid i rym yn yr Almaen. [6]

3 Pam roedd Cytundebau Yalta a Potsdam yn bwysig i ddatblygiad yr Almaen? [8]

4 Pa mor llwyddiannus oedd yr Almaen, yn wleidyddol ac yn economaidd, yn ystod y cyfnod 1919–91?
Yn eich ateb efallai y byddwch eisiau ystyried Gweriniaeth Weimar, blynyddoedd y Natsïaid, Adenauer, y sefyllfa ym 1991 ac unrhyw ffactorau perthnasol eraill. [10]

BYWYDAU POBL YN YR ALMAEN, 1919–91

Astudiwch yr wybodaeth isod ac atebwch y cwestiynau sy'n dilyn.

GWYBODAETH

Yn y 1930au a'r 1940au bu'r Natsïaid yn ceisio trwytho pobl ifanc yr Almaen yn syniadau'r Trydydd Reich. Mae'r llun yn dangos Hitler yn annerch pobl ifanc mewn gwersyll ieuenctid wedi'i redeg gan y Natsïaid.

CA Cwestiynau Arholiad

1 a Beth oedd ystyr iawndaliadau? [2]

b Disgrifiwch effaith y Dirwasgiad ar bobl yr Almaen rhwng 1929 a 1933. [4]

2 Eglurwch pam roedd y Natsïaid eisiau cadw menywod yn y cartref. [6]

3 Pam roedd Berlin yn ddinas mor bwysig yn ystod y Rhyfel Oer? [8]

4 A wellodd bywyd i'r Almaenwyr yn ystod y cyfnod 1919–91?
Yn eich ateb efallai y byddwch eisiau ystyried y rhyfeloedd, y Dirwasgiad, Natsïaeth, y sefyllfa ym 1991 ac unrhyw ffactorau perthnasol eraill. [10]

YR ALMAEN A'R BYD MAWR

Astudiwch yr wybodaeth isod ac atebwch y cwestiynau sy'n dilyn.

GWYBODAETH

Mae'r ffotograff yn dangos Berlin yn ddinas ranedig yn ystod y Rhyfel Oer.

CA Cwestiynau Arholiad

1 a Beth oedd Cytundeb Versailles? [2]

b Disgrifiwch beth ddigwyddodd yn ystod yr *Anschluss*. [4]

2 Eglurwch pam bu'r Almaen yn cymryd rhan yn yr Ail Ryfel Byd. [6]

3 Pam bu'r Almaen yn helpu i sefydlu'r Gymuned Economaidd Ewropeaidd? [8]

4 A oedd gan yr Almaen rôl bwysig mewn materion rhyngwladol gydol y cyfnod 1919–91?
Yn eich ateb efallai y byddwch eisiau ystyried blynyddoedd y Natsïaid, yr Ail Ryfel Byd, y Rhyfel Oer, y sefyllfa ym 1991 ac unrhyw ffactorau perthnasol. [10]

8 UNOL DALEITHIAU AMERICA, 1929–90

Daeth ffyniant economaidd y 1920au i ben adeg Cwymp Wall Street ym mis Hydref 1929, a dechreuodd y Dirwasgiad Mawr yn UDA. Erbyn 1933 roedd 13 miliwn yn ddi-waith. Pan gafodd ei ethol ym 1932, addawodd yr Arlywydd Roosevelt Fargen Newydd i bobl America a rhoddodd symiau enfawr o arian i'r rhaglen hon. Dechreuodd pethau wella yn UDA, ond yn y pen draw ni ddaeth y Dirwasgiad i ben tan i UDA ymuno â'r Ail Ryfel Byd ym 1941.

Ar ôl ennill y rhyfel ym 1945, UDA oedd y wlad a oedd yn arwain y byd. Roedd safon byw llawer o Americanwyr yn gwella ond roedd tlodi'n dal yn broblem. Roedd problem hil yn dal i rannu UDA. Erbyn 1968 roedd deddfwriaeth hawliau sifil wedi cael ei phasio, ond roedd hiliaeth yn dal yn bwnc llosg.

Ar ôl 1945 roedd UDA yn gweld mai ei rôl oedd amddiffyn democratiaeth ac addawodd gyfyngu ar gomiwnyddiaeth. Llwyddodd i wneud hyn yn Korea (1950-3) ond roedd y byd ar drothwy rhyfel niwclear oherwydd Cuba ym 1962. Ym mis Mawrth 1965 cyrhaeddodd milwyr UDA Viet Nam a dechrau rhyfel a oedd yn amhosibl ei ennill. Mae'r wlad yn dal i deimlo'r ergyd o golli'r rhyfel. Ers y 1970au mae UDA wedi ceisio cael gwell perthynas â UGSS a China er mwyn cael heddwch a sefydlogrwydd yn y byd.

Mae diwylliant poblogaidd wedi chwarae rhan fwyfwy amlwg ym mywydau Americanwyr. Hollywood yw prifddinas y byd ffilmiau a chaiff ffilmiau UDA eu dangos ledled y byd, gan droi eu hactorion a'u hactoresau'n sêr rhyngwladol. Caiff rhaglenni teledu a cherddoriaeth America eu hallforio ledled y byd ac mae eu dylanwad yn fawr.

Ar ôl yr Ail Ryfel Byd, dechreuodd pobl ifainc yn eu harddegau ddod yn grŵp diwylliannol ar wahân ac roedd nifer o Americanwyr ifainc wedi eu dadrithio â chymdeithas America. Yn wyneb yr oes niwclear, gwrthdystiodd myfyrwyr yn erbyn rhyfel ac arbrofodd hipis â dulliau gwahanol o fyw. Llwyddodd y mudiad ffeministaidd i gael newidiadau sylweddol er lles menywod.

LLINELL AMSER DIGWYDDIADAU

1929	Cwymp Wall Street
1932	Ethol F.D. Roosevelt yn Arlywydd
1933	Dechrau'r Fargen Newydd
1941	Y Japaneaid yn ymosod ar Pearl Harbor; UDA yn ymuno â'r Ail Ryfel Byd
1945	Gollwng bomiau atomig UDA ar Hiroshima a Nagasaki
	Cynadleddau Yalta a Potsdam
1947	Athrawiaeth Truman a Chymorth Marshall
1948	Awyrgludiad Berlin
1949	UDA yn ymuno â NATO
1950	Dechrau Rhyfel Korea
1953	Diwedd Rhyfel Korea
1960	Digwyddiad awyren sbïo U2
1962	Argyfwng taflegrau Cuba
1963	Cytundeb Gwahardd Profion Niwclear
	Yr Arlywydd Kennedy'n cael ei lofruddio
1965	Dechrau Rhyfel Viet Nam
1972	Trafodaethau Cyfyngu ar Arfau Strategol yn dod i ben gyda chytundeb SALT 1
1973	UDA yn gadael Rhyfel Viet Nam
1974	Sgandal Watergate: Richard Nixon yn ymddiswyddo o fod yn Arlywydd America
1975	Cytundebau Helsinki
1987	Cytundeb Lluoedd Niwclear Uniongyrchol (INF)

Sut newidiodd cymdeithas America rhwng 1929 a 1990?

Y DIRWASGIAD MAWR

Bu'r 1920au yn gyfnod o lewyrch a chyffro na welwyd ei debyg cyn hynny. Galwodd yr awdur F. Scott Fitzgerald y cyfnod yn 'Oes *Jazz*' ond roedd e'n dadlau bod cymdeithas wedi troi cefn ar y pynciau pwysig. Bu'r Gweriniaethwyr yn llywodraethu gydol y cyfnod ac roedden nhw'n credu iddyn nhw greu 'cyfnod economaidd newydd' lle byddai pob Americanwr yn byw'n gysurus cyn hir.

Beth achosodd y Dirwasgiad Mawr?

Digwyddodd y Dirwasgiad Mawr oherwydd nifer o ffactorau'n gysylltiedig â'i gilydd:

- Roedd UDA yn gymdeithas ranedig – roedd 5 y cant o'r bobl yn berchen ar 33 y cant o gyfoeth y wlad.
- Roedd hen ddiwydiannau traddodiadol ac amaethyddiaeth wedi dioddef yn y 1920au.
- Roedd syniadau'r Gweriniaethwyr wedi'u seilio ar *'laissez-faire'* (ni ddylai'r llywodraeth ymyrryd â bywydau pobl, yn enwedig â'r economi).
- Oherwydd tollau uchel ar nwyddau wedi'u mewnforio roedd llai o alw am nwyddau UDA dramor.
- Er bod llu o nwyddau yn cael eu gweithgynhyrchu, nid oedd pobl yn gwario cymaint ar nwyddau traul.
- Bu'r rhai a oedd â digon o arian yn mentro yn y farchnad stoc; bu'r tlawd yn benthyg gormod ar gredyd.

Cwymp economi UDA: Cwymp Wall Street, Hydref 1929

Dyma'r buddsoddwyr yn y farchnad stoc, gan feddwl y byddai'r ffyniant yn dod i ben cyn hir, yn mynd yn nerfus ac yn dechrau gwerthu cyfranddaliadau. Dechreuodd prisiau gwympo a bu panig mawr. Ar ddydd Mawrth, 29 Hydref 1929 *(Terrifying Tuesday)*, cafodd 16.5 miliwn o gyfranddaliadau eu gwerthu. Erbyn diwedd 1929 roedd gwerth yr holl gyfranddaliadau wedi cwympo $40,000 miliwn.

Cylchred dirwasgiad

Cylchred dirwasgiad.

Collodd llawer o Americanwyr bopeth yn y Cwymp. Roedd Banciau wedi hapfasnachu ag arian buddsoddwyr a chollodd 9 miliwn o bobl eu cynilion wrth i 5000 o fanciau fynd i'r wal. Erbyn 1932 roedd dros 100,000 o fusnesau wedi cwympo ac roedd 13 miliwn yn ddi-waith, tua 25 y cant o'r gweithlu. Collodd llawer o bobl yn y trefi eu cartrefi a chawson nhw eu gorfodi i fyw mewn trefi sianti neu 'Hoovervilles' (cawson nhw'r enw hwn oherwydd bod y di-waith yn beio'r Arlywydd Hoover am eu sefyllfa). Heb system nawdd cymdeithasol roedd llawer o bobl yn gorfod dibynnu ar roddion gan elusennau preifat neu gardota a chwilota ar dipiau sbwriel.

'Byddin Bonws' (Bonus Army)

Yn ystod haf 1932 gorymdeithiodd 'Byddin Bonws' o gyn-filwyr di-waith i Washington DC i fynnu cael bonws o ryw $500 yn gynnar. Roedd i fod i gael ei dalu ym 1945. Sefydlon nhw 'Hooverville' fawr gyferbyn â'r Tŷ Gwyn. Gorchmynnodd yr Arlywydd Hoover i filwyr eu gyrru nhw i ffwrdd a llosgi'r dref sianti.

Dirwasgiad ym myd amaeth

Aeth pethau'n ddrwg yng nghefn gwlad hefyd oherwydd y Dirwasgiad. Wrth i'r galw am gynnyrch ffermydd gwympo, aeth llawer o ffermwyr yn fethdalwyr a chawson nhw eu gyrru o'u tir a'u heiddo. Roedd ffermio gorddwys wedi gwaethygu'r sefyllfa, gan achosi i'r pridd fynd yn anffrwythlon ac erydu. Aeth miloedd o ffermwyr ar daith ar draws UDA i chwilio am fywyd newydd.

ROOSEVELT A'R FARGEN NEWYDD

Ymgyrch etholiad 1932

Yn ystod ymgyrch yr etholiad bu pobl yn taflu wyau at Hoover ac yn gwneud placardiau'n dweud *Hang Hoover* a *In Hoover we trusted. Now we are busted*. Rhoddodd yr etholwyr y llysenw *The Champ* i Roosevelt – ef oedd y dyn i ymddiried ynddo. Ei slogan oedd *Happy days are here again*. Pleidleisiodd cyhoedd America i'r dyn a oedd yn addo gweithredu ac enillodd Roosevelt 42 o'r 48 talaith mewn buddugoliaeth ysgubol yn yr etholiad, a chafodd ei ethol yn Arlywydd.

FFYNHONNELL **A** 'Hooverville' yng nghanol Efrog Newydd.

Polisïau Hoover.

Polisïau Roosevelt.

Y 'tair R'

Cynigiodd Roosevelt Fargen Newydd i bobl UDA a oedd wedi'i seilio ar y 'tair R' yn Saesneg. Dyma nhw: **cymorth** *(relief)* – i'r digartref a'r di-waith; **adferiad** *(recovery)* – er mwyn adeiladu'r economi; a **diwygio** *(reform)* – er mwyn creu cymdeithas decach.

Yr allwedd i'r Fargen Newydd oedd gweithredu ffederal uniongyrchol. Felly yn ystod 'Can Diwrnod' cyntaf arlywyddiaeth Roosevelt cafodd nifer o gyrff eu sefydlu gan y llywodraeth i fynd i'r afael â phroblemau UDA. Cafodd y cyrff hyn eu galw'n 'Asiantaethau'r Wyddor' neu *Alphabet Agencies* (gweler y blychau gwybodaeth ar dudalennau 236-7 sy'n egluro rôl pob asiantaeth). Bwriad yr asiantaethau hyn oedd helpu Americanwyr i gael gwaith, a hynny'n rhoi arian i bobl dalu eu dyledion a dechrau gwario eto.

Cam cyntaf Roosevelt er mwyn sefydlogi'r economi oedd dweud mai banciau heb ddyledion yn unig fyddai'n cael aros mewn busnes. Cafodd y rhain gefnogaeth gan y llywodraeth, ac felly tyfodd ffydd y cyhoedd yn y system bancio unwaith eto.

Llwyddiannau'r Fargen Newydd

- Dyblodd incwm ffermwyr rhwng 1932 a 1939 o ganlyniad i'r AAA.
- Gwellodd y TVA fywydau 7 miliwn o bobl (gweler tudalen 236).
- Cafodd 2.5 miliwn o bobl eu cyflogi yn y CCC (gweler tudalen 236).
- Cafodd 4 miliwn o bobl eu cyflogi ar gynlluniau gwaith cyhoeddus a gafodd eu creu gan y PWA a WPA.
- Roedd gweithwyr wedi'u diogelu gan godau ymarfer ac undebau llafur a gafodd eu cyflwyno gan y NRA a Deddf Wagner.

Y llywodraeth yn gwario arian ar Asiantaethau'r Wyddor

creu mwy o swyddi

mwy o arian i'w wario ar nwyddau

mwy o alw am nwyddau

mwy o gynhyrchu

Cylchred adferiad.

Gwendidau'r Fargen Newydd

- Roedd yr AAA yn talu ffermwyr i gynhyrchu llai o fwyd – 'saethwch y gwartheg a godrwch y llywodraeth'. Methodd hyn helpu cyfran-gnydwyr a gweithwyr fferm.
- Cwympodd diweithdra, fodd bynnag dim ond pan ymunodd UDA â'r Ail Ryfel Byd ym 1941 y daeth y Dirwasgiad i ben yn y pen draw.
- Roedd rhai'n dadlau mai atebion tymor byr a oedd yn rhoi llafur rhad yn unig oedd prosiectau adfywio Roosevelt, er enghraifft cyflogi dynion i godi ofn ar golomennod.
- Roedd llawer yn ystyried bod undebau llafur yn an-Americanaidd a byddai rhai cwmnïau'n cyflogi colbwyr i roi crasfa i aelodau. Roedd talu budd-daliadau i weithwyr yn mynd yn groes i'r gred mewn 'unigoliaeth rymus'.
- Roedd y cyfoethog yn gwrthwynebu talu trethi i helpu pobl dlotach.
- Elwodd pobl dduon am eu bod yn dlawd, nid am eu bod yn ddu, felly roedden nhw'n dal i wynebu llawer o wahaniaethu (gweler tudalen 249). Menywod priod yn unig fyddai'n elwa.

Roedd rhai'n teimlo bod Bargen Newydd Roosevelt yn ymyrryd gormod ym musnes pobl America. Ym 1935 cyhoeddodd y Goruchaf Lys fod yr NRA yn anghyfansoddiadol. Ym 1936 cyhoeddodd fod yr AAA yn anghyfansoddiadol hefyd. I ddial am hyn, ceisiodd yr Arlywydd Roosevelt lenwi'r Goruchaf Lys â barnwyr a oedd yn cydymdeimlo â'i syniadau. Yn y pen draw tynnodd y cynllun yn ôl, ond roedd y Goruchaf Lys bellach yn ofalus wrth ystyried rhwystro polisïau Roosevelt.

g DAU GAM Y FARGEN NEWYDD

Y Fargen Newydd gyntaf

Asiantaeth	Diben	Gweithredu
Gweinyddiaeth Cymorth Brys Ffederal (**FERA**)	Arian ffederal i daleithiau unigol i helpu'r di-waith a'r digartref	Un ddoler yn cael ei rhoi gan y llywodraeth am bob tair roedd y dalaith yn ei gwario: $500 miliwn wedi'u rhoi i gyd
Corff Cadwraeth Sifil (**CCC**)	Gwaith cadwraeth i ddynion ifainc di-waith rhwng 18-25 oed	Roedd gweithwyr yn cael $30 yr wythnos (roedd rhaid anfon $25 ohono adref) am fwyd a llety
Gweinyddiaeth Addasu Amaethyddol (**AAA**)	Helpu ffermwyr i gynyddu eu helw	Cymorthdaliadau i ffermwyr i ddinistrio cnydau a lladd anifeiliaid er mwyn codi prisiau
Awdurdod Dyffryn Tennessee (**TVA**)	Rhoi cymorth i Ddyffryn Tennessee a oedd yn dlawd iawn	Cafodd 21 cronfa eu hadeiladu i gynhyrchu trydan dŵr
Deddf Adferiad Diwydiannol Cenedlaethol (**NIRA**) (i) Gweinyddiaeth Adferiad Cenedlaethol (**NRA**) (ii) Gweinyddiaeth Gweithfeydd Cyhoeddus (**PWA**)	(i) Annog gweithwyr i wella amodau yn y gwaith (ii) Rhoi gweithwyr medrus di-waith i weithio ar brosiectau adeiladu mawr	(i) Llunio codau ymarfer eu llunio ynglŷn ag isafswm cyflogau, oriau ac amodau. Hawl gan gwmnïau a oedd yn cymryd rhan i ddangos symbol yr Eryr Glas (ii) Clirio slymiau, adeiladu tai. Codi ysgolion ac ysbytai.

Roedd eraill a oedd yn gwrthwynebu'r Fargen Newydd yn dadlau nad oedd yn mynd yn ddigon pell i helpu pobl. Roedd Huey Long, Llywodraethwr Louisiana, yn beirniadu polisïau Roosevelt yn ddi-flewyn-ar-dafod. Cynigiodd ymgyrch 'Rhannu ein Cyfoeth' a fyddai'n hawlio pob ffortiwn bersonol dros $3 miliwn fel y byddai pob teulu'n derbyn $4000-$5000. Roedd Dr Francis Townsend yn dadlau nad oedd Roosevelt wedi gwneud digon dros yr henoed a chynigiodd bensiwn o $200 y mis i bawb dros 60 oed. Yn gyfnewid am hyn, byddai'n rhaid iddyn nhw wario'r arian o fewn y mis, a hynny'n cynyddu'r galw am nwyddau ac felly'n creu mwy o waith.

C Cwestiynau

1 Beth oedd achosion ac effeithiau Cwymp Wall Street ym 1929?

2 Beth oedd prif nodweddion y Fargen Newydd?

3 Pa mor llwyddiannus oedd y Fargen Newydd? Eglurwch eich ateb.

SUT EFFEITHIODD YR AIL RYFEL BYD AR GYMDEITHAS AMERICA?

Dechreuodd yr Ail Ryfel Byd ym 1939. Er nad ymunodd UDA â'r rhyfel tan 1941, o 1939 ymlaen roedd UDA'n parhau i gyflenwi nwyddau i wledydd Ewrop a oedd yn ymladd yn y rhyfel.

Yr ail Fargen Newydd (Roedd yr ail Fargen Newydd yn pwysleisio hawliau gweithwyr.)

Asiantaeth	Diben	Gweithredu
Gweinyddiaeth Cynnydd Gweithfeydd **(WPA)**	Atgyfnerthu'r holl asiantaethau a oedd yn creu swyddi	Pobl yn cael gwaith yn adeiladu heolydd, codi ysgolion a meysydd awyr. Awduron ac arlunwyr yn cael gwaith ar brosiectau creadigol
Deddf Cysylltiadau Llafur Cenedlaethol **(Deddf Wagner)**	Disodli'r codau roedd y Goruchaf Lys wedi'u gwneud yn anghyfreithlon drwy roi hawl i weithwyr i ymuno ag undebau llafur	Sefydlu Bwrdd Cysylltiadau Llafur Cenedlaethol. Y gweithwyr yn gallu trafod i gael gwell tâl ac amodau. Rhwystrodd cyflogwyr rhag diswyddo aelodau undeb
Deddf Safonau Llafur Teg	Gosod rheolau ynglŷn ag oriau ac amodau gwaith	Tynhau cyfreithiau yn erbyn llafur plant ac isafswm cyflog
Deddf Nawdd Cymdeithasol	Sefydlu system genedlaethol o nawdd cymdeithasol	Budd-daliadau i'r di-waith, pensiynau i bobl dros 65, cymorth i'r anabl, gweddwon a phlant amddifad
Deddf Cadwraeth y Pridd	Disodli'r AAA, roedd y Goruchaf Lys wedi cyhoeddi ei fod yn anghyfreithlon (gweler tudalen 236)	Rhoi cymorthdaliadau i ffermwyr

Digwyddodd nifer o newidiadau i bobl America yn ystod yr Ail Ryfel Byd. Ar ôl 1941 canolbwyntiodd UDA yr holl weithlu a'r adnoddau diwydiannol ac amaethyddol ar yr ymdrech ryfel. Cafodd consgripsiwn (gwasanaeth milwrol gorfodol) ei gyflwyno i 15 miliwn o ddynion rhwng 18 a 45 erbyn 1945 a chafodd miliynau o bobl waith yn y ffatrïoedd arfau. Ym 1942 dywedodd y Bwrdd Cynnyrch Rhyfel wrth ddiwydiant UDA am baratoi ar gyfer rhyfel ac erbyn 1945 roedd y cynhyrchiant diwydiannol wedi dyblu. Cwympodd diweithdra o 9.5 miliwn ym 1939 i 670,000 ym 1944. Felly daeth yr Ail Ryfel Byd â'r Dirwasgiad Mawr i ben.

Cafodd pobl eu hannog i greu 'gerddi buddugoliaeth' lle bydden nhw'n tyfu eu llysiau eu hunain ac 'i roi awr y dydd i'r UDA': *give an hour a day for the USA*. Manteisiodd ffermwyr hefyd ar y rhyfel: gan fod marchnad sicr i'w cynnyrch, cynyddodd eu helw. Roedd nwyddau bwyd UDA yn cael eu cyflenwi i filwyr UDA a'u cludo draw i Ewrop adeg y rhyfel. Oherwydd bod angen gweithwyr ffatri aeth nifer o fenywod i'r gweithle (gweler tudalen 246).

Yn ystod blynyddoedd y rhyfel hefyd digwyddodd mudo enfawr o fewn UDA, rhyw 27 miliwn o bobl rhwng 1941 a 1945. Aeth y rhan fwyaf i chwilio am well swyddi, yn enwedig i ffatrïoedd arfau yn California. Ni symudodd pob Americanwr o'i ddewis ei hun: cafodd 112,000 o Americanwyr Japaneaidd eu carcharu yn ystod blynyddoedd y rhyfel oherwydd ton o deimlad gwrth-Japaneaidd. Collodd llawer eu cartrefi a'u busnesau a chafodd 1000 eu cludo'n ôl i Japan. (Ymddiheurodd llywodraeth UDA yn ffurfiol i'r Japaneaid ym 1988 a thalu iawndal i'r 60,000 o bobl a oedd yn dal yn fyw.)

C Cwestiwn

1 Pa effaith a gafodd yr Ail Ryfel Byd ar bobl America?

BYW'N FRAS – Y GYMDEITHAS LEWYRCHUS

Ym mis Ebrill 1945 daeth Harry Truman yn Arlywydd. Cyflwynodd raglen datblygu 21 pwynt o'r enw'r 'Fargen Deg', parhad i'r Fargen Newydd. Roedd diweithdra'n dal yn isel, ond oherwydd bod chwyddiant yn codi mynnodd yr undebau llafur gyflogau uwch ac roedd rhaid i Truman ddelio'n gadarn â streicwyr. Roedd ei ddiddordeb pennaf mewn polisi cymdeithasol: cododd y lleiafswm cyflog o 40 sent i 75 sent yr awr ac adeiladodd filiwn o dai pris isel.

Ym 1952 daeth y Gweriniaethwr Dwight Eisenhower yn Arlywydd. Parhaodd Eisenhower â'r Fargen Newydd a'r Fargen Deg gan annog twf economaidd a meithrin buddiannau'r dosbarthiadau canol yr oedd y Gweriniaethwyr yn dibynnu gymaint ar eu cefnogaeth. Gwelodd UDA lewyrch na welwyd ei debyg gydol y 1950au ac erbyn diwedd y degawd, roedd yn cynhyrchu hanner cyflenwad nwyddau'r byd a oedd wedi'u gweithgynhyrchu.

Bywyd yn y maestrefi

Yn ystod y 1950au, oherwydd bod mwy o bobl yn prynu ceir, yr heolydd yn gwella a morgeisi tymor hir â llog isel ar gael, symudodd 19 miliwn o Americanwyr allan o'r dinasoedd i fyw yn y maestrefi.

Erbyn 1960 roedd 25 y cant o'r Americanwyr yn byw mewn maestrefi. Daeth setiau teledu, chwaraewyr recordiau, pyllau nofio a'r car (neu ddau) yn symbolau statws.

Cafodd nwyddau traul eu prynu ar 'daliadau amser' neu gredyd, a gynyddodd 800 y cant rhwng 1945 a 1957. Rhwng 1945 a 1960 cododd nifer y perchnogion ceir o 25 i 62 miliwn. Roedd y Model T wedi hen golli'r ras yn erbyn y Cadillacs a'r Pontiacs a oedd yn llyncu petrol.

McCARTHYAETH

Er bod y cyfnod hwn yn un hapus a llewyrchus i nifer o Americanwyr, roedd eraill yn dal i wynebu gwahaniaethu. Ar ddechrau'r 1950au dyma'r Seneddwr Joseph McCarthy yn corddi teimladau gwrth-gomiwnyddol drwy honni bod ganddo restr o 'gomiwnyddion hysbys' yn Adran y Wladwriaeth, y fyddin a swyddi eraill. Cafodd cannoedd o bobl eu cyhuddo, heb brawf, o weithio yn y dirgel i UGSS. Yn dilyn hyn cafodd y Blaid Gomiwnyddol ei gwahardd yn UDA.

Helpodd McCarthy i ddinistrio bywydau a gyrfaoedd nifer o Americanwyr o ganlyniad i'r erledigaeth hon. Ond, ar ôl cyhuddo 45 o swyddogion y fyddin o fod yn asiantau comiwnyddol, cafodd McCarthy ei herio i gyflwyno tystiolaeth i gefnogi ei gyhuddiadau. Cafodd gwrandawiadau'r Fyddin-McCarthy eu darlledu. Yn y pen draw cafodd ei ddiswyddo ym 1954 pan ddangoswyd mai sibrydion yn unig oedd ei 'dystiolaeth'. Roedd teledu wedi dylanwadu ar farn y cyhoedd ac roedd enw da McCarthy wedi'i ddifetha.

LLEWYRCH I BAWB?

Erbyn 1960 roedd safon byw'r Americanwr cyffredin dair gwaith yn uwch na'r Prydeiniwr cyffredin. Roedd UDA wedi hen godi o'r Dirwasgiad. Ond oherwydd y ffordd roedd cyfoeth wedi'i rannu yn UDA nid oedd pob Americanwr yn llewyrchus.

FFYNHONNELL B Teulu Americanaidd yn gwylio teledu yn eu cartref, 1956.

Amcangyfrifodd Michael Harrington, yn *The Other America* (1962) fod 30 y cant o'r boblogaeth (50 miliwn) yn dlawd. Wedi'u cynnwys yn y rhestr hon roedd *hill-billies* Mynyddoedd Appalachia; gweithwyr Hispanaidd yn y gorllewin; a phobl dduon yn getos y dinasoedd yn y gogledd. Dylanwadodd y grwpiau hyn yn fawr ar bolisïau'r Arlywydd Kennedy, ac yn ddiweddarach, yr Arlywydd Johnson.

C Cwestiynau

1 Beth oedd prif nodweddion bywyd yn y maestrefi?

2 A oedd pob Americanwr yn mwynhau llewyrch yn y cyfnod hwn? Eglurwch eich ateb.

JOHN F. KENNEDY A'R FFIN NEWYDD

FFYNHONNELL C Yr Arlywydd Kennedy'n siarad yn y 1960au.

Ym mis Tachwedd 1960 cafodd y Democrat John F. Kennedy ei ethol yn arlywydd. Galwodd am Ffin Newydd a'i nod oedd dinistrio drygau'r ugeinfed ganrif, sef tlodi, anghydraddoldeb ac amddifadedd.

Ar y pryd hwnnw nid oedd dwywaith y byddai llewyrch UDA yn parhau. Ond roedd problemau a oedd wedi dechrau ymddangos yn y 1950au'n parhau i achosi rhaniadau yn y 1960au. Y problemau oedd: dirywiad yn y trefi'n gysylltiedig â diweithdra, tlodi a chynnydd mewn troseddu; mater hawliau sifil (gweler tudalennau 250-4); a rhan UDA mewn materion tramor fel y rhyfel yn Viet Nam (gweler tudalennau 264-66).

Bwriad Kennedy oedd cyflwyno diwygiadau pellgyrhaeddol i'r gymdeithas a'r economi. Cynigiodd system uchelgeisiol o yswiriant iechyd y wladwriaeth o'r enw Medicare, ynghyd â Mesur Cymorth Meddygol i'r Henoed a Mesur Hawliau Sifil. Hefyd roedd yn bwriadu cael deddf addysg wedi'i phasio i roi mwy o arian i ysgolion yn enwedig mewn ardaloedd tlawd dirwasgedig yng nghanol y dinasoedd.

Y farn am Kennedy

Er gwaethaf ei swyn a'i garisma, nid oedd yr Arlywydd Kennedy'n gallu trafod y Gyngres: methodd gael digon o gefnogaeth y seneddwyr a chafodd ei fesurau eu gwrthod. Ond, llwyddodd i gynyddu nawdd cymdeithasol a chodi'r lleiafswm cyflog, a llwyddodd hefyd i sefydlu cynlluniau hyfforddi i'r di-waith.

Daeth gobeithion Kennedy i'r genedl i ben ar 22 Tachwedd 1963 yn Dallas pan gafodd ei lofruddio. Fel y gallwch weld yn Ffynonellau CH a D, mae dwy farn wahanol iawn am berfformiad Kennedy pan oedd yn Arlywydd.

FFYNHONNELL CH

Yr hyn a gafodd ei ladd yn Dallas oedd . . . marwolaeth ieuenctid a gobaith ieuenctid, prydferthwch a rhadlonrwydd ac arlliw o hud . . . Ni chyrhaeddodd ei anterth: fel haul yn codi'n unig y gwelsom ef.

James Reston yn y *New York Times*, 1963.

FFYNHONNELL D

Yng ngweinyddiaeth John F. Kennedy, roedd gweithgarwch yn cael ei gamgymryd am weithredu . . . roedd caledwch yn cael ei gamgymryd am gryfder, roedd huodledd yn cael ei gamgymryd am eglurder, roedd hunanhyder yn cael ei gamgymryd am gymeriad.

H. Fairlie yn ysgrifennu yn *The Kennedy Promise*, 1973.

Unodd marwolaeth Kennedy y gymdeithas mewn galar a chafodd yr Arlywydd newydd, Lyndon B. Johnson, ddal ati i adeiladu ar syniadau Kennedy a'u datblygu. Roedd 'Cymdeithas Fawr' *(Great Society)* Johnson yn weledigaeth o wlad â safonau byw uchel ac ymdeimlad o gymuned. Enillodd etholiad 1964 ar sail rhaglen 'rhyfel yn erbyn tlodi'. Drwy greu Swyddfa Cyfleoedd Economaidd daeth cyfleoedd gwaith newydd i'r tlawd a'r di-waith a chafodd corff swyddi tebyg i WPA Roosevelt ei sefydlu. Rhoddodd *Operation Headstart* gyllid ychwanegol i ysgolion yng nghanol dinasoedd er mwyn ceisio ysgogi a herio myfyrwyr tlotach. Ym 1966 perswadiodd y Gyngres i gytuno â Deddf Gofal i'r Henoed a oedd yn rhoi triniaeth feddygol am ddim i'r henoed.

C Cwestiynau

1 A oedd polisi'r Ffin Newydd yn llwyddiannus? Defnyddiwch Ffynonellau CH a D yn eich ateb.
2 Sut adeiladodd Ffin Newydd Kennedy ar Fargen Newydd Roosevelt?

RICHARD NIXON A WATERGATE

Yn ystod arlywyddiaeth Johnson daeth materion yn ymwneud â hawliau sifil, tlodi yng nghanol y dinasoedd a theimlad gwrth-Viet Nam at ei gilydd, a dechreuodd protestio treisgar a fyddai'n aml yn cael ei sathru'n greulon gan yr awdurdodau.

Penderfynodd yr ymgeisydd Gweriniaethol am yr arlywyddiaeth ym 1968, Richard Nixon, fanteisio ar y problemau cyfraith a threfn a methiant y llywodraeth flaenorol i dynnu allan yn anrhydeddus o Viet Nam. Roedd Nixon yn apelio at y dosbarthiadau canol nad oedden nhw o blaid diwygiadau. Ni ddilëodd y ddeddfwriaeth hawliau sifil (gweler tudalen 254) a daeth y rhan fwyaf o'r newidiadau i'r system nawdd cymdeithasol, iechyd ac addysg o'r Gyngres lle roedd gan y Democratiaid fwyafrif.

Gwelodd gweinyddiaeth Nixon y dyn cyntaf yn glanio ar y lleuad ym mis Gorffennaf 1969, menter a oedd wedi dod o gyfnod Kennedy ym 1961 ac wedi costio $25,000 miliwn. Ym 1972 enillodd Nixon bleidlais cylchgrawn *Time* am 'ddyn y flwyddyn' ond flwyddyn yn ddiweddarach, o ganlyniad i sgandal Watergate, cafodd ei uchelgyhuddo (ei gyhuddo o gamymddwyn pan oedd mewn grym) ac ef oedd Arlywydd cyntaf UDA i ymddiswyddo.

Watergate

Ganol nos ar 17 Mehefin 1972, cafodd pum dyn eu harestio yn swyddfeydd y Blaid Ddemocrataidd mewn bloc fflatiau o'r enw Watergate. Roedden nhw'n ceisio gosod dyfeisiau clustfeinio, a daeth i'r amlwg yn ddiweddarach eu bod nhw'n gweithio dros Bwyllgor y Gweriniaethwyr i Ailethol yr Arlywydd (CREEP). Pan glywodd Nixon fod rhai o'i gynghorwyr yn gysylltiedig â'r digwyddiad, gorchmynnodd i'r mater gael ei guddio. Gwadodd Nixon yn bendant ei fod yn gwybod am y digwyddiad a chafodd ei ailethol gyda buddugoliaeth ysgubol.

Mae'r llinell amser ar y dudalen nesaf yn dangos prif ddigwyddiadau sgandal Watergate. Y diwrnod wedi i Nixon ymddiswyddo, daeth Gerald Ford yn Arlywydd. Addawodd 'wella clwyfau' Watergate ond cadwodd y rhan fwyaf o weinyddiaeth Nixon, a chafodd ei feirniadu'n hallt pan roddodd faddeuant i'r cyn-Arlywydd a oedd wedi'i gywilyddio.

WATERGATE: LLINELL AMSER DIGWYDDIADAU

1973

7 Chwefror Y Senedd yn sefydlu pwyllgor dethol i archwilio'r digwyddiad

21 Mawrth Nixon yn rhoi $1 filiwn o 'arian taw' i'r lladron

30 Ebrill Prif gynghorwyr Nixon, Haldeman a Ehrlichman, yn ymddiswyddo; John Dean, cyfreithiwr Nixon, yn cael ei ddiswyddo

25 Mehefin Dean yn rhoi tystiolaeth i Bwyllgor Watergate a dweud bod Nixon yn rhan o'r ymgais i guddio'r digwyddiad

23 Gorffennaf Yr erlyniad yn mynnu cael recordiadau ar dâp o sgyrsiau'r Arlywydd

25 Gorffennaf Nixon yn gwrthod rhoi'r tapiau

10 Hydref Yr Is-Arlywydd Agnew'n ymddiswyddo

23 Hydref Galwadau yn y Senedd ar i Nixon gael ei uchelgyhuddo (ei symud o fod mewn grym)

21 Tachwedd Tapiau'n cael eu cyflwyno ond mae rhai ar goll ac mae bylchau mewn rhai eraill

1974

30 Ebrill Nixon yn rhoi trawsgrifiadau o'r tapiau a oedd ar goll. Roedden nhw'n dangos ei fod wedi rhoi gorchymyn i'r CIA atal yr archwiliad i ladrad Watergate

27 Gorffennaf Y broses uchelgyhuddo'n dechrau

8 Awst Nixon yn ymddiswyddo o fod yn arlywydd

6 Medi Yr Arlywydd Ford yn rhoi maddeuant i Nixon am ei ran yn y sgandal

FFYNHONNELL DD Araith ymddiswyddo'r Arlywydd Nixon yn cael ei darlledu ar y teledu, Awst 1974.

'Jimmy Pwy?'

Taflodd Watergate gysgod mawr dros y byd gwleidyddol. Roedd llawer o bobl America'n teimlo na allen nhw bellach ymddiried yn eu gwleidydd pwysicaf. Yn etholiad 1976 am yr arlywyddiaeth, enwebodd y Democratiaid ymgeisydd nad oedd yn adnabyddus iawn, sef Jimmy Carter. Ceisiodd Carter adfer ffydd pobl yn y llywodraeth gan gynnwys mwy o Americanwyr duon a menywod yn ei weinyddiaeth. Bu'n arlywydd am un tymor yn unig, ar adeg pan oedd prisiau petrol yn uchel oherwydd yr argyfwng olew, a chafodd ei feirniadu'n hallt am y ffordd yr aeth ati i drin y sefyllfa'n ymwneud â gwystlon UDA yn Iran ym 1979.

BLYNYDDOEDD REAGAN

Ym 1980 enwebodd y Gweriniaethwyr Ronald Reagan, Llywodraethwr California, i sefyll yn erbyn yr Arlywydd Carter. Roedd Reagan wedi bod yn actor enwog yn Hollywood cyn mynd i fyd gwleidyddiaeth. Cafodd Reagan fuddugoliaeth bendant, gan ddod yn arlywydd pan oedd chwyddiant yn uchel (15 y cant) a diweithdra'n codi (7.5 y cant). Ei ateb oedd torri treth incwm a lleihau nawdd cymdeithasol, gan bwysleisio hen rinweddau 'unigoliaeth rymus'. Ym 1981 dyma ei Ddeddf Treth Adfer yr Economi'n torri $33 biliwn oddi ar drethi i unigolion a busnesau, y gostyngiad mwyaf mewn trethi yn hanes UDA.

FFYNHONNELL **E** Yr Arlywydd Gweriniaethol, Ronald Reagan.

Ond pan ddaeth dirwasgiad ganol y 1980au, penderfynodd y Gyngres godi trethi $91 biliwn, y cynnydd mwyaf mewn trethi yn hanes UDA. Erbyn diwedd 1982 roedd diweithdra'n uwch nag y bu ers 1941, er i bethau wella'n fuan ac erbyn 1984 roedd yr economi'n ffynnu. Cafodd polisi economaidd Reagan ei alw'n 'Reaganomics'.

'You ain't seen nothing yet'

Llwyddodd Reagan a'i Is-Arlywydd, George Bush (Hŷn) i ennill enwebiad y Gweriniaethwyr ar gyfer etholiad 1984 yn ddidrafferth. Pwysleisiodd Reagan y ffaith fod economi'r wlad yn tyfu, diweithdra'n syrthio a chwyddiant yn cwympo.

Yn ystod ei ail dymor yn arlywydd, parhaodd Reagan i dorri trethi, ond bu gwariant y llywodraeth o dan ddylanwad rhaglen ymchwil gwerth $26 biliwn i archwilio a fyddai modd cael system amddiffyn o'r gofod (gyda'r llysenw 'Star Wars') i warchod UDA rhag ymosodiad niwclear (gweler tudalen 268).

C Cwestiynau

1. Beth oedd rhan yr Arlywydd Nixon yn sgandal Watergate?
2. Beth oedd canlyniadau sgandal Watergate?
3. Pa mor llwyddiannus oedd polisïau economaidd yr Arlywydd Reagan?

SUT NEWIDIODD Y DIWYLLIANT POBLOGAIDD RHWNG 1929 A 1990?

Cerddoriaeth

Chwaraeodd cerddoriaeth ran bwysig yn chwyldro cymdeithasol y 1920au. O *Ragtime*, cerddoriaeth Affro-Americanaidd, cafodd *jazz* ei ysbrydoli. Yn y 1920au a'r 1930au lledodd *jazz* drwy UDA, gydag arweinwyr bandiau fel Louis Armstrong a Duke Ellington yn ei boblogeiddio. Roedd canu gwlad hefyd yn boblogaidd yn y cyfnod hwn. Roedd hwn hefyd yn dod o daleithiau'r de, ond tra oedd y *blues* yn adlewyrchu bywydau pobl dduon dlawd, roedd canu gwlad yn sôn am fywyd difreintiedig Americanwyr gwyn tlawd yng nghefn gwlad.

Gydol y 1940au bu gwaith Rogers a Hammerstein yn atgyfnerthu poblogrwydd y sioe gerdd. Roedd sioeau cerdd yn Broadway fel *Oklahoma*, a gafodd ei gwneud yn ffilm ym 1955, yn portreadu UDA siwgraidd ac optimistaidd. Yna, yn y 1950au, dyma roc a rôl yn taro UDA. Roedd yn cyfuno elfennau o'r *blues* a chanu gwlad.

FFYNHONNELL F Elvis Presley yn y 1950au.

Ym 1956, ffrwydrodd Elvis Presley yn 21 oed ar y sîn mewn ffordd syfrdanol. Dyma'r 'bachgen gwyn yma a oedd yn canu fel dyn du' yn chwalu tawelwch y 1950au gyda'i ddawnsio egnïol a'i rywioldeb amlwg.

Ymddangosodd nifer o fandiau pwysig yn y 1960au, fel y Beachboys, a mynegodd cantorion fel Bob Dylan eu dicter oherwydd Rhyfel Viet Nam. Hefyd daeth perfformwyr at ei gilydd mewn cyngherddau awyr agored am ddim – digwyddodd y mwyaf yn Woodstock ym mis Awst 1969. Roedd dawnsio disco'n boblogaidd yn y 1970au, tra datblygodd rap a hip hop yn ystod y 1980au.

Ffilmiau

Roedd miloedd o sinemâu wedi cael eu hadeiladu yn ystod y 1920au ac, erbyn 1930, roedd 80 miliwn o Americanwyr yn ymweld â nhw bob wythnos. Bu'r *talkie* cyntaf, *The Jazz Singer*, yn llwyddiant ysgubol ym 1927, ac ym 1928 rhyddhaodd Walt Disney *Steamboat Willy*, ffilm fer wedi'i hanimeiddio gyda sain. Cyflwynodd y ffilm gymeriad a ddaeth yn un o sêr UDA – Mickey Mouse. Roedd sioeau cerdd Broadway a ffilmiau gangsters yn cynnig dihangfa yn ystod y Dirwasgiad Mawr. Cyfrannodd Hollywood i'r ymdrech ryfel drwy ddramateiddio'r rhyfel mewn ffilmiau fel *Casablanca* (1942).

Aeth llai a llai o bobl i'r sinema yn ystod y 1950au gan ei bod yn well gan bobl ymlacio o flaen eu setiau teledu. Ar ddechrau'r 1970au dechreuodd cwmnïau ffilmiau ryddhau ffilmiau mewn cannoedd o ddinasoedd ar yr un pryd, gan eu hysbysebu'n genedlaethol ar y teledu. O ganlyniad, bu ffilmiau fel *The Godfather* (1972) yn llwyddiannau mawr. Yn ystod y 1970au daeth cyfarwyddwyr talentog fel Steven Spielberg a George Lucas i'r amlwg gyda ffilmiau fel *Jaws* (1973) a *Star Wars* (1972). Yn ystod y 1980au a'r 1990au, arweiniodd datblygiadau mewn technoleg at effeithiau arbennig mwy trawiadol o hyd, mewn ffilmiau fel *The Terminator* (1984) a *Ghostbusters* (1984).

System y sêr

Oherwydd bod ffilmiau'n llwyddiannus, daeth yr actorion a'r actoresau a oedd yn cymryd rhan ynddyn nhw'n adnabyddus iawn hefyd, gyda llawer yn cael eu heilunaddoli. Roedd sêr y cyfnod cyn y rhyfel yn cynnwys Bette Davies a James Cagney. Roedd Marilyn Monroe, Marlon Brando a James Dean yn sêr enfawr yn y 1950au a'r 1960au; mae Harrison Ford, Tom Cruise a Meg Ryan wedi bod yn sêr poblogaidd yn yr 1980au a'r 1990au. Mae ffilmiau Hollywood yn apelio mwy pan fydd sêr yn ymddangos ynddyn nhw, ac mae sêr ffilmiau wedi gallu gofyn am fwy a mwy o arian i ymddangos mewn ffilmiau.

Diwylliant yr ifanc

Ar ddiwedd y 1940au dyma *bobbysoxers* fel roedden nhw'n cael eu galw, yn dechrau chwarae cerddoriaeth yn uchel ond roedd hyn yn cynrychioli cyfnod diogel o ddiwylliant yr ifanc. Yn ystod yr Ail Ryfel Byd dechreuodd grŵp newydd ddod i'r amlwg yn rhan ar wahân o'r gymdeithas – pobl ifanc yn eu harddegau. Erbyn y 1950au roedd ganddyn nhw fwy o arian ac amser hamdden nag erioed o'r blaen.

Dechreuodd awduron ar ddechrau'r 1950au amau gwerthoedd cyfforddus y maestrefi. Dropowt ysgol yw arwr nofel J. D. Salinger, *The Catcher in the Rye* (1951) sy'n cael ei ddieithrio ym myd ffug oedolion. Roedd Jack Kerouac, arweinydd mudiad *beat* y 1950au a'r 1960au, yn pwysleisio rhyddid ysbrydol drwy ryw, cyffuriau a chrefydd Zen. Wrth i roc a rôl chwalu tawelwch y 1950au, daeth Elvis Presley a Little Richard yn arwyr diwylliant newydd yr ifanc, aeth glaslanciau America'n fwy gwrthryfelgar ac anfoesol. Bu cynnydd yn nhroseddau'r ifanc ac roedd ymddygiad y bobl ifanc yn synnu nifer fawr o'r genhedlaeth hŷn. Roedd y bwlch rhwng y cenedlaethau wedi ymddangos.

Mudiad yr hipis

Yn ystod ail hanner y 1960au penderfynodd llawer o bobl ifainc wrthod gwerthoedd a ffyrdd o fyw eu rhieni. Roedden nhw yn erbyn Rhyfel Viet Nam, hiliaeth a'r llwybr 'saff' o'r ysgol uwchradd i swydd dda. Roedd hipis yn gwisgo dillad ethnig ac yn tyfu eu gwalltiau'n hir, yn cymryd cyffuriau adloniadol, yn dilyn crefyddau cyfriniol ac yn ymwneud â 'chariad rhydd'. Daeth *flower power* yn symbol o'u credoau heddychlon; bydden nhw'n byw mewn comiwnau a daeth San Francisco'n brifddinas i'r hipis.

FFYNHONNELL FF Hipis mewn cyngerdd yn ystod y 1960au.

Myfyrwyr yn protestio

Ar ddiwedd y 1960au bu myfyrwyr yn gwrthdystio ar gampws colegau: roedden nhw'n mynnu'r hawl i gael mynegi barn wrth benderfynu cynnwys eu cyrsiau a dod â rheolau caeth i ben. Bu'r protestiadau mwyaf difrifol yn erbyn Rhyfel Viet Nam; roedd y rhyfel yn cael ei ddangos ar y teledu a sifiliaid felly'n gweld erchyllterau rhyfel. Ym mis Mai 1970 trodd protest heddychlon gan fyfyrwyr ym Mhrifysgol Kent State, Ohio, yn erbyn penderfyniad yr Arlywydd Nixon i fomio Cambodia yn drychineb. Cafodd y Gwarchodlu Cenedlaethol eu galw i wasgaru'r 600 o fyfyrwyr ond gwrthodon nhw adael. Cafodd nwy dagrau ei ddefnyddio a bu saethu, gan ladd pedwar myfyriwr ac anafu 11 arall.

C Cwestiwn

1 Beth oedd prif nodweddion y diwylliant poblogaidd yn y cyfnod 1929–90.

RÔL MENYWOD YN NEWID YN Y CARTREF A'R GWEITHLE

Roedd y 1920au yn gyfnod o ryddid newydd i lawer o fenywod. Aethon nhw ati i dorri eu gwalltiau ar ffurf 'bob' byr, gwisgo sgertiau byrrach ac ymddwyn yn feiddgar. Ond, o ran eu statws economaidd neu gymdeithasol, ychydig o newid a fu. Roedd y rhan fwyaf yn gweithio fel gweithwyr domestig neu glerigol, athrawon neu nyrsys. Bydden nhw'n aml yn cael eu talu'n llai am wneud yr un gwaith â dynion. Mewn gwirionedd aeth gwahaniaethu ar sail rhyw'n waeth yn ystod y Dirwasgiad Mawr, pan oedd pobl yn ystyried bod menywod yn mynd â swyddi dynion di-waith ac roedd mesurau Roosevelt i fynd i'r afael â diweithdra'n gwahaniaethu'n gadarnhaol yn erbyn menywod. Roedd yr NRA (gweler tudalennau 236-7) yn caniatáu i fenywod gael llai o dâl na dynion ac nid oedd Deddf Nawdd Cymdeithasol 1935 yn amddiffyn menywod o gwbl.

Menywod a'r Ail Ryfel Byd

FFYNHONNELL G

Poster yn dangos 'Rosie the Riveter', rhan o ymgyrch llywodraeth UDA i annog menywod i weithio mewn ffatrïoedd yn ystod yr Ail Ryfel Byd.

Oherwydd cyfraniad menywod i'r Rhyfel Byd Cyntaf cawson nhw'r bleidlais a mwy o gyfleoedd gwaith. Unwaith eto daeth yr Ail Ryfel Byd â mwy o gyfleoedd yn y gweithle wrth i 6 miliwn o fenywod weithio fel peirianwyr a gwneuthurwyr offer, ac ymunodd bron i 200,000 â'r lluoedd arfog. Rhoddodd y rhyfel ymdeimlad o annibyniaeth i fenywod ac, ar ôl y rhyfel, nid oedd rhai'n barod i roi'r gorau iddo.

Lle menywod

Er gwaethaf cyfraniad menywod i'r Ail Ryfel Byd, roedd y rhan fwyaf o bobl yn teimlo mai yn y cartref roedd lle menywod (gweler Ffynhonnell NG). Ond, gan eu bod wedi blino ar drefn y cartref, a mwy o ryddid ganddyn nhw o achos dyfeisiau arbed gwaith a bwydydd cyfleus, roedd menywod eisiau mynd i'r gweithle er bod y swyddi'n stereoteipiau unwaith eto.

FFYNHONNELL NG

Gwraig tŷ bert a phoblogaidd 32 mlwydd oed o un o'r maestrefi, mam i bedwar o blant, a briododd pan oedd hi'n un ar bymtheg, gwraig, mam, gwesteiwraig, gwirfoddolwraig a rheolwraig tŷ ardderchog sy'n gwneud ei dillad ei hun, yn cynnal dwsinau o giniawau bob blwyddyn, yn canu yng nghôr yr eglwys, yn gweithio ac yn ymroddedig i'w gŵr. Yn ystod y dydd bydd hi'n mynychu cyfarfodydd clybiau neu elusennau, yn gyrru'r plant i'r ysgol, yn mynd i siopa, yn gwneud cerameg ac mae'n bwriadu dysgu Ffrangeg. O blith holl gampau'r Americanes, y llwyddiant mwyaf trawiadol yw ei gallu i gael plant.

Disgrifiad o'r wraig ddelfrydol yng nghylchgrawn *Life*, 1956.

Ffeministiaeth

FFYNHONNELL H Aelodau o Grŵp Rhyddid Merched yn gorymdeithio ym mis Awst 1970.

Yn ystod y 1960au bu newid sylweddol yn yr agweddau tuag at fenywod. Bu cyhoeddi *The Feminine Mystique* gan Betty Friedan ym 1963 yn garreg filltir i'r mudiad hawliau merched (mudiad ffeministaidd). Ysgrifennodd Friedan y dylai menywod gael hawliau gwleidyddol, economaidd a chymdeithasol cyfartal â dynion. Roedd hi hefyd yn gwawdio'r gred gyffredinol mai swyddi tâl isel yn unig oedd yn addas i fenywod ac mai wrth fesur eu llwyddiant fel gwragedd a mamau yn unig roedd modd barnu cyrhaeddiad menywod.

Ym 1966, sefydlodd Frieden ac eraill y Mudiad Cenedlaethol i Fenywod (NOW). Roedden nhw'n mynnu diwygiad hawliau cyfartal i Gyfansoddiad UDA a 'hawl menywod i reoli eu bywydau atgenhedlu' (roedd erthyliad yn anghyfreithlon ym mhob un o daleithiau UDA ar y pryd).

Yn ystod y 1960au, daeth menywod America'n weithgar yn yr ymgyrch dros gydraddoldeb rhywiol, gan ddefnyddio deisebau, streiciau a mynd i gyfraith i wthio eu syniadau yn eu blaenau. Deddf Hawliau Sifil 1964 oedd y ddeddfwriaeth gyntaf i wahardd gwahaniaethu ar sail rhyw yn ogystal â hil. Erbyn canol y 1970au cafodd cyfreithiau eu pasio a oedd yn rhoi hawl i fenywod i gael eu trin yn gyfartal wrth eu gwaith a mynediad i addysg uwch, tâl cyfartal a mynediad i gredyd. Ym 1973 gwnaeth y Goruchaf Lys erthyliadau'n gyfreithlon.

Serch hynny, ym 1989 roedd menywod yn dal i ennill 70 y cant yn unig o gyflogau dynion ac erbyn 1990 roedd menywod chwe gwaith yn fwy tebygol o fod yn byw mewn tlodi na dynion. Menywod oedd penteulu bron i hanner teuluoedd tlawd America.

C Cwestiynau

1. Pa fathau o wahaniaethu roedd menywod America'n ei wynebu cyn y 1960au?
2. Sut newidiodd bywydau menywod rhwng 1929 a 1990?

Sut newidiodd bywydau y duon yn America rhwng 1929 a 1990?

BETH OEDD STATWS Y DUON YN UDA YM 1929?

Arwahanu a deddfau Jim Crow

O dan gyfansoddiad UDA, mae holl ddinasyddion UDA wedi eu geni'n gyfartal a dylen nhw fwynhau hawliau a chyfleoedd cyfartal i fyw eu bywydau'n llawn. Ar ôl dileu caethwasiaeth ym 1863 a rhagor o ddeddfwriaeth, roedd gan y duon hawliau sifil cyfartal gan gynnwys yr hawl i bleidleisio – ond a oedd hyn yn wir? Yn y de, cafodd deddfau taleithiau eu llunio i gadw goruchafiaeth y gwynion ac i amddifadu'r duon o'u hawliau, gan eu gorfodi i fyw ar wahân. Arwahanu oedd yr enw ar hyn.

Yr enw ar y deddfau hyn oedd deddfau Jim Crow ar ôl llinell yn un o ganeuon y planhigfeydd. Roedd rhaid i'r duon ddefnyddio ysgolion, bysiau, trenau, theatrau, ysbytai ac eglwysi ar wahân. Cyhoeddodd y Goruchaf Lys ym 1896 fod arwahanu'n gyfreithlon os oedd y cyfleusterau ar wahân ond yn gyfartal. Petai person du'n teimlo nad oedden nhw'n gyfartal, byddai ef neu hi'n gorfod mynd â'r achos i lys wedi'i reoli gan y gwynion. Roedd deddfau Jim Crow hefyd yn gwrthod rhoi'r hawl i'r duon i bleidleisio. Roedden nhw'n cael eu hatal rhag cofrestru i bleidleisio:

- gan dreth y pen: roedd y rhan fwyaf o'r duon yn rhy dlawd i dalu'r dreth ac felly ni allen nhw gofrestru i bleidleisio;
- gan brofion llythrennedd (darllen): roedd rhaid iddyn nhw ddarllen darnau anodd er mwyn profi na allen nhw bleidleisio.

Petai'r dulliau hyn yn methu, yna byddai bygwth a thrais yn cael eu defnyddio i atal y duon rhag pleidleisio.

FFYNHONNELL A

> Byddai Negro ym Mhellafoedd y De a fyddai'n ceisio cofrestru'n gallu colli ei swydd neu ei gredyd. Gallai gael ei guro, gallai ei dŷ gael ei roi ar dân, neu gallai gael ei ladd. 'Dw i ddim eisiau i fy swydd gael ei dorri,' eglurodd un dyn. Roedd un arall yn fwy plaen: 'Dw i ddim eisiau i fy ngwddf gael ei dorri,' meddai.
>
> **Adroddiad gan weithiwr hawliau sifil dros Y Gymdeithas Genedlaethol er budd Hyrwyddo Pobl Dywyll eu Croen (NAACP).**

Y duon oedd â'r safonau addysg isaf a'r swyddi a oedd yn talu waethaf. Roedd llawer yn gweithio fel cyfran-gnydwyr (*sharecroppers*), system lle nad oedd y tirfeddianwyr yn talu gweithwyr hyd nes i'r cynhaeaf gael ei gasglu. Byddai gweithwyr yn cadw traean o'r cnwd ond bydden nhw'n mynd i ddyled yn rhwydd ac felly'n mynd yn gaeth i'r tirfeddiannwr cyhyd ag oedd arno ef eu heisiau. Cafodd miloedd o dduon eu hannog gan ffyniant diwydiannol y 1920au i symud i'r gogledd i chwilio am fywyd gwell. Nid oedd arwahanu'n digwydd i'r un graddau yn y gogledd ond nhw oedd â'r swyddi gwaethaf ac yn byw yn y tai gwaethaf o hyd. Erbyn 1940, roedd 22 y cant o'r duon yn byw yn nhaleithiau gogledd UDA.

'Dadeni Harlem'

Yn ystod y 1920au cafodd nifer o gerddorion a difyrwyr duon talentog eu 'darganfod' gan 'noddwyr' gwynion o ganol tlodi a budreddi Harlem ac ardaloedd tlawd eraill lle roedd y duon yn byw yn nhaleithiau'r gogledd. Daeth recordiau â cherddoriaeth y duon i gartrefi gwynion ledled America, ac roedden nhw'n boblogaidd iawn. Ond, pan fyddai cerddorion duon yn diddanu cynulleidfaoedd gwynion, byddai'r duon yn cael eu gwahardd.

Y Ku Klux Klan

Rheswm arall dros fynd tua'r gogledd oedd dianc rhag gweithgareddau'r Ku Klux Klan (KKK), a oedd yn weithgar yn nhaleithiau'r de. Cafodd y Klan ei sefydlu ym 1865 ar ôl y Rhyfel Cartref fel ffordd o gynnal goruchafiaeth y gwynion. Roedd hawl gan Brotestaniaid Eingl-Sacsonaidd Gwyn (WASPS) i fod yn aelodau, gan addo i amddiffyn UDA rhag y duon, mewnfudwyr, Iddewon, Pabyddion, comiwnyddion a sosialwyr. Byddai gwŷr y Klan yn cwrdd gyda'r nos ac yn gorymdeithio mewn gynau gwyn a huganau gan gario ffaglau tân. Byddai dioddefwyr yn cael eu curo, eu coltario a'u pluo, eu treisio a'u llofruddio, a gwŷr y Klan wedyn yn gadael croes yn llosgi fel cerdyn ymweld. Y gosb fwyaf brawychus oedd lynsio (llofruddio gan dorf).

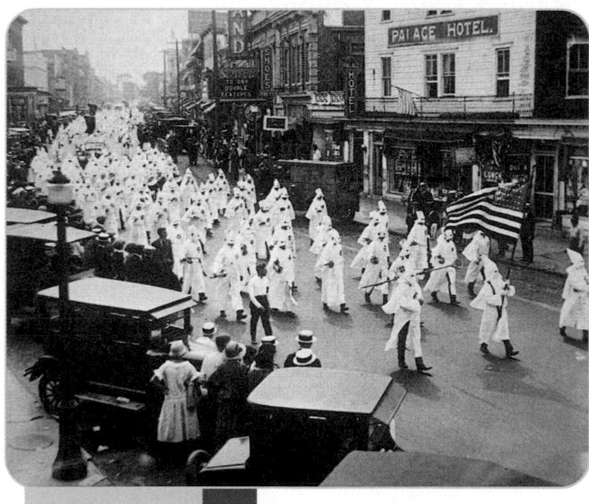

FFYNHONNELL **B** Aelodau'r Ku Klux Klan yn gorymdeithio drwy strydoedd tref tua 1920.

Yn Georgia bu 135 o ddigwyddiadau lynsio rhwng 1924 a 1925 ond ni chafodd neb eu dedfrydu am y troseddau creulon hyn. Petai achos yn mynd o flaen llys roedd hi'n anodd dod o hyd i reithgor a fyddai'n dedfrydu gwŷr y Klan – weithiau o achos bygwth gan y Klan, ond hefyd achos bod swyddogion yr heddlu a hyd yn oed barnwyr yn perthyn i'r Klan. Erbyn 1924 roedd tua 5 miliwn o aelodau, ond cwympodd y niferoedd pan gafwyd arweinydd y Klan, D. C. Stephenson, yn euog o gipio a threisio merch ifanc ym 1925. Cafodd ei ddedfrydu i garchar am oes.

Gwaith y NAACP

Roedd y Gymdeithas Genedlaethol er budd Hyrwyddo Pobl Dywyll eu Croen (NAACP, gweler tudalen 103 hefyd) wedi cael ei sefydlu ym 1909. Ei nodau oedd cael gwared ar arwahanu a chael hawliau pleidleisio a chyfleoedd addysg cyfartal i'r duon. Gydol y 1920au ymladdodd y NAACP yn erbyn lynsio a cheisio annog y duon i bleidleisio. Ond, roedd llawer yn ofni defnyddio eu hawl i bleidleisio oherwydd y bygythiadau roedd grwpiau fel y Ku Klux Klan wedi'u gwneud.

Gydol y 1930au a'r 1940au byddai gwaith y NAACP yn defnyddio'r system gyfreithiol fwyfwy i herio gwahaniaethu yn erbyn y duon. Hefyd dechreuodd pleidiau gwleidyddol sylweddoli pwysigrwydd pleidleisiau'r duon, yn enwedig yn nhaleithiau'r gogledd. Roedd twf dylanwad gwleidyddol pleidleiswyr duon yn nhaleithiau gogledd UDA yn un o'r ffactorau pam sefydlodd Roosevelt 'Gabinet Du'.

EFFAITH Y DIRWASGIAD

Roedd Roosevelt yn poeni am y tlawd a'r newynog: roedd y rhan fwyaf o'r duon yn perthyn i'r categorïau hynny. Llwyddodd Bargen Newydd Roosevelt (gweler tudalennau 234-7) i wella bywydau'r duon rywfaint ond nhw ddioddefodd fwyaf oherwydd y Dirwasgiad. Erbyn canol 1934 roedd dros hanner y duon a oedd yn byw yn ninasoedd gogledd UDA yn dibynnu ar gymorth. Roedd rhan fawr o raglen y Fargen Newydd yn cael ei gweinyddu gan y wladwriaeth a pharhaodd y gwahaniaethu. Ond cafodd dros filiwn o dduon gymorth a gwaith drwy gynlluniau o'r fath. Cafodd y

Democratiaid bleidlais y duon ym 1936 a bu cynnydd yn nifer y duon a gafodd eu hethol i rym ar lefel leol daleithiol a ffederal. Erbyn 1940 roedd tua 100 o dduon yn gweithio i'r llywodraeth ffederal.

C Cwestiynau

1 Ym mha ffyrdd roedd gwahaniaethu yn erbyn y duon ym 1929?

2 Sut effeithiodd y Dirwasgiad Mawr ar y duon?

SUT EFFEITHIODD YR AIL RYFEL BYD AR Y DUON?

Ymunodd UDA â'r Ail Ryfel Byd ym 1941. Y broblem oedd, sut gallai 'byddin Jim Crow' ymladd yn erbyn grym hiliol fel Almaen y Natsïaid tra oedden nhw'n dioddef hiliaeth gartref? Roedd Deddf Gwasanaethu Dethol 1940 yn gwahardd gwahaniaethu wrth alw milwyr duon i'r fyddin a'u hyfforddi, ond roedd yr Adran Ryfel yn dal i wahanu'r catrodau: bu milwyr duon a gwynion yn ymladd yr un rhyfel ar wahân.

FFYNHONNELL C

Ynghyd â'r awydd i ymladd dros hawliau cyfartal roedd teimlad y byddai gwobr am gymryd rhan yn yr ymdrech ryfel. Os ydyn ni'n ymladd a marw dros ein gwlad, roedd Affro-Americanwyr yn dadlau, does bosib na fydd ein gwlad yn dal i wrthod rhoi ein hawliau i ni.

Neil Wynn yn ysgrifennu yn *The Afro-American and the Second Word War* (1976).

Ym Mhrydain, lle bu mwy na 1.5 miliwn o filwyr America'n aros, roedd trafferth yn aml rhwng Americanwyr du a gwyn. Ni allai Americanwyr gwyn o daleithiau'r de dderbyn bod milwyr du'n gallu mynd i dafarnau Prydain a bod dynion du'n atyniadol i ferched gwyn lleol.

Gartref

Gwnaeth gweithwyr duon gyfraniad pwysig i'r ymdrech ryfel gartref. Erbyn diwedd 1944 roedd bron i 2 filiwn yn gweithio mewn ffatrïoedd rhyfel. Roedd gelyniaeth tuag at rai. Yn Detroit, lle roedd cymuned ddu fawr, digwyddodd terfysg mawr ym 1943 oherwydd tensiynau hiliol, a bu farw 30 o bobl. Ond, oherwydd eu bod yn gwasanaethu eu gwlad credai'r duon yn gyffredinol y byddai newid yn digwydd ar ôl y rhyfel. Cododd aelodaeth y NAACP o 50,000 i 450,000 yn ystod y rhyfel.

'Bargen Deg' i'r duon?

Ar ôl yr Ail Ryfel Byd, gyda gwledydd yn dod yn annibynnol yn Affrica ac Asia a'r Cenhedloedd Unedig yn cael ei greu, cafodd pwnc hil UDA ei roi ar lwyfan y byd. Rhoddodd yr Arlywydd Truman lawer o sylw i hawliau sifil. Ym 1946, yn rhan o'i raglen Bargen Deg, (gweler tudalen 238) sefydlodd bwyllgor arlywyddol. Cynigiodd hwn ddeddf gwrth-lynsio a dileu'r angen am dalu treth y pen er mwyn pleidleisio. Er i Gyngres UDA wrthod y cynigion, llwyddodd Truman i ddod ag arwahanu yn y lluoedd arfog i ben. Roedd cefnogaeth Truman i hawliau sifil Americanwyr duon yn golygu na allai'r mater gael ei anwybyddu am amser hir eto.

Y MUDIAD HAWLIAU SIFIL

Roedd arwahanu ym myd addysg yn bwnc a oedd yn corddi emosiynau a rhoddodd y NAACP ei sylw iddo ar ôl yr Ail Ryfel Byd. Ym 1954, roedd 20 o daleithiau UDA, gan gynnwys Washington DC, wedi arwahanu ysgolion.

FFYNHONNELL CH

Arwahanu yw ffordd cymdeithas o ddweud wrth grŵp o fodau dynol eu bod yn israddol i grwpiau eraill.

Darn o gyhoeddiad NAACP.

Herio'r Cyfansoddiad: drwy'r byd addysg

- **Kansas 1954.** Roedd rhaid i Linda Brown, merch ddu 7 mlwydd oed, gerdded 20 bloc i'w hysgol er bod ysgol i'r gwynion ddau floc yn unig i ffwrdd. Gyda help y NAACP aeth ei thad â'r Bwrdd Addysg i'r llys. Ar 19 Mai 1954, cyhoeddodd y Prif Ustus Earl Warren fod arwahanu'n anghyfreithiol o dan gyfansoddiad UDA. Cyhoeddwyd bod y cyfansoddiad yn 'lliwddall' a chafodd Bwrdd Addysg Topeka a phob awdurdod arall eu gorfodi i ddod ag arwahanu i ben. Ond, er gwaetha'r penderfyniad hwn, erbyn diwedd 1956 nid oedd un plentyn du'n mynychu ysgol gyfannol yn chwe thalaith y de.
- **Little Rock, Arkansas, 1957.** Ym mis Medi 1957, yn Ysgol Uwchradd Ganolog Little Rock, ceisiodd naw o fyfyrwyr duon fynd i mewn i'r ysgol i gymryd eu lleoedd. Gorchmynnodd Llywodraethwr Arkansas i'r Gwarchodlu Cenedlaethol amgylchynu'r ysgol a rhwystro'r myfyrwyr duon rhag mynd i mewn (gweler Ffynonellau D a DD). O ganlyniad aeth y gymuned ddu â'r llywodraethwr i'r llys a chafodd y milwyr eu tynnu'n ôl. Anfonodd yr Arlywydd Eisenhower 1000 o barafilwyr i warchod y myfyrwyr duon am weddill y flwyddyn ysgol. Erbyn 1960, 2600 yn unig o blant ysgol duon allan o gyfanswm o 2 filiwn oedd yn mynd i ysgolion integredig yn Arkansas.

FFYNHONNELL D Elizabeth Eckford, 13, un o'r naw myfyriwr du'n cyrraedd Ysgol Uwchradd Ganolog Little Rock ar 5 Medi 1957.

FFYNHONNELL DD

Cerddais at y gwarchodwr a oedd wedi gadael y myfyrwyr gwynion i mewn. Pan geisiais wasgu heibio iddo fe, cododd ei fidog ac yna daeth y gwarchodwyr eraill yn nes a chodi eu bidogau. Dechreuodd rhywun weiddi 'Lynsiwch hi!' Chwiliais am wyneb cyfeillgar rywle yn y dorf. Edrychais ar wyneb hen wraig ac roedd i'w weld yn wyneb cyfeillgar, ond pan edrychais arni eto dyma hi'n poeri arna i. Daethon nhw'n nes, gan weiddi, 'Does dim un ast ddu'n cael dod i mewn i'n hysgol ni! Cer o 'ma!'

Elizabeth Eckford yn siarad mewn cyfweliad ym 1957.

- **Mississippi, 1962.** Enillodd James Meredith, myfyriwr du o'r de, gymwysterau i fynd i Brifysgol Mississippi ym mis Medi 1962. Pan gyrhaeddodd i gofrestru roedd Llywodraethwr Mississippi'n rhwystro ei lwybr. Dechreuodd terfysg ac anfonodd yr Arlywydd Kennedy filwyr a bu'n rhaid iddyn nhw fynd gyda Meredith i'w ddarlithiau drwy gydol ei gwrs.

Boicotio bysiau a theithiau rhyddid

- **Rosa Parkes a boicotio bysiau Montgomery.** Ar 1 Rhagfyr 1955 yn Montgomery, Alabama, heriodd menyw ddu 42 oed o'r enw Rosa Parkes orchymyn gyrrwr bws i roi ei sedd i ddyn gwyn pan ddaeth y bws yn llawn, fel roedd y gyfraith yn dweud. Cafodd ei harestio a'i charcharu. A hithau'n ysgrifenyddes leol y NAACP galwodd y gymuned ddu am foicotio bysiau. Cafodd yr ymgyrch ei harwain gan y Parchedig Ddr Martin Luther King, gweinidog ifanc gyda'r Bedyddwyr – cafodd y Mudiad Hawliau Sifil ei eni. Ym mis Tachwedd 1956 dyfarnodd y Goruchaf Lys fod arwahanu ar fysiau'n anghyfreithlon ac ym mis Rhagfyr ildiodd y cwmni bysiau.
- **'Teithiau rhyddid'.** Fodd bynnag, roedd arwahanu'n dal i ddigwydd wrth deithio rhwng taleithiau. Gallai'r duon a'r gwynion eistedd gyda'i gilydd mewn gorsafoedd bysiau a defnyddio'r un cyfleusterau yn nhaleithiau'r gogledd, ond nid yn y de gyda'r deddfau arwahanu. A fyddai Americanwyr duon a gwynion yn gallu teithio gyda'i gilydd ar hyd a lled y wlad? Ym 1961 trefnodd y Gyngres Cydraddoldeb Hiliol (CORE) 'deithiau rhyddid' i brofi'r polisi newydd. Bu gwrthdaro hyll a bu'n rhaid i'r Twrnai Cyffredinol Robert Kennedy anfon 500 o farsialiaid i warchod y teithwyr rhyddid. Ond, llwyddodd Kennedy i gael y Comisiwn Masnachu Rhyngdaleith-iol i ddileu arwahanu ym mhob gorsaf fysiau a rheilffordd a phob maes awyr. Erbyn 1963 roedd hyn wedi cael ei ehangu i'r rhan fwyaf o gyfleusterau cyhoeddus eraill.

C Cwestiynau

1. A newidiodd yr amodau i'r duon oherwydd yr Ail Ryfel Byd?
2. Faint o gynnydd roedd y Mudiad Hawliau Sifil wedi'i wneud erbyn dechrau'r 1960au? Eglurwch eich ateb.

Martin Luther King

FFYNHONNELL E Martin Luther King.

FFYNHONNELL F

> Mae gen i freuddwyd y gwelaf y genedl hon yn codi rhyw ddydd i fyw yr hyn a ddywed un o erthyglau ei chyfansoddiad: 'Daliwn fod y gwirionedd hwn yn eglur, fod pob dyn yn gydradd.' Mae gen i freuddwyd y bydd meibion caethweision a meibion eu perchnogion yn abl i eistedd o gwmpas bwrdd brawdgarwch ar fryniau Georgia.
>
> Cyfieithiad T.J. Davies o ran o araith enwog Martin Luther King, 'Mae gen i freuddwyd . . .' ym mis, Awst 1963.

Gyda geiriau fel y rhai yn Ffynhonnell F y pigodd Dr Martin Luther King gydwybod y genedl. Roedd ei syniadau wedi'u seilio ar anufudd-dod sifil di-drais tebyg i syniadau Mahatma Gandhi yn India cyn i India ddod yn annibynnol ar reolaeth Prydain ym 1947. Roedd e'n credu bod trais yn foesol anghywir ac roedd e'n ffafrio protestiadau eistedd, boicotiau, teithiau rhyddid a gorymdeithio fel ffordd o brotestio.

Ym 1962, caeodd cyngor Birmingham, Alabama, yr holl gyfleusterau adloniant cyhoeddus i bobl dduon. Ym 1963 arweiniodd Martin Luther King orymdaith heddwch i ddod ag arwahanu i ben: cymerodd 30,000 o

Americanwyr duon ran mewn protestiadau eistedd a chafodd 500 eu harestio bob dydd. Defnyddiodd Comisiynydd yr Heddlu Eugene 'Bull' Connor fagnelau dŵr, cŵn ac ymosodiadau batynau ar y protestwyr heddychlon. Cafodd y digwyddiadau hyn eu dangos ar y teledu gan gorddi barn gyhoeddus yn erbyn pobl hiliol fel Connor. Anfonodd yr Arlywydd Kennedy'r milwyr i mewn a mynnu bod cyngor Birmingham yn gorffen arwahanu, a dyna a wnaeth. Dywedodd Kennedy'n ddiweddarach fod gan y Mudiad Hawliau Sifil le mawr i ddiolch i Connor.

Ym mis Awst 1963 gorymdeithiodd 250,000 o bobl, gan gynnwys rhyw 50,000 o Americanwyr gwynion, at gofeb Lincoln yn Washington DC i fynnu hawliau sifil i bawb. Yno, gwnaeth King ei araith enwog (gweler Ffynhonnell F). Ym mis Rhagfyr 1964 derbyniodd Martin Luther King Wobr Heddwch Nobel. Roedd e'n ôl yn y carchar bum niwrnod yn ddiweddarach yn Selma, Alabama, ar ôl ymgyrchu am newidiadau i gofrestru pleidleisio i'r duon. Yn y diwedd, llwyddodd ymgyrch King i ddwyn ffrwyth pan gafodd y Ddeddf Hawliau Pleidleisio newydd ei phasio ym 1965 ac roedd 1 filiwn o Americanwyr du eraill yn gallu pleidleisio.

O'r dull di-drais i rym y duon

Roedd Martin Luther King yn dadlau y dylai anufudd-dod sifil di-drais ledu i ogledd a gorllewin UDA, a chafodd pencadlys Cynhadledd Arweiniad Cristnogol y De (SCLC) ei symud i Chicago. Ond roedd nifer o dduon yn gwrthod dulliau heddychol (heddychlon) a Christnogol King.

Yn ystod y 1950au bu cynnydd yn aelodaeth Cenedl Islam *(Nation of Islam)*, mudiad Mwslemaidd du'n cael ei arwain gan Elijah Muhammed. Roedd Cenedl Islam yn gwrthod cymdeithas y gwynion ac yn dadlau dros ryfel hil. Cawson nhw wared ar eu 'henwau bedydd o gyfnod y caethweision' gan roi'r llythyren 'X' yn eu lle i ddangos eu bod wedi newid.

Nod tymor hir Cenedl Islam oedd cael gwladwriaeth ar wahân i Americanwyr duon ac er mwyn cyflawni hyn tyfodd mudiad treisgar grym y duon. Roedd y Pantherod Duon (Black Panthers) yn un o'r grwpiau mwyaf milwriaethus, ac yn galw ar y duon i arfogi eu hunain yn y frwydr. Malcolm X oedd arweinydd dylanwadol y mudiad: galwodd ar ei ddilynwyr i fod yn fwy hunanddibynnol ac ymosodol.

FFYNHONNELL **FF** Malcolm X.

Yng nghanol y 1960au bu ton o derfysgoedd mewn nifer o ddinasoedd. Ym 1964 bu terfysgoedd yn Harlem ac Efrog Newydd. Yn ardal Watts yn Los Angeles ym mis Awst 1965, bu farw 34 o bobl a chafodd 1072 eu hanafu mewn chwe diwrnod o drafferthion. Cafodd Malcolm X ei saethu'n farw ym 1965 a daeth Stokely Carmichael yn arweinydd ar fudiad Grym y Duon. Daeth dulliau di-drais Martin Luther King i ben ym 1968 pan gafodd ei lofruddio gan eithafwr gwyn.

Deddfwriaeth hawliau sifil

Roedd Deddfau Hawliau Sifil 1957 a 1960 yr Arlywydd Eisenhower wedi gwneud gwahaniaethu'n anghyfreithlon. Hefyd roedden nhw'n rhoi'r hawl i bob Americanwr i bleidleisio ac yn cyhoeddi bwriad y llywodraeth ffederal i ddod ag arwahanu i ben.

Drwy addo i wthio am well hawliau sifil, enillodd yr Arlywydd Kennedy bleidlais y duon ym 1960. Ond roedd yn dibynnu ar gefnogaeth pobl o'r de yn y Gyngres ac roedd rhaid iddo symud yn ofalus. Ym 1963 cynigiodd becyn o ddiwygiadau ond cyn iddyn nhw gael eu pasio, cafodd ei lofruddio.

Ymrwymodd Lyndon Johnson, olynydd Kennedy, i basio rhaglen hawliau sifil Kennedy. Ym 1964 cafodd y Ddeddf Hawliau Sifil ei phasio.

- ➜ Cafodd gwahaniaethu ar sail hil ei wahardd mewn cyflogaeth.
- ➜ Cafodd disgyblion duon hawliau cyfartal i gael mynediad i bob man cyhoeddus ac i unrhyw gyrff a oedd yn derbyn arian y llywodraeth, gan gynnwys ysgolion.
- ➜ Cafodd Comisiwn Cyfle Cyfartal yn y Gwaith ei sefydlu i archwilio cwynion am wahaniaethu.

Daeth mwy o ddeddfwriaeth pan oedd Johnson yn arlywydd:

- ➜ 1965 – Daeth y Ddeddf Hawliau Pleidleisio â'r gwahaniaethu ar sail hil yn ymwneud â'r hawl i bleidleisio i ben.
- ➜ 1967 – Cyhoeddodd y Goruchaf Lys fod deddfau taleithiol yn gwahardd priodasau rhwng hilion yn anghyfreithlon.
- ➜ 1968 – Gwnaeth Deddf Tai Teg wahaniaethu hiliol yn anghyfreithlon yn y farchnad eiddo.

CYNNYDD ECONOMAIDD A CHYMDEITHASOL POBL DDU HYD AT 1990

Bu peth integreiddio mewn ysgolion oherwydd deddfwriaethau hawliau sifil, ond yn y 1970au bu adwaith yn erbyn bysio plant dros bellteroedd er mwyn creu ysgolion â chydbwysedd hil. Er gwaethaf Deddf Tai Teg 1968, roedd y rhan fwyaf o'r duon ym 1990 a oedd yn ceisio prynu neu rentu tai'n dal i wynebu gwahaniaethu. Nid oedd safonau cyfartal mewn addysg i fyfyrwyr duon a gwynion, yn y gogledd a'r de, wedi cael eu cyflawni erbyn 1990.

Ceisiodd mudiad diwylliannol du ar ddiwedd y 1960au a'r 1970au wneud i Americanwyr du'n fod yn falch o'u treftadaeth hiliol a diwylliannol. Ei arwyddair oedd 'mae du'n brydferth' *(black is beautiful)*, syniad nad oedd llawer o bobl wedi cael cyfle i'w drafod. Yn y 1980au roedd ffilmiau Spike Lee a nofelau Toni Morrison yn dal i ddathlu diwylliant y duon yn America yn y ffordd yma.

Ers y Mudiad Hawliau Sifil yn y 1960au, mae'r duon wedi chwarae rhan amlycach yng nghymdeithas America. Ym 1967 Carl Stokes oedd y person du cyntaf i gael ei ethol yn faer un o'r dinasoedd mawr. Mae llywodraeth UDA hefyd wedi penodi duon yn fwriadol i swyddi amlwg. Safodd y Parchedig Jesse Jackson yn etholiad arlywyddol 1984, ac ym 1989 daeth Colin Powell yn Gadeirydd y Cydbenaethiaid Staff, swydd filwrol uchaf y wlad. Mae enwogion duon i'w gweld yn amlach yn y cyfryngau, er enghraifft mae Eddie Murphy a Will Smith yn bersonoliaethau ffilm a theledu enwog. Ond mae gwahaniaethu o hyd yn erbyn Americanwyr duon. Ym 1990 roedd cyfartaledd incwm teulu du'n llai na hanner incwm teulu gwyn cyffredin.

C Cwestiynau

1. Beth oedd cyfraniad Martin Luther King i hawliau sifil yn UDA?
2. Faint roedd deddfwriaeth hawliau sifil wedi ei gyflawni erbyn 1968?
3. Pa mor agos roedd UDA wedi dod at gael cymdeithas hiliol gyfartal a theg erbyn 1990?

Sut newidiodd rôl America ym materion y byd rhwng 1929 a 1990?

UDA AC YMNEILLTUEDD

Roedd yr Americanwyr yn gweld eu hunain yn byw ar wahân yn ddaearyddol. Roedden nhw hefyd yn credu y gallen nhw encilio o weddill y byd a chanolbwyntio ar eu materion eu hunain. Ar ddechrau'r ugeinfed ganrif roedd nifer o Americanwyr yn dal i gredu hyn. Ymunodd UDA â'r Rhyfel Byd Cyntaf ym 1917 ac ar ôl Cytundeb Versailles ym 1919 aeth yn ôl at bolisi ymneilltuedd a barhaodd wedyn yn ystod y ddau ddegawd nesaf.

Ond sut gallai gwlad yr oedd ei heconomi mor bwysig i ffyniant gweddill y byd dorri ei hunan i ffwrdd yn llwyr? Nid oedd ymneilltuedd yn golygu nad oedd gan UDA ddim i'w wneud â materion tramor, roedd yn golygu ei bod yn ceisio osgoi ymwneud ag anghydfod a allai arwain at ryfel.

Er na ddaeth UDA yn aelod o Gynghrair y Cenhedloedd, bu'n ymwneud â gweddill y byd yn y 1920au. Bu buddsoddiad UDA yn help i adfer Ewrop wedi'r Rhyfel Byd Cyntaf a UDA fu'n arwain y cyfarfodydd diarfogi.

Ym 1928 arwyddodd UDA Gytundeb Kellog-Briand gyda dros 60 gwlad arall, a oedd yn rhoi'r gorau i ryfel fel ffordd o ddatrys anghydfod.

Blaenoriaeth UDA ar ddechrau'r 1930au oedd tynnu ei hun o'r dirwasgiad. Wrth i gysgod rhyfel ddod yn nes, byddai digwyddiadau yn Ewrop yn newid hyn, ond bu'r Gyngres yn dal i gefnogi polisi ymneilltuedd drwy basio cyfres o Ddeddfau Niwtraliaeth ar ôl 1935 (gweler y tabl isod). Roedd Roosevelt yn casáu Hitler a Mussolini ond ni allai fentro ei ddeddfwriaeth Bargen Newydd drwy golli cefnogaeth y cyhoedd, a oedd yn gryf o blaid ymneilltuedd.

FFYNHONNELL  A

Ni all fod unrhyw wrthwynebiad i unrhyw gam y gallai ein llywodraeth ei gymryd sy'n ceisio dod â heddwch i'r byd cyhyd â bod hynny'n osgoi rhwymo 130 miliwn o bobl i orymdaith byd tuag at farwolaeth. Mae arnaf ofn fod galw arnon ni unwaith eto i gadw trefn ar fyd sy'n dewis dilyn arweinwyr gorffwyll.

Y Seneddwr Gerald Nye, a oedd yn gryf o blaid ymneilltuedd, yn siarad ym 1935.

g DEDDFAU NIWTRALIAETH

1935 Cafodd yr arlywydd rymoedd i rwystro llongau UDA a oedd yn cario arfau wedi'u gwneud gan UDA i wledydd a oedd yn rhyfela.

1936 Ehangu'r gwaharddiad ar fenthyciadau i wledydd a oedd yn rhyfela.

1937 Sefydlu'r cynllun 'talu a chario'. Penderfynodd y Gyngres mai wrth gludo nwyddau y gallai'r unig berygl ddod, nid wrth eu gwerthu. Gallai gwledydd a oedd yn rhyfela brynu nwyddau UDA os gallen nhw 'dalu' a 'chario'r' nwyddau eu hunain (eu cludo mewn llongau). Pan aeth Prydain a Ffrainc i ryfel yn erbyn yr Almaen ym mis Medi 1939 cawson nhw brynu arfau o dan y cynllun hwn. Bu gwrthwynebiad i hyn a chafodd Pwyllgor Cyntaf America ei sefydlu i rwystro'r wlad rhag ymuno â'r rhyfel.

Japan yn dod yn fygythiad

Yn ystod ail hanner y bedwaredd ganrif ar bymtheg cafodd Japan ei throi'n gyflym o fod yn wlad ffiwdal i fod yn wlad wedi'i diwydianeiddio. Ymladdodd y Japaneaid ar ochr y Cynghreiriaid yn y Rhyfel Byd Cyntaf ond cawson nhw eu sarhau oherwydd na chafodd datganiad ei gynnwys yng Nghyfamod Cynghrair y Cenhedloedd yn cydnabod cydraddoldeb hiliol. Ym 1921 yng Nghynhadledd Llynges Washington penderfynwyd na fyddai llynges Japan yn cael bod yn fwy na 60 y cant o faint llynges Prydain a UDA. Yn amlwg nid oedd Japan yn cael ei hystyried yn bŵer mawr, ac roedd hyn yn digio'r Japaneaid.

Daliodd economi Japan i dyfu yn ystod y cyfnod wedi'r rhyfel ond pan gwympodd marchnad stoc UDA ym 1929 llithrodd UDA i ddirwasgiad a bu cwymp sylweddol yn y masnachu rhwng y ddwy wlad. Yn ystod y cyfnod hwn roedd byddin Japan yn dechrau dylanwadu ar lywodraeth Japan a daeth galwadau am Gynllun Ffyniant ar y Cyd, a oedd yn golygu ehangu rheolaeth Japan dros wledydd eraill yn Asia. Pe na bai Japan yn gallu cael yr hyn roedd ei eisiau drwy fasnachu, byddai'n ei gael drwy ryfela.

Ymosod ar Manchuria, 1931

Heb gael gorchymyn gan y llywodraeth, ymosododd byddin Japan ar Manchuria (rhan o China) ym 1931. Apeliodd China at Gynghrair y Cenhedloedd am help. Cyn iddi allu ymateb, roedd y Japaneaid wedi goresgyn Manchuria ac yn ymosod ar rannau eraill o China. Condemniodd y Gynghrair ymosodiadau Japan a gorchymyn iddi adael China. Yn lle hynny gadawodd Japan Gynghrair y Cenhedloedd (gweler Ffynhonnell B).

Nid oedd gan y Gynghrair rym i orfodi ei phenderfyniad gan nad oedd dwy o'r gwledydd mwyaf pwerus – UDA a'r Undeb Sofietaidd – yn aelodau o Gynghrair y Cenhedloedd. Dwy wlad yn unig a benderfynodd gydnabod talaith Japaneaidd newydd 'Manchukuo' – yr Almaen a'r Eidal, a chyn hir, roedden nhw eu hunain wedi gadael y Gynghrair.

Help i Brydain

Mewn ymateb i apêl gan Churchill, cytunodd UDA ym mis Mawrth 1941 i gytundeb les-fenthyg fel bod Prydain yn gallu derbyn arfau'n syth ond gan dalu'n ddiweddarach.

Wrth weld llwyddiannau'r Almaen ar ddechrau'r Ail Ryfel Byd cafodd Japan hyder i ehangu ei huchelgais. Gyda'r Iseldiroedd, Ffrainc a Phrydain yn brysur yn rhyfela yn erbyn yr Almaen, gallai Japan symud draw at eu trefedigaethau yn Nwyrain Asia ac ardal y Cefnfor Tawel. Cafodd milwyr Japan eu hanfon i gymryd Indo-China oddi wrth y Ffrancod. Rhoddodd UDA fwy o gymorth i China a dechrau masnachu llai â Japan. Ym mis Gorffennaf 1941 gorffennodd UDA allforio olew i Japan. Roedd Japan wedi arfer mewnforio 80 y cant o'i holew o UDA, felly oherwydd y gwaharddiad yma bu'n rhaid iddi edrych tuag at y dyddodion olew yn Ne Ddwyrain Asia. Er mwyn rhybuddio Japan, gorchmynnodd llywodraeth UDA i'w llynges aros yn Pearl Harbor – prif ganolfan UDA yn y Cefnfor Tawel.

C Cwestiynau

1 Pa mor gryf oedd ymneilltuedd UDA yn ystod y cyfnod 1929-41?

2 Faint o fygythiad i UDA oedd Japan erbyn 1941?

FFYNHONNELL B Cartŵn yn gwneud sylw am Japan yn gadael Cynghrair y Cenhedloedd ym 1933

DIWEDD YMNEILLTUEDD: UDA A'R AIL RYFEL BYD

Pearl Harbor

Wrth i'r wawr dorri ar ddydd Sul 7 Rhagfyr 1941, lansiodd y Japaneaid ymosodiad annisgwyl ar lynges UDA yn Pearl Harbor yn Hawaii. Cafodd wyth o longau rhyfel eu suddo a chafodd deg llong arall eu dinistrio; cafodd 188 o awyrennau eu dinistrio a chafodd 159 ddifrod; a chafodd 2403 o bobl eu lladd. Y diwrnod canlynol aeth UDA i ryfel yn erbyn Japan. Nid oedd rheswm i UDA fynd i ryfel yn erbyn yr Almaen, yn lle hynny aeth Hitler i ryfel yn erbyn UDA ar 11 Rhagfyr 1941.

Rhyfel yn y Cefnfor Tawel

Ar ôl yr ymosodiad ar Pearl Harbor ymledodd lluoedd Japan dros Dde Ddwyrain Asia ac ynysoedd gorllewin y Cefnfor Tawel. Erbyn mis Mawrth 1942 bu'n rhaid i drefedigaethau Prydain, sef Hong Kong a Singapore, ac amddiffynwyr UDA ar Ynysoedd Pilipinas ildio. Erbyn canol 1942 roedd y Japaneaid wedi concro dros 2.5 miliwn cilometr sgwâr o dir, a llawer ohono â chyfoeth o ddefnyddiau crai. Yn y rhyfel yn y Cefnfor Tawel, roedd rheoli'r môr a'r awyr yn hanfodol. Cafodd y rhyfel ar y môr ei ymladd o longau awyrennau wedi'u hamddiffyn gan longau rhyfel.

Rhyfel yn Ewrop

Ar ôl yr ymosodiad ar Pearl Harbor, anfonodd UDA filwyr hefyd i ymladd ar Ffrynt y Gorllewin gyda milwyr Prydain a Chanada. Ar 6 Mehefin 1944, digwyddodd glaniadau Dydd-D ar hyd arfordir Normandie ar ôl i'r Cynghreiriaid fod wrthi'n cynllunio ers misoedd. Nid oedd yr Almaenwyr yn barod am yr ymosodiad; roedden nhw'n meddwl mai yn Calais y byddai'r Cynghreiriaid yn ymosod. Bu'r Almaen yn eu gwrthsefyll yn gadarn, ond roedd y Cynghreiriaid yn llawer cryfach, o ran niferoedd eu milwyr a'u cyflenwadau. Un deg un o fisoedd yn ddiweddarach, ildiodd yr Almaen ar 8 Mai 1945.

Y bom atomig

Erbyn haf 1945 roedd y tiroedd roedd y Japaneaid wedi eu concro yn y Cefnfor Tawel wedi cael eu hailfeddiannu bron i gyd ac roedd lluoedd Japan yn cilio. Ond roedd y Cynghreiriaid yn wynebu'r posibilrwydd o ymosod ar Japan, a'r gred oedd y byddai llawer iawn yn cael eu lladd. Felly penderfynodd yr Arlywydd Truman o UDA ddefnyddio'r bom atomig er mwyn dod â'r rhyfel i ben cyn gynted â phosibl. Ar 6 a 9 Awst 1945, cafodd bomiau atomig eu gollwng ar ddinasoedd Hiroshima a Nagasaki yn Japan (gweler tudalen 259). Wythnos yn ddiweddarach, ildiodd llywodraeth Japan.

Rhyfel yn y Cefnfor Tawel, 1941–5.

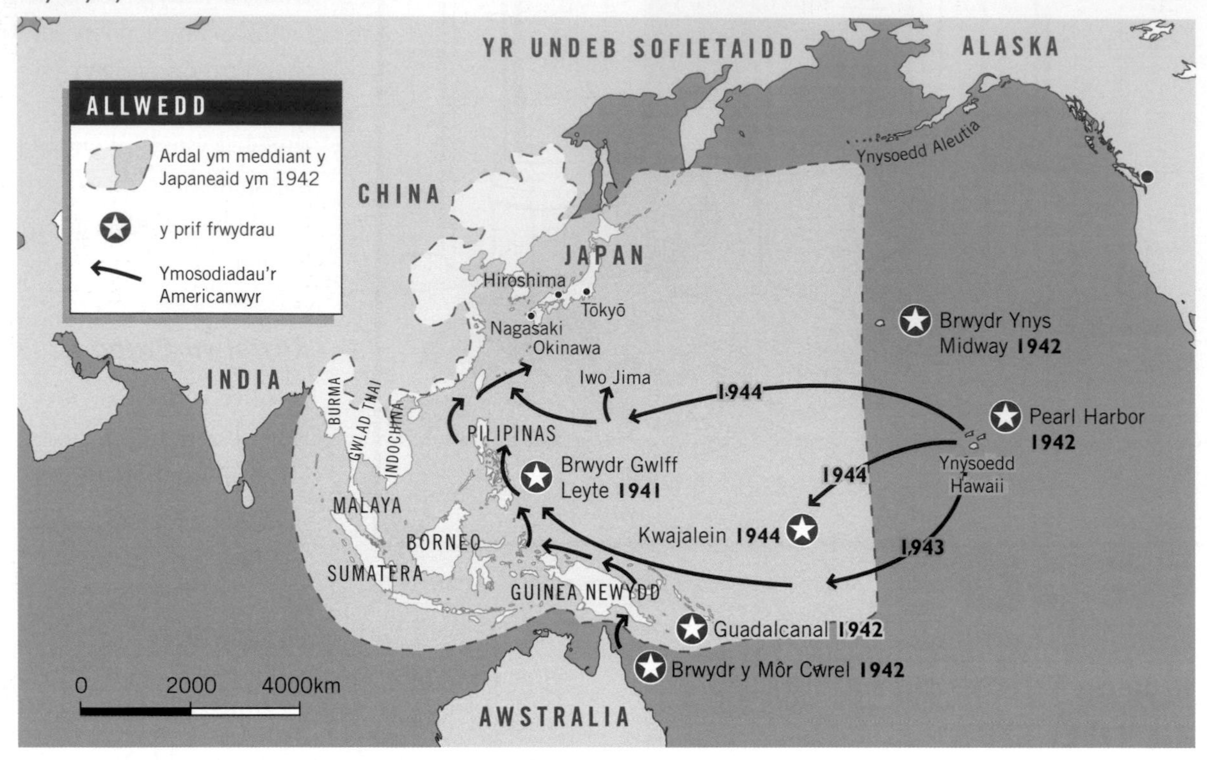

LLINELL AMSER DIGWYDDIADAU

Rhyfel yn Ewrop

Tachwedd 1942 *Operation Torch* – milwyr UDA a Phrydain yn ymosod ar Algeria a Moroco a oedd ym meddiant Vichy, wythnos wedi Brwydr El Alamein. Y Cynghreiriaid yn symud ymlaen i Tunisia.

Medi 1943 Milwyr UDA yn ymosod ar yr Eidal. Mae'n cymryd dwy flynedd o frwydro dygn i gyrraedd gogledd y wlad.

Mehefin 1944 'Diwrnod-D' – *Operation Overlord*: ar 6 Mehefin, 156,000 o filwyr Prydain ac UDA'n glanio ar draethau Normandie.

Mai 1945 Yr Almaen yn ildio – mae'r rhyfel yn Ewrop ar ben.

Rhyfel yn y Cefnfor Tawel

Mai 1942 Japan yn cael ei threchu am y tro cyntaf ym Mrwydr y Môr Cwrel.

Mehefin 1942 Y Japaneaid yn ymosod ar ganolfan UDA ar Ynys Midway ond maen nhw'n cael eu trechu. Caiff Brwydr Midway ei hystyried yn dro-bwynt yn y rhyfel yn y Cefnfor Tawel.

Awst 1942 Y Cadfridog MacArthur yn symud i fyny i Ynysoedd Solomon wedi cael buddugoliaeth yn Guadalcanal.

Hydref 1944 Y Cadfridog MacArthur yn ymosod ar y Pilipinas ac ym Mrwydr Gwlff Leyte, y frwydr fwyaf ar y môr erioed, y Japaneaid yn colli pedair llong awyrennau a dwy long ryfel. UDA yn symud tuag at y brifddinas, Manila.

Chwefror 1945 Môr-filwyr UDA yn cipio Ynys Iwo Jima a 4000 yn cael eu lladd.

Ebrill 1945 Lluoedd UDA yn ymosod ar Okinawa ac mewn safle da i ymosod ar Japan. 12,000 yn colli eu bywydau yn y frwydr.

Awst 1945 Awyrennau bomio UDA yn parhau i ddinistrio dinasoedd Japan ond llywodraeth Japan yn gwrthod ildio. Ar 6 Awst caiff bom atomig ei ollwng ar Hiroshima, gan ladd 70,000 o bobl. Y llywodraeth yn dal i wrthod ildio ac ar 9 Awst caiff ail fom ei ollwng ar Nagasaki, gan ladd dros 40,000 o bobl. Ar 15 Awst yr Ymerawdwr Hirohito'n cyhoeddi bod Japan yn ildio'n ddiamod.

C Cwestiynau

1. Pam ymunodd UDA â'r Ail Ryfel Byd?
2. Sut bu UDA'n cyfiawnhau defnyddio'r bom atomig ar ddinasoedd Hiroshima a Nagasaki yn Japan?

FFYNHONNELL C Cartŵn Prydeinig ym mis Mawrth 1946 am Churchill a'r Llen Haearn.

UDA A'R RHYFEL OER

Roedd UDA a'r Undeb Sofietaidd wedi cydweithio yn erbyn Hitler, ond ar ôl i'r rhyfel ddod i ben, aethon nhw'n elynion eto. O'r blaen byddai'r ddwy ochr wedi mynd i ryfel i ddatrys y gwahaniaethau rhyngddyn nhw, ond roedd arfau atomig yn golygu bellach y byddai rhyfel yn arwain at ddinistrio eang. Yn lle hynny, digwyddodd 'rhyfel oer', rhyfel heb ymladd. Ym mis Mawrth 1946, mewn araith yn Fulton, Missouri, soniodd Churchill, Prif Weinidog Prydain am 'len haearn' a oedd wedi cwympo rhwng Dwyrain Ewrop o dan reolaeth y Sofietiaid a Gorllewin Ewrop (gweler Ffynhonnell C).

Athrawiaeth Truman a Chymorth Marshall

Roedd UDA yn cefnogi polisi cyfyngu i rwystro comiwnyddiaeth rhag ymledu gydag 'effaith domino' (sef, gallai gwledydd ildio i gomiwnyddiaeth, fesul un, fel dominos). Roedd polisi cyfyngu yn groes i'r polisi ymneilltuo, a daeth yn gonglfaen polisi tramor UDA gydol y Rhyfel Oer. Ym mis Mawrth 1947 cynigiodd yr Arlywydd Truman o UDA gymorth i unrhyw wlad a oedd o dan fygythiad 'gan luoedd mewnol neu allanol'. Drwy wneud hyn, roedd yn gobeithio parhau i rwystro comiwnyddiaeth rhag lledu.

Cafodd Athrawiaeth Truman ei rhoi ar waith gan Gymorth Marshall. Cynigiodd yr Ysgrifennydd Gwladol George C. Marshall dros $13 biliwn yn gymorth i'r gwledydd a oedd yn dod dros effeithiau'r rhyfel. Ymosododd Stalin arno gan ddweud mai cynllwyn UDA oedd hyn er mwyn tra-arglwyddiaethu ar Ddwyrain Ewrop a gwrthododd adael i'r gwledydd roedd y Sofietiaid yn eu rheoli dderbyn y cymorth.

FFYNHONNELL CH

Credaf ei bod yn hanfodol i bolisi'r Unol Daleithiau gefnogi pobl sy'n gwrthsefyll ymgais i'w gorchfygu gan leiafrifoedd arfog neu unrhyw bwysau allanol. Credaf fod rhaid inni helpu i ryddhau pobloedd i ddatrys eu tynged eu hunain yn eu ffordd eu hunain.

Darn o araith yr Arlywydd Truman ar 12 Mawrth 1947.

Ar ddiwedd y 1940au cymerodd UDA gamau a oedd yn chwyldroi ei pholisi tramor. Cafodd niferoedd y lluoedd arfog eu cadw'n agos at y lefelau ar adeg y rhyfel gan barhau i grynhoi arfau, yn cynnwys arfau niwclear. Canolodd Deddf Diogelwch Cenedlaethol 1947 reolaeth dros holl ganghennau'r lluoedd arfog mewn Adran Amddiffyn newydd a chrëwyd Cyngor Diogelwch Cenedlaethol (NSC) a'r Gwasanaeth Cyfrin Canolog (CIA). Cafodd UDA ei rhoi mewn stad o argyfwng parhaol.

FFYNHONNELL D Cartŵn Americanaidd yn dangos effaith athrawiaeth Truman ar yr Undeb Sofietaidd.

C Cwestiynau

1. Beth oedd 'effaith domino'?
2. Beth oedd arwyddocâd araith yr Arlywydd Truman ar 12 Mawrth 1945? Cyfeiriwch at Ffynonellau CH a D yn eich ateb.

BERLIN MEWN ARGYFWNG

Ar ôl yr Ail Ryfel Byd roedd Berlin wedi cael ei rhannu'n bedwar rhanbarth. Defnyddiodd y Sofietiaid eu rhanbarth nhw i helpu i ailadeiladu economi Sofietaidd a oedd yn llanast wedi'r rhyfel. Roedd bywyd yn galed yn y rhanbarth Sofietaidd. Er mwyn gwneud rhanbarthau'r Gorllewin yn fwy hunangynhaliol, unodd rhanbarthau America a Phrydain i greu 'Bizonia'; daeth rhanbarth Ffrainc atyn nhw wedyn. Ym mis Mehefin 1948 cafodd arian cyfred newydd ei gyflwyno, a chododd hyn ofn ar Stalin. Roedd e'n credu y byddai Almaen lewyrchus yn fygythiad, a gan fod Berlin yng nghanol rhanbarth y Sofietiaid, roedd e o'r farn fod y ddinas yn ganolfan cyfalafiaeth yn Nwyrain Ewrop.

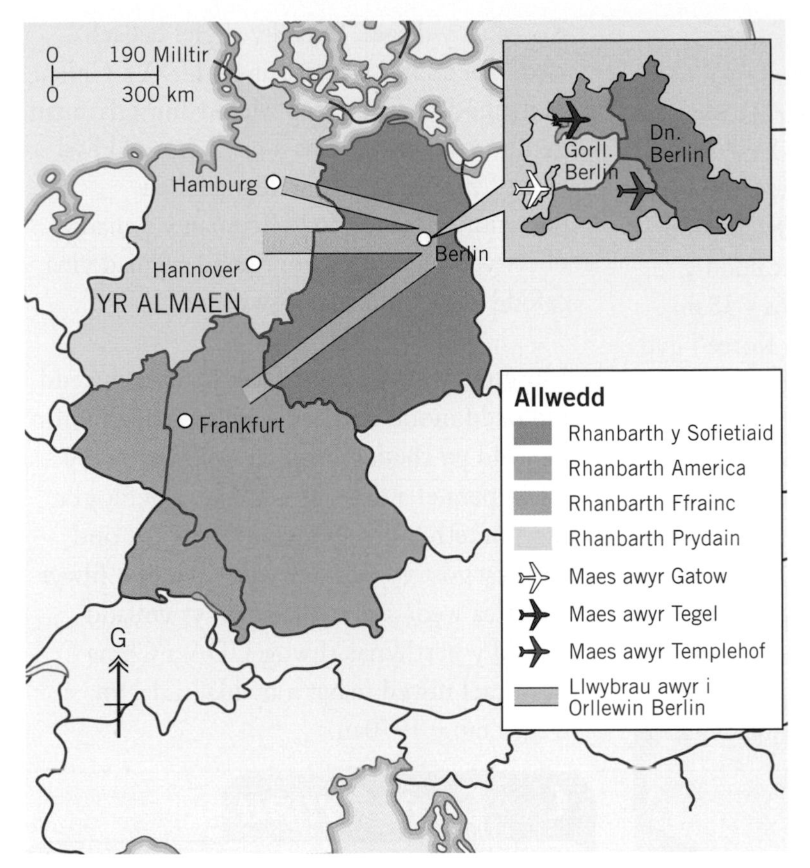

Berlin wedi ei rhannu ar ôl yr Ail Ryfel Byd.

Ar 24 Mehefin 1948 torrodd milwyr y Sofietiaid yr holl gysylltiadau ffyrdd, rheilffyrdd a chamlesi rhwng y Gorllewin a Gorllewin Berlin. Ymgais oedd gwarchae Berlin i orfodi pwerau'r Gorllewin i ildio drwy eu newynu. Mynegodd Truman deimladau pwerau'r Gorllewin: 'Rydyn ni'n mynd i aros, a dyna ddiwedd arni.'

Awyrgludiad Berlin

Bu'r Americanwyr yn ystyried defnyddio eu byddin i agor y llwybrau ond byddai hynny wedi bod yn weithred rhyfel. Yn lle hynny, cafodd awyrgludiad enfawr ei drefnu i gludo'r nwyddau, gan UDA'n bennaf. Erbyn mis Medi 1948 roedd awyrennau'n glanio bob tair munud ac ni allai Stalin ond eu gwylio. Byddai saethu awyrennau'n weithred rhyfel, ac er bod awyrennau America'n wynebu perygl wrth i awyrennau'r Sofietiaid eu hysio, ni fu unrhyw ymosodiadau.

O fis Mehefin 1948 tan i Stalin ailagor y llwybrau cyflenwi i'r Gorllewin ym mis Mai 1949 bu dros 27,000 o deithiau a chafodd 2 filiwn tunnell o nwyddau eu cludo i Berlin.

UDA yn ymuno â NATO

Oherwydd y digwyddiadau yn Berlin bu newid hanesyddol i bolisi tramor UDA – am y tro cyntaf yn ei hanes ymunodd â chynghrair adeg heddwch. Ym mis Medi 1949 cafodd Cyfundrefn Cytundeb Gogledd Iwerydd (NATO) ei arwyddo gan UDA a 11 o bwerau eraill y Gorllewin, a phob un yn ymrwymo i amddiffyn y lleill. Adeg yr arwyddo cyhoeddodd UGSS eu bod nhw wedi profi eu bom niwclear cyntaf.

RHYFEL KOREA

Pan ildiodd Japan ym 1945 roedd Korea, cyn-drefedigaeth, wedi cael ei meddiannu yn y gogledd gan luoedd y Sofietiaid ac yn y de gan yr Americanwyr. Roedd y gwledydd wedi cael eu rhannu ar hyd y 38ain paralel. Gadawodd y Sofietiaid lywodraeth gomiwnyddol yn y gogledd o dan Kim Il Sung tra sefydlodd UDA lywodraeth 'ddemocrataidd' yn y de o dan Syngman Rhee (a fu fel unben fwy neu lai). Roedd y ddwy lywodraeth yn dweud bod ganddynt hawl i lywodraethu dros y wlad i gyd ac ym mis Mehefin 1950 dyma filwyr Gogledd Korea gyda chefnogaeth y Sofietiaid yn ymosod ar Dde Korea. Dyma'r Arlywydd Truman, ac yntau'n ofni'r 'effaith domino', yn anfon lluoedd UDA i mewn ac yn apelio am gefnogaeth y Cenhedloedd Unedig.

Rhyfel UDA?

Anfonodd 16 o wledydd filwyr ond roedd 50 y cant o'r milwyr tir, 93 y cant o'r llu awyr ac 86 y cant o'r llynges yn dod o UDA. Cafodd y Pencadlywydd, y Cadfridog MacArthur, ei benodi gan Truman a byddai'n adrodd yn ôl wrtho. Ar ôl llwyddo i ddechrau, cafodd y comiwnyddion eu gwthio'n ôl dros y 38ain paralel. Nawr ceisiodd UDA uno Korea i gyd o dan lywodraeth a fyddai o blaid America.

Dyma Mao Zedong, llywodraethwr China, yn rhybuddio UDA i gadw draw o ffiniau China a, phan gafodd y rhybudd ei anwybyddu, anfonodd filoedd o filwyr China i helpu milwyr Gogledd Korea. Sleifiodd 300,000 yn rhagor o filwyr China i mewn i Korea yn y dirgel. Roedd y rhyfel bellach wedi troi'n fater preifat rhwng UDA a China. Gofynnodd y Cadfridog MacArthur i Truman gytuno i oresgyn China a chynghorodd hyd yn oed y dylai arfau niwclear gael eu defnyddio. Gwrthododd Truman y syniad: oherwydd iddo feirniadu'r penderfyniad yma, cafodd MacArthur ei ddiswyddo.

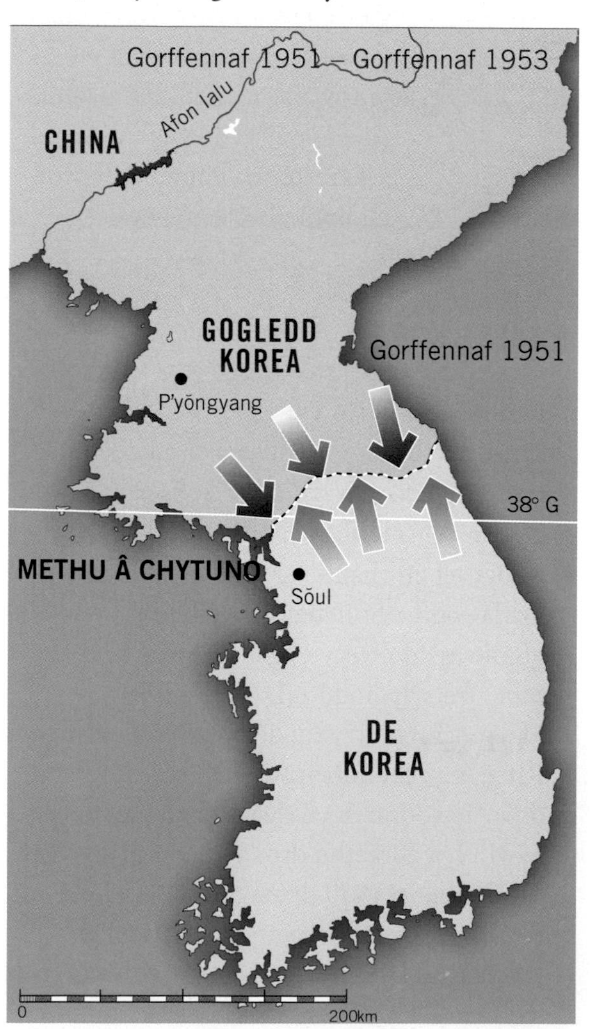

Ar ôl Rhyfel Korea, roedd y 38ain paralel yn nodi'r ffin rhwng Gogledd a De Korea.

Llusgodd y rhyfel yn ei flaen ac yn y diwedd nid oedd modd datrys y sefyllfa. Roedd y ffin newydd yn rhedeg bron yn union ar hyd y 38ain paralel a daliodd UDA ati i gefnogi'r llywodraeth 'ddemocrataidd' yn y de, ond roedd y gost yn uchel: roedd 50,000 o filwyr America wedi cael eu lladd yn yr ymladd. Roedd y berthynas rhwng UDA a China wedi cael niwed mawr a byddai'n dal yn fregus tan y 1970au.

C Cwestiynau

1. Pam roedd Berlin yn ganolbwynt y sylw yn ystod y cyfnod yn union wedi'r rhyfel?
2. Pam mae Rhyfel Korea wedi cael ei alw'n 'rhyfel UDA'?

MUR BERLIN

Wrth i'r Rhyfel Oer barhau gydol y 1950au, gwellodd y berthynas rhwng y ddau archbŵer ryw ychydig ac roedd rhai'n teimlo'n obeithiol. Roedd arweinydd y Sofietiaid, Nikita Khrushchev, wedi bod ar ymweliad llwyddiannus i UDA ym 1959, ac i adeiladu ar hynny, cafodd uwchgyfarfod ei drefnu ym Mharis ym mis Mai 1960 rhwng UDA, UGSS, Prydain a Ffrainc. Y gobaith oedd y byddai'r ddau archbŵer yn defnyddio'r cyfarfod hwn i drafod eu gwahaniaethau. Ond ddau ddiwrnod yn unig cyn y cyfarfod cafodd awyren sbïo U2 o America ei saethu i lawr dros yr Undeb Sofietaidd. Roedd y camerâu diweddaraf ar fwrdd yr awyren.

Er i UDA geisio cuddio'r peth, bu'n rhaid iddyn nhw gyfaddef eu bod yn sbïo. Dywedodd Khrushchev y byddai'n dal i fynychu'r uwchgyfarfod petai arlywydd UDA, Eisenhower, yn ymddiheuro. Gwrthododd Eisenhower ac unwaith eto gwaethygodd y berthynas.

Ym mis Awst 1961 cafodd mur concrit 45 cilometr o hyd ei godi gan y Sofietiaid drwy Berlin i rwystro ffoaduriaid rhag symud i'r Gorllewin. Daeth Mur Berlin yn symbol trawiadol o'r Rhyfel Oer. Cynyddodd y tyndra a dechreuodd y ddau archbŵer brofi arfau niwclear mwy pwerus.

ARGYFWNG TAFLEGRAU CUBA

Ym mis Ionawr 1959 cafodd unbennaeth lwgr Fulgencio Batista yn Cuba ei disodli gan wladgarwr adain chwith o'r enw Fidel Castro. Er ei bod yn amau daliadau asgell chwith Castro, penderfynodd UDA gydnabod ei lywodraeth. Roedd gan UDA fuddiannau ariannol enfawr yn Cuba. Pan ddechreuodd Castro raglen o ddiwygio cymdeithasol ac economaidd roedd hyn yn bygwth buddiannau UDA. Bwriad Castro oedd gwladoli busnesau UDA a dechreuodd wneud cytundebau masnachu â'r Sofietiaid. Dechreuodd UDA ofni bygythiad gwlad gomiwnyddol 150 cilometr yn unig o'i thir mawr.

Darbwyllodd y Gwasanaeth Cyfrin Canolog (CIA) yr Arlywydd Kennedy, a oedd newydd gael ei ethol, fod rhaid disodli Castro. Ar 17 Ebrill 1961 dyma lu o 1400 o alltudion gwrth-Castro gyda chefnogaeth y CIA yn ymosod ar Cuba yn Playa Giron *(Bay of Pigs)*. Bu'r ymosodiad yn drychineb, wedi'i sathru gan 20,000 o filwyr Cuba. Roedd yr Arlywydd Kennedy'n teimlo embaras mawr, yn sylweddoli iddo gael cyngor anghywir. Ym mis Gorffennaf gwladolodd Castro holl ddiwydiannau UDA a gofyn i'r Undeb Sofietaidd amddiffyn Cuba. Yna cyhoeddodd ei fod yn gomiwnydd.

Ym mis Hydref 1962 tynnodd awyrennau sbïo UDA ffotograffau o daflegrau Sofietaidd wedi eu lleoli'n barod yn Cuba. Gan eu bod yn gallu teithio 4000 cilometr roedd perygl i bron pob dinas yn UDA ddioddef ymosodiad. Roedd hi'n ymddangos fel petai Khrushchev wedi penderfynu defnyddio Cuba i roi pwysau ar Kennedy i symud safleoedd taflegrau UDA o Dwrci ac i dynnu'n ôl o Berlin hyd yn oed. Roedd sawl dewis gan Kennedy:

- Gwneud dim ond protestio i Cuba a UGSS – byddai gwneud hyn wedi cael ei ystyried yn wendid.
- Gofyn i'r Cenhedloedd Unedig am help – byddai UGSS wedi defnyddio ei phleidlais atal.
- Ymosod ar Cuba a dinistrio safleoedd y taflegrau.
- Ymosod ar yr Undeb Sofietaidd.
- Rhoi gwarchae ar Cuba gan ddefnyddio llynges UDA – byddai safleoedd y taflegrau'n aros ond byddai pwysau ar Khrushchev i ymateb.

FFYNHONNELL DD

Cartŵn o'r *Daily Express*, Hydref 1962. Mae Kennedy a Khrushchev yn cael eu darlunio'n saethwyr sy'n aros i weld pwy fydd yn tynnu'r dryll gyntaf. Mae Castro ar gefn asyn.

LLINELL AMSER DIGWYDDIADAU

Argyfwng Taflegrau Cuba, 1963

22 Hydref Kennedy'n cyhoeddi gwarchae Cuba ac yn cyhuddo'r Sofietiaid o 'bryfocio'.

23 Hydref Y Sofietiaid yn honni eu bod yn amddiffyn Cuba rhag ymosodiad gan UDA.

24 Hydref Llongau Sofietaidd yn cyrraedd y gwarchae – ac yn troi'n ôl.

26 Hydref Khrushchev yn anfon llythyr at Kennedy yn cytuno i symud y taflegrau os bydd UDA'n codi'r gwarchae ac yn addo peidio ag ymosod ar Cuba.

27 Hydref Khrushchev yn anfon ail lythyr gan ychwanegu amod y dylai UDA symud ei thaflegrau o Dwrci. Kennedy'n cytuno i'r llythyr cyntaf yn gyhoeddus ac i'r ail yn breifat.

28 Hydref Khrushchev yn cytuno i symud y taflegrau o Cuba.

Gallai'r dewisiadau i ymosod ar Cuba neu'r Undeb Sofietaidd arwain at ryfel niwclear a dinistrio eang.

Canlyniadau'r argyfwng

Er i Kennedy a Khrushchev gael eu cyhuddo o chwarae ar y dibyn, cafodd y ddau glod hefyd. Roedd Kennedy wedi gorfodi Khrushchev i ildio ac wedi osgoi rhyfel. Cafodd Khrushchev ei ganmol gan bwerau'r Gorllewin am ei ddoethineb, ond cafodd ei feirniadu gan China am ildio.

Gwellodd y berthynas rhwng yr archbwerau a chafodd llinell ffôn uniongyrchol ei gosod rhwng y Tŷ Gwyn a'r Kremlin i hwyluso cyfathrebu. Ym 1963 cafodd Cytundeb Gwaharddiad ar Arbrofi ei arwyddo, fel ei bod hi'n anghyfreithlon i brofi arfau niwclear yn yr atmosffer, o dan y môr neu yn y gofod.

C Cwestiynau

1 Beth oedd achosion Argyfwng Taflegrau Cuba?

2 Pwy elwodd fwyaf ar Argyfwng Taflegrau Cuba?

Y RHYFEL YN VIET NAM

Rhwng 1965 a 1973 ymladdodd UDA ryfel anodd yn erbyn comiwnyddiaeth yn Viet Nam. Ond, ni lwyddodd gwlad gyfoethocaf a mwyaf pwerus y byd i drechu llu gerila llawer llai mewn gwlad a oedd yn datblygu.

Ym 1954 roedd gwrthryfelwyr comiwnyddol o dan arweiniad Ho Chi Minh wedi gyrru'r Ffrancod o'u cyn-drefedigaeth, Indo-China. Cafodd yr ardal ei rhannu'n bedair gwladwriaeth: Cambodia, Laos, Gogledd Viet Nam a De Viet Nam. Daeth gogledd Viet Nam yn wlad gomiwnyddol o dan Ho Chi Minh tra daeth y de o dan reolaeth llywodraeth wrth-gomiwnyddol Ngo Dinh Diem.

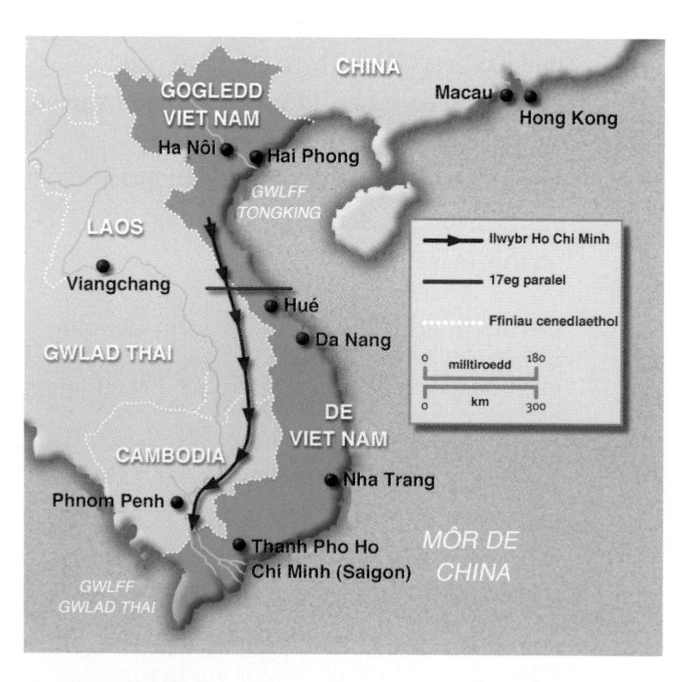

Rhannu Viet Nam.

Roedd Ho Chi Minh eisiau Viet Nam gomiwnyddol ac annibynnol ac aeth ati i gyflawni hyn drwy ryfela. Anfonodd yr Arlywyddion Eisenhower, ac yn ddiweddarach Kennedy, arfau a 'chynghorwyr' i helpu'r de fel rhan o'u polisi cyfyngu ac i atal comiwnyddiaeth rhag lledaenu. Yn ddiweddarach bu'r Arlywydd Johnson yn cyfiawnhau rhyfel am ei fod yn angenrheidiol i adfer economi UDA.

UDA yn ymwneud mwy â Viet Nam

Erbyn 1963 roedd y Vietcong (lluoedd comiwnyddol) yn rheoli 40 y cant o gefn gwlad De Viet Nam a phenderfynodd Johnson roi mwy o gefnogaeth UDA. Ym mis Awst 1964 ymosododd cychod Gogledd Viet Nam ar longau UDA yng Ngwlff Tonkin gan roi esgus i'r Arlywydd Johnson wneud mwy. Lansiodd Johnson *Operation Rolling Thunder*, ymgyrch fomio enfawr yn erbyn Gogledd Viet Nam, gan anfon 180,000 o filwyr i'r gad fel ffordd sydyn o drechu'r Vietcong. Erbyn 1968 roedd dros 540,000 o *grunts*, fel roedden nhw'n eu galw eu hunain, yn ymladd yn Viet Nam. Anfonodd y Sofiet-iaid a'r Chineaid arfau a chyflenwadau i gefnogi'r Vietcong, a llifodd miloedd yn rhagor o filwyr comiwnyddol i mewn ar hyd Llwybr Ho Chi Minh, cyfres o lwybrau drwy'r jyngl (gweler y map ar dudalen 264).

Tactegau'r Vietcong

Ymladdodd y Vietcong ryfel gerila hynod lwyddiannus. Defnyddion nhw eu gwybodaeth o'r tir a chloddio 48,000 cilometr o dwnelau tanddaearol. Bydden nhw'n ymosod yn annisgwyl ac yna'n diflannu i'r jyngl. Roedden nhw'n cymysgu'n rhwydd â'r sifiliaid ac roedd hi'n anodd i filwyr UDA adnabod y Vietcong. Er gwaethaf colledion enfawr roedd y Vietcong yn wydn: disgrifiodd un gohebydd dactegau UDA fel 'defnyddio gordd i fwrw corcyn sy'n arnofio'.

Ymosodiad Tet, Ionawr 1968

Er mai tactegau gerila roedd y Vietcong yn eu defnyddio yn eu brwydr yn erbyn lluoedd UDA, bu rhai ymosodiadau mawr hefyd, fel Ymosodiad Tet yn ystod gŵyl grefyddol Tet. Bu ymosodiadau ar drefi De Viet Nam a chanolfannau UDA yn ogystal â llysgenhadaeth UDA yn Saigon. Yn y pen draw cawson nhw eu gyrru'n ôl gyda 50,000 wedi eu lladd; ond roedden nhw wedi ymosod ar galon y tir o dan feddiant UDA, ac er iddyn nhw golli'r frwydr yma roedden nhw wedi ennill buddugoliaeth seicolegol.

Tactegau UDA

Bu'r Americanwyr yn ymladd rhyfel gyda'r arfau diweddaraf gan ddefnyddio awyrennau bomio B52, hofrenyddion a lanswyr rocedi. Bu gwyddoniaeth yn chwarae rhan sinistr gyda chemegau fel Agent Orange, cemegyn sy'n lladd tyfiant dail, i rwystro'r Vietcong rhag cuddio yn y jyngl, a napalm, math o jeli sy'n llosgi ac yn glynu wrth groen. Cafodd tactegau 'Chwilio a dinistrio' eu defnyddio er mwyn hela'r gelyn, neu 'Charlie' fel roedd yr Americanwyr yn galw'r Vietcong, i'r agored.

Gwrthwynebu Rhyfel Viet Nam

Roedd y rhyfel yn cael ei ddangos ar y teledu a gwelodd miliynau o Americanwyr ei ganlyniadau dychrynllyd yn eu hystafelloedd byw. Ym 1969 dangosodd teledu CBS ddelweddau erchyll cyflafan o 504 o ddynion, menywod a phlant wedi'u lladd gan filwyr UDA yn My Lai ym 1968. Oherwydd hyn trodd Americanwyr Canol yn erbyn y rhyfel. Cafodd yr is-gapten William Calley, a arweiniodd yr ymosodiad, ei ddedfrydu i garchar am oes ond am dri diwrnod yn unig y bu yn y carchar.

Cafodd mudiad yn erbyn y rhyfel fwy o gefnogaeth: siaradodd pobl amlwg fel Martin Luther King, Muhammed Ali a Jane Fonda yn ei erbyn. Bu mwy a mwy o brotestiadau ledled UDA. Llosgodd dynion ifanc 'gardiau drafftio' a chafodd Johnson ei wawdio gan siantio *Hey, hey, LBJ, how many kids did you kill today?* Ni safodd Johnson i gael ei ailethol a daeth Richard Nixon yn Arlywydd ym 1969.

Vietnameiddio: 'rhoi'r rhyfel yn ôl'

Ateb Nixon i amharodrwydd cyhoedd UDA i fod yn rhan o'r rhyfel oedd cryfhau byddin De Viet Nam a'i gwneud hi'n ddigon cryf i amddiffyn y wlad ei hun, gan roi esgus iddo dynnu milwyr UDA'n ôl. Wrth i'r broses o Vietnameiddio ddechrau, cafodd trafodaethau heddwch eu cynnal i geisio dod â'r rhyfel i ben. Erbyn 1973 roedd cadoediad wedi cael ei gytuno ac, erbyn diwedd y flwyddyn, roedd holl filwyr UDA wedi gadael.

Dechreuodd y rhyfel eto ym 1974 ac anfonodd UDA gyflenwadau ond dim milwyr. Gorchfygodd lluoedd y comiwnyddion y rhan fwyaf o Dde Viet Nam ym 1975 ac ym 1976 llwyddodd Ho Chi Minh i uno Viet Nam yn un wlad gomiwnyddol. Daeth Cambodia a Laos yn wledydd comiwnyddol – roedd y dominos wedi disgyn ac roedd polisi cyfyngu UDA wedi methu.

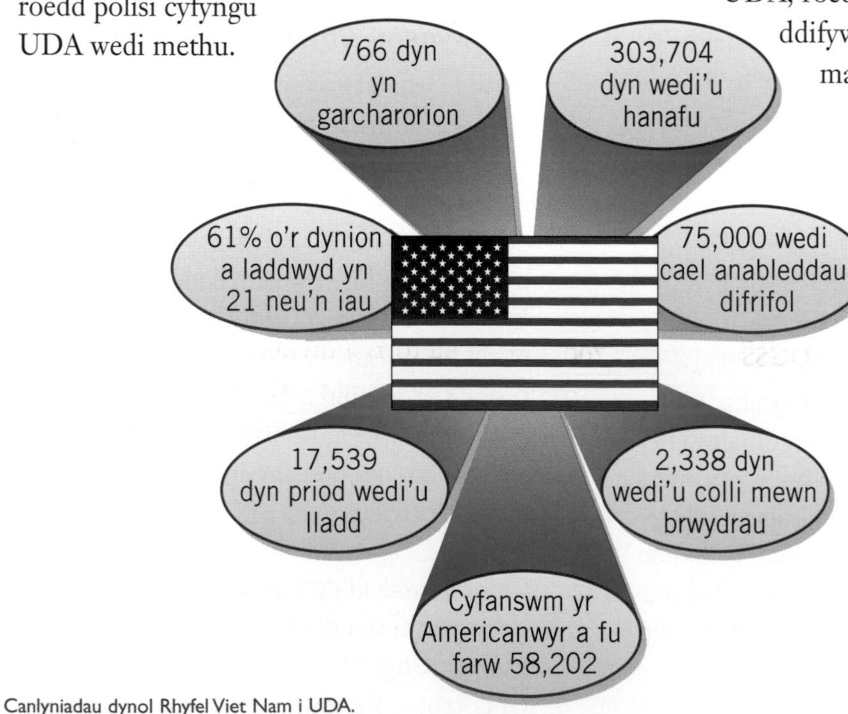

Canlyniadau dynol Rhyfel Viet Nam i UDA.

C Cwestiynau

1. Pam dechreuodd UDA ymwneud â Viet Nam?
2. Pam mae Rhyfel Viet Nam wedi cael ei ddisgrifio fel rhyfel a oedd yn amhosibl ei ennill?

NEWIDIADAU YN Y BERTHYNAS ADEG Y RHYFEL OER

Détente

Gair Ffrangeg yw *détente*, (ymlacio), sydd wedi cael ei ddefnyddio i ddisgrifio cyfnodau o welliant, neu doddi, yn y berthynas adeg y Rhyfel Oer. Mae'n berthnasol yn bennaf i'r blynyddoedd rhwng 1971, pan ddechreuodd UDA a UGSS gynnal nifer o uwchgyfarfodydd, a 1979 pan ymosododd y Sofietiaid ar Afghanistan. Daeth cyfnod o *détente* eto ar ôl i Mikahil Gorbachev ddod yn arweinydd y Sofietiaid ym 1985. Roedd yr archbwerau eisiau *détente* am nifer o resymau:

- I leihau'r perygl o ryfel niwclear.
- I leihau cost enfawr y ras arfau – roedd Rhyfel Viet Nam yn costio'n ddrud i UDA; roedd economi UGSS yn ddifywyd ac roedd angen masnach â'r Gorllewin.
- Roedd Rhyfel Viet Nam wedi effeithio'n fawr ar bolisi tramor America. Roedd UDA eisiau gwell cysylltiadau â UGSS a China. Er nad oedd gan China arfau niwclear ar y pryd roedd ei byddin enfawr yn fygythiad yn Asia.

Gwella cysylltiadau â China

Roedd Nixon yn gryf yn erbyn comiwnyddiaeth ond llwyddodd i feithrin cysylltiadau cyfeillgar â UGSS a China yn y 1970au a'r 1980au. Ei gynghorydd, Dr Henry Kissinger, biau'r clod am hyn gan fwyaf. Nodau UDA oedd cyfyngu ar y ras arfau a chyfyngu ar gynlluniau'r Sofietiaid a'r Chineaid rhag ehangu, yn enwedig yn y Trydydd Byd.

Roedd UDA a China'n dal yn amau UGSS ond roedden nhw'n barod i 'ddal eu trwynau' a gwella'r cysylltiadau â'i gilydd. Ym 1971 cytunodd UDA y dylai China gomiwnyddol gymryd ei sedd yn y Cenhedloedd Unedig. Bu tîm tennis bwrdd UDA yn chwarae gemau yn Peking (Beijing), gan greu'r term 'diplomyddiaeth ping-pong', ac ym 1972 aeth Nixon ar ei ymweliad hanesyddol 'taith heddwch' i China.

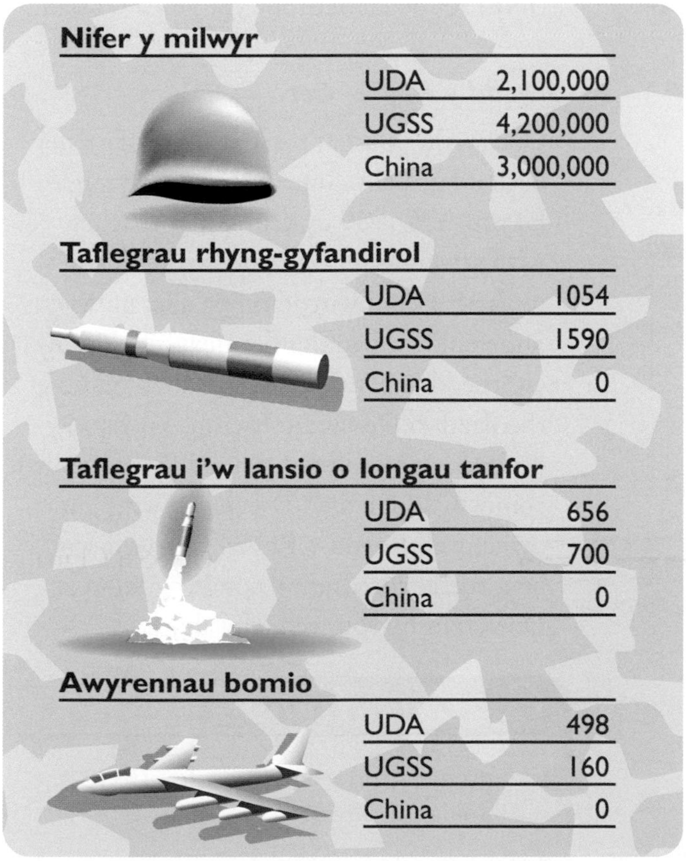

Nifer y milwyr

UDA	2,100,000
UGSS	4,200,000
China	3,000,000

Taflegrau rhyng-gyfandirol

UDA	1054
UGSS	1590
China	0

Taflegrau i'w lansio o longau tanfor

UDA	656
UGSS	700
China	0

Awyrennau bomio

UDA	498
UGSS	160
China	0

Mantolen filwrol yn y 1970au.

Détente *gyda UGSS: Salt I*

Ym 1972 hedfanodd Nixon i Moskva (yr Arlywydd cyntaf i wneud hynny ers Roosevelt ym 1944) a bu'n garreg filltir o ran y cysylltiadau rhwng Rwsia ac America. Dechreuodd Trafodaethau Cyfyngu ar Arfau Strategol (SALT) ym 1969, gan arwain at gytundeb SALT I ym 1972. Roedd y cytundeb, a oedd i redeg am bum mlynedd, i gyfyngu ar nifer y taflegrau rhyng-gyfandirol a gwrthfalistig a bu cytundebau i beidio â phrofi taflegrau rhyng-gyfandirol a'r rhai a oedd yn cael eu lansio o longau tanfor.

Cytundeb Helsinki, 1975

Ym 1975 arwyddodd 35 gwlad gan gynnwys UDA a UGSS gytundeb sy'n cael ei ystyried yn uchafbwynt *détente*. Dyma UDA yn cydnabod ffiniau Dwyrain Ewrop a goruchafiaeth y Sofietiaid yno. Cafodd hyn ei gysylltu ag addewid gan yr holl wledydd i barchu hawliau dynol sylfaenol i ryddid barn, crefydd a symud.

Effaith y rhyfel yn Afghanistan

Ceisiodd Arlywydd Carter o UDA gael mwy o gytundebau ar gyfyngiadau arfau drwy drafodaethau SALT II ond araf fu'r cynnydd gydag arweinydd y Sofietiaid, Brezhnev. Ni chafodd SALT II fyth ei gadarnhau gan Senedd UDA yn bennaf oherwydd i'r Undeb Sofietaidd ymosod ar Afghanistan ym 1979. Cafodd cysylltiadau diplomyddol eu torri a thynnodd Carter dîm Olympaidd UDA o Gemau Olympaidd Moskva ym 1980.

Ym mis Ionawr 1981 daeth Reagan yn Arlywydd yn lle Carter ac aeth UDA yn ôl i ddilyn polisi tramor ymosodol gwrth-Sofietaidd.

FFYNHONNELL **E** Cafodd y cartŵn yma ei gyhoeddi mewn papur newydd Prydeinig ym 1976. Mae'n dangos Kissinger o'r UDA ar y chwith a Brezhnev o'r Undeb Sofietaidd ar y dde.

Er gwaethaf y trafodaethau i gyfyngu ar arfau roedd y ddwy ochr wedi bod yn datblygu arfau newydd. Cynyddodd Reagan ei gyllideb amddiffyn yn fawr a chyhoeddodd fod UDA wedi datblygu math newydd o fom – y bom niwtron, a oedd yn gallu lladd llawer o bobl heb wneud difrod i eiddo. Ym 1983 dechreuodd gwyddonwyr UDA weithio ar y Fenter Amddiffyn Strategol (SDI) neu *Star Wars*, math o darian enfawr yn y gofod a fyddai'n defnyddio laserau i saethu taflegrau'r gelyn i lawr. Un o'r rhesymau am hyn oedd ceisio dymchwel comiwnyddiaeth yn UGSS drwy orfodi UGSS i wario arian mawr ar arfau yn hytrach nag ar fuddsoddiadau eraill.

Er bod mwy o arfau, dechreuodd trafodaethau eto i gyfyngu ar arfau. Nod Trafodaethau Lleihau Arfau Strategol (START) oedd lleihau nifer yr arfau niwclear ond ychydig o gynnydd a fu (cafodd y cytundeb ei arwyddo ym 1991).

Gwellodd y cysylltiadau rhwng Rwsia ac America ym 1985 pan orchmynnodd Gorbachev i'r ymladd ddod i ben. Dechreuodd drafod â Reagan ym 1987 ac erbyn 1989 roedd milwyr y Sofietiaid wedi gadael Afghanistan. Ym mis Rhagfyr 1987 cytunodd y ddau arweinydd i ddinistrio'r holl arfau pellter byr a chanolig yn Ewrop o fewn tair blynedd. Enw'r cytundeb oedd Cytundeb Lluoedd Niwclear Canolradd (INF) ac roedd yn drobwynt yn y ras arfau.

Diwedd y Rhyfel Oer

Oherwydd polisïau'r Arlywydd Gorbachev llaciodd gafael y Sofietiaid ar Ddwyrain Ewrop. Ym 1989 dywedodd Gorbachev wrth arweinwyr Dwyrain Ewrop o dan reolaeth y comiwnyddion na allai milwyr Sofietaidd eu hamddiffyn mwyach. Hynny yw, roedd yr Undeb Sofietaidd yn tynnu ei rheolaeth o Ddwyrain Ewrop. Yn ystod y deuddeg mis canlynol, cafodd llywodraethau comiwnyddol ledled Dwyrain Ewrop eu dymchwel. Roedd y Rhyfel Oer wedi dod i ben; roedd rheolaeth y comiwnyddion ar Ddwyrain Ewrop wedi chwalu.

C Cwestiynau

1 Sut newidiodd y cysylltiadau â UGSS a China ar ôl 1970?
2 Pwy elwodd fwyaf ar *détente*?

8 YMARFER ARHOLIAD

NEWID YN UDA, 1929–90

Astudiwch yr wybodaeth isod ac atebwch y cwestiynau sy'n dilyn.

GWYBODAETH

Ym 1932 cafodd Franklin D. Roosevelt ei ethol yn Arlywydd UDA ac aeth ati'n syth i newid cymdeithas America.

CA Cwestiynau Arholiad

1 **a** Beth oedd y Fargen Newydd? [2]
b Disgrifiwch sut effeithiodd y Dirwasgiad ar bobl America. [4]

2 Eglurwch pam daeth America mor llewyrchus yn ystod y 1950au a'r 1960au. [6]

3 Pam roedd Ronald Reagan yn arlywydd mor boblogaidd? [8]

4 A wellodd bywyd pob Americanwr yn ystod y cyfnod 1929–90?
Yn eich ateb efallai y byddwch eisiau cyfeirio at y Dirwasgiad, effaith yr Ail Ryfel Byd, pobl ifainc, y sefyllfa ym 1990 ac unrhyw ffactorau perthnasol eraill. [10]

MATER HIL, 1929–90

Astudiwch yr wybodaeth isod ac atebwch y cwestiynau sy'n dilyn.

GWYBODAETH

Ym 1957, ceisiodd naw o ferched a bechgyn 15 oed fynd i mewn i'r ysgol uwchradd i'r gwynion yn unig yn Little Rock, Arkansas. Bu tyrfa fawr o wynion gelyniaethus yn rhegi a phoeri arnyn nhw. Cafodd milwyr y llywodraeth eu defnyddio i hebrwng y myfyrwyr i mewn i'r ysgol.

CA Cwestiynau Arholiad

1 **a** Beth yw ystyr *arwahanu*? [2]
b Disgrifiwch weithgareddau'r Ku Klux Klan. [4]

2 Pam cafodd Dirwasgiad y 1930au effaith mor ddifrifol ar Americanwyr duon? [6]

3 Pam roedd Martin Luther King yn bwysig yn y 1950au a'r 1960au?? [8]

4 A newidiodd bywyd pobl dduon yn yr UDA yn sylweddol rhwng 1929 a 1990?
Yn eich ateb efallai y byddwch eisiau ystyried arwahanu, y mudiad Hawliau Sifil, Martin Luther King, y sefyllfa ym 1990 ac unrhyw ffactorau perthnasol eraill. [10]

8 YMARFER ARHOLIAD

POLISI TRAMOR UDA, 1929–90

Astudiwch yr wybodaeth isod ac atebwch y cwestiynau sy'n dilyn.

GWYBODAETH

Roedd y rhyfel yn Viet Nam yn un o gyfres o ryfeloedd y bu UDA'n rhan ohonyn nhw yn ystod y cyfnod hwn.

CA Cwestiynau Arholiad

1 a Beth yw ystyr *ymneilltuedd*? [2]
  b Disgrifiwch beth oedd cyfraniad UDA i ennill yr Ail Ryfel Byd. [4]

2 Eglurwch bwysigrwydd Argyfwng Taflegrau Cuba i UDA. [6]

3 Pam roedd Viet Nam mor bwysig ym mholisi tramor UDA? [8]

4 Pa mor bwysig oedd UDA o ran materion y byd yn ystod y cyfnod 1929–90?
Yn eich ateb efallai y byddwch eisiau ystyried polisi ymneilltuedd, yr Ail Ryfel Byd, y Rhyfel Oer, y sefyllfa ym 1990 ac unrhyw ffactorau perthnasol eraill. [10]

MYNEGAI